尚志钧本草文献全集

本草古籍辑注丛书·第二辑

2020年度国家古籍整理出版专项经费资助项目

尚志钧 / 辑注
尚元胜 尚云飞 尚元藕 任何 / 整理

尚志钧百年诞辰典藏

《日华子本草》辑释

〔五代〕日华子 集
尚志钧 辑释

北京科学技术出版社

图书在版编目（CIP）数据

本草古籍辑注丛书. 第二辑.《日华子本草》辑释 /（五代）日华子集；尚志钧辑释. —北京：北京科学技术出版社，2021.10

ISBN 978-7-5714-1290-6

Ⅰ. ①本… Ⅱ. ①日… ②尚… Ⅲ. ①本草－中医典籍－注释②本草－中国－五代（907-960） Ⅳ. ①R281.3

中国版本图书馆 CIP 数据核字（2020）第263481号

策划编辑： 侍　伟　段　瑶
责任编辑： 杨朝晖　董桂红
责任校对： 贾　荣
图文制作： 北京艺海正印广告有限公司
责任印制： 李　茗
出 版 人： 曾庆宇
出版发行： 北京科学技术出版社
社　　址： 北京西直门南大街16号
邮政编码： 100035
电　　话： 0086-10-66135495（总编室）　0086-10-66113227（发行部）
网　　址： www.bkydw.cn
印　　刷： 北京捷迅佳彩印刷有限公司
开　　本： 787 mm×1092 mm　1/16
字　　数： 817千字
印　　张： 29.75
版　　次： 2021年10月第1版
印　　次： 2021年10月第1次印刷
ISBN 978-7-5714-1290-6

定　　价：650.00元

总前言

把工作放在日后做，是空的。一日不死，工作不止。

——尚志钧

千年中医，巨变振兴。真正的学者是将学术与生命紧密地联系在一起的，尚公直面人生的艰辛，以理性的思维、冷性的文字、激越的情怀著书立说，将一生奉献给了中医药学。站在中医药学发展的角度，纵观纷繁的沧桑医事，也许更可以使人获得理性的通明，使今天的中医药学术更加繁荣。

一

辑佚，在北宋已成为一门独立的学科。南宋·郑樵说：“书有亡者，有虽亡而不亡者。”近代余嘉锡也说：“东部藏书者书虽亡，而天下之书不必与之俱亡。”对于亡书，或原书已亡佚，但部分内容保存在史书、类书、方志、金石、古书注解、杂纂散抄之中的书，可以通过搜集诸书所征引的章句，窥其原貌，甚至可以通过类书总集，恢复原书旧貌。

孟子说：“不专心致志，则不得也。”尚公下苦功数十年，终成本草大家，他辑复的《新修本草》填补了本草文献整复工作的空白。范行准先生早年指出：“我们知道从事重辑《新修本草》者，中外不止一家，而俱未能问世。今尚先生竟能着其失鞭，使1300年前世界上第一部国家药典的原貌，灿然复见于世，是值得我们庆幸的一件事。”

对《吴氏本草经》《名医别录》《雷公炮炙论》《新修本草》《食疗本草》《日华子本草》《开宝本草》《本草图经》等主要的19部本草名著的辑复，是尚公最重要的学术成果。其中，《新修本草》是中国最早也是世界上最早的国家药典，文献价值极高，原书在国内久佚。清末，日本人发现其传抄卷子本10卷，尚缺10卷。清人李梦莹、近人范行准，及日本的小岛宝素、中尾万三、冈西为人等都曾试图对其进行辑复，但均未成功。尚公自1948年开始辑复《新修本草》，于1958年完成初稿，后又重辑，以油印本发行；后尚公再修改、补充之，并于1981年正式出版该书。尚公辑复《新修本草》，历时33年，援引各种参考书91种，做详细校记6319条。他先选定底本、主校本、旁校本和其他资料，再把各种古书中所载《新修本草》药物条文全部录出，加以比较互勘。他以最早的敦煌出土的《新修本草》残卷，及武田本《新修本草》、傅氏影刻本《新修本草》和罗振玉收藏的抄本《新修本草》为底本；《新修本草》所缺，即以《千金翼方》为底本；《千金翼方》亦缺，再以人民卫生出版社影印的《重修政和经史证类备用本草》为底本；最后以其他后出本为核校本核校之。尚公不仅校误字，还校书中有关错引、脱漏、增衍以及《神农本草经》文与《名医别录》文的混淆等。此外，他还对避讳字、通假字进行了解释，对全书进行了断句标点。他所辑复的《新修本草》还原了该书本来面貌，对找回后世本草脱漏佚失的资料有重要价值，如蒲公英治乳痈、蚤休解蛇毒、乌贼骨疗目翳等药物功效，在《新修本草》中即已有记述。此外，对《新修本草》进行辑复还有助于鉴别后世本草中资料的真伪，有助于校正后世本草的舛错，如《本草纲目》卷一“历代诸家本草”项“《名医别录》”条和“陶隐居《名医别录》合药分剂法则”项下所节录的注文，实为《本草经集注》的内容，并非《名医别录》的内容。

二

在驾驭大量本草文献史料上，尚公表现出极强的能力。他自觉地摆脱历史上不同时期本草文献资料谬误对遗佚本草辑复的干扰，力求通过目录学、版本学、校勘学、辑佚学、避讳学等多种学科的知识，结合具体对象和内容，手抄笔录，全面、系统地核实诸多文献记载，建立本草书籍、本草人物及单味药物3个系统的卡片档案，由源及流，追根问底，查清药物运用的概貌。在此基础上，他旁征博引，上下贯通，建成了一张辑佚医药方书的联合网图，进入了左右逢源、得心应手的学术研究佳境。32部本草文献的辑复本、校点本、注释集纂编写本，见证了其学术功底的深厚广博。

《神农本草经》原书已佚，尚公在校注该书时，首先理顺了其文献源流。尚公认为《汉书·艺文志》没有记载《神农本草经》，故可以推测《神农本草经》成书于东汉。《隋书·经籍志》记载《神农本草经》有6种，《本草经》有9种。其中有的《本草经》既含有最早的《神农本草经》文，亦含有名医增补的《名医名录》文。陶弘景将诸经中《神农本草经》文加以总结，收入《本草经集注》中，以朱笔书写，定为《神农本草经》文。尚公以《本草经集注》为分界点，把在《本草经集注》以前的多种《本草经》称为“陶弘景以前的《本草经》”，其存于宋以前类书和文、史、哲古文献的注文中；把收载于《本草经集注》中的《本草经》称为“陶弘景总结的《本草经》”，其存于历代主流本草专著中。经过勘比考订可知，“陶弘景以前的《本草经》”在内容上有产地、生境、药物性状、形态、生态、采收时月、剂型、七情畏恶等，并且含有名医增补的内容。“陶弘景总结的《本草经》”有产地但无药物性状、形态、生态和七情畏恶等内容。所以，尚公得出结论：现存的《证类本草》中的白字内容，向上推溯，是由陶弘景综合当时流行的多种《本草经》的本子而成的。明清时期国内外学者，又从《证类本草》白字内容辑成多种单行本《神农本草经》，这些文字实际上是陶弘景整理的，并不是原始古本《神农本草经》。尚公校点的《神农本草经》将文献源流系统、条理地展现出来，对不同时代、不同版本的《本草经》药物条文、内容、取材论断均甚得法，资料搜集甚广，并务求其本源。

三

就尚公具体的学术成就与贡献而言，《〈唐·新修本草〉(辑复本)》和《神农本草经校点》这2部传世之作，打通了一道长期令人望而生畏的难关。但仅靠对本草辑复的贡献和成就，还难以窥见尚公学问之全貌。下面就尚公学术思想之一端，进一步证实其学问之博大精深。

“药性趋向分类”是尚公提出的一种新的药性分类方法。尚公根据药物作用趋势将药物分为行、守两大类。行类又分为上行、下行、通行、化行4类。上行类药物功用以升散为主，如升举下陷、发散外邪；下行类药物功用以降下为主，如平喘止咳、泻下利水；通行类药物功用以通畅为主，如使气血通畅以止痛；化行类药物功用以转化为主，如将食积、痰饮通过转化，成为无害物质。守即固守，不固守即出现虚损，凡虚损宜补。守类又分为补益和收敛2类。各类再分若干小类，每小类先述概要、举药名，次述共同作用、用途，再次述各药其他作用。尚公积50多年研究本草之经验，使药物分类更科学，药性更清晰。他对300多种常用中药的药性作用直说引述，正说反证，浅说深论，描述得淋漓尽致，十分切合临床，这是尚公对本草学研究的一项创新。

尚公不仅在本草学领域有颇多建树，在临床领域也有所创新。如尚公在《脏腑病因条辨》一书中，以中医五脏、六腑和病因（风、寒、暑、湿、燥、火、气、血、痰、饮）为单元，对临床症状进行归类。例如，患者胃脘隐隐作痛，喜暖喜按，泛吐清水，四肢不温，舌质淡白，脉虚软。从症状分析，胃脘痛和吐清水说明病在胃；四肢不温是脾寒；脉软表示虚；舌质淡白为虚寒。辨证应是脾胃虚寒证。此证是由3个单元——脾、胃、寒组成，脾属脏，胃属腑，寒属病因。从上个例子可以看出，五脏、六腑和病因3个单元是组成多种证的基础。

综上可以看出尚公之博学多思，勤于实践、总结。

四

尚公集毕生精力和情感于本草文献，在古本草史料的世界寻寻觅觅，始终如一地刻苦钻研而终于成为本草文献的知音。《尚志钧本草文献研究集》“论文题录”部分收录了尚公268篇学术论文。这些论文的内容广博而深入，不仅有对古本草史料的广搜精求，也有对纸上遗文的爬梳考订和辨证精释，还有对新发掘的地下实物的阐释（如对马王堆出土《五十二病方》、敦煌出土残卷等的整理和运用）。在268篇学术论文中，关于李时珍和《本草纲目》的论文有《〈本草纲目〉版本简介》《〈本草纲目〉断句误例二则》《〈本草纲目·序例〉辨误两则》《〈本草纲目〉标注〈本经〉药物总数的讨论》《金陵版〈本草纲目〉引〈日华子本草〉误注例》等。

在学术思想方面，《本草文献研究的意义及作用》《本草文献研究的目的》等是“熔铸古今，学以致用”的实践，亦相当引人入胜。一方面，尚公自觉脱除旧染与时弊，融目录、版本、校勘、考据、章句、修辞之法于本草学之中；另一方面，其继承并发展中国学术传统中的优秀方法，并赋予它们新的时代内涵，使之超胜前人。这既彰显出尚公的本草学思想和风格，亦彰显出其著述之功力。

五

客观地讲，除分散在各综合本草著作的矿物药外，自唐以来，矿物药专著寥若晨星。唐·梅彪撰写的《石药尔雅》疏注了唐以前道家炼丹书所用的药物。王嘉荫编著的《本草纲目的矿物史料》仅收录了《本草纲目》正文及集解中所列有关矿物、岩石等137种；李焕编写的《矿物药浅谈》、谢崇源等主编的《药用矿物》分别介绍了70种和50种矿物药的性味功用等；郭兰忠主编的《矿物本草》收载了108种矿物药。尚公的《中国矿物药集纂》一书独树一帜，对矿物药进行了详尽而深入的论述。该书分上、下两篇，上篇为总论，分述历代主要矿物药发展概况、矿物药的分类、矿物药化学成分概述、矿物药化学成分与药效关系、矿物药的物理性状、矿物药有关中药的药性、有毒矿物药毒性、矿物药配伍宜忌、矿物药炮制加工和煎煮。下篇收载单味矿物药1200余种，几乎将矿物药搜罗殆尽。书末附珍贵的矿物药研究资料10篇。从尚公对历代本草专著矿物药文献的排检和整理，可见其编纂工作之认真及对矿物药资料学术别择之广博与细致。《中国矿物药集纂》一书不仅在文献整理方面有很大价值，而且在集纂方面亦有很大价值，其体大思精的特点，反映了尚公学术的创新，更能为中医药学术发展指出一条道路。

《中国矿物药集纂》展现的是尚公精彩而寂寞的本草人生。自1977年以来，尚公闭户不交人事，甘坐冷板凳，独得东坡“万人如海一身藏”的状态。诚如熊十力所云“不孤冷到极度，不堪与世谐和”。尚公堂堂巍巍做人，独立不苟为学，一生出版著作近3000万言，这些冷性文字蕴含着他激越的情怀及集毕生精力和情感于本草文献的决心。尚公在古本草史料的世界里寻寻觅觅，搜剔爬梳，终于成为本草文献的拓荒者和耕耘者。

写到这里，我需要交代一下关于本丛书的一些情况。立意编纂本丛书始于2008年冬日追悼尚公的余绪；形成具体计划，确定出版，是在2017年春月，其间

经历了8个春秋。尚元藕学妹、尚元胜学弟全力支持和参与这项工作，谨在此，深致谢忱。北京科学技术出版社与我们不约而同地意识到“文章千古事”，出版尚公本草文献，利在当代，功在千秋。在合作过程中，北京科学技术出版社的工作人员精勤慎细，审校书稿，为本丛书的编校质量提供了有力保障。

一个时代有一个时代的学术观念，一个时代的学者有其处身时代的思想烙印。愿本丛书能在追求本草学术的途中与你相遇。

任　何

于合肥倚云居，戊戌春日

辑释前言

《日华子本草》，原名《日华子诸家本草》，《本草纲目》引用该书时注出处为“大明”或“日华”。

原书久佚，部分内容保存在宋·唐慎微《经史证类备急本草》中。笔者曾以《经史证类大观本草》及《重修政和经史证类备用本草》为底本，用《本草纲目》《本草品汇精要》等书为核校本，辑校出该书手稿本，并针对该书中若干问题，撰成论文，将之分别发表在《中华医史杂志》和《中成药研究》上。此手稿本于1983年由皖南医学院科研科油印，作为内部交流的材料。

今对原稿重加校释，对原稿各药条文，均用善本逐条核对，凡遇互异处，悉依《经史证类大观本草》《重修政和经史证类备用本草》为准，作出校记，附于各药条文之后。至于《本草纲目》《本草品汇精要》误注他书内容为《日华子本草》内容者，此次校释均予以辨明。对各药有关主治、功用也做了详细的注释，以供临床应用参考，使本书不仅具有文献价值，而且具有一定的实用价值。

在辑释过程中，笔者对《日华子本草》文献研究的若干问题做了全面的探讨，并将所撰论文附于书后，以供读者参阅。

皖南医学院　**尚志钧**

2004年12月1日改定

辑释说明

（一）《日华子本草》一名《日华子诸家本草》，系五代·日华子所集。原书已佚，今所辑佚文主要取材于下列各书。

1.《经史证类大观本草》，清光绪三十年柯逢时影宋本。简称“《大观》”。（按，柯氏虽言影宋本，但书中“果人”之字，全作“果仁”。《说文解字注》云：“‘果人’之字，自宋元以前，本草、方书、诗歌记载，无不作‘人’字，自明成化重刊本草，乃尽为‘仁’字，于理不通，学者所当知也。”）

2.《重修政和经史证类备用本草》，人民卫生出版社1957年影印金·张存惠晦明轩本。简称“《政和》”。（按，现存各种刊本《重修政和经史证类备用本草》，均题金·张存惠晦明轩本，但这些刊本多数是明成化以后复刻本，因为这些刊本中“果人”之字，俱作“果仁”，惟人民卫生出版社影印本作“果人”，所以人民卫生出版社影印本是目前已知比较早的刊本。）

在《大观》《政和》中，有以下3种形式的佚文。

（1）《嘉祐本草》引《日华子本草》文作注释文。所引《日华子本草》文，均冠有“臣禹锡等谨按《日华子》云”，且都是片段。

（2）《嘉祐本草》引《日华子本草》文作新增药条文，其条末注有小字“新补见《日华子》”。具有这样的注的药物，有菩萨石、绿矾、柳絮矾、铅、银霜、古文钱、蓬砂、桑花、槐叶、蚌等。

（3）《嘉祐本草》引《日华子本草》文和其他本草文糅合成新增药条文，其条末注有小字“新补见××并《日华子》”。这种形式的引文虽包含有《日华子本草》之文，但因系糅合诸家内容而成，目前尚无法一一甄别其原出处。

（二）主要核校书如下。

1. 明·李时珍《本草纲目》，人民卫生出版社 1955 年影印合肥张绍棠刊本。简称“张本《纲目》”。

2. 明·李时珍《本草纲目》，人民卫生出版社 1977 年校点本。简称“校点本《纲目》”。《纲目》引用《日华子本草》文，多加化裁，或增删，或误注。

3. 明·刘文泰等《本草品汇精要》，商务印书馆 1956 年铅印本。简称“《品汇》”。该书引用《日华子本草》文，误注的也很多。

（三）其他参考书，主要作旁校和注释用。例如“淋石”条，《纲目》引《日华子本草》文有“主治石淋，水磨服之，当得碎石随溺出”15 字。《大观》《政和》引《日华子本草》文作“暖”，无此 15 字。《医心方》引《本草拾遗》云：“有以病为药者，淋石主石淋，水磨服之，当碎石随溺出也。”由此可见，《纲目》所引《日华子本草》文 15 字，注出“大明”，实为陈藏器之语。这是利用《医心方》来旁证《纲目》误注陈藏器《本草拾遗》文为《日华子本草》文。

本书主要参考书有日本的源顺《和名类聚钞》、丹波康赖《医心方》，朝鲜的许浚《东医宝鉴》，和我国的孙思邈《备急千金要方》、巢元方《诸病源候论》、贾思勰《齐民要术》、孟诜《食疗本草》、寇宗奭《本草衍义》、刘蒙《菊谱》、郑樵《通志·昆虫草木略》、吴其濬《植物名实图考长编》、谭其骧《中国历史地图集》、段玉裁《说文解字注》等。

（四）辑释《日华子本草》佚文的依据。

保存《日华子本草》佚文的有各种版本的《经史证类备急本草》《纲目》《本草品汇精要》《东医宝鉴》《和名类聚钞》《本草衍义》。前 4 种援引资料最多，后 2 种援引资料很少。其中《东医宝鉴·汤液篇》3 卷中援引的《日华子本草》佚文，校之《经史证类备急本草》所引，多有相同之处，惜未注明出处，无法作为辑佚的依据。《纲目》和《本草品汇精要》援引《日华子本草》佚文，均注出“《日华子》”或注出“大明”，但校以《大观》《政和》，其引文误注很多，难以作为辑校的依据。能够作为辑校依据的，就是《大观》《政和》等书，因此类书引用《日华子本草》相对较早。

（五）《日华子本草》药物目次和分卷。

《日华子本草》，掌禹锡《嘉祐本草·补注所引书传》云："凡二十卷。"《日华子本草》收载药物总数不详。《大观》《政和》所载注有"臣禹锡等谨按《日华子》云"的药物，有553味，其中有些药物下引《日华子本草》若干次。例如，兔头骨引《日华子本草》3次，鹿茸引《日华子本草》4次。若按轮次计算，《大观》《政和》引《日华子本草》639次，若再加"序例"部分的"畏恶相反"药物所引25次，共有664次。其中有些条，按药用部位，又可析出若干条。例如，从"松脂"条析出"松叶""松节""松根白皮"3条，从"槐实"条析出"槐花""槐叶""槐皮"3条。若按药用部位，药物种数有600余种。

至于药物条目排列，掌禹锡曾说"各以寒温性味、华实虫兽为类"。但是《日华子本草》中绝大部分有关药物性味的内容，掌禹锡没有摘录，因此，难以根据药物寒温性味归类；又，玉石类药品，不好按华实虫兽分类。本书只能按别的方式分类。因为《日华子本草》是五代时作品，五代时的《蜀本草》目次是按《唐本草》编排的，所以本书亦按《唐本草》目次编排，仍分为20卷。其中卷1为序例，卷2至卷4为玉石部，卷5至卷10为草部，卷11至卷13为木部，卷14至卷17为兽禽虫鱼部，卷18为果部，卷19为菜部，卷20为米谷部。

（六）校勘与注释。

本书的校勘与注释，是按《中医古籍校注通则》进行的，并以"脚注序码"的形式标于各药之末。校记中所用书名，多系简称，可参本说明"一""二"。本书还对某些药物的基原、形态与产地做了注释，对药物主治功用做了详细的注释，以供临床应用时参考。

（七）为方便读者检索，本书另增总目次，并将药物编上序号，且在书后附药名索引。

编校说明

（一）本书为尚志钧先生辑注的本草古籍。本次整理以尚志钧先生已出版的《〈日华子本草〉（辑释本）》原书（以下简称“原书”）为基础书稿。

（二）原书有简化字，也有繁体字，本书统一使用简化字。本书在编辑加工时，主要依据国家语言文字工作委员会文字规范文件（《简化字总表》《异体字整理表》等）的规定以及《汉语大字典》的相关释义，在不影响原义的情况下，将原书中的繁体字、异体字、通假字等改为现行规范字，但在以下情况中做变通或特别处理。

1. 将原书文字进行简化时，若简化后字义容易淆错或不明晰，则慎重直接简化，如中医病名“癥瘕”之“癥”不简化为“症”。个别字词根据学界专家意见进行简化，如“禹餘粮”之“餘”只简化为“馀”而不作“余”。

2.《异体字整理表》等书中归并不当或关系有歧见的异体字，本书不做简单归并。如《异体字整理表》将“剉”并入“锉”，但“剉”（本草古籍中的“剉”为中草药切制的方法）与“锉”使用的工具、加工的方式与结果都不相同，故不予归并；“䱇”与“鼉”“鳝”二字有关，不易确定古书中的指向，故保留原字。

3. 古书中的特有的、习惯的用词，不改为现代用词。如“文理”不改为“纹理”，“华”不改为“花”。

4. 尚志钧先生摘录古籍药名时为尊重古籍文字原貌，所写药名与现代规范药名不同的，本书不做改动。如“芒消”“黄耆”等。但在非古籍引文部分，仍用现行规范名称表述。

5. 摘录古籍原文的字词，在不影响阅读的情况下，为尊重古籍原貌，未做统一。如“曝干”与“暴干”。

（三）对于书稿中明显的错别字以及常识性错误，编加时直接予以改正，不予出注。

（四）为方便读者阅读，在描述古籍卷页时，均用阿拉伯数字表示，如“卷13页28”等。

（五）本书提到的诸多地名，因涉及复杂的地理、历史学知识，未轻易改动，以尊尚志钧先生文字原貌。

（六）本书涉及诸多古籍，为方便阅读，对正文中多次出现的本草著作只写简称，如：

《名医别录》简称《别录》；

《肘后备急方》简称《肘后方》；

《重修政和经史证类备用本草》简称《政和》；

《经史证类大观本草》简称《大观》；

《太平圣惠方》简称《圣惠方》；

《本草品汇精要》简称《品汇》；

《备急千金要方》简称《千金方》；

《本草纲目》简称《纲目》。

校注部分出现的一些著作，为《政和》所引，不能确定其全称，现以《政和》所引名称为准，不予改动。

（七）为方便查找及统计，尊重并保留原书对古籍药物条文添加的编号。

在本书的编辑整理过程中，有幸得到了尚志钧先生弟子郑金生研究员以及国内多位中医文献学者、古籍出版专家的悉心指教。由于本书专业性强、体量较大，且出版时间紧促，编辑水平有限，疏漏谬误，恐所难免，欢迎广大读者批评指正，以期再版更正。

目　录

序例　卷第一

玉石部上品　卷第二

玉石部中品　卷第三

玉石部下品　卷第四

草部上品之上　卷第五

草部上品之下 卷第六

草部中品之上　卷第七

草部中品之下 卷第八

草部下品之上　卷第九

草部下品之下　卷第十

木部上品　卷第十一

木部中品　卷第十二

木部下品　卷第十三

兽部 卷第十四

禽部　卷第十五

鱼部　卷第十六

虫部　卷第十七

果部 卷第十八

菜部　卷第十九

米谷部　卷第二十

序例　卷第一

解诸药毒例

石蟹　解一切药毒并虫毒。

鼍甲　消百药毒。

丝莼　解百药毒并虫毒。

吴蓝　解金石药毒，解狼毒、射罔毒。

蕹菜　解野葛毒。

阿魏　御一切蕈菜毒。

桔梗　解瘀毒。

柚子　解酒毒。

乌梅　消酒毒。

榠楂　解酒毒。

甘蔗　解酒毒。

稷米　解苦瓠毒。不可与川附子同服。

莨菪　有毒，甘草、升麻、犀角并能解之。

漆　若是湿漆煎干更好，或毒发，饮铁浆并楂汁及豆汤、吃蟹并可制。

蜂子　须以冬瓜及苦荬、生姜、紫苏以制其毒也。

服药食忌例

鲫鱼子　不宜与猪肉同食。

野鸭　病人不可与木耳、胡桃、豉同食。

干枣　牙齿有病人切忌啖之。

凡枣　不宜合生葱食。

椑柿　不宜与蟹同食。

芰首　食巴豆人不可食。

葱根　杀一切鱼、肉毒。不可与蜜同食。

韭　多食昏神暗目，酒后尤忌。不可与蜜同食。

薤　肥健人生食引涕唾。不可与牛肉同食，令人作癥瘕，四月不可食也。

小蒜　三月不可食。

萝卜　不可与地黄同食。

邪蒿　不与胡荽同食。

菠薐　不与䱇鱼同食，发霍乱吐泻。

赤黍米　不可合蜜并葵同食。

稷米　不可与川附子同服。

萎蕤　服食无忌。

诸药有相制使例（畏恶相反例）

玉石部

消石　畏杏仁、竹叶。

五色石脂　畏黄芩、大黄。

金　畏水银。

生银　畏石亭脂、磁石。忌生血①。

朱砂银　畏石亭脂、磁石、铁。

水银粉　畏磁石、石黄。忌一切血。

石亭脂（石硫黄）　曾青为使，畏细辛、蜚蠊、铁。

铁　畏磁石、灰炭。能制石亭脂毒。

犁镵尖　浸水名为铁精，可制朱砂、石亭脂、水银毒。

北庭砂　畏一切酸。

代赭　畏附子。

砒黄　畏绿豆、冷水、醋。

浮石　杀野兽毒。

① 《政和》卷1“序例”作“忌羊血”。

草部

菖蒲　忌饴糖、羊肉。

菊花　无所忌。

菊花上水　无所忌。

人参　杀金石药毒，食之无忌。

天门冬　贝母为使。

生地黄　煎忌铁器。

车前子　常山为使。

龙胆　小豆为使。

远志　服无忌。

细辛　忌狸肉。

芎䓖　畏黄连。

黄芪　恶白鲜皮。

漏芦　连翘为使。

马蔺　杀蕈毒。

仙灵脾　紫芝为使，得酒良。

蘹香子　得酒良。

牡丹　服忌蒜。

蓬莪茂　得酒、醋良。

莳萝　杀鱼、肉毒。

天雄、乌头、附子、侧子、虎掌　并忌豉。

大戟　小豆为之使，恶薯蓣。

常山　忌菘菜[①]。

白章陆（商陆）　得大蒜良。

牵牛子　得青木香、干姜良。

天南星　畏附子、干姜。

羊蹄根　杀胡夷鱼、鲑鱼、檀胡鱼毒。

白头翁　得酒良。

石衣[②]（乌韭）　垣衣为使。

---

① 《纲目》作“忌菘菜及葱菜”。按，“葱菜”2字出《药性论》，非《日华子本草》语。

② 《大观》《政和》“乌韭”条引《日华子本草》云石衣“又名乌韭”。

木部

茯苓　忌醋及酸物。

骐驎竭　得蜜陀僧良。

胡桐泪　杀火毒并面毒。

仙人杖　忌牛肉。

兽部

马肉　忌苍耳、生姜。

虫鱼部

斑猫　恶豆花。

水蛭　畏石灰。

鲭鱼　忌葵、蒜。

鲈鱼　忌乳酪。

果部

山姜花　杀酒毒。

荷叶　杀蕈毒。

莲花　忌地黄、蒜。

枣　忌生葱。

杨梅　忌生葱。

菜部

莱菔子　忌地黄。

葱根　忌蜜。

薤白　忌牛肉。

米部

黑豆　制金石药毒。

赤黍米　忌蜜、葵。

稷米　忌附子。

酒　杀一切蔬菜毒。

糟下酒　杀一切蔬菜毒。

醋　杀一切鱼、肉、菜毒。

酱　杀一切蔬菜、蕈毒。

[说明]《日华子本草·序例》已佚，其具体内容不详，但从《嘉祐本草·序例》来探讨，仍可看出《日华子本草》有“序例”。

中国古代本草，从《神农本草经》（以下简称“《本经》”），到《本草经集注》《唐本草》《开宝本草》《嘉祐本草》《经史证类备急本草》，以及《纲目》，有共同的组织结构，都由序例（相当于总论部分）和药物部分（相当于各论部分）组成。其中“序例”部分，自《本经》到《纲目》，都是一脉相承的，前后存在递嬗关系。“序例”部分的内容由简单到复杂。从《本草经集注》起，其基本内容主要有下列几点。

（1）本草经的序文解释。

（2）合药分剂料理法则。

（3）诸病通用药（《纲目》作“百病主治药”）。

（4）解毒药毒例。

（5）服药食忌例。

（6）凡药不宜入汤酒者。

（7）诸药有相制使例（七情畏恶相反药例）。

（8）药对岁物药品。

上述8个项目，历代都有发展，其中以“诸病通用药”“七情畏恶药”发展得最多。《嘉祐本草》中的“七情畏恶药”，增加的内容比前代本草增加的多。其所增药物，出于《日华子本草》者有25种。据此推知，《日华子本草》也有“序例”，否则掌禹锡是根据什么增的呢?

从《嘉祐本草》所载《日华子本草》资料来看，《日华子本草》的“序例”有3个项目可寻，即解诸药毒例、服药食忌例、诸药有相制使例。兹将此3项内容，辑录为“卷第一”。

玉石部上品　卷第二

1 玉泉[1]

治血块[2]。(《大观》卷3页9;《政和》页82;《纲目》页615)

【校注】

[1] **玉泉** 出《本经》,一名玉札。玉泉是何物,不详。陶弘景云:"是玉之精华,白者质色明澈,可消之水,故名玉泉。"《开宝本草》云:"玉泉者,玉之泉液也。"《本草衍义》云:"今详泉字乃是浆字……《道藏经》有金饭玉浆之文。"以上三家所言,亦未能说明玉泉是何物。

[2] **治血块** 除治血块外,《名医别录》(以下简称"《别录》")还说玉泉能"利血脉,疗妇人带下十二病,除气癃,明耳目"。

2 玉[1]

润心肺,明目,滋毛发,助声喉。(《大观》卷3页7;《政和》页81;《纲目》页615)

【校注】

[1] **玉** 《别录》云:"味甘,平,无毒。除胃中热,喘息,烦满,止渴。屑如麻豆服之。"古人把玉当作延年益寿药服食。《抱朴子》云:"玉屑,服之,与水饵之,俱令人不死。"

3 丹砂[1]

凉[2],微毒[3]。润心肺,治疮、疥、痂、息肉,服并涂用[4]。(《大观》卷3页1;《政和》页79;《纲目》页626)

【校注】

[1] **丹砂** 是天然的硫化汞，一名朱砂。《本经》云："久服通神明不老。"《别录》云："轻身神仙。"因此，方士视丹砂为仙药，历代人炼服之，中毒者不计其数。宋代陈承云："见火，恐杀人，今浙中市肆所货，往往多是用者，宜审谛之。"

[2] **凉** 《本经》作"微寒"。

[3] **微毒** 《别录》作"无毒"。按，丹砂难溶于水，极纯者毒性不大，不纯者有毒，经火炼变成氧化汞，氧化汞毒性极大，不可内服。

[4] **治疮、疥、痂、息肉，服并涂用** 按，丹砂用于治疮、疥、痂、息肉，只能外用，不可内服。此句中"服"字，宜注意。外用，配续随子、山慈姑制成紫金锭，外涂疮毒肿痛；或配西瓜霜、冰片为细末，吹口舌疮及咽肿。亦可配生地黄、当归、黄连治心神不宁。《药性论》云："丹砂……镇心，主尸疰、抽风。"丹砂不可多用或久用，多用、久用令人痴呆。

4 空青[1]

大者如鸡子，小者如相思子[2]，其青厚如荔枝[3]，壳内有浆酸甜[4]。能点多年青盲、内障、翳膜[5]，养精气。其壳又可摩翳也。（《大观》卷3页25；《政和》页90；《纲目》页667）

【校注】

[1] **空青** 是蓝铜矿的矿石，主要成分为含铜的碳酸盐。《别录》云："生益州（今四川）山谷及越巂山（今四川西昌境）有铜处。"《本草图经》云："今信州（今江西上饶）亦时有之。"

[2] **相思子** 是豆科植物相思子的种子。又名红豆。相传：昔有人殁于边，其妻思之，哭于树下而卒，故有此名。其子大如小豆，半截红半截黑。

[3] **其青厚如荔枝** 《本草图经》云："状若杨梅，故别名杨梅青，其腹中空，破之有浆者，绝难得。……又有白青，出豫章（今江西南昌）山谷，亦似空青，圆如铁珠，色白，而腹不空，亦谓之碧青。……无空青时亦可用。"

[4] **壳内有浆酸甜** 《本经》云："空青，味甘寒。"《别录》云："味酸，大寒，无毒。"

[5] **能点多年青盲、内障、翳膜** 《本经》云："主青盲耳聋，明目。"《别录》云："疗目赤痛，去肤翳。"《千金方》云："治眼睆睆不明，以空青少许，渍露一宿，以水点之。"《本草图经》云："今治眼翳障为最要之物。"《本草衍义》云："空青功长于治眼。"

5 石胆[1]

味酸涩[2]，无毒[3]。治蚛[4]牙、鼻内息肉。通透清亮，蒲州[5]者为上也。（《大观》卷3页23；《政和》页89；《纲目》页670）

【校注】

［1］**石胆** 即胆矾，为硫酸盐矿物。人造者为含水硫酸铜。《本经》：“一名毕石。”《别录》：“一名黑石，一名碁石，一名铜勒。生羌道山谷（今甘肃岷县一带）。”陶弘景云：“其色青绿，状如琉璃而有白文，易破折。梁州（今甘肃西和）、信都（今河北冀州）无复有。”《唐本草》云：“似曾青……磨铁作铜色（铁置换铜离子使成铜），此是真者。”

［2］**味酸涩** 《本经》云：“味酸，寒。”《别录》云：“味辛。”《唐本草》云：“味极酸苦。”

［3］**无毒** 《别录》云：“有毒。”《药性论》云：“有大毒。”日华子说“无毒”可疑。按，胆矾有催吐作用，多服则吐出，未能显出中毒作用。《本草图经》云：“入吐风痰药，用最快。”

［4］**蚛** 《纲目》作“虫”。

［5］**蒲州** 今山西永济。

6 云母[1]

凡有数种[2]，通透轻薄者为上也[3]。（《大观》卷3页4；《政和》页80）

【校注】

［1］**云母** 《品汇》作“云母石”。《本经》记载，云母的别名有云珠、云华、云英、云液、云砂、磷石。《别录》云：“生太山山谷（今山东泰安）、齐庐山（今山东诸城）、琅琊（今山东诸城海边小岛）。”《本草图经》云：“今兖州（今山东滋阳）云梦山及江州（今江西浔阳）、濠州（今安徽凤阳）、杭（今浙江杭州）、越（今浙江绍兴）间亦有之。”

［2］**凡有数种** 陶弘景云：“按，《仙经》云母乃有八种。向日视之，色青白多黑者名云母，色黄白多青名云英，色青黄多赤名云珠，如冰露乍黄乍白名云砂，黄白皛皛名云液，皎然纯白明澈名磷石。此六种并好服。”此外，陶弘景认为还有云胆、地涿，此2种不可服。

［3］**通透轻薄者为上也** 《本草图经》云：“作片成层可折、明滑光白者为上。江南生者多青黑色，不堪入药。二月采。其片绝有大而莹洁者，今人或以饰灯笼，亦古屏扇之遗事也。”按，《嘉祐本草》所引，仅言种类与品质，未提及其他。《本经》云：“安五脏，益子精，明目。”《别录》云：“下气，坚肌，续绝，补中，疗五劳七伤，虚损少气，止痢。”《药性论》云：“云母粉，君，恶徐长卿，忌羊血。……有小毒。主下痢肠澼，补肾冷。”《食医心镜》云：“治小儿赤白痢及水痢，云母粉半大两，研作粉，煮白粥调，空腹食之。”《本草衍义》云：“合云母膏，治一切痈毒疮。”《千金翼方》云：“治金疮并一切恶疮，用云母粉，傅之绝妙。”

7 石钟乳[1]

补五劳七伤[2]。通亮者为上。更有蝉翼乳[3]，功亦同前。凡将合镇驻药[4]，须是一气研七周时，点末臂上，便入肉不见为度[5]。虑人歇，即将铃系于搥柄上，研，常鸣为验。（《大观》卷3页10；《政和》页83；《纲目》页650）

【校注】

[1] **石钟乳** 由山崖穴内所渗泉液中析出的钙盐形成，名钟乳石，其尖端部分名滴乳石。又，腔肠动物珊瑚的骨骼，亦作石钟乳用，名鹅管石。《别录》云："石钟乳生少室（今河南登封）山谷、太山（今山东泰安）。"可见古代用的石钟乳是矿物钟乳石。

[2] **五劳七伤** 五劳：志劳、思劳、心劳、忧劳、瘦劳（见《诸病源候论》）。七伤：大饱伤脾，大怒伤肝，强力举重、久坐湿地伤肾，形寒、寒饮伤肺，忧愁、思虑伤心，风雨寒暑伤形，大恐、不节伤志（见《诸病源候论》）。又，"伤"后，《品汇》引《日华子本草》有"添精益髓"4字。按，此4字原出《青霞子》，《品汇》脱漏标记，后世遂误认为其为《日华子本草》文。此外，《药性论》云："石钟乳……主泄精，寒嗽，壮元气，建益阳事。"

[3] **蝉翼乳** 《本草图经》云："有石钟乳者，其山纯石，以石津相滋，状如蝉翼为石乳。石乳性温。"《本经》云："石钟乳，味甘，温。"《别录》云："无毒。"《药性论》云："有大毒。"

[4] **镇驻药** 有驻色延年之功的药。古代道家视石钟乳为长生药。《青霞子》云："补髓添精。"唐代文学家柳宗元《与崔连州论石钟乳书》云："石钟乳，直产于石……食之，使人荣华温柔，其气宣流，生胃通肠，寿考康宁。"

[5] **入肉不见为度** 将石钟乳研得极细，点末在皮肤上，即看不见药粉，如同入肉一般。

8 朴消[1]

主通泄五脏百病及癥结[2]，治天行热疾[3]，消肿毒[4]及头痛[5]，排脓，润毛发。凡入饮药，先安于盏内，搅，热药浇服[6]。（《大观》卷3页18；《政和》页87；《纲目》页693）

【校注】

[1] **朴消** 是不纯的硫酸钠。《别录》云："一名消石朴，生益州（今四川）山谷。"《本草图经》云："朴消生益州山谷有咸水之阳，消石生益州山谷及武都（今甘肃武都）、陇西（今甘肃陇西）、西羌（指古代西部少数民族地区）。"《药性论》云："朴消，君，味苦、咸，有小毒。"

[2] **通泄五脏百病及癥结** 朴硝，味咸，寒，咸以软坚，故其能润燥软坚。凡肠内有燥屎癥结，其善能除之。

[3] **治天行热疾** 治流行性热病。由实热引起的积聚、大便燥结，用朴硝最适合，其能荡涤胃肠、三焦实热，配以大黄，效果更佳。

[4] **消肿毒** 朴硝能清火消肿，可单用化水外涂，或化于温水洗痔疮肿痛。可配大黄、蒜子，捣烂外敷肠痈。

[5] **头痛** 由实热大便燥结引起的头痛，可用朴硝通便以治。朴硝对虚性头痛无效。

[6] **热药浇服** 取热药汁，浇溶朴硝服。按，朴硝杂质多、泻下最烈，服用后有时伴有腹痛。经过精制可成芒硝；芒硝质地变纯，作用较缓。将朴硝装入挖空的西瓜内，使从西瓜表皮渗出成霜，名西瓜霜。西瓜霜配以冰片、硼砂，外吹咽喉肿痛、口舌生疮，疗效佳。

9 消石[1]

畏杏仁、竹叶[2]。含之[3]，治喉闭[4]。真者火上伏法，用柳枝汤煎三周时，如汤减少，即入。热者，伏火即止也。(《大观》卷3页15;《政和》页85;《纲目》页698)

【校注】

[1] **消石** 由硝石矿炼制而成，主要成分为硝酸钾。因能化72种石，故名“消石”。陶弘景云：“烧之紫青烟起。”这是钾的焰色反应的最早记载。《别录》云：“消石生益州（今四川）山谷、武都（今甘肃武都）、陇西（今甘肃陇西）、西羌（我国古代西部少数民族地区）。”《开宝本草》云：“冬月地上有霜，扫取以水淋汁后，乃煎炼而成。”此法所得硝石，成分极杂，含有硝酸钠、氯化钠等成分。

[2] **畏杏仁、竹叶** 《纲目》误注出处为“徐之才”。

[3] **含之** 《纲目》作“含咽”。

[4] **喉闭** 一作“喉痹”，出《素问·阴阳别论》。指慢性咽喉红肿痛，伴有轻度吞咽不顺，或声音低哑、寒热等症。用硝石配白僵蚕、硼砂为末，外吹。按，硝石、朴硝，外形相似，实质不同。前者为硝酸钾，后者为硫酸钠。硝酸钾有毒，硫酸钠无毒。古代所用硝石，多非纯品，或夹有朴硝，或以朴硝为之。《蜀本草》云：“按，今消石是炼朴消或地霜为之。”从《本经》“去蓄结饮食，推陈致新”看，硝石有泻下作用。纯硝石有毒，不可能用到致泻量，能用到致泻量者，只有朴硝。由此可见，《本经》所言硝石，不是纯含硝酸钾，而是杂有大量硝酸钠、氯化钠。

10 马牙消[1]

味甘，大寒，无毒。能除五脏积热，伏气[2]。末，筛，点眼[3]及点眼药中用[4]，甚去赤肿、障翳、涩泪痛。(《大观》卷3页20;《政和》页88;《纲目》页693)

【校注】

[1] **马牙消** 同芒硝一样，由朴硝炼制而成，其晶体粗大如马齿，故名。朴硝除含硫酸钠外，还杂有硫酸镁、硫酸钙、氯化钠等，马牙硝不含此类杂物。本条是《嘉祐本草》所收载。《嘉祐本草》注“新补见《药性论》并《日华子》”。这说明本条是《嘉祐本草》糅合两家内容而成，目前尚无法一一甄别原出处。《品汇》注本条出处为“名医所录”。《纲目》注“能除五脏积热伏气”出“甄权”(即《药性论》)，注“末，筛，点眼……入点眼药中用”出“大明”(即《日华子本草》)。

[2] **能除五脏积热，伏气** 五脏积热，指实热积聚，伴有大便燥结。伏气，指肠内有气体不能排出。马牙硝能泻热通便、润燥软坚，当肠内燥屎排除时，积热、伏气亦随之而消。

[3] **点眼** 《纲目》作“点眼赤”。马牙硝能清火消肿，故能治目赤肿痛。

[4] **点眼药中用** 马牙硝是由朴硝炼制而成的，质地比朴硝纯，又有清火消肿的作用，故配制眼

药水时多用之。此外，马牙硝亦治口疮咽痛。《简要济众方》云："治小儿鹅口，细研马牙消，于舌上掺之，日三五度。"

11 玄明粉[1]

味辛、甘，性冷[2]，无毒。治心热烦躁，并五脏宿滞癥结[3]，明目[4]，退膈上虚热，消肿毒[5]。此即朴消炼成者[6]。(《大观》卷3页20;《政和》页88;《纲目》页695)

【校注】

[1] **玄明粉** 由芒硝风化而成，是不含结晶水的硫酸钠，一名风化硝。玄明粉的"玄"字，到清代避康熙皇帝玄烨讳，改为"元"字，故玄明粉又称元明粉。玄明粉功效同芒硝，能泻热通便、清火消肿。玄明粉是《嘉祐本草》所收载。《嘉祐本草》在条末注云"新补见《药性论》并《日华子》"，故本条是糅合两家文字而成，目前尚无法一一甄别出各家的文字。

[2] **味辛、甘，性冷** 此与芒硝"咸寒"小异。

[3] **治心热烦躁，并五脏宿滞癥结** 玄明粉能泻热通便，故能治心热烦躁、五脏宿滞癥结。配大黄、甘遂，能泻胸胁水饮。

[4] **明目** 玄明粉能治目赤肿痛；配成眼药水用，有明目功效。

[5] **消肿毒** 玄明粉能清火消肿，可治痈肿疮疡、口疮、咽喉肿痛。多作外用，或化水敷痈肿，或配大黄、蒜子捣成泥，外敷肠痈。配冰片、硼砂研细面，外吹口舌疮、咽喉肿痛。

[6] **此即朴消炼成者** 朴硝溶于水再结晶得芒硝，芒硝经过风化，失去结晶水即成玄明粉。它们的主要成分都是硫酸钠。但朴硝混杂的硫酸镁、硫酸钙、氯化钠量多，经过炼制后，混杂的其他物较少，可用于目疾及口舌疮、咽肿痛。

12 白矾[1]

性凉[2]。除风去劳[3]，消痰[4]，止渴，暖水脏，治中风失音[5]，疥癣[6]。和桃仁、葱汤浴，可出汗也。(《大观》卷3页12;《政和》页84;《纲目》页707)

【校注】

[1] **白矾** 含硫酸铝钾，由明矾提炼制成。《本经》记载，其别名有矾石、羽碮。《别录》云："一名羽泽。生河西（今陕西）山谷及陇西（今甘肃陇西）、武都（今甘肃武都）、石门（今四川巴中北境峭壁处）。"《本草图经》云："今白矾则晋州（今山西临汾）、慈州（今山西吉县）、无为军（今安徽无为）。……刘禹锡《传信方》治气痢巴石丸，取白矾一大斤，以炭火净地烧令汁尽，则其色如雪，谓之巴石，取一大两研细，治以熟猪肝作丸，空腹饮下。"又《药性论》云："矾石，使，一名理石，畏麻黄，有小毒。能治鼠漏瘰疬，疗鼻衄，治齆鼻，生含咽津治急喉痹。"

[2] **性凉** 《本经》作"味酸，寒"。

[3] **除风去劳** 《纲目》作“除风去热”。

[4] **消痰** 白矾能祛风痰；配皂荚同研，温水调灌，吐癫痫痰涎。

[5] **中风失音** 白矾有消痰作用，故能治由风痰引起的中风失音。

[6] **疥癣** 白矾能解毒杀虫，配硫黄、冰片，治疥癣瘙痒。又，白矾亦解蛇毒。《本草图经》云：“又治蛇咬蝎螫，烧刀子头令赤，以白矾置刀上，看成汁，便热滴咬处，立差。”此外，白矾煅枯，研细面，外吹，治耳中流脓。白矾浓液外敷，止鼻出血、牙龈出血。白矾偏酸性，能分解碳酸盐产生二氧化碳气体。

13 绿矾[1]

凉，无毒。治喉痹[2]，蚛牙[3]，口疮，及恶疮疥癣[4]。酿鲫鱼烧灰和服[5]，疗肠风泻血[6]。（《大观》卷3页37；《政和》页96；《纲目》页710）

【校注】

[1] **绿矾** 出《嘉祐本草》，其条末注“新补见《日华子》”。《品汇》注出处为“名医所录”。绿矾从绿矾矿石提出，主要成分为硫酸亚铁。《本草图经》云：“绿矾则隰州温泉县（今山西孝义西）、池州铜陵县（今安徽铜陵）……入咽喉口齿药及染色。”绿矾可以染皂色，故又名皂矾；煅过变赤，名绛矾。

[2] **治喉痹** 绿矾1份、醋3份，拌，晒干为末，吹患处，痰涎尽则喉痹愈。

[3] **蚛牙** 《纲目》作“虫牙”。

[4] **恶疮疥癣** 《普济方》治白秃头疮方：绿矾、楝树子，烧研，搽之。

[5] **和服** 《纲目》无“和”字。

[6] **疗肠风泻血** 《永类钤方》治肠风下血，积年不止方：绿矾四两，反复煅赤，入熟附子末一两，粥糊丸梧子大，温酒任下二三十丸。

按，绿矾，古方多用以治黄病（指萎黄，即贫血一类的疾病。）《纲目》引《简便方》云：“血证黄肿，绿巩四两，百草霜一升，炒面半升，为末，沙糖和丸梧子大，每服三四十丸。”又引张洁古《活法机要》云：“脾病黄肿，青矾（从绿矾中拣出青莹净者）四两，煅成赤珠子，当归四两，酒浮浸七日焙，百草霜三两，为末，以浸药酒打糊丸梧子大，每服五丸至七丸，温水下，一月后黄去立效。”又引《救急方》云：“食劳黄病，身目俱黄。青矾锅内安，炭煅赤，米醋拌为末，枣肉和丸梧子大，每服二三十丸，食后姜汤下。”

14 柳絮矾[1]

冷，无毒。消痰[2]，治渴[3]，润心肺[4]。（《大观》卷3页37；《政和》页96；《纲目》页708）

【校注】

[1] **柳絮矾** 《嘉祐本草》收为正品，其条末注“新补见《日华子》”。《品汇》注出处为“名医所录”。《本草图经》云：“又有一种柳絮矾，亦出矾处有之，煎炼而成，轻虚如绵絮，故以名之。今医家用治痰壅及心肺烦热，甚佳。”《纲目》云：“矾石煅枯者名巴石，轻白者名柳絮矾。”据此可知，柳絮矾是白矾的一种。

[2] **消痰** 柳絮矾是白矾的一种，亦能吐痰。对于胸中痰澼、癫痫风痰、中风痰厥，均可用之驱吐痰涎。

[3] **治渴** 《纲目》作“止渴”。

[4] **润心肺** 金陵本《纲目》、张本《纲目》作“润心肝”。

15 滑石[1]

治乳痈[2]，利津液[3]。(《大观》卷3页22；《政和》页88)

【校注】

[1] **滑石** 是硅酸盐类滑石族滑石，主要成分为含水硅酸镁，杂有氧化铝。《别录》云：“一名液石，一名共石，一名脱石，一名番石。生赭阳（今河南叶县）山谷及太山（今山东泰安）之阴，或掖北（今山东莱州北），或卷山（今河南原武）。”《本草图经》云：“今道（今湖南道县）、永（今湖南零陵）、莱（今山东莱州）、濠（今安徽凤阳）州皆有之。此有二种，道、永州出者白滑如凝脂。”

[2] **治乳痈** 《本经》云：“主身热泄澼，女子乳难。”乳母因乳汁不通，而患乳痈，用滑石可通乳而消痈。

[3] **利津液** 《别录》云：“滑石……通九窍六腑津液去留结，止渴，令人利中。”凡小便涩痛、热淋、石淋、血淋等症，用滑石配瞿麦、木通、车前、山栀子治之。对小便赤涩，或有水泻，用滑石配甘草为散服之，有止水泻之功。对湿疹、湿疮，用滑石配枯矾、黄柏，研细末外用，有祛湿收水之功。

16 紫石英[1]

治痈肿毒等，醋淬[2]，捣为末，生姜、米醋煎傅之，摩亦得。(《大观》卷3页30；《政和》页92；《纲目》页622)

【校注】

[1] **紫石英** 是氟化物类矿物萤石族萤石，主要成分为氟化钙，杂有氧化铁。《本草图经》云：“生泰山（今山东泰山）山谷。今岭南（今广东、广西）及会稽山（今浙江境内）山中亦有之。”《纲目》引《岭表录异》云：“其色淡紫，其实莹澈，随其大小皆五棱，两头如箭镞。”《本经》云：

"味甘，温。主心腹咳逆邪气，补不足，女子风寒在子宫，绝孕十年无子。"《青囊秘方》用紫石英配当归、川芎、熟地黄、枸杞子、香附、白术，治子宫虚冷不孕。

[2] **治痈肿毒等，醋淬** 《纲目》引《日华子本草》云："痈肿毒气，紫石英火烧醋淬，为末，生姜、米醋煎傅之，摩亦得。"《青囊秘方》谓紫石英火煅，醋、水飞为末，每日早晚服五分，能治肺寒喘咳。《金匮要略》风引汤，由紫石英配龙骨、牡蛎、大黄、石膏组成，治惊痫抽搐。

17 五色石英[1]

平。治心腹邪气，女人心腹痛[2]，镇心[3]，疗胃中冷气[4]，益毛发，悦颜色，治惊悸，安魂定魄，壮阳道，下乳。通亮者为上。其补益随脏色而治，青者治肝，赤者治心，黄者治脾，白者治肺，黑者治肾[5]。(《大观》卷3页28；《政和》页92；《纲目》页621)

【校注】

[1] **五色石英** 《别录》云："生华阴（今陕西华阴）山谷及太山（今山东泰山），大如指，长二三寸，六面如削，白澈有光。其黄端白棱名黄石英，赤端名赤石英，青端名青石英，黑端名黑石英。"白石英是石英的矿石，主要成分为二氧化硅，杂有钾、钠、铁、铝等的化合物。《药性论》云："白石英，君，能治肺痈吐脓，治嗽逆上气，疸黄。"

[2] **治心腹邪气，女人心腹痛** 《圣惠方》云："治腹坚胀满……白石英十两，槌如大豆大，以瓷瓶盛；用好酒二斗浸，以泥重封瓶口，将马粪及糠火烧之，长令酒小沸，从卯（上午6时）至午（中午12时）即住火候。次日暖一中盏饮，日可三度。如吃酒少，随性饮之。其白石英可更一度烧之。"

[3] **镇心** 《简要济众方》云："治心脏不安，惊悸善忘，上膈风热化痰，白石英一两、朱砂一两同研为散，每服半钱。"

[4] **疗胃中冷气** 《千金翼方》治风虚冷方：磁石（火煅醋淬五次）、白石英各五两，酒一升浸五六日，温服，将尽，更添酒。

[5] **青者治肝……黑者治肾** 此以五色、五脏按五行属性论治各脏相应的疾病。白色、肺属金，青色、肝属木，黑色、肾属水，赤色、心属火，黄色、脾属土。这种说法清代最为流行。

18 五色石脂[1]

并温[2]，无毒。畏黄芩、大黄[3]。治泻痢[4]，血崩，带下[5]，吐血衄血，并涩精，淋沥[6]，安心，镇五脏，除烦，疗惊悸，排脓，治疮疖痔瘘[7]。养脾气，壮筋骨，补虚损。久服悦色。文理腻，缀唇者为上也[8]。(《大观》卷3页30；《政和》页93；《纲目》页646)

【校注】

[1] **五色石脂** 即青石、赤石、黄石、白石、黑石脂的统称。是硅酸盐矿物。其中以赤石脂、白石脂用得最多，其他石脂未见用。《别录》云，赤石脂“生济南（今山东历城）、射阳（今江苏淮安）及太山之阴”，白石脂“生泰山（今山东泰安）之阴”，青石脂“生齐区山（今山东历城）及海崖”，黄石脂“生嵩高山（今河南登封）”，黑石脂“出颍川（今河南禹州）、阳城（今河南登封）”。《唐本草》云：“今虢州卢氏县（今河南卢氏）、泽州陵川县（今山西陵川）及慈州吕乡县（今山西乡宁）并有。”《本草图经》云：“赤石脂……今出潞州（今山西长治），以色理鲜腻者为胜。”

[2] **并温** 即五色石脂皆温。但《别录》记载赤石脂大温，其他石脂皆性平。现在用的赤石脂，味甘、酸、涩，性温。

[3] **畏黄芩、大黄** 《大观》《政和》“七情畏恶药例”所记各种石脂的畏恶各异。赤石脂恶大黄，畏芫花；白石脂，燕粪为使，恶松脂，畏黄芩；黄石脂，曾青为使，恶细辛，畏蜚蠊。青石脂、黑石脂无畏恶。又《纲目》引《日华子本草》作“畏黄芩、大黄、官桂”。

[4] **治泻痢** 《纲目》作“治泄痢”。按，赤石脂能涩肠止泻。《伤寒论》桃花汤，以赤石脂配粳米、干姜治伤寒下痢。《千金方》大桃花汤，以赤石脂配附子、干姜、牡蛎、芍药、甘草、人参、白术治虚寒泄泻。

[5] **血崩，带下** 赤石脂性涩，能止崩漏带下。《圣惠方》以赤石脂煅为末，配乌贼骨、侧柏叶为散，治妇人漏下；以赤石脂煅为末，配干姜、白芍为散，治妇人经久赤白带下。

[6] **并涩精，淋沥** 赤石脂性涩，能止遗精淋沥。《圣惠方》以煅赤石脂、煅牡蛎，等分为末，糊丸梧子大，每服十五丸，治小便淋沥不禁。

[7] **排脓，治疮疖痔瘘** 赤石脂能收湿敛疮。对疮疖痔瘘流脓水及湿疮脓水浸淫，用赤石脂配象皮、龙骨、血竭为散，外掺治之。

[8] **文理腻，缀唇者为上也** 纯石脂，光滑细腻，有粘舌感，用于溃疡处，有收敛作用。对于腹泻、月经过多、赤白带下、湿疹糜烂、湿疮脓水浸淫以及西医学的胃溃疡、肠出血、痢疾等，石脂均可治之。在各色石脂中，以赤石脂最常用，其次是白石脂，白石脂即白陶土。

19 石中黄子[1]

味甘，平，无毒。久服轻身延年不老[2]。此禹馀粮壳中未成馀粮黄浊水也，出馀粮处有之。去壳研用，即是壳内未干凝者。（《大观》卷3页34；《政和》页95；《纲目》页667）

【校注】

[1] **石中黄子** 此药原是《唐本草》新增药，《嘉祐本草》引《日华子本草》云：“功同上，去壳研用，即是壳内未干凝者。”按“功同上”，言其功用同《唐本草》石中黄子的功用，据此以补。条文中说石中黄子是“禹馀粮壳中未成馀粮黄浊水也”，则石中黄子与禹馀粮当是同类物。禹馀粮是含氧化铁的矿石，则石中黄子也当是含氧化铁的矿石。《本草图经》云：“石中黄子……今惟出河中府（今山西永济）中条山谷内。……《抱朴子》云：石子中黄所在有之，近水之山尤多。在大石中，其

石常润湿不燥，打石，石有数十重，见之赤黄溶溶，如鸡子之在壳，得者即当饮之。不尔，便坚凝成石，不中服也。……若然，旧说是初破取者。今所用是久而坚凝者耳。”

［2］**久服轻身延年不老** 此乃服食家言。未见文献记载其治病功用。按，石中黄子是禹馀粮壳内物质，其功效当与禹馀粮相近。禹馀粮有收敛、固涩、止泻、止带、止血之功，能用于久泻久痢脱肛、赤白带下、崩中漏下、胃肠出血，则石中黄子亦当有同样功用。石中黄子和禹馀粮是含铁的矿物，铁质能补血，故二者可治萎黄贫血。条文中所言“久服轻身延年不老”，或因石中黄子含铁能补血故也。

20 禹馀粮[1]

治邪气及骨节疼，四肢不仁[2]，痔瘘等疾[3]。久服耐寒暑[4]。又名太一馀粮[5]。（《大观》卷3页26；《政和》页91；《纲目》页665）

【校注】

［1］**禹馀粮** 是含氧化铁的矿。《别录》云：“生东海（今江苏、浙江、福建沿海）池泽及山岛中，或池泽中。”陶弘景云：“今多出东阳（今浙江金华一带），形如鹅鸭卵，外有壳重叠（断面显层次），中有黄细末如蒲黄。……近年茅山（今江苏句容东南）凿地大得之，极精好。”《本草图经》云：“好者，状如牛黄，重重甲错。其佳处，乃紫色泯泯如面，齧嚼之无复碜（沙子）。”

［2］**治邪气及骨节疼，四肢不仁** 《圣惠方》治大风疠疾，遍身顽痹方：用禹馀粮二斤，白矾、青盐各一斤，火煅研末，入炒熟胡麻末三倍，每服二钱，日二服。

［3］**痔瘘等疾** 禹馀粮能收敛止血，可治月经过多、血崩带下、痔瘘等疾，多配乌贼骨、牡蛎、灶心土、桂心为末服。禹馀粮具有收敛作用，亦能治久泻久痢。《伤寒论》治下痢不止，以禹馀粮配赤石脂用；治老人虚泄，以禹馀粮配补骨脂、甘草、白术用。

［4］**久服耐寒暑** 禹馀粮能涩精固肾，若久服可使精不遗泄，从而起到强壮作用，故能耐寒暑。

［5］**又名太一馀粮** 按，《本经》另有“太一馀粮”。《本草图经》云：“按，陶隐居《登真诀》载长生四镇丸，云：太一馀粮定六腑，镇五脏。注云：按，本草有太一馀粮、禹馀粮两种，治体犹同。而今世惟有禹馀粮，不复识太一。”

21 无名异[1]

味甘，平，无毒。主金疮折伤内损[2]，止痛[3]，生肌肉[4]。出大食国[5]，生于石上，状如黑石炭，蕃人以油炼如䃜石[6]，嚼之如饧。（《大观》卷2页35；《政和》页95；《纲目》页650）

【校注】

［1］**无名异** 本条，《嘉祐本草》引《日华子本草》文时仅摘“无毒”2字，余未录。因余下文

字与《开宝本草》同故也。《开宝本草》“无名异”条原采自《日华子本草》，据此，本条余下文字以《开宝本草》文补。

［2］**主金疮折伤内损** 《多能鄙事》治损伤接骨方：无名异、甜瓜子各一两，乳香、没药各一钱，为末，每服五钱，热酒调服。《品汇》云：“续骨长肉。”

［3］**止痛** 《姚僧垣集验方》治打伤肿痛方：无名异细末，酒服二钱。《简便方》治痔漏肿痛方：无名异煅红，醋淬七次，为末，以温开水洗疮，绵蘸细末，填入疮口。《本草蒙筌》云：“去瘀止痛。”

［4］**生肌肉** 《济急方》治臁疮溃烂方：无名异研极细面，麻油调涂，湿则干搽之。

［5］**大食国** 古代阿拉伯帝国。《本草图经》云：“无名异……今广州山石中及宜州（今广西宜州）南八里龙济山中亦有之。”

［6］**瑿石** 是黑色的琥珀。《唐本草》云：“瑿……为用与琥珀同，补心安神，破血尤善。状似玄玉而轻，出西戎（我国西部少数民族地区）。”《本草拾遗》云：“磨滴目翳赤障。”按，无名异是软锰矿的矿石，主要含二氧化锰，并杂有铁质。味甘、咸，性平。能凉血、活血，可用于金疮、痈肿、跌打损伤。《雷公炮炙论·序》云：“无名（异）止楚（止痛）。”《纲目》引崔昉《外丹本草》云：“昔人见山鸡被网损其足，脱去，衔一石摩其损处，遂愈而去。乃取其石（无名异）理伤折大效，人因传之。”

22 菩萨石[1]

平，无毒。解药毒、蛊毒，及金石药发动作痈疽渴疾，消扑损瘀血，止热狂惊痫，通月经，解风肿，除淋，并水磨服。蛇、虫、蜂、蝎、狼、犬、毒箭等所[2]伤，并末傅之，良[3]。（《大观》卷3页36；《政和》页95；《纲目》页623）

【校注】

［1］**菩萨石** 本条出《嘉祐本草》，其条末注“新补见《日华子》”。《品汇》注出处为“名医所录”。《杨文公谈苑》云：“嘉州峨眉山（今四川峨眉山）有菩萨石，人多采得之，色莹白，若太山狼牙石、上饶州（今江西上饶）水晶之类，日光射之，有五色如佛顶圆光。”《纲目》云：“出峨眉（今四川峨眉）、五台（今山西五台）、匡庐（今江西星子、九江间）岩窦间。其质六棱，或大如枣栗，其色莹洁……亦石英之类。”

［2］**所** 《纲目》无。

［3］**良** 《纲目》无。按，本药自宋以后未见用。《本草衍义》云：“菩萨石，出峨眉山中，如水晶明澈，日中照出五色光，如峨眉普贤菩萨圆光，因以名之。今医家鲜用。”

玉石部中品　卷第二

23 金[1]

平，无毒[2]。畏水银[3]。镇心[4]，益五脏，添精，补髓，调利血脉。(《大观》卷4页18;《政和》页109;《纲目》页593)

【校注】

[1] **金** 《大观》《政和》作“金屑”，是自然金。陶弘景云：“梁（今陕西汉中）、益（今四川成都）、宁三州，多有出水沙中作屑，谓之生金……建平（今重庆巫山）、晋安（今福建福州）亦有金砂出石中。”《本草图经》云：“今饶信（今江西上饶）、南剑（今福建南平）、登州（今山东蓬莱）出金。”

[2] **平，无毒** 《别录》谓金屑味辛，有毒。《本草衍义》亦云生金有毒。

[3] **畏水银** 金原是磨屑用，其屑遇水银成汞剂，汞有毒，不可作药用。古代以金汞剂涂在器皿表面，待汞挥发，金即镀在器皿表面，而形成了十分精美的金器。

[4] **镇心** 《别录》云：“金屑，主镇精神。”《海药本草》云：“主癫痫……补心。并入薄于丸散服。”药家将黄金锤极薄如纸，贴在药丸表面为丸衣用。有人将筵席上菜肴洒以金箔，称为黄金宴。

24 水银[1]

无毒[2]。治天行热疾[3]，催生，下死胎[4]，治恶疮[5]，除风，安神，镇心[6]。镀金烧粉人多患风[7]，或大叚使作，须饮酒，并肥猪肉及服铁浆，可御其毒。(《大观》卷4页14;《政和》页107;《纲目》页628)

【校注】

[1] **水银** 是金属汞，从汞矿石或辰砂（硫化汞）提炼而成。《别录》云：“一名汞，生符陵（今四川彭水）平土，出于丹砂。”《本草图经》云：“今出秦州（今甘肃天水）、商州（今陕西商

州）、道州（今湖南道县）、邵武军（今福建邵武）。”

[2] **无毒**　《别录》作“有毒”。《药性论》云：“水银，君，杀金、铜毒，姹女也，有大毒。”

[3] **治天行热疾**　《圣济总录》云：“消渴烦热，水银一两，铅一两，结砂，皂荚一挺酥炙，麝香一钱，为末。每服半钱，白汤下。”按，水银有毒，不可随便服。

[4] **催生，下死胎**　《纲目》引《圣惠方》云：“妊妇胎动，母欲死，子尚在，以此下之。水银、朱砂各半两，研膏。以牛膝半两，水五盏，煎汁，入蜜调服半匙。”

[5] **治恶疮**　《纲目》引《肘后方》云：“一切恶疮，以水银、黄连、胡粉熬黄各一两，研匀，傅之，干则以唾调。”

[6] **除风，安神，镇心**　《经验后方》云：“治心风秘，水银一两，藕节八个，先研藕节令细，次入水银，同研成沙子，丸如鸡头大，每服二丸，磨刀水下一二服，差。”按，水银有毒，服宜注意。

[7] **镀金烧粉人多患风**　以金汞剂镀金及烧炼水银粉的人，长期接触水银，会中毒，表现为筋挛骨痛，谓之患风。

25　水银粉[1]

味辛，冷，无毒。畏磁石、石黄[2]。通大肠[3]，转小儿疳[4]，并瘰疬[5]，杀疮疥癣虫[6]，及鼻上酒齇[7]、风疮瘙痒。又名汞粉、轻粉、峭粉。忌一切血。（《大观》卷4页22；.《政和》页111；《纲目》页631）

【校注】

[1] **水银粉**　本条出《嘉祐本草》，其条末注“新补见陈藏器、《日华子》”。这说明本条是糅合两家文字而成，目前尚无法一一甄别出各家文字之起止。《纲目》仅以“畏磁石、石黄，忌一切血”为《日华子本草》文，对余下文字，全注出处为“陈藏器”。水银粉，又名轻粉、腻粉、扫盆、汞粉、甘汞，由水银、明矾、氯化钠等升华制成，主要成分为氯化亚汞。有毒，能杀虫、通便。

[2] **石黄**　即雄黄，含二硫化二砷。

[3] **通大肠**　水银粉有泻下作用。配大黄、大戟、甘遂、芫花、黑丑、白丑（舟车丸），可治水肿、便秘。毒性大，用时宜注意，尤其年老体弱者更要慎用，有时泻即不止。

[4] **小儿疳**　小儿慢性消耗性疾病，或营养不良，表现为面黄肌瘦、毛发干枯、腹大筋青。

[5] **瘰疬**　即淋巴结核，小者为瘰，大者为疬，多生于颈项。

[6] **杀疮疥癣虫**　水银粉能杀虫攻毒，多作外用。配青黛、珍珠研细末外敷，治下疳溃烂作痛；配大风子肉等分为末，治杨梅疮。

[7] **酒齇**　即酒渣鼻，鼻头红赤，久则变紫黑。

26　生银[1]

冷，微毒。畏石亭脂[2]、磁石。治小儿冲恶[3]，热毒烦闷，并水磨服[4]。忌生血。（《大观》卷4页21；《政和》页110；《纲目》页595）

【校注】

[1] **生银** 含金属银。《开宝本草》云："出饶州（今江西上饶）、乐平（今山西昔阳）诸坑生银矿中，状如硬锡，文理粗错，自然者真。"

[2] **石亭脂** 《纲目》作"恶饧"，且其后有"忌生血"。

[3] **小儿冲恶** 《纲目》作"小儿中恶"。即小儿见异物，因惊恐而突然昏倒。《开宝本草》云生银"镇心，安神定志"，故生银能治小儿中恶。

[4] **热毒烦闷，并水磨服** 《开宝本草》云："生银……小儿诸热丹毒，并以水磨服，功胜紫雪。"《千金翼方》云："治身有赤疵，常以银揩，令热，不久渐渐消。"

27 朱砂银[1]

冷，无毒。畏石亭脂、磁石、铁。延年益色，镇心，安神，止惊悸，辟邪。治中恶蛊毒，心热煎烦，忧忘虚劣。忌一切血[2]。（《大观》卷 4 页 21；《政和》页 110；《纲目》页 596）

【校注】

[1] **朱砂银** 名为银，实为汞化物。《本草衍义》云："世有术士能以朱砂而成者，有铅汞而成者，有焦铜而成者。"《纲目》云："此乃方士用诸药合朱砂炼制而成者。"

[2] **忌一切血** 《纲目》列在"畏石亭脂、磁石、铁"之后。

28 雄黄[1]

微毒[2]。治疥癣[3]，风邪[4]，癫痫[5]，岚瘴[6]，一切蛇虫犬兽伤咬[7]。久服不饥。通赤亮者为上，验之，可以熁虫死者[8]为真，臭气少，细嚼，口中含汤不激辣者，通用。（《大观》卷 4 页 2；《政和》页 101；《纲目》页 635）

【校注】

[1] **雄黄** 含二硫化二砷，杂少量其他金属盐。一名熏黄、石黄、黄食石。《别录》云："生武都（今甘肃武都）山谷、敦煌（今甘肃敦煌）山之阳。"陶弘景云："氐（今甘肃清水）、羌（今宁夏固原）中纷扰，此物绝不复通，人间时有三五两，其价如金。……宕昌（今甘肃宕昌）亦有。"《唐本草》云："出石门（今陕西汉中北）……石门者最为劣尔。"《本草图经》云："今阶州（今甘肃陇西）山中有之，形块如丹砂，明澈不夹石，其色如鸡冠者为真。有青黑色而坚者名熏黄，有形色似真而气臭者名臭黄。"

[2] **微毒** 《别录》作"味甘，大温，有毒"。《本经》作"味苦，平，寒"。

[3] **治疥癣** 雄黄能杀虫解毒。雄黄配白矾为末，外用治疥癣，蛇、虫毒伤；配蟾酥治疮痈、疔毒、恶疮。

[4] **风邪** 《肘后方》以雄黄一份，松脂两份，溶化，丸如弹子，烧熏治女人风邪、独言独笑、悲思恍惚。按，雄黄燃烧，产生三氧化二砷，三氧化二砷有剧毒，故在烧熏时注意不要中毒。

[5] **癫痫** 《直指方》治小儿诸痫方：雄黄、朱砂等分为末，用猪心血入齑水（酸菜水）调下一钱。按，朱砂有毒，多服、久服使人痴呆。

[6] **岚瘴** 指山岚瘴毒，使人发生危重疟疾。《诸病源候论》云："此病生于岭南，带山瘴之气。"疟发之时，高热不退，神志昏迷，或狂妄多言。

[7] **一切蛇虫犬兽伤咬** 用雄黄细末，醋调敷之。

[8] **熁虫死者** 如火胁迫，使虫死。此因雄黄有毒。纯雄黄，色鲜艳，半透明（明雄、雄精），毒性小些；不纯者（杂有砷），或见火者（含三氧化二砷），则有剧毒。误服可致砷中毒，上吐下泻。须急救，洗胃；无洗胃条件，用防己、生甘草、绿豆煮浓汁服之。

29 殷孽[1]

治[2]筋骨弱并痔瘘等疾，及下乳汁。（《大观》卷4页28；《政和》页113；《纲目》页653）

【校注】

[1] **殷孽** 与钟乳石同类，主要成分为碳酸钙。《本经》云："一名姜石。"《别录》云："钟乳根也。生赵国（今河北冀州）山谷，又梁山（今陕西大荔）及南海。"陶弘景云："赵国属冀州（今河北冀州）。此即今人所呼孔公孽，大如牛羊角，长一二尺左右，亦出始兴（今广东始兴）。"《蜀本草·图经》云："凡钟乳之类有五种：一钟乳，二殷孽，三孔公孽，四石床，五石花。"本条，金陵本《纲目》、张本《纲目》注出处为"《别录》"。

[2] **治** 《纲目》作"熏"，《大观》《政和》作"治"。

30 孔公孽[1]

味甘，暖[2]。治癥结[3]。此即殷孽床也。（《大观》卷4页28；《政和》页113；《纲目》页653）

【校注】

[1] **孔公孽** 与钟乳石同类，含碳酸钙。《别录》云："一名通石，殷孽根也。青黄色，生梁山（今陕西大荔）山谷。"《唐本草》注："此孽次于钟乳，如牛羊角者，中尚孔通，故名通石。"

[2] **味甘，暖** 《药性论》作"忌羊血。味甘，有小毒"。

[3] **治癥结** 《别录》云："男子阴疮，女子阴蚀及伤食，病常欲眠睡。"《药性论》云："主治腰冷膝痹，毒风，男女阴蚀，治人常欲多睡，能使喉声圆朗。"

31 石亭脂[1]

曾青为使，畏细辛、飞廉、铁。壮阳道[2]，治痃癖冷气[3]，补筋骨劳损，风劳气，止嗽上气，及下部痔瘘，恶疮，疥癣[4]，杀腹脏虫，邪魅等。煎余甘子汁，以御其毒也[5]。（《大观》卷4页10；《政和》页103；《纲目》页702）

【校注】

[1] **石亭脂** 为赤色硫黄，含硫，杂有砷、铁及其他杂质。《本草图经》云："石硫黄……以色如鹅子初出壳者为真，谓之昆仑黄；其赤色者名石亭脂。"《政和》"有名无用"类中的"石流赤"即此物。

[2] **壮阳道** 按，硫黄能暖水脏、益腰膝、壮阳道（《杜光庭玉函方》）。石亭脂含有硫，故与硫黄有同功。

[3] **治痃癖冷气** 痃癖与积聚相类，泛指脐腹部或胁肋部有癖块。《别录》云："疗心腹积聚，邪气冷癖在胁。"石亭脂含有硫，故能治痃癖冷气。

[4] **恶疮，疥癣** 《别录》云："杀疥虫。"石亭脂含硫，亦能杀虫止痒。石亭脂配枯矾、冰片为末，油调搽疥疮；配枯矾、蛇床子为末，治阴蚀蠹痒。

[5] **煎余甘子汁，以御其毒也** 余甘子即庵摩勒。《纲目》云："方勺《泊宅编》云：金液丹，乃硫黄炼成，纯阳之物，有痼冷者所宜。今夏至人多服之，反为大患。"《海药本草》云："服（硫黄）而能除万病，如有发动（指中毒），宜以猪肉鸭羹、余甘子汤并解之。"石亭脂含硫及杂质有毒，故煎余甘子汁以御其毒。

32 阳起石[1]

治带下[2]，温疫，冷气[3]，补五劳七伤[4]。合药时，烧后水煅用[5]，凝白者为上。（《大观》卷4页27；《政和》页113；《纲目》页661）

【校注】

[1] **阳起石** 为硅酸盐类矿物阳起石，或阳起石石棉矿。《本经》云："一名白石。"《别录》云："一名石生，一名羊起石，云母根也。生齐山（今山东历城）山谷及琅琊（今山东诸城海边小岛），或云山（今四川松潘）阳起山。"陶弘景云："今用乃出益州（今四川成都）。"《唐本草》云："此石以白色、肌理似殷孽，仍夹带云母绿润者为良。"《本草图经》云："以色白肌理莹明若狼牙者为上。"

[2] **治带下** 阳起石能温肾壮阳，兼能固涩，可以治带下。

[3] **冷气** 凡女子宫冷、腰膝冷痛、下焦虚冷，用阳起石能温肾、除冷气。《药性论》云："阳起石……暖女子子宫久冷，冷癥寒瘕，止月水不定。"

[4] **补五劳七伤** 五劳有多种解释，《素问·宣明五气论》谓久视、久卧、久坐、久立、久行5种过度疲劳为五劳。《诸病源候论》以志劳、心劳、思劳、忧劳、瘦劳为五劳。七伤，《诸病源候论》云："一曰大饱伤脾……二曰大怒气逆伤肝……三曰强力举重，久坐湿地伤肾……四曰形寒、寒饮伤肺……五曰忧愁思虑伤心……六曰风雨寒暑伤形……七曰大恐、不节伤志。"

[5] **烧后水煅用** 按，当作"烧后水淬用"。将矿物药烧赤，乘热投冷水中，则崩解，易研。阳起石宜煅用。《普济方》单用阳起石，煅研末，每服二钱，治阳痿。《济生方》用阳起石煅研末，配鹿茸末为丸，治女子宫冷不孕。

33 石膏[1]

治天行热狂[2]，下乳，头风旋[3]，心烦躁，揩齿益齿。通亮，理如云母者上，又名方解石。（《大观》卷4页16；《政和》页108；《纲目》页640）

【校注】

[1] **石膏** 含结晶水硫酸钙。《别录》云："一名细石，细理白泽者良，黄者令人淋。生齐山（今山东历城）山谷及齐卢山（今山东诸城）、鲁蒙山（今山东鲁山及蒙阴）。"陶弘景云："今出钱塘县（今浙江钱塘）。皆在地中，雨后时时自出，取之皆如棋子，白澈最佳。彭城（今江苏徐州）者亦好。"《本草图经》云："今汾（今山西汾阳）、孟（今河南孟州）、虢（今河南灵宝）、耀州（今陕西耀州）、兴元府（今陕西南郑）亦有之。生于山石上。色至莹白，其黄者不堪。此石与方解石绝相类……破之皆作方棱。石膏自然明莹如玉石，此为异也。"由于二者极相似，《日华子本草》称石膏又名方解石。

[2] **治天行热狂** 天行热狂，指流行性热证，高热不退发狂。石膏能清气分实热，对高热不退、烦渴引饮、脉洪大，配知母用；对高热发狂、神昏谵语，可配丹皮、生地黄、犀角用。

[3] **头风旋** 石膏清降胃热，能止头痛、头旋，用于治疗胃热引起的头风眩晕、头痛。由胃火引起的口舌生疮、牙龈肿痛，以石膏配丹皮、升麻、黄连治之。

按，石膏含两分子结晶水，经加热，失去结晶水的石膏名煅石膏。煅石膏能收湿敛疮；配黄柏、青黛为末，外敷湿疮浸淫。以十份煅石膏配半份白降丹外敷，可治疮疡不收口。

34 磁石[1]

味甘、涩，平[2]。治眼昏[3]，筋骨羸弱[4]，补五劳七伤，除烦躁[5]，消肿毒[6]。小儿误吞针、铁等，即细末，筋肉莫令断，与磁石同下之。（《大观》卷4页23；《政和》页111；《纲目》页662）

【校注】

[1] **磁石** 是天然磁铁矿，含四氧化三铁。《本经》云："一名玄石。"《别录》云："一名处石。

生太山（今山东泰安）川谷及磁山（今河北磁县）山阴有铁处。”《本草图经》云：“今磁州（今河北磁县）、徐州（今江苏徐州）及南海旁山中皆有之。磁州者岁贡最佳，能吸铁虚连十数针，或一二斤刀器回转不落者尤真。”

［2］**味甘、涩，平**　《本经》作“味辛，寒”。《别录》作“味咸，无毒”。

［3］**治眼昏**　磁石能补肾益精，凡肾虚目昏，用磁石配朱砂、神曲治之。又肾虚耳聋、耳鸣，可用磁石配六味地黄丸、五味子、菖蒲治之。

［4］**筋骨羸弱**　肝主筋，肾主骨，凡由肝血不足、肾精亏虚所致筋骨羸弱，以磁石配山药、山萸肉、熟地黄可治。

［5］**除烦躁**　磁石能重镇安神，凡神志不宁，出现烦躁，可以磁石配朱砂、神曲为丸治疗。恐怯不安，用之亦有效。磁石有重镇作用，故亦可用于肝阳上亢，与生牡蛎、石决明合用。对虚性喘逆，用磁石配沉香、五味子和六味地黄丸治疗。此皆取磁石重镇之功。

［6］**消肿毒**　《外台秘要》疗疗肿方：取磁石捣为粉，酽醋和封之。

35　铁液[1]

治心惊邪[2]，一切毒蛇虫及蚕漆咬疮[3]，肠风痔瘘，脱肛[4]，时疾热狂[5]，并染须发[6]。(《大观》卷4页32；《政和》页115；《纲目》页610)

【校注】

［1］**铁液**　即铁落。《本经》以“铁落”为正名。《别录》云：“一名铁液，可以染皂。生牧羊平泽及祊城（今山东费县）或析城（今山西阳城）。”《唐本草》云：“铁落是煅家烧铁赤沸，砧上煅之，皮甲落者是也。”该皮甲是外层氧化时被锤落的铁皮屑，主要含四氧化三铁。《本草图经》云：“俗呼为铁花。”

［2］**治心惊邪**　《纲目》作“治惊邪癫痫，小儿客忤，消食及冷气，并煎服之”18字，此18字原为《政和》“铁精”条下引的《日华子本草》文，非“铁落”条下引的《日华子本草》文。《纲目》错简于此。

［3］**一切毒蛇虫及蚕漆咬疮**　《本经》云：“主风热，恶疮疡、疽疮痂疥气在皮肤中。”此等治疗，后世未见用。

［4］**肠风痔瘘，脱肛**　铁液有收敛作用，可以治肠风下血，痔瘘脱肛。

［5］**时疾热狂**　《本经》云：“主风热。”《别录》云：“除胸膈中热气。”至于治时疾热狂，主要取铁落重镇、平肝镇惊之作用。《素问》有生铁落饮，单用铁落，水煎服，治惊狂。《医学心悟》生铁落饮，以铁落配朱砂、远志、菖蒲、丹参、连翘、茯苓等，治肝火扰心，神志失常、惊悸不安，甚至发狂。

［6］**染须发**　含铁化合物与含鞣质物（如五倍子）共研末，皆变黑，可以染胡须、头发。

36　铁[1]

味辛，平，有毒[2]。畏磁石、灰炭等。能制石亭脂[3]毒。(《大观》卷4页33；

《政和》页115;《纲目》页609)

【校注】

[1] **铁** 指冶炼的熟铁，未经过冶炼的为生铁。《本草图经》云：“初炼去矿，用以铸鐈器物者，为生铁，再三销拍可以作鍱者，为鑐铁，亦谓之熟铁。”《纲目》所录“大明”文即《日华子本草》文，为“镇心安五脏，治痫疾，黑鬓发。治癣及恶疮疥，蜘蛛咬，蒜磨，生油调傅”。按，此文原为《政和》“生铁”条所引《日华子本草》“生铁锈”条之文，非“铁”条的文字。

[2] **味辛，平，有毒** 《本经》《别录》对铁的性味无记载。

[3] **石亭脂** 即赤色石硫黄。详前“石亭脂”条。

37 生铁锈[1]

煅后飞淘去粗赤汁，烘干用[2]。治痫疾，镇心，安五脏[3]，能黑鬓发[4]。治癣及恶疮疥，蜘蛛咬，蒜摩，生油傅，并得[5]。(《大观》卷4页32;《政和》页115;《纲目》页609)

【校注】

[1] **生铁锈** 是铁的氧化物，其功效与铁落同，有重镇作用，能平肝镇惊，可治肝火扰心所致神志失常、善怒发狂、惊悸不安等症。

[2] **烘干用** 其后，《品汇》有“或烧红投淬酒中或水中，并堪用”。按，此文原出《千金方》，《品汇》脱漏《千金方》标记，遂误为《日华子本草》文。

[3] **治痫疾，镇心，安五脏** 生铁锈有重镇功效，故能治之。

[4] **能黑鬓发** 生铁锈含铁质，铁遇鞣质变黑。生铁锈配五倍子（含鞣质）研末，染鬓发使变黑。

[5] **蒜摩，生油傅，并得** 《纲目》作“蒜磨，生油调傅”。

38 铁屑[1]

治惊邪，癫痫，小儿客忤[2]，消食及冷气，并煎汁服之也。(《大观》卷4页30;《政和》页114;《纲目》页610)

【校注】

[1] **铁屑** 《政和》“铁精”条下引《日华子本草》“铁屑”条内容作注文，这就意味着铁屑和铁精是同类物。《本草图经》云：“煅灶中飞出如尘，紫色而轻虚，可以莹磨铜器者为铁精。”则铁精是紫色粉末，即铁的氧化物，其功用与铁落同。铁屑与铁精同类，亦有重镇的作用。

[2] **治惊邪，癫痫，小儿客忤** 《别录》云：“疗惊悸，定心气，小儿风痫。”

39　犁镵尖[1]

浸水[2]，名为铁精。可制朱砂、石亭脂[3]、水银毒。(《大观》卷4页30；《政和》页114；《纲目》页613)

【校注】

[1] **犁镵尖**　《纲目》作“铁犁镵尖”。是铁制的翻土用的农具。

[2] **浸水**　《纲目》作“得水”。

[3] **石亭脂**　赤色石硫黄，详见“石亭脂”条。

40　钥匙

治妇人血噤失音[1]，冲恶[2]，以生姜[3]、醋、小便煎服。弱房人煎汤服亦得[4]。(《大观》卷4页31；《政和》页114；《纲目》页613)

【校注】

[1] **妇人血噤失音**　妇人因失血而出现口噤，口不能开合，发不出声音。

[2] **冲恶**　即中恶，见异物恐惧，突然昏倒。

[3] **以生姜**　《品汇》作“同生姜”。

[4] **煎汤服亦得**　《纲目》作“亦可煎服”。

41　铁胤粉[1]

止惊悸、虚痫，镇五脏[2]，去邪气，强志，壮筋骨[3]，治健忘、冷气、心痛、痃癖[4]、癥结[5]、脱肛、痔瘘[6]、宿食等，及傅竹木刺。其所造之法，与华粉同，惟悬于酱瓿上，就润地及刮取霜时研，淘去粗汁咸味，烘干[7]。(《大观》卷4页31；《政和》页114；《纲目》页611)

【校注】

[1] **铁胤粉**　即铁华粉。《本草图经》云：“以铁拍作片段，置醋糟中，积久衣生，刮取之为铁华粉。”《开宝本草》云：“铁华粉，味咸，平，无毒。主安心神，坚骨髓，强志力，除风邪，养血气。”

[2] **止惊悸、虚痫，镇五脏**　铁胤粉是含铁的氧化物，功同铁落，故能止惊悸、虚痫，镇五脏。

[3] **强志，壮筋骨**　《纲目》无此文。

[4] **痃癖** 腹两侧或胁肋下有痞块名痃癖。

[5] **癥结** 即癥瘕结聚。腹内有形包块为癥，多属血结；无形包块为瘕，多属气结。

[6] **脱肛、痔瘘** 铁胤粉有收敛作用，故能外用治脱肛、痔瘘。

[7] **烘干** 其后，《品汇》有“亦入药用”。

42 马衔[1]

古旧铤者好，或作医士针也[2]。（《大观》卷4页38；《政和》页117；《纲目》页614）

【校注】

[1] **马衔** 即马勒口铁。《开宝本草》云：“无毒。主难产，小儿痫，产妇临时手持之，亦煮汁服一盏。”《圣惠方》云：“治马喉痹，喉中深肿连颊，壮热，吐气数者，用马衔一具，水三大盏，煎取一盏半，分为三服。”

[2] **或作医士针也** 《纲目》作“亦可作医工针也”。

43 铜秤锤[1]

平。治难产并横逆产[2]，酒淬服[3]。（《大观》卷4页31；《政和》页114；《纲目》页608）

【校注】

[1] **铜秤锤** 按，铜秤锤为铁秤锤之讹。《产宝》治胎衣不出方：烧铁杵、铁钱令赤，投酒饮之。本条所载主治用法“难产并横逆产，酒淬服”，与《产宝》所载全同。则本条当是“铁秤锤”条。铁秤锤烧赤，其表层为生铁落，铁落有重镇功效，古人用以下胎衣。《圣惠方》云：“治妇人血瘕痛（产后瘀阻，一名儿枕痛），用古秤锤，或大斧，或铁杵，以炭火烧赤，内酒中，五升已来，稍稍饮之。”本条全文编次，《品汇》作重行排列。

[2] **治难产并横逆产** 《纲目》作“产难横生”。

[3] **酒淬服** 《纲目》作“烧赤淬酒服”。

44 蜜陀僧[1]

味甘，平，无毒[2]。镇心[3]，补五脏，治惊痫、嗽呕及吐痰等。（《大观》卷4页29；《政和》页113；《纲目》页604）

【校注】

[1] **蜜陀僧** 是粗制氧铅，杂有纯铅及二氧化铅。《唐本草》云：“味咸、辛，有小毒。主久痢、

五痔、金疮，面上瘢皯，面膏药用之。”又云：“形似黄龙齿而坚重，亦有白色者作理石文。出波斯国。一名没多僧，并胡言也。”《本草图经》云：“今岭南、闽中银铜冶处亦有之，是银铅脚。”

［2］**无毒** 疑有误。凡含铅的物如密陀僧（一氧化铅）、铅丹（四氧化三铅）、铅粉（碱式碳酸铅）均有毒，使用时须慎重。

［3］**镇心** 凡含铅化合物，都有镇心功效，能治惊痫、癫狂，但易导致积蓄中毒，今已少用。又有收敛作用，可以燥湿敛疮，适用于湿疹、疮疡久不收口、腋下狐臭。密陀僧配枯矾、黄柏、冰片为细末，外用，可治湿疹浸淫所致流黄水、皮肤糜烂、脚痒等。

45 紫铆[1]

无毒[2]。治驴马蹄漏[3]，可镕补。(《大观》卷13页15；《政和》页321；《纲目》页1510)

【校注】

［1］**紫铆** 铆音矿。《开宝本草》注：“紫铆、骐驎竭，二物同条，功效全别。紫铆色赤而黑，其叶大如盘，铆从叶上出。骐驎竭色黄而赤……从木中出，如松脂。”《本草衍义》云：“紫铆如糖霜结于细枝上，累累然紫黑色，研破则红。”《酉阳杂俎》云：“是蚁运土于树下作窠，蚁壤得雨露结而成紫铆。”《本草图经》引《交州地志》云：“本州岁贡紫铆，出于蚁壤。”《纲目》将紫铆列在虫部，因紫铆为虫所造故也。

［2］**无毒** 《纲目》认为紫铆“味甘、咸，平，有小毒”。

［3］**治驴马蹄漏** 紫铆古作兽医药，治驴马外症。因紫铆能破积血，生肌止痛。

46 骐驎竭[1]

暖，无毒。得蜜陀僧良。治一切恶疮疥癣[2]，久不合者[3]傅。此药性急，亦不可多使，却引脓。(《大观》卷13页15；《政和》页321；《纲目》页1373)

【校注】

［1］**骐驎竭** 即血竭，为棕榈科植物骐驎竭果实渗出的树脂。《海药本草》引《南越志》云：“是紫铆树之脂也。其味甘，温，无毒。主打伤折损，一切疼痛，补虚及血气，搅刺内伤血聚，并宜酒服。”

［2］**治一切恶疮疥癣** 骐驎竭能止血生肌，适用于恶疮痈疽、金疮出血。《医宗金鉴》生肌散，由骐驎竭、乳香、没药、儿茶等组成。

［3］**久不合者** 骐驎竭有生肌敛疮功效，可治疮疡久不收口。《济急仙方》治臁疮不合，用血竭末傅之，以干为度。《究原方》以血竭一字、麝香少许、大枣烧灰半钱，同研，外敷疮口久不合。

按，骐驎竭主要有活血散瘀止痛之功，适用于外伤肿痛。骐驎竭配红花、冰片、儿茶、麝香、朱砂（七厘散），可治跌打损伤、瘀血肿痛。《圣惠方》以骐驎竭配没药、当归、赤芍、白芷、桂心，治伤筋损骨，痛不可忍。《卫生宝鉴》以骐驎竭配当归、三棱、莪术，治经闭、瘀阻痛经、产后腹痛。

47　珊瑚[1]

镇心，止惊[2]，明目[3]。（《大观》卷4页35；《政和》页116；《纲目》页617）

【校注】

［1］**珊瑚**　是珊瑚虫的分泌物形成的骨性物，含碳酸钙。《唐本草》云："味甘，平，无毒。主宿血，去目中翳，鼻衄，末吹鼻中。生南海。［原书注：似玉红润，中多有孔，亦有无孔者。又从波斯国及师子国（即斯里兰卡）来。］"

［2］**镇心，止惊**　《纲目》引"大明"（即《日华子本草》）文作"镇心止惊痫"。《海药本草》云："主消宿血、风痫等疾。按，其主治与金相似。"

［3］**明目**　《本草衍义》云："珊瑚治翳目，今人用为点眼。"《钱相公箧中方》云："治七八岁小儿眼有肤翳，未坚不可妄傅药，宜点珊瑚散细研如粉，每日少少点之，三日立愈。"

48　石花[1]

治腰膝及壮筋骨，助阳[2]，此即洞中石乳滴下凝结者。（《大观》卷4页38；《政和》页117；《纲目》页654）

【校注】

［1］**石花**　即石钟乳一类，含碳酸钙。《唐本草》云："味甘，温，无毒。酒渍服，主腰脚风冷，与殷孽同。一名乳花。（原书注：三月、九月采之。乳水滴水上，散如霜雪者，出乳穴堂中。）"

［2］**治腰膝及壮筋骨，助阳**　《纲目》引"大明"文作"壮筋骨，助阳道"。按，石花与石钟乳功效相同，详见"石钟乳"条。

49　石笋[1]

即是石乳下凝滴长者。与石花功同[2]，一名石床。（《大观》卷4页39；《政和》页117）

【校注】

［1］**石笋**　与钟乳石同类。《唐本草》云："味甘，温，无毒，酒渍服，与殷孽同，一名同石，一名乳床，一名逆石（原书注：陶云孔公孽，即乳床，非也。……钟乳水滴下凝积，生如笋状，渐长，久与上乳相接为柱也。出钟乳堂中。采无时。"

［2］**与石花功同**　石花酒渍服主腰脚风冷，则石笋亦治腰脚风冷。

50　石蟹[1]

凉。解一切药毒并蛊毒，催生，落胎，疗血运，消痈[2]，治天行热疾等，并熟水磨服也。(《大观》卷4页36；《政和》页116；《纲目》页681)

【校注】

［1］**石蟹**　是蟹的化石。《开宝本草》云："味咸，寒，无毒。主青盲目淫、肤翳及丁翳、漆疮。生南海。又云是寻常蟹尔，年月深久，水沫相著，因化成石，每遇海潮即漂出。又一般入洞穴年深者亦然。皆细研水飞过，入诸药相佐用之，点目良。"

［2］**催生，落胎，疗血运，消痈**　按，石蟹兼有蟹的功效。《别录》云："蟹，有毒。解结散血，愈漆疮，养筋益气。爪，主破胞、堕胎。"

51　浮石[1]

平，无毒。止渴[2]，治淋[3]，杀野兽毒。(《大观》卷4页36；《政和》页116；《纲目》页658)

【校注】

［1］**浮石**　为火成岩类岩石浮石块状物或胞孔科动物瘤苔虫、脊突苔虫的骨骼。产于海中，名海浮石。《本草衍义》云："浮石水飞治目中翳。今皮作家用之磨皮上垢，无出此石。"《本草衍义补遗》云："消积块，化老痰。"

［2］**止渴**　《本事方》治消渴，用浮石、青黛等分，麝香少许，为末，温汤服一钱；或用浮石配蛤粉、蝉蜕等分为末，鲫鱼胆十七个，调服三钱。

［3］**治淋**　《传信适用方》治石淋，用浮石满一手，为末，水三升，醋一升，和煮二升，澄清，每服一升。《直指方》治血淋、小便涩痛，用浮石研末，每服二钱，生甘草煎汤调服。

按，浮石除能治血淋、砂淋外，还能清肺化痰、散结软坚，适用于痰热喘咳、结核瘰疬。浮石配胆星、贝母治肺热喘咳；配栝楼仁、诃子肉、山栀子、青黛治热证咳嗽血痰；配玄参、浙贝母、牡蛎、海藻、昆布治结核瘰疬。这些疗效，全靠配伍应用，单用效果不明显。

玉石部下品　卷第四

52 玻璃[1]

冷，无毒[2]。安心，止惊悸，明目，摩翳障。(《大观》卷5页22；《政和》页132；《纲目》页618)

【校注】

[1] **玻璃** 《本草拾遗》云："车渠、马脑并玉石类是西国重宝。佛经云七宝者，谓金、银、琉璃、车渠、马脑、玻璃、真珠是也。"本条，《政和》列"青琅玕"条下。

[2] **冷，无毒** 《纲目》谓玻璃"辛，寒，无毒"。《纲目》所言性味出自陈藏器《本草拾遗》。《政和》卷3"三十五种陈藏器余"项下有玻璃："味辛，寒，无毒。主惊悸、心热，能安心，明目，去赤眼，熨热肿。……应玉石之类。"

53 代赭[1]

畏附子。止吐血鼻衄，肠风痔瘘，月经不止[2]，小儿惊痫[3]，疳疾，反胃[4]，止泻痢，脱精，尿血，遗溺，金创长肉，安胎，健脾，又治夜多小便[5]。(《大观》卷5页15；《政和》页128；《纲目》页663)

【校注】

[1] **代赭** 是赤铁矿，含三氧化二铁。《别录》云："生齐国（今山东北部）山谷，赤红青色，如鸡冠有泽，染爪甲不渝者，良。"

[2] **止吐血鼻衄，肠风痔瘘，月经不止** 代赭，味苦，性寒，可凉血止血。代赭研极细末，用生地汁调一钱，治各种出血，如吐血、鼻衄（鼻出血）、肠风（大便下血）、痔瘘（痔疮出血）、月经不止。对下部出血，宜煅用代赭。

[3] **惊痫** 代赭重镇平肝，配龙骨、牡蛎、牛膝、龟板、白芍等，可治肝风头目眩晕、惊痫。

［4］**反胃** 指食后一两时而吐，或积至一日一夜吐出原物，多因脾胃虚寒，胃气上逆所致。代赭能重镇降逆，配生姜、半夏、人参、旋覆花（旋覆代赭汤）治之。凡胃气上逆所致呕吐、呃逆、噫气，肺气上逆所致喘息，肝火上升所致头目眩晕等，均可用代赭重镇平降之。此时代赭宜生用。

［5］**止泻痢，脱精，尿血，遗溺，金创长肉，安胎，健脾，又治夜多小便** 此等病证，宜用升提药，代赭镇降，绝非所宜。尤其是对于安胎，代赭更被视为禁忌。《别录》明言代赭主“产难，胞衣不出，堕胎”。岂能用于安胎？又本条，《纲目》援引时重行化裁，并将《药性论》“辟鬼魅”文并入其中。

54　戎盐[1]

平。助水脏[2]，益精气[3]，除五脏癥结，心腹积聚痛[4]，疮疥癣等[5]。即西蕃所出[6]，食者号戎盐，又名羌盐。(《大观》卷5页17；《政和》页129；《纲目》页688)

【校注】

［1］**戎盐** 是矿物盐。《别录》云：“一名胡盐，生胡盐山（今甘肃秦岭）及西羌（今甘肃岷县、宁县一带）北地、酒泉（今甘肃酒泉）福禄城东南角。”陶弘景云：“今戎盐虏中甚有从凉州（今甘肃）来。”

［2］**助水脏** 水脏即肾脏。按，五行配五脏，肺属金，肝属木，心属火，脾属土，肾属水。

［3］**益精气** 此文接上句“助水脏”，水脏即肾脏，肾藏精，故戎盐能益精气。又《本经》云：“明目，目痛，益气，坚肌骨，去毒蛊。”

［4］**除五脏癥结，心腹积聚痛** 此与《别录》所云戎盐主“心腹痛”义同。

［5］**疮疥癣等** 《本草拾遗》云：“主蚖蛇恶虫毒，疥癣，痈肿瘰疬。”

［6］**西蕃所出** 西蕃指我国西部少数民族居处。《唐本草》云：“戎盐即胡盐，沙州（今甘肃敦煌一带）名为秃登盐，廓州（今青海化隆一带）名为阴土盐，生河岸山坂之阴土石间。”

按，戎盐，古方用于利尿、明目、固齿。《金匮要略》以戎盐配茯苓、白术，治小便不利。《普济方》以戎盐化水，点风眼烂弦。《唐氏经验方》以槐枝、青盐等分煎取汁，再煮至干，炒研为末，擦齿用，能固齿。

55　白善[1]

味甘[2]。治泻痢[3]痔瘘，泄精，女子子宫冷，男子水脏冷，鼻洪[4]，吐血。本名白垩，入药烧用。(《大观》卷5页21；《政和》页132；《纲目》页576)

【校注】

［1］**白善** 为沉积岩石白垩，含碳酸钙，杂有磷酸钙、硅酸镁、硅酸铝、氧化铁。《别录》云：“生邯郸（今河北邯郸）山谷。”

［2］**味甘**　《本经》云："味苦，温。"《别录》云："味辛，无毒。"

［3］**治泻痢**　《药性论》云："主女子血结，月候不通，能涩肠止痢。"

［4］**鼻洪**　即鼻出血。按，白善有收涩功用。《集玄方》以白善煅研末，生油调，外涂臁疮不干。

56　黄丹[1]

凉，无毒[2]。镇心安神[3]，疗反胃[4]，止吐血及嗽，傅金疮长肉[5]，及汤火疮[6]。染须发，可煎膏[7]。（《大观》卷5页8；《政和》页126；《纲目》页603）

【校注】

［1］**黄丹**　是四氧化三铅，其异名有铅丹、章丹、东丹、广丹、桃花丹。黄丹同植物油熬成膏药，贴疮疖及各种外症；同煅石膏研为细末，外掺黄水湿疮，溃疡久不收口。

［2］**无毒**　凡铅化物都有毒，不宜内服。

［3］**镇心安神**　黄丹有镇惊坠痰功用，能治癫狂。但黄丹易导致蓄积中毒，不宜多服久服。

［4］**疗反胃**　反胃多指因胃寒或胃气上逆，食后不久原物吐出。黄丹有镇降作用，可以治反胃。但黄丹性凉，对虚寒性反胃，并不适宜。

［5］**傅金疮长肉**　黄丹能解毒、杀虫止痒，有收敛生肌功效。黄丹配煅石膏为细末，外傅金疮伤口，能生肌长肉收口。

［6］**汤火疮**　黄丹有收敛作用，可治汤火疮。

［7］**可煎膏**　黄丹可同植物油熬膏，是外贴膏药的主要原料。

又，黄丹能截疟。《本草衍义》云："治疟及久积。"《仁存堂方》治温疟不止方：炒黄丹五钱、青蒿二两为末，每服二钱，寒多酒服，热多茶服。

57　铅[1]

味甘，无毒[2]。镇心安神，治伤寒毒气，反胃呕哕，蛇蝎所咬，炙熨之。（《大观》卷5页10；《政和》页126；《纲目》页599）

【校注】

［1］**铅**　从方铅矿石提出，含金属铅。《丹房镜源》云："嘉州（今四川乐山）、陇陁、利州（今四川广元）出铅精之叶……草节铅出嘉州，打着碎，如烧之有硫黄臭烟者。信州（今江西上饶）铅、卢氏（今河南卢氏）铅，此粗恶……阴平铅出剑州（今四川阿坝）……钓脚铅出雅州（今四川雅安）。"《嘉祐本草》将此药收为正品，并在其条末注"新补见《日华子》"。

［2］**味甘，无毒**　按，铅有毒。《本草拾遗》云："黑锡（铅的别名），寒，小毒。主瘿瘤、鬼气、疰忤。错为末，和青木香傅风疮肿恶毒。"《本草图经》云："取铅三两，铁器中熬之，久当有脚

如黑灰，和脂涂疬子上，仍以旧帛贴之，数数去帛，拭恶汁，又贴，如此半月许，亦不痛、不破、不作疮，但内消之为水，差。”

58 光粉[1]

凉，无毒[2]。治痈肿瘘烂[3]，呕逆，疗癥瘕[4]，小儿疳气[5]。（《大观》卷5页11；《政和》页127；《纲目》页601）

【校注】

[1] **光粉** 即铅粉，含碱式碳酸铅。由黑铅与豆粉、蛤粉炼制成的白色粉。《本经》记载，光粉的别名为粉锡、解锡。陶弘景云："即今化铅所作胡粉也。"《药性论》云："胡粉，使，又名定粉。"其又称为官粉、宫粉、白粉、瓦粉、水粉。

[2] **凉，无毒** 凡铅化物都有毒，不可视为无毒。

[3] **治痈肿瘘烂** 《仁斋直指方》以六份光粉、十份植物油，熬成膏药外贴；或用光粉配轻粉、乳香、冰片、樟脑为末，掺膏药上贴痈肿瘘烂。对汞有过敏者忌用。

[4] **疗癥瘕** 《药性论》云："能治积聚不消。"光粉亦治虫积、癥瘕。

[5] **小儿疳气** 《本草拾遗》云："胡粉本功外主久痢成疳，和水及鸡子白服，以粪黑为度。"按，胡粉是铅化物，铅化物在肠内遇硫化物则变黑。

按，光粉色白细腻，昔日妇女多用其作化妆品，将之扑在脸上，使皮肤更加白嫩。

59 古镜[1]

平，微毒。辟一切邪魅，女人鬼交，飞尸蛊毒[2]，小儿惊痫。百虫入人耳鼻中，将就彼敲，其虫即出。又催生，及治暴心痛，并烧酒淬服之[3]。（《大观》卷5页13；《政和》页128；《纲目》页606）

【校注】

[1] **古镜** 陶弘景云："古无纯铜作镜者，皆用锡杂之。"则古镜是含铜杂锡的物品。《药性论》云："铜镜鼻，微寒，主治产后余疹刺痛三十六候，取七枚投醋中，熬过呷之，亦可入当归、芍药煎服之。"

[2] **飞尸蛊毒** 飞尸即尸注，死后能转注他人，泛指有传染性的疾病；蛊毒，指内脏患有寄生虫的一类病，如血吸虫病等。

[3] **并烧酒淬服之** 《品汇》作"烧赤淬酒服"。《纲目》作"并火烧淬酒服"。

60 铜青[1]

平，微毒。治妇人血气心痛，合金疮，止血，明目，去肤赤、息肉。生铜皆有

青，青则铜之精华，铜器上绿色是。北庭罯者最佳[2]，治目时淘洗用。(《大观》卷5页13；《政和》页128)

【校注】

[1] **铜青** 即铜的表面生的绿衣，又名铜绿，含碱式碳酸铜。《本草拾遗》云："明目，去肤赤，合金疮，止血。入水不烂，令疮青黑。……铜青独在铜器上，绿色者是。"本条出《嘉祐本草》，其条末有小字注"新补见陈藏器、《日华子》"。这说明本条糅两家文字而成。《品汇》注本条出处为"名医所录"。

[2] **北庭罯者最佳** 用北庭（硇砂）覆盖铜上，所生的铜青最佳。

按，铜青刺激性大，若内服能引起呕吐，古人用以吐风痰。铜青能收湿敛疮，配炉甘石、雄黄、冰片为末，搽湿疹瘙痒；配黄丹、轻粉研细末，油调搽溃疡久不收口。《笔峰杂兴》以铜青细末七分、黄蜡一两，化热，以厚纸拖过，表里别以纸隔贴之，治臁疮顽癣。《邵真人经验方》以铜绿、滑石、杏仁等分，为末，外搽走马牙疳。

61 铜弩牙[1]

平，微毒[2]。(《大观》卷5页26；《政和》页133；《纲目》页608)

【校注】

[1] **铜弩牙** 开弓射箭时，用以牵拉弓弦的钩牙名铜弩牙。《别录》云："主妇人产难，血闭，月水不通，阴阳隔塞。"陶弘景云："取烧赤，内（通'纳'）酒中饮汁。"《千金方》云："令易产，铜弩牙烧令赤，投醋三合服，良久顿服，立产。"

[2] **平，微毒** 铜弩牙原出《别录》。《别录》未载其药性，《日华子本草》始载之。

62 金牙石[1]

味甘，平[2]。治一切冷风气，暖腰膝，补水脏，惊悸，小儿惊痫。入药并烧淬，去粗汁，乃用。(《大观》卷5页25；《政和》页133)

【校注】

[1] **金牙石** 陶弘景云："今出蜀汉（今四川、陕西汉中），似粗金，大小如棋子而方。"《唐本草》云："此出汉中，金牙湍湍两岸入石间打出者，内即金色，岸摧入水，年久者皆黑。近南山溪谷、茂州（今四川茂县）、维州（今四川理县）亦有，胜于汉中（今陕西汉中）者。"从"两岸入石间打出者，内即金色""年久者皆黑"，疑金牙石是含铜的矿石，非真金石。又，《本草图经》在"自然铜"条云："自然铜有两三体，一体大如麻黍，或多方解……色煌煌明烂如黄金。"疑金牙石即自然铜矿石中的一种。

［2］**味甘，平** 《别录》作“味咸，无毒。主鬼疰，毒蛊，诸疰”。《药性论》云：“金牙石，君，治一切风，筋骨挛急，腰脚不遂，烧浸服之，良。”葛洪《肘后方》治风毒厥，有大、小金牙酒。

63 石灰[1]

味甘，无毒[2]。生肌长肉，止血[3]，并主白癜、疬疡、瘢疵等[4]。疗冷气，妇人粉刺，痔瘘疽疮，瘿赘[5]疣子。又治产后阴不能合，浓煎汁熏洗。解酒味酸，令不坏，治酒毒，暖水脏，倍胜炉灰。又名煅石[6]。（《大观》卷5页2；《政和》页123；《纲目》页656）

【校注】

［1］**石灰** 由石灰石煅烧而成，初出窑为氧化钙，经久吸空气中水分成氢氧化钙。《开宝本草》云：“烧青石为灰也，有两种风化、水化，风化为胜。”

［2］**味甘，无毒** 《本经》作“味辛，温”。《蜀本草》云：“有毒，堕胎。”

［3］**生肌长肉，止血** 纯石灰有腐蚀性，不能单独用，多合百草团用。《唐本草》云：“五月五日采蘩蒌、葛叶、鹿活草、槲叶、芍药、地黄叶、苍耳叶、青蒿叶，合石灰捣为团如鸡卵，暴干，末以疗疮，生肌大神验。”《本草图经》云：“以腊月黄牛胆取汁搜和，却内（纳）胆中，挂之当风百日，研之，更胜草叶者。”

［4］**并主白癜、疬疡、瘢疵等** 石灰有腐蚀作用。《纲目》引《千金方》治身目疣目方云：“苦酒（醋）浸石灰，六七日，取汁频滴之，自落。”《纲目》引《集玄方》治面黡疣痣方云：“水调矿灰一盏，好糯米全者，半插灰中，半在灰外，经宿，米色变如水精，先以针微拨动，点少许于上，经半日汁出，剔去药，不得着水，二日而愈也。”

［5］**痔瘘疽疮，瘿赘** 此等外症范围较大，若用纯石灰作腐蚀剂，应慎重，一般用年久的陈石灰。陈石灰中，大部分成分变成碳酸钙，其腐蚀力和刺激性都变弱，使用起来比较安全。

［6］**煅石** 石灰岩火煅而成石灰，故名煅石。《本经》云：“一名恶灰。”《别录》云：“一名希灰。”陶弘景云：“俗名石垩。”

64 伏龙肝[1]

热，微毒[2]。治鼻洪，肠风带下，血崩[3]，泄精，尿血[4]，催生，下胞[5]，及小儿夜啼[6]。（《大观》卷5页1；《政和》页122；《纲目》页583）

【校注】

［1］**伏龙肝** 烧柴的锅灶底中心的焦黄土，又名灶心土。烧煤炭的灶中的土不能用。

［2］**微毒** 《药性论》云：“味咸，无毒。”

［3］**治鼻洪，肠风带下，血崩** 鼻洪即鼻出血，肠风即便血，带下即妇女白带，血崩即妇人大出

血。伏龙肝能温中止血，凡因虚寒脾不统血所致各种出血，均可用之。《金匮要略》黄土汤以灶心土配阿胶、干地黄止血。

［4］**泄精，尿血** 伏龙肝有固摄作用，可治泄精、尿血，但要配其他涩精收敛剂才有效，单用疗效不可靠。

［5］**催生，下胞** 《十全博救方》治子死腹中方：伏龙肝末三钱，水调下。《救急方》治横生逆产方：灶心土细末，每服一钱，酒调下。但后世未见用。

［6］**小儿夜啼** 其后，《品汇》卷五“伏龙肝”条引《日华子本草》有“及中风、心烦、恍惚”7字，此7字原出《千金方》，非《日华子本草》文。

按，伏龙肝能止吐，配陈皮、半夏、干姜，治虚寒性呕吐；配肉豆蔻、白术、附子、干姜，治虚寒性久泻不止。

65 东壁土[1]

温，无毒。(《大观》卷5页12；《政和》页127；《纲目》页577)

【校注】

［1］**东壁土** 昔日房屋以土筑墙，刮东边墙壁上土名东壁土。陶弘景云：“此屋之东壁上土尔。……疗小儿风脐，又可除油污衣，胜石灰、滑石。”《本草拾遗》云：“又解诸药毒，中肉毒、合口椒毒、野菌毒并解之。取东壁土用之，功亦小同。止泄痢、霍乱烦闷为要。取其向阳壁久干也。”《肘后方》治服药过剂及中毒烦闷方：刮东壁土，以水三升调饮之。

66 北庭砂[1]

味辛，酸，暖，无毒[2]。畏一切酸[3]。补水脏，暖子宫，消冷癖，瘀血[4]，宿食不消，气块痃癖[5]，及血崩带下，恶疮息肉[6]，食肉饱胀，夜多小便，女人血气心疼，丈夫腰胯酸重，四肢不任。凡修制用黄丹、石灰作柜，煅赤使用，并无毒[7]。世人自疑烂肉，如人被刀刃所伤，以北庭罯傅定，当时生痂，亦名狄盐者[8]。(《大观》卷5页7；《政和》页125；《纲目》页699)

【校注】

［1］**北庭砂** 即硇砂，因产于北庭（今新疆乌鲁木齐以东一带）故名。《本草图经》云：“出西戎（今我国西部少数民族地区）。今西凉（今甘肃武威一带）夏国及河东（今山西）、陕西近边州郡亦有之。然西戎来者，颗块光明，大者有如拳，重三五两，小者如指面，入药最紧。”《纲目》注“北庭砂”出典为“《四声》”，存疑。

［2］**无毒** 《药性论》云：“有大毒……能销五金八石，腐坏人肠胃。”《本草图经》云：“此本攻积聚（泛指瘤块）之物，热而有毒……而西土人用腌肉，炙以当盐，食之无害，盖积习之久。”

[3] **畏一切酸** 《药性论》作“畏浆水”，则浆水当是酸浆水也。

[4] **瘀血** 硇砂能化瘀消坚，配硼砂、雄黄、麝香外用，可消瘰疬、痈肿。

[5] **气块痃癖** 硇砂能化瘀消坚，故能消气块痃癖。近年将其试用于癌瘤，有一定疗效。

[6] **恶疮息肉** 硇砂有腐蚀作用，点息肉能烂息肉，常有痛感；和杏仁研末点，可缓其痛。

[7] **毒** 其后，《品汇》有“或水飞过，入瓷器中，以重（读虫音）汤（隔水浴锅）煮之，使其自干，而杀其毒及去尘秽也”26字。此26字原出《本草衍义》，因《品汇》漏注出处，遂被误为《日华子本草》文。

[8] **亦名狄盐者** 《纲目》释云：“狄人以当食盐。”按，硇砂主要含氯化铵。氯化铵有化痰功效，能使稠痰化稀，使之易咳吐出。以黄芩、百部、天门冬煎取浓汁，和硇砂末为丸，含化服，可治顽痰、老痰咳吐不利。

67 胡桐泪[1]

治风蚛牙齿痛[2]，有二般，木律不中入药，用石律[3]，形如小石片子，黄土色者为上，即中入齿药用。兼杀火毒并面毒。（《大观》卷13页31；《政和》页327；《纲目》页1380）

【校注】

[1] **胡桐泪** 为杨柳科植物胡杨的树脂。《唐本草》云：“出肃州（今甘肃酒泉）以西平泽及山谷中，形似黄矾而坚实。有夹烂木者，云是胡桐树滋沦入土石碱卤地作之。其树高大，皮叶似白杨、青桐、桑辈，故名胡桐。木堪器用，又名胡桐律。”《蜀本草・图经》云：“凉州（今甘肃武威）以西有之，初生似柳，大则似桑、桐之间，津下入地，与土石相染，状如姜石，极咸苦，得水便消。”

[2] **治风蚛牙齿痛** 《海药本草》云：“主风疳，䘌齿，牙疼痛，骨槽风劳。”《本草图经》云：“治口齿家为最要之物。”又，《唐本草》云：“主大毒热，心腹烦满，水和服之，取吐。又主牛马急黄，黑汗，水研三二两灌之立差。又为金银焊药。”

[3] **石律** 其后，《纲目》引“大明”（即《日华子本草》）文有“石上采之”4字。按，此4字出自《海药本草》，非《日华子本草》文。《海药本草》云：“按《岭表记》云：出波斯国（今伊朗），是胡桐树脂也，名胡桐泪。又有石泪，在石上采也。”

68 铜屑[1]

味苦，平，微毒。明目，治风眼[2]，接骨焊齿[3]，疗女人血气及心痛。（《大观》卷5页12；《政和》页127；《纲目》页596）

【校注】

[1] **铜屑** 诸本俱作“赤铜屑”。《纲目》作“赤铜”。为煅铜时锤打落下的铜屑，久放后，其表

面覆有微量氧化铜及碳酸铜。

[2] **明目，治风眼** 风眼，指目赤痛、羞明、眵多泪热。治疗时，用赤铜屑煎水洗。

[3] **接骨焊齿** 铜屑用于接骨有记载，铜屑用于焊齿未见记载。《本草拾遗》云："赤铜屑主折伤，能焊人骨及六畜有损者。取细研，酒中温服之，直入骨损处，六畜死后，取骨视之，犹有焊痕。"《朝野佥载》云："定州（今辽宁丹东）人崔务坠马折足，医者令取铜末和酒服之，遂痊平。及亡后十余年，改葬，视其胫骨折处，有铜束之。"

69 铜器[1]

平，治霍乱转筋，肾堂及脐下疰痛，并衣被衬后贮火熨之[2]。（《大观》卷5页12；《政和》页127；《纲目》页608）

【校注】

[1] **铜器** 《纲目》作"诸铜器"。此处之铜器指能盛物的铜器，用以贮火，熨寒痛及霍乱（突然吐泻）转筋（小腿肚抽筋）等。

[2] **并衣被衬后贮火熨之** 《纲目》引"大明"作"并炙器隔衣熨其脐腹肾堂"。

70 自然铜[1]

凉。排脓，消瘀血，续筋骨[2]，治产后血邪，安心，止惊悸，以酒摩服。（《大观》卷5页24；《政和》页133；《纲目》页597）

【校注】

[1] **自然铜** 为硫铁矿，含二硫化铁，杂有铜、镍、锑、砷等，淡黄方块，酷似黄铜。《开宝本草》云："生邕州山岩中出铜处……不从矿炼，故号自然铜。"《本草图经》云："今信州（今江西上饶）、火山军（今山西河曲南部）皆有之。……医家谓之鉐石。……自然铜有两三体：一体大如麻黍，或多方解，累累相缀，至如斗大者，其色煌煌明烂如黄金、鍮石，最上。"

[2] **排脓，消瘀血，续筋骨** 《开宝本草》云："疗折伤，散血止痛。"自然铜配当归、没药等分为末，治跌打损伤、瘀血肿痛；配䗪虫等分为散，治外伤腰痛、闪腰岔气。《张氏医通》自然铜散，以煅自然铜、乳香、没药、当归、羌活等分为散，治跌仆骨折，能续筋接骨、散瘀止痛。

71 乌古瓦[1]

冷。并止小便，煎汁服之。（《大观》卷5页33；《政和》页136；《纲目》页585）

【校注】

[1] **乌古瓦** 《唐本草》云："水煮及渍汁饮，止消渴。取屋上年深者，良。"《药性论》云："煎汤服，解人中大热。"《集玄方》谓新瓦为末，生油调，涂唇吻生疮。

72 石燕[1]

凉，无毒。出南土穴中，凝强似石者佳[2]。（《大观》卷5页16；《政和》页129）

【校注】

[1] **石燕** 为古生代腕足类石燕子科动物中华弓石燕及其近缘动物的化石。《唐本草》云："出零陵（今湖南零陵）。[原书注：俗云因雷雨则从石穴中出……永州祁阳县（今湖南祁阳）西北百一十五里土岗上，掘深丈余取之，形似蚶而小，坚重如石也。]"《四声本草》云："别有乳洞中食乳有命者亦名石燕，似蝙蝠，口方。"《食疗本草》云："在乳穴石洞中者，冬月采之，堪食。"据此，石燕有二，一为石类，一为动物。

《灵苑方》云："治久患肠风痔瘘……用石燕净洗，刷去泥土……杵罗为末，以磁石熁去杵头铁屑，后更入坚瓷钵内以硬乳搥研细，水飞过，取白汁如泔乳者，澄去水，曝干，每服半钱至一钱。"从《灵苑方》处理石燕看，石燕是石类，杂有铁。

[2] **凝强似石者佳** 此处所讲的石燕，显然是石类。

《唐本草》云："石燕，以水煮汁饮之，主淋有效。"《本草拾遗》云："主消渴。"

73 梁上尘[1]

平，无毒[2]。（《大观》卷5页28；《政和》页134；《纲目》页588）

【校注】

[1] **梁上尘** 《雷公炮炙论》云："凡使，须去烟火远，高堂殿上者，拂下，筛用之。"《唐本草》云："主腹痛，噎，中恶，鼻衄，小儿软疮。"《千金方》治妬乳方：梁上尘，醋和涂之。《千金翼方》治痈方：以梁上尘灰、葵茎等分，用醋和傅。《子母秘录》治小儿头疮方：梁上尘，和油取瓶下滓，以皂荚汤洗后涂上。

[2] **平，无毒** 《药对》云："梁上尘微寒。"

74 淋石[1]

暖[2]。（《大观》卷5页29；《政和》页135；《纲目》页1822）

【校注】

[1] **淋石** 《开宝本草》云："此是患石淋人或于溺中出者，如小石。"据此，淋石即尿结石。《本草拾遗》云："淋为用最佳也。又主噎病吐食。"

[2] **暖** 其后，《纲目》有"石淋，水磨服之，当得碎石随溺出"13字，并注出处为"大明"（即《日华子本草》）。按，《医心方》卷15页266"石淋"条中亦有此13字，可见《纲目》所注"大明"，实为"《拾遗》"之误。

75 砒霜[1]

暖[2]。治妇人血气冲心痛，落胎。（《大观》卷5页5；《政和》页124；《纲目》页673）

【校注】

[1] **砒霜** 《开宝本草》云："飞炼砒黄（生砒霜）而成。"《本草图经》云："惟信州（今江西上饶）者佳。其块甚有大者，色如鹅子黄，明澈不杂。"砒霜由砒石（信石）加热升华而成，含三氧化二砷，有剧毒。红砒杂有少量三硫化二砷。

[2] **暖** 砒霜大热，有大毒，误服杀人。微量砒霜能截疟、除痰平喘。《卫生宝鉴》记载，用砒霜、绿豆、醋煮硫黄等分为末，作丸，每钱药末制六十丸，每次服一二丸；不可多服，亦不可久服，以防积蓄中毒。砒霜腐蚀性强，能蚀瘰疬、痔疮。

《灵苑方》云："治瘰疬，用信州砒黄细研，滴浓墨汁丸如梧桐子大，于铫子内炒令干后用竹筒子盛，要用于所患处灸破或针，将药半丸敲碎贴之，以自然蚀落为度。"《验方》将红砒、枯矾、朱砂、乌梅肉共研末，外用以蚀痔疮突出。《博济方》以砒黄、麝香为末，外治牙齿臭烂。后人用大枣去核，塞以砒石，于室外空地煅炭，研末，外敷治走马牙疳。

76 砒黄[1]

暖，亦有毒。畏绿豆、冷水、醋[2]。治疟疾肾气，带辟蚤虫[3]。入药以醋煮杀毒乃用。（《大观》卷5页5；《政和》页124；《纲目》页674）

【校注】

[1] **砒黄** 即生砒石，未经炼制者名砒黄，经炼制者名砒霜。砒石、砒黄、砒霜都含三氧化二砷。另有红砒，也含三氧化二砷，但杂有少量三硫化二砷。凡含氧化砷的药品，均有剧毒；均功效相同，能截疟、祛痰平喘、除腐蚀疮；刺激性强，用时，需配其他药稀释之。具体应用，详见"砒霜"条的注文。

[2] **畏绿豆、冷水、醋** 《本草图经》云："误中，解之用冷水研绿豆浆饮之。"砒黄中毒，仍以洗胃为主；用绿豆冷水解，可能耽误病情。

[3] **辟蚤虫** 《政和》作"辟蚤虱"，《大观》作"辟蚤虫"。

77 蓬砂[1]

味苦、辛，暖，无毒。消痰止嗽[2]，破癥结喉痹[3]，及焊金银用。或名鹏砂。（《大观》卷5页34；《政和》页137；《纲目》页701）

【校注】

[1] **蓬砂** 为矿石硼砂提炼出的结晶体，含四硼酸钠。本药原被《嘉祐本草》收为正品，其条末注“新补见《日华子》”。《品汇》注出处为“名医所录”。

[2] **消痰止嗽** 硼砂能化热痰，配贝母、天花粉、青黛、竹沥，治痰黄黏稠及咳吐不利。

[3] **破癥结喉痹** 硼砂能软坚散结、防腐解毒，配冰片、玄明粉、甘草为细末，外吹咽喉肿痛及口疮糜烂；配冰片、雄黄、甘草为细末，蜜水调，涂鹅口疮；配冰片、玄明粉、炉甘石为细末，点目翳、目赤肿痛。

78 铅霜[1]

冷，无毒[2]。消痰，止惊悸[3]，解酒毒，疗胸膈烦闷，中风痰实[4]，止渴。（《大观》卷5页35；《政和》页137；《纲目》页600）

【校注】

[1] **铅霜** 即醋酸铅，一名铅白霜。其功效与铅粉（碱式碳酸铅）相近，能镇惊坠痰、止血敛疮。《十全博救方》用铅霜外敷止鼻衄。本药被《嘉祐本草》收入正品，其条末注“新补见《日华子》”。

[2] **无毒** 铅霜有毒，不可视为无毒；内服铅霜易引起铅中毒。

[3] **消痰，止惊悸** 《圣惠方》以铅霜配朱砂、茯神、人参等分为末，丸如绿豆大，每服一丸，治小儿热惊。中病即止，多服、久服使人发呆。

[4] **疗胸膈烦闷，中风痰实** 铅霜能坠痰，由痰所致之症，均可用。但铅霜易致积蓄中毒，故近代极少将之用于内服。

79 古文钱[1]

平。治翳障，明目，疗风赤眼[2]，盐卤浸用。妇人横逆产，心腹痛，月隔，五淋，烧以醋淬用。（《大观》卷5页35；《政和》页137；《纲目》页607）

【校注】

[1] **古文钱** 指古时用铜铸的钱。年久，其钱生铜锈，有铜屑、铜青样功效。本药被《嘉祐本

草》收入正品，其条末注云“新补见《日华子》”。

［2］**治翳障，明目，疗风赤眼** 铜的化合物有防腐收敛作用，能除目翳，治目赤痛。《本草衍义》云：“少时常自患暴赤目肿痛，数日不能开，客有教以生姜一块，洗净去皮，以古青铜钱刮取姜汁，就钱棱上点，初甚苦，热泪蔑面，然终无损。后有患者，教如此点，往往疑惑。信士点之，无不获验。”

80 腊雪[1]

味甘，冷，无毒。解一切毒，治天行时气温疫[2]，小儿热痫狂啼[3]，大人丹石发动[4]，酒后暴热黄疸，仍小温服之[5]。藏淹一切果实，良。春雪有虫，水亦便败，所以不堪收之。(《大观》卷5页19；《政和》页131)

【校注】

［1］**腊雪** 指农历十二月下的雪。农历十二月是一年之中最冷的月份。腊月收取的雪，古人认为有寒凉的性能，可治一切热证。

［2］**治天行时气温疫** “天行”“时气”都有流行的意思，“温疫”指有传染性的热证。古人认为腊雪寒凉，可除热证。

［3］**小儿热痫狂啼** 小儿患热证，抽搐狂叫。

［4］**大人丹石发动** 以钟乳石为主制成的可服用的制剂名丹石。服丹石出现烦躁发热，名丹石发动。

［5］**解一切毒……仍小温服之** 以上34字，《纲目》注出处为“藏器”。按，此34字是“腊雪”条条文的一部分。“腊雪”条系《嘉祐本草》所收载。其条末注云“新补见陈藏器及《日华子》”。这说明“腊雪”条条文由两家本草文字糅合而成。

卷第五

草部上品之上

81 天门冬[1]

贝母为使。镇心，润五脏[2]，益皮肤，悦颜色[3]，补五劳七伤[4]。治肺气并嗽，消痰[5]，风痹，热毒游风，烦闷吐血。去心用。（《大观》卷6页20；《政和》页147；《纲目》页1025）

【校注】

［1］**天门冬** 是百合科多年生攀缘性草本植物天冬的块根。《本经》云："一名颠勒。"《别录》云："生奉高（今山东泰安）山谷。"《本草图经》云："春生藤蔓，大如钗股，高至丈余，叶如茴香极尖细而疏滑，有逆刺，亦有涩而无刺者，其叶如丝杉而细散，皆名天门冬。……其根白或黄紫色，大如手指，长二三寸，大者为胜，颇与百部根相类，然圆实而长，一二十枚同撮。"

［2］**润五脏** 天门冬能滋阴润燥，润肺燥，配麦门冬、蜂蜜，治肺燥咳嗽痰黏、肺热咳血；润胃燥，配人参、生地黄，治热病伤胃阴之口舌干燥或津亏口渴；润肠燥，配生地黄、麦门冬、当归、白芍、肉苁蓉，治肠燥便秘。

［3］**益皮肤，悦颜色** 津枯则肤色枯。天门冬能滋阴，润皮肤，故能悦颜色。天门冬配当归、白芍、枸杞、熟地黄等分为末，作丸服，能润皮肤、悦颜色。

［4］**补五劳七伤** 天门冬配山药、熟地黄、山萸肉、麦门冬、丹皮、茯苓、泽泻，能补各种劳伤。

［5］**治肺气并嗽，消痰** 天门冬配麦门冬、贝母、枇杷叶，能治劳热咳嗽、咯血、呕血。

82 麦门冬[1]

治五劳七伤，安魂定魄，止渴[2]，肥人，时疾热狂[3]，头痛，止嗽[4]。（《大观》卷6页48；《政和》页156；《纲目》页899）

【校注】

［1］**麦门冬** 是百合科多年生草本植物麦冬或沿阶草的小块根。《别录》云："秦名羊韭，齐名爱韭，楚名马韭，越名羊蓍。……叶如韭，冬夏长生。生函谷（今河南灵宝）川谷及堤坂肥土石间久废处。"《本草图经》云："叶青似莎草，长及尺余，四季不凋，根黄白色有须，根作连珠形，似穬麦颗，故名麦门冬。四月开淡红花如红蓼花，实碧而圆如珠。江南出者，叶大者苗如粗葱，小者如韭，大小有三四种，功用相似。"

［2］**安魂定魄，止渴** 麦门冬功同天门冬，滋腻性小于天门冬，滋阴润燥力弱于天门冬。但麦门冬能清心除烦，故能安魂定魄；又能益胃生津，故能止渴。麦门冬配枣仁、柏子仁、五味子、生地黄、玄参，治心烦不寐、烦躁不安；配沙参、生地黄、玉竹、黄精，治口舌作干、作渴。

［3］**时疾热狂** 热性病后期，津液亏损，夜热甚，用麦门冬配生地黄、玄参、丹参、竹叶心、黄连治之。

［4］**止嗽** 其后，《纲目》引《日华子本草》有"治肺痿吐脓"5字。按，此5字属《药性论》之文，非《日华子本草》之文。又，麦门冬亦有清肺养阴功效，配杏仁、枇杷叶、阿胶、胡麻仁、人参、甘草、生石膏，治肺热干咳、咯血；配天门冬、蜂蜜熬膏，治痰稠干咳、咯血。

83 术[1]

治一切风疾，五劳七伤，冷气腹胀[2]，补腰膝[3]，消痰，治水气[4]，利小便[5]，止反胃呕逆，及筋骨弱软，痃癖气块，妇人冷，癥瘕，温疾，山岚瘴气，除烦，长肌。用米泔浸一宿，入药如常用。又名吃力伽。

苍术[6]者，去皮[7]。（《大观》卷6页31；《政和》页151；《纲目》页743）

【校注】

［1］**术** 古本草所讲的术，含白术、苍术。白术是菊科多年生草本植物白术的根茎。苍术是菊科植物茅苍术的根茎。《本经》《别录》不分白术、苍术。陶弘景分赤、白两种，谓："白术叶大有毛而作桠，根甜而少膏，可作丸散用；赤术叶细无桠，根小苦而多膏，可作煎用。"《别录》云："生郑山（在今陕西汉中）山谷、汉中、南郑。"《本草图经》云："今白术生杭（今浙江杭州）、越（今浙江绍兴）、舒（今安徽怀宁）、宣（今安徽宣城）州高山岗上。叶叶相对，上有毛，方茎，茎端生花，淡紫、碧、红数色，根作桠。"

按，白术、苍术皆能健脾燥湿。白术偏于补，能止汗；苍术偏于燥湿，且能发汗。

［2］**五劳七伤，冷气腹胀** 脾虚不能运化，引起劳倦腹胀。白术配党参、茯苓、甘草，能健脾益气。如脾胃虚寒，冷气腹胀，可用上方加干姜治之。

［3］**补腰膝** 白术配杜仲、续断、阿胶、当归、白芍、熟地黄，能治腰膝酸软，且能安胎。

［4］**消痰，治水气** 白术能燥湿利水。脾不能运化，水湿停留而为痰饮水肿，白术配茯苓、桂枝、甘草，能除痰化饮、去水气。

［5］**利小便** 白术配茯苓皮、大腹皮、生姜皮、陈皮，治尿少、小便不利及浮肿。白术配猪苓、

茯苓、泽泻、桂枝，亦有同样作用。

又，白术能固表止汗，配黄芪、五味子、浮小麦，能治表虚自汗。又，白术配当归、白芍、熟地黄，能固胎。

［6］**苍术**　《大观》《政和》“术”条下所引《日华子本草》文，统名“术”，未分白术、苍术，仅在条末云“苍者去皮”。二者引用“术”条条文时，未注明哪些内容属白术，哪些内容属苍术。《纲目》《品汇》分“白术”“苍术”两条。《纲目》在“苍术”条注《日华子本草》文为“治筋骨软弱，痃癖气块，妇人冷气癥瘕，山岚瘴气温疾”。《品汇》在“苍术”条下注《日华子本草》文为“一切风疾冷气腹胀，妇人冷癥瘕，温疾，山岚瘴气”。

按，苍术为菊科植物茅苍术或北苍术的根茎。苍术燥湿性强，配羌活、秦艽、防风、桂枝，治风湿关节痛、肢体痛；配黄柏，治湿浊带下；配陈皮、厚朴、甘草，治湿浊吐泻；配藁本、白芷，治外感风寒头痛；单用能治夜盲。

［7］**去皮**　《本草衍义》云：“苍术，其长如大小指，肥实，皮色褐，气味辛烈，须米泔浸洗，再换泔，浸二日，去上粗皮。……古方平胃散（苍术、厚朴、陈皮、甘草）之类，苍术为最要药，功尤速。”

84　萎蕤[1]

除烦闷，止渴[2]，润心肺[3]，补五劳七伤虚损，腰脚疼痛，天行热狂，服食无忌。（《大观》卷6页41；《政和》页154；《纲目》页734）

【校注】

［1］**萎蕤**　是百合科黄精属植物玉竹的根茎。《本经》记载，其名女萎。《别录》记载，其别名有玉竹、地节、马薰、荧。《别录》云：“生太山（今山东泰安）山谷及丘陵。”《本草图经》云：“今滁州（今安徽滁州）、舒州（今安徽怀宁一带）、汉中（今陕西汉中）皆有之。叶狭长，表白里青，亦类黄精，茎秆强直似竹箭秆，有节，根黄多须，大如指，长一二尺，或云可啖。三月开青花，结圆实。”

［2］**除烦闷，止渴**　萎蕤能滋阴润燥，生津止渴。萎蕤配生地黄、麦门冬、沙参、冰糖，治热病后期胃阴不足之舌干口渴。又，“止渴”，《纲目》引《日华子本草》作“止消渴”。

［3］**润心肺**　萎蕤能滋肺阴，配沙参、麦门冬、生甘草，治肺阴不足之燥热咳嗽。

85　黄精[1]

补五劳七伤[2]，助筋骨，止饥，耐寒暑，益脾胃[3]，润心肺[4]。单服九蒸九暴，食之驻颜[5]。入药生用。（《大观》卷6页5；《政和》页142；《纲目》页733）

【校注】

［1］**黄精**　为百合科植物黄精的根茎。《本草图经》云：“以嵩山（今河南登封）、茅山（今江

苏句容）者为佳。三月生苗，高一二尺以来，叶如竹叶而短，两两相对，茎梗柔脆，颇似桃枝，本黄末赤，四月开细青白花，如小豆花状，子白如黍，亦有无子者，根如嫩生姜黄色。二月采根，蒸过曝干用。”

［2］**补五劳七伤**　黄精能补气益精，配枸杞子等分为末，蜜丸，久服治五劳七伤。

［3］**益脾胃**　黄精配党参、白术、茯苓、甘草、陈皮，治脾胃虚弱之食少、倦怠。

［4］**润心肺**　对肺虚燥咳，黄精配枇杷叶、贝母、沙参、麦门冬有确效。

［5］**食之驻颜**　《食疗本草》云：“饵黄精能老不饥……九蒸九暴。”《道藏·神仙芝草经》云：“黄精宽中益气，五脏调良，肌肉充盛，骨体坚强，其力倍多，延年不老，颜色鲜明。”

按，黄精能补脾气、益肾精，故久服黄精能增加食量。中医认为饮食为后天精气化生的基础，能食，才能提高机体抗病力，才能长寿。

86　干地黄[1]

助心胆气，安魂定魄，治惊悸，劳劣，心肺损[2]，吐血，鼻衄，妇人崩中血运[3]，助筋骨[4]，长志。日干者，平；火干者，温，功用同前。

生地黄[5]，水浸验，浮者名天黄，半浮半沉者名人黄，沉者名地黄。沉者力佳，半沉者次，浮者劣。煎忌铁器。（《大观》卷6页26；《政和》页149；《纲目》页892）

【校注】

［1］**干地黄**　为玄参科植物地黄的根茎及根。《本经》云：“一名地髓。”《别录》云：“一名苄，一名芑。生咸阳（今陕西咸阳）川泽黄土地者佳。”陶弘景云：“生渭城（今陕西咸阳东）者乃有子实……以彭城（今江苏徐州）干地黄最好，次历阳（今安徽和县），今用江宁（今江苏江宁）板桥者为胜。”《本草图经》云：“熟干地黄最上，出同州（今陕西大荔），光润而甘美。”

［2］**治惊悸，劳劣，心肺损**　凡由血虚所致惊悸、劳劣、心肺损，均可以地黄为主，配当归、白芍、川芎治疗。

［3］**吐血，鼻衄，妇人崩中血运**　干地黄并不能止血，但生地黄能凉血止血，配茅根能治吐血及鼻衄；配阿胶、艾叶，可治妇人崩中血运。

［4］**助筋骨**　肝主筋，肾主骨，干地黄为补肝益肾要药，且能生精补髓。以熟地黄配山药、山萸肉、丹皮、茯苓、泽泻，能补下元以固本，治腰膝酸软、头晕目花、耳鸣耳聋、须发早白、筋骨痿弱。历代长寿高僧，入冬后，多以熟地黄制剂为饵，颐养天年。

按，干地黄加黄酒经反复蒸晒，至内外全部变黑，质地柔软黏腻，即得熟地黄。干地黄是生地黄的干燥品，性甘，寒；熟地黄性甘，微温。二者功效、主治不同。以上4条注文，是指熟地黄而言。

［5］**生地黄**　《本草图经》云：“医家欲辨精粗，初采得，以水浸，有浮者名天黄，不堪用；半沉者名人黄，为次；其沉者名地黄，最佳也。”《品汇》所引《日华子本草》文，与《本草图经》文同。

生地黄分鲜生地和干生地两种。前者是新鲜的地黄块根，后者是干燥的地黄块根。鲜生地味甘、苦，大寒，作用与干生地相似，滋阴力小，清热凉血力大。鲜生地含水分多，用量宜加倍。

生地黄能增补阴液，清热。在热病阴液亏损时，用生地黄、玄参、麦门冬等“保胃气，存津液”，因为“留得一分津液，便有一分生机”。

生地黄配青蒿、鳖甲，能退阴虚发热。

生地黄配山药、天门冬、枸杞子，可治内热消渴。

生地黄能凉血止血。对热病出血、下血、发斑疹，用生地黄配丹皮、赤芍、茜草、侧柏治之。《本草求真》云：“凡吐血、咯血、衄血、畜血、溺血、崩中带下，审其证，果因于热盛者，无不用此调治。……掘生肥大者，洗净捣汁以饮。”因热盛而出血，用一般清热药未必能止血，而生地黄虽本身并不能止血，但确能止热盛出血。中医学认为，对于热入血分，迫血妄行所致的出血，生地黄、丹皮、赤芍能凉血散热，故能止血。在热病过程中，热未入血分（无出血表现），不可用生地黄，用了反而会妨碍病邪清除，从而延误病期。

87　菖蒲[1]

除风下气[2]，丈夫水脏[3]、女人血海[4]冷败，多忘长智[5]，除烦闷[6]，止心腹痛，霍乱转筋[7]，治客风疮疥[8]，涩小便，杀腹脏虫及蚤虱。耳痛作末炒，承热裹罯，甚验。忌饴糖、羊肉[9]。石菖蒲出宣州，二月、八月采取。（《大观》卷6页8；《政和》页143；《纲目》页1063）

【校注】

[1] **菖蒲**　菖蒲品种繁多，其中以天南星科石菖蒲根茎供药用。《别录》云：“生上洛（今陕西商州）池泽及蜀郡（今四川成都）严道，一寸九节者良，露根不可用。”《本草图经》云：“池州（今安徽贵池）、戎州（今四川宜宾）者佳。……其根盘屈有节，状如马鞭大，一根旁引三四根，旁根节尤密，一寸九节者佳，亦有一寸十二节者。采之初虚软，暴干方坚实，折之中心色微赤，嚼之辛香少滓，人多植于干燥砂石土中。”陈承云：“根叶极紧细，一寸不啻九节，入药极佳。今二浙人家以瓦石器种之，旦暮易水则茂，水浊及有泥滓则萎。”《本草衍义》云：“石菖蒲，根络石而生者，节乃密，入药须此等。”

[2] **除风下气**　对湿阻脾胃所致脘腹胀闷、气不下，用菖蒲配陈皮、苍术、厚朴，能下气，除脘腹胀闷。

[3] **水脏**　即肾。中医学以五行配五脏，肾属五行中水，故肾又名水脏。

[4] **血海**　指冲脉。《素问·上古天真论》王冰注：“冲为血海。”

[5] **多忘长智**　菖蒲善能开窍，配人参、远志、茯苓，治健忘。

[6] **除烦闷**　对由痰浊引起的烦闷狂躁，用菖蒲配朱砂、茯神、龙齿、远志治之。

[7] **止心腹痛，霍乱转筋**　湿浊滞脾引起的心腹痛、吐泻，用菖蒲配陈皮、苍术、厚朴，除湿化浊治之。

[8] **治客风疮疥**　菖蒲外用，能治皮肤湿疮，有祛湿止痒之功。

[9] **肉**　其后，《纲目》引《日华子本草》有“勿犯铁器，令人吐逆”8字。此8字原出《千金方》，非《日华子本草》文。

88 远志[1]

主膈气惊魇[2]，长肌肉，助筋骨，妇人血噤失音，小儿客忤。服无忌[3]。(《大观》卷6页69;《政和》页163;《纲目》页749)

【校注】

[1] **远志** 为远志科植物远志或卵叶远志的根。《本经》云：“一名棘菀，一名葽绕，一名细草。”《别录》云：“生太山（今山东泰安）及冤句（今山东菏泽）川谷。”陶弘景云：“今犹从彭城（今江苏徐州）北兰陵来，用之打去心取皮（远志肉），今用一斤正得三两皮尔。”《本草图经》云：“今河（今山西等地）、陕（今陕西）、京西（今河南开封以西）州郡亦有之。根黄色，形如蒿根，苗名小草，似麻黄而青。……三月开花白色，根长及一尺，四月采根、叶阴干，今云晒干。用泗州（今安徽泗县）出者，花红，根、叶俱大于他处。商州（今陕西商州）者，根又黑色。”

[2] **主膈气惊魇** 即主惊悸不寐、迷惑善忘。远志能安神益智，配朱砂、龙齿、茯神、人参、菖蒲，治惊魇不寐；配茯神、茯苓、人参、菖蒲，治迷惑健忘。

又，远志能化痰止咳，配杏仁、紫菀、桔梗、陈皮、半夏，治寒痰咳嗽。单味远志研末，可外敷痈疽。由寒凝气滞、痰湿入络所致之痈疽，远志皆可治。

[3] **服无忌** 《纲目》引《日华子本草》无此文。远志性温，对阴虚火旺所致的咳嗽，不宜用。

89 泽泻[1]

治五劳七伤[2]，主头旋[3]，耳虚鸣，筋骨挛缩，通小肠[4]，止遗沥，尿血，催生，难产[5]，补女人血海，令人有子[6]。叶，壮水脏，下乳[7]，通血脉。(《大观》卷6页66;《政和》页162;《纲目》页1060)

【校注】

[1] **泽泻** 为泽泻科植物泽泻的块茎。《本经》记载，泽泻的别名有水泻、鹄泻、芒芋。《别录》云：“一名及泻，生汝南（今河南汝南）池泽。”《本草图经》云：“以汉中（今陕西汉中）者为佳。春生苗，多在浅水中。叶似牛舌草，独茎而长，秋时开白花作丛。……汉中出者，形大而长，尾间有两歧，最佳。”多用福建产者，其名建泽泻。

[2] **治五劳七伤** 泽泻无补性，单用并不能治五劳七伤，配山萸肉、山药、熟地黄，能补五劳七伤。因补药滋腻作滞，泽泻能泻去其滞，《纲目》谓“泻其邪，邪去则补药得力”。

[3] **主头旋** 头旋由于痰饮停留所致，泽泻配白术，除痰饮，可止眩晕。西医学中的梅尼埃病所致头目眩晕，用《金匮要略》泽泻汤有确效。

[4] **通小肠** 小肠可泌别清浊，小肠不通，即不能泌别清浊，则小便少而大便稀。用泽泻配猪苓、茯苓、白术，可使小便利而大便干。

[5] **催生，难产** 凡向下作用的药，如利水剂（泽泻、滑石等）、泻剂（大黄、芒硝等），都有催生滑胎作用。故妊娠妇女，慎用此类药。

[6] **补女人血海，令人有子** 《别录》云："实……令人无子。"《日华子本草》云："令人有子。"《纲目》释："盖泽泻同补药，能逐下焦湿热邪垢，邪气既去，阴强海净，谓之有子可也。"

[7] **下乳** 利水药如通草、木通、泽泻，有下乳作用，但要同猪蹄、大鲫鱼煨汤服，不可单用。单用则利水，水去则乳干，反而不能下。所以，乳母忌用利水药和泻药。

90 薯蓣[1]

助五脏[2]，强筋骨[3]，长志安神，主泄精[4]、健忘。干者功用同前。(《大观》卷6页62；《政和》页160；《纲目》页1223)

【校注】

[1] **薯蓣** 即山药，是薯蓣科植物薯蓣的块根。《本经》云："一名山芋。"《别录》云："秦楚名玉延，郑越名土藷。生嵩高（今河南登封）山谷。"《本草图经》云："春生苗，蔓延篱援，茎紫，叶青有三尖角，似牵牛，更厚而光泽，夏开细白花，大类枣花。秋生实于叶间，状如铃。……今人冬春采，刮之白色者为上，青黑者不堪。"

[2] **助五脏** 薯蓣能平补脾、肺、肾，兼能收涩养阴。薯蓣配四君子（党参、白术、茯苓、甘草）、莲子、薏苡仁、扁豆，治脾虚泄泻；配党参、麦门冬、五味子，治肺虚喘咳；配乌药、益智仁，治肾虚尿频。

[3] **强筋骨** 薯蓣配山萸肉、熟地黄、丹皮、茯苓、泽泻，能补肝肾、强筋骨。

[4] **主泄精** 薯蓣有收涩功效，配山萸肉、熟地黄、知母、黄柏，治肾虚泄精；配党参、苍术、车前子，治脾虚湿浊之白带。用于收涩时，薯蓣宜炒黄用。

又，薯蓣有滋阴功效，配生地黄、天花粉、麦门冬、黄芪，能治消渴。用于滋阴时，薯蓣宜生用。薯蓣无毒，可以当食品用，但性偏滋腻，有积滞中满者或湿盛者不宜多用。故薯蓣入脾胃药，应炒黄用，以去其滋腻。

91 菊花[1]

治四肢游风[2]，利血脉[3]，心烦，胸膈壅闷，并痈毒[4]，头痛[5]。作枕明目[6]。

菊花上水[7]，益色壮阳，治一切风[8]，并无所忌[9]。

菊叶[10]，亦明目[11]，生熟并可食。

甘菊[12]、野菊[13]，菊有两种，花大气香，茎紫者为甘菊；花小气烈，茎青小者名野菊，味苦。然虽如此，园蔬内种，肥沃后同一体。(《大观》卷6页11；《政和》页144；《纲目》页845)

【校注】

[1] **菊花** 为菊科植物菊的头状花序。因产地和人工栽培方法不同，菊花的颜色、形态、大小差异极大。《本经》云："一名节华。"《别录》云："一名日精，一名女节，一名女华，一名女茎，一名更生，一名周盈，一名傅延年，一名阴成。生雍州（陕西凤翔）川泽及田野。"陶弘景云："南阳（河南南阳）郦县最多。"《本草图经》云："南阳菊亦有两种。白菊……花白蕊黄；其黄菊，……花、蕊都黄。"黄菊善散风热，白菊偏于平肝明目，野菊长于消疔疮毒肿。

[2] **治四肢游风** 菊花能散风热，对外感风热所致头痛、四肢痛、发热咳嗽，可用菊花配桑叶、薄荷、连翘治之。如咳嗽咽干，可用菊花配杏仁、沙参、麦门冬治之。治干咳，菊花入药宜蜜炙。

[3] **利血脉** 《纲目》注此文出自甄权《药性论》。按，此文应属《日华子本草》。

[4] **并痈毒** 野菊花全植物锤烂外敷，能消痈肿疔毒。

[5] **头痛** 白菊花能平肝阳，对由肝阳上亢所致头痛、头胀、头晕，可用菊花配白芍、石决明、蔓荆子、白蒺藜等治之。

[6] **作枕明目** 菊花能明目，配决明子，可治风热或肝火所致目赤痛；配黑芝麻为丸，可治头眩目花。至于作枕明目，可能是因为花泡松后，会使人枕时感觉很舒适，睡得好，间接起到明目作用。

[7] **菊花上水** 《日华子本草》将之并在"菊花"条下，《嘉祐本草》拔出另立"菊花水"一条，将之列在玉石部下品。又，"水"字下，《品汇》有"饮之"2字。《嘉祐本草》云："菊花水，味甘，温，无毒。除风补衰。久服不老，令人好颜色，肥健，益阳道，温中，去痼疾。出南阳郦县北潭水，其源悉芳，菊生彼崖，水为菊味。盛弘之《荆州记》云：郦县菊水，太尉胡广久患风羸，常汲饮此水，后疾遂瘳。此菊甘美，广后收此菊实，播之京师，处处传植。"

[8] **治一切风** 《嘉祐本草》云："司空王畅、太尉刘宽、太傅袁隗皆为南阳太守，每到官，常使郦县月送甘谷水（郦县北潭水）四十斛，以为饮食。此诸公多患风痹及眩冒，皆得愈。"《本草衍义》认为"治一切风"是矿物质的作用，非菊味之功。其花开在九、十月间，无花之月，如何也？

[9] **并无所忌** 《纲目》注此文出处为"甄权"。按《大观》《政和》所注，实为《日华子本草》文，非甄权《药性论》之文。

[10] **菊叶** 《大观》《政和》引《日华子本草》附在"菊花"条下。

[11] **亦明目** 按，菊花、菊叶都能明目。对风热或肝火所致目赤痛，可用菊花配决明子治之。对肝虚所致头昏目花、视物不清，可用菊花配黑芝麻为丸服之。

[12] **甘菊** 《大观》《政和》引《日华子本草》附在"菊花"条下。宋代刘蒙《菊谱》引《日华子本草》作"菊有两种，花大者为甘菊"。《抱朴子》云："南阳郦县山中有甘谷水，所以甘者，谷上左右皆生甘菊，菊花堕其中，历世弥久。故水味为变，其临此谷中，居民皆不穿井，悉食甘谷水，食无不寿考。"

[13] **野菊** 《大观》《政和》引《日华子本草》附在"菊花"条下。宋代刘蒙《菊谱》引《日华子本草》作"菊有两种……花小而苦者为野菊。若种园蔬肥沃之处，漫同一体"。按刘蒙所云，甘菊、野菊是因种地肥瘦不同所致。野菊能消痈肿疔毒。《肘后方》治疔肿方：菊叶一握，捣绞汁一升服之。野菊配蒲公英煎服，可消痈肿；同时将二者捣烂外敷，早晚各换一次，疗效可靠。

92 甘草[1]

安魂定魄，补五劳七伤，一切虚损[2]，惊悸烦闷[3]，健忘，通九窍，利百

脉，益精养气，壮筋骨，解冷热。入药炙用。（《大观》卷6页23；《政和》页148；《纲目》页717）

【校注】

［1］**甘草**　为豆科植物甘草的根及根茎。《别录》云："一名蜜甘，一名美草，一名蜜草，一名蕗草。生河西（今陕西）川谷积沙山及上郡。"《本草图经》云："今陕西及河东（今山西）州郡皆有之。春生青苗，高一二尺，叶如槐叶，七月开紫花似柰，冬结实作角，子如毕豆。根长者三四尺，粗细不定，皮赤，上有横梁，梁下皆细根也。……以坚实断理者为佳，其轻虚纵理及细韧者不堪。"

［2］**补五劳七伤，一切虚损**　甘草能补脾润肺。脾胃为后天之本，脾胃虚则食少，中气不足，一切虚损随之而起。甘草配党参、白术、茯苓，补脾益气，通治一切虚损；配麻黄、杏仁，治风寒咳逆喘促。

［3］**惊悸烦闷**　甘草配小麦、大枣煮服。对于某些神经官能症导致的烦躁不安，用此方，确能得到改善。对心悸，用甘草配麦门冬、熟地黄、阿胶、桂枝、麻仁、人参，也有一定的疗效。

又，《本经》谓甘草能解毒。这种解毒含消痈肿毒和解百药毒。甘草配金银花、蒲公英，解疔疮肿毒；配绿豆，解巴豆、砒霜毒。

《别录》云："安和七十二种石，一千二百种草。"甘草可以缓和症状，缓和药性。在缓和症状方面，如对腹绞痛、四肢挛急、剧烈咳嗽，重用甘草，能使症状缓解。甘草配白芍，能缓四肢挛急痛；配白芍、生姜、大枣、饴糖，可以缓胃寒痛。在调和药性上，应用甘草者很多。例如，泻下药大黄、芒硝，配以甘草，则泻下柔和；温里药附子、干姜，配以甘草，则温里而不伤阴；寒凉药石膏、知母，配以甘草，则清火热而不伤胃；补养药人参、黄芪、当归、熟地黄，配以甘草，则药效可以持久。寒药、热药并用时，配以甘草，有协调作用。如小柴胡汤的柴胡、黄芩（寒药）与生姜、半夏（热药），配以甘草，有协调作用。

甘草有滞性，故有中满、水肿者不宜用。

甘草味甜，有矫味功用，难服的汤药，加甘草可改善口感。如龙胆泻肝汤，加甘草，能降低其苦味。

凡用甘草的方子，禁用大戟、芫花、甘遂、海藻。

甘草用于解毒、消痈肿时宜生用；用于补脾虚止泻，润肺止咳，缓急止痛、止痉，和百药，调味时，宜炙用。

93　人参[1]

杀金石药毒，调中治气[2]，消食开胃。食之无忌。（《大观》卷6页15；《政和》页145；《纲目》页722）

【校注】

［1］**人参**　为五加科植物人参的根。人工栽培的名园参，野生的名野山参。初采晒干者名生晒

参，煮后浸糖汁晒干者名白参，蒸熟晒干或烘干者名红参。刮下的细须根名参须。《本经》云："一名人衔，一名鬼盖。"《别录》云："一名神草，一名人微，一名土精，一名血参。如人形者有神，生上党（今山西长子）山谷及辽东（今辽宁东南）。"《本草图经》云："今河东（今山西）诸州及泰山皆有之，又有河北榷场及闽中来者，名新罗人参，然俱不及上党者佳。其根形如防风而润实。春生苗，多于深山中背阴，近椵漆下湿润处。"《本草衍义》云："今之用者，皆河北榷场博易到，尽是高丽（今朝鲜）所出，率虚软味薄，不若潞州上党者味厚体实。"古代人参产上党者亦名党参。因其质量好，官家与商人争相收购，致使党参灭绝。但为官者为了进贡，商人为了牟利，仍继续向上党要，当地采药者只好用桔梗科植物充之。从此以后，上党所出的党参是桔梗科植物，不是五加科植物。有人认为，古代上党不产五加科人参，其实不然。《政和》所载潞州（包括上党）人参图中的人参，即五加科植物人参。

［2］**调中治气** 人参补一切气，凡元气虚、脾胃气虚、肺气虚、肾气虚、气血虚等所致各种病，人参均能治。如大吐泻、大出血所致元气虚脱，单用人参可治；如兼汗出肢寒、手足冰冷，人参加附子能急救之。如对脾胃气虚所致食少倦怠，用人参配白术、茯苓、甘草治之；对气短喘促，用人参配蛤蚧为末治之；气虚不能生血，用人参配当归、白芍、熟地黄治之；对肾虚阳痿，用人参配鹿茸、淫羊藿、紫河车治之。人参也能壮阳，年轻人忌用，以免泄精过频、过多。

人参能生津止渴。老人咽干口干，多因气血虚衰，不能生津，可用人参配麦门冬、五味子服。治消渴多尿，可用人参配生地黄、玄参、麦门冬治之。

凡中满、饱胀、积食者，均忌用人参。实证均忌用人参。

人参畏五灵脂，反藜芦，恶皂荚。

94 石斛[1]

治虚损劣弱[2]，壮筋骨，暖水脏[3]，轻身，益智。平胃气，逐虚邪[4]。（《大观》卷6页76；《政和》页164；《纲目》页1076）

【校注】

［1］**石斛** 为兰科植物石斛的鲜茎或干燥茎。《本经》云："一名林兰。"《别录》云："一名禁生，一名杜兰，一名石蓫。生六安（今安徽六安）山谷水旁石上。"陶弘景云："今用石斛出始兴（今广东始兴），生石上细实，桑灰汤沃之，色如金、形似蚱蜢髀者为佳。近道亦有。次宣城（今安徽宣城）间生栎树上者名木斛，其茎形长大而色浅。"《本草图经》云："今荆（今湖北）、湖（今湖南）、川（今四川）、广（今广东）州郡及温（今浙江温州）、台（今浙江临海）州亦有之。……五月生苗，茎似竹节，节节间出碎叶，七月开花，十月结实，其根细长黄色。……江南生者有二种，一种似大麦，累累相连，头生一叶，名麦斛；一种大如雀髀，名雀髀斛。惟生石上者胜。"

［2］**治虚损劣弱** 由阴虚所致津液亏损，用石斛滋阴生津有良效。如热病伤阴所致口干作渴，用鲜石斛配生地黄、麦门冬、栝楼根、沙参、玉竹治之。热病后期之津液亏损、低烧不退，用石斛配生地黄、麦门冬、沙参、玉竹、白薇，能增补阴液、退低热。

［3］**壮筋骨，暖水脏** 水脏即肾。肾阴亏损，即出现筋骨软弱等症状。石斛配山药、山萸肉、熟

地黄、牛膝、枸杞子，能壮筋骨。肾主目，肾阴亏损则视物不清，用石斛配枸杞子、菟丝子、青葙子、决明子、熟地黄、白菊花，能补肾明目。

按，石斛以滋阴清虚热为主。阴未伤，或有湿热者，不宜用石斛。因滋阴药性滋腻，有留邪之敝，若过早用，会使邪不能去，从而拖延病程。阴虚者多用干石斛，热偏胜者用鲜石斛。如热胜伤津，症见舌红绛、口干作渴，即用鲜石斛。

［4］**平胃气，逐虚邪**　《纲目》引《日华子本草》无此文。

95　牛膝[1]

治腰膝软怯[2]，冷弱，破癥结[3]，排脓止痛，产后心腹痛并血运，落死胎[4]，壮阳[5]。怀州[6]者长白，近道苏州者色紫。（《大观》卷6页37；《政和》页152；《纲目》页896）

【校注】

［1］**牛膝**　为苋科植物牛膝的根。《本经》云："一名百倍。"《别录》云："生河内（今河南沁阳）川谷及临朐（今山东临朐）。"陶弘景云："蔡州（今河南汝南）者最良。大柔润，其茎有节似牛膝，故以为名。"《本草图经》云："今江淮（今长江、淮河流域）、闽（今福建）、粤（今广东）、关中（今陕西）亦有之，然不及怀州（今河南沁阳）者为真。春生苗，茎高二三尺，青紫色，有节如鹤膝。……叶尖圆如匙，两两相对于节上生，花作穗，秋结实甚细。此有二种：茎紫节大者为雄，青细者为雌。"

［2］**治腰膝软怯**　牛膝能强筋骨，补肝肾。牛膝配虎骨、龟板、熟地黄，治筋骨软怯无力及腰膝酸痛。

［3］**破癥结**　牛膝能活血化瘀。对妇女月闭癥结、瘀血阻滞，可用牛膝配生地黄、红花、干漆治之。

［4］**落死胎**　牛膝能堕胎。牛膝配当归、川芎、车前、红花，能落死胎、下胞衣。妇女怀孕时，禁用牛膝。月经过多者亦忌用牛膝。

［5］**壮阳**　牛膝能引血下行，有助于壮阳。凡头面部充血或有炎症，均可用牛膝引血下行，减轻上部充血，缓和炎症。如对高血压头晕，用牛膝配龙骨、牡蛎、代赭、玄参，可降压止头晕。如口舌生疮，牙龈肿痛，可用牛膝配生地黄、麦门冬、石膏治之。对上部出血，如吐血、鼻衄，可用牛膝配小蓟、茅根、侧柏治之。牛膝亦可引药下行。治下部的病，多加牛膝为引。如治下身腰膝关节痛，用杜仲、桑寄生、独活时，要加牛膝为引。治下身腰膝扭伤痛，用桃仁、红花、当归、延胡索时，也要加牛膝为引。治尿血涩痛，用瞿麦、滑石、冬葵子，也可加牛膝为引。

［6］**怀州**　即今河南沁阳。现代用的怀牛膝，主产于河南，以酒炒或盐炒，补肝肾。川牛膝产于四川，用于活血通经、引血下行。野生的牛膝为土牛膝，长于活血、通淋、消痈肿，治口舌生疮、咽喉肿痛、血淋、白喉等。

96　卷柏[1]

镇心，治邪，啼泣，除面皯，头风，暖水脏。生用破血[2]，炙用止血[3]（《大观》卷6页88；《政和》页168；《纲目》页1090）

【校注】

[1] **卷柏**　为卷柏科植物卷柏的全草。《本经》云："一名万岁。"《别录》云："一名豹足，一名求股，一名交时。生常山（今河北元氏）山谷石间。"《范子计然》云："出三辅（今陕西中部）。"《本草图经》云："今关（今陕西）、陕（今河南峡州）、沂（今山东临沂）、兖（今山东兖州）诸州亦有之。宿根紫色多须。春生苗似柏叶而细碎，拳挛如鸡足，青黄色，高三五寸，无花子。"

[2] **生用破血**　《本经》云："主五脏邪气，女子阴中寒热痛，癥瘕，血闭无子。"《药性论》云："治月经不通。"

[3] **炙用止血**　《百一选方》治远年下血方：卷柏、地榆焙，等分，每用一两煎服。《仁存方》治大便下血方：卷柏、侧柏、棕榈，烧，存性为末，酒下三钱；亦可以饭为丸服。

97　细辛[1]

治嗽[2]，消死肌，疮肉，胸中结聚。忌狸肉。（《大观》卷6页74；《政和》页164；《纲目》页786）

【校注】

[1] **细辛**　为马兜铃科植物北细辛或华细辛的全草。《本经》云："一名小辛。"《别录》云："生华阴（今陕西华阴）山谷。"陶弘景云："今用东阳（今山东费县西南）、临海（今浙江临海）者，形段乃好，而辛烈不及华阴、高丽者。"《本草图经》云："其根细，而其味极辛，故名之曰细辛。……今人多以杜衡当之，杜衡吐人，用时须细辨耳。杜衡春初于宿根上生苗，叶似马蹄形状，高三二寸，茎如麦藁粗细，每窠上有五七叶或八九叶，别无枝蔓，又于叶茎间罅内芦头上贴地生紫花……暗结实如豆大。"

[2] **治嗽**　对风寒引起的痰多清稀喘咳，用细辛配桂枝、白芍、干姜、五味子，能化稀痰饮而止喘咳。

按，细辛性温，治外感风寒。细辛配川芎、白芷、羌活可治风寒所致头痛。对风寒湿所致筋骨痛，可用细辛配羌活、制川乌（先煎半小时）、熟地黄治之。对风寒引起的鼻渊，可用细辛配苍耳子、白芷治之。细辛有毒，单用不能过钱；若中毒则会窒息，甚至死亡。细辛药力在根，有麻醉性。对龋齿痛，将细辛根塞龋齿洞内，以药棉咬住，很快即可止痛。

细辛发汗力强，有汗者慎用；发汗能伤正气、损耗阴液，阴虚气虚者亦慎用。

98 羌活[1]

治一切风[2]并气，筋骨拳挛，四肢羸劣，头旋，明目，目赤疼及伏梁水气，五劳七伤，虚损冷气，骨节酸疼[3]，通利五脏。（《大观》卷6页52；《政和》页157；《纲目》页773）

【校注】

[1] **羌活** 为伞形科植物羌活或宽叶羌活的根茎及根。《本经》《别录》将之并在“独活”条中论述，谓“生雍州（今陕西凤翔）川谷，或陇西（今甘肃陇西）、南安（今四川夹江）”。陶弘景云：“羌活形细而多节软润，气息极猛烈。出益州（今四川）北部、西川（今宁夏固原）为独活，色微白，形虚大，为用亦相似，而小不如其。”《本草图经》云：“今人以紫色而节密者为羌活，黄色而作块者为独活。”

[2] **治一切风** 羌活味辛烈，善散风寒。对风寒所致的头痛、身痛，可用羌活配荆芥、防风、白芷、细辛、川芎治之。

[3] **骨节酸疼** 羌活能散风寒燥湿，对风寒湿所致的骨节酸痛、关节痛，可用羌活配秦艽、威灵仙、海风藤、桑枝、桂枝治之。

99 独活[1]

即是羌活母类也[2]。（《大观》卷6页52；《政和》页157；《纲目》页773）

【校注】

[1] **独活** 是伞形科植物毛当归的根茎。《大观》《政和》引《日华子本草》将本条附在“羌活”条末。独活产地与羌活同，详见“羌活”条。独活辛温，不及羌活辛烈，散风寒力不及羌活强。羌活善散上半身风寒湿，故对头痛如裹（湿胜）、项背痛甚，用羌活最相宜。独活善散下半身风寒湿，故对背痛、腰膝痛、身痛而沉重难以转侧，用独活最相宜。对外感头痛、身痛、恶寒发热、无汗，羌活、独活多并用，配荆芥、防风、川芎、细辛（荆防败毒散）合用。对风寒湿痹痛、腰膝重痛，用独活配川芎、细辛、防风、杜仲、桑寄生、牛膝（独活寄生汤）治之。痹痛伴有气血虚者，羌活、独活不宜多用。因羌活、独活辛温燥烈，耗气伤血。如用，应配补气补血药合用，一般配人参、当归合用。

[2] **即是羌活母类也** 独活、羌活是两种不同植物。《唐本草》云：“疗风宜用独活，兼水宜用羌活。”这说明羌活燥性大于独活，羌活更能散水湿。

100 升麻[1]

安魂定魄，并鬼附啼泣[2]；游风肿毒，口气，疳䘌[3]。又名落新妇。（《大观》

卷6页55；《政和》页158；《纲目》页775）

【校注】

[1] **升麻** 为毛茛科植物大三叶升麻或兴安升麻的根茎。《别录》云："一名周麻。生益州（今四川）山谷。"陶弘景云："旧出宁州（今甘肃宁县）者第一。"《本草图经》云："今蜀汉（今四川广汉）、陕西（今陕西西部）、淮南（今安徽淮南）州郡皆有之。……春生苗，高三尺以来，叶似麻叶，并青色，四月、五月着花，似粟穗，白色，六月以后结实，黑色，根紫如蒿根多须。"

[2] **安魂定魄，并鬼附啼泣** 陶弘景云："取叶挼作小儿浴汤，主惊忤。"《药性论》云："蜀升麻，主治小儿风惊痫、时气热疾……主百邪鬼魅。"

[3] **游风肿毒，口气，疳䘌** 升麻善清热解毒。《药性论》云："升麻……能治口齿风䘌肿疼，牙根浮烂恶臭，热毒脓血……疗痈肿、豌豆疮（天花），水煎，绵沾拭疮上。"升麻配石膏、黄连煎服亦可。治咽喉肿痛，用升麻配玄参、恶实、桔梗。《本草图经》云："今医家以治咽喉肿痛，口舌生疮……殊效。"升麻配石膏、白芷，可治风热前额头痛。

升麻不仅能散风热解毒，还有升提功能。凡有向下趋势的病证，如子宫脱出、脱肛、久泻、子宫久出血、滑胎、胃下垂、麻疹内陷、疮疡内陷等，均可在相应的治疗方中加升麻。若伴有气虚，用升麻配柴胡、黄芪、党参（如补中益气汤）通治上述各证。对疮疡、麻疹内陷，用升麻配葛根、甘草治之。

升麻有升提向上的作用。凡是有向上趋势的病证如咳逆上气之咳喘、呕恶、呃气和西医学的高血压等，均不宜用升麻。

101 柴胡[1]

味甘[2]，补五劳七伤[3]，除烦，止惊，益气力，消痰，止嗽，润心肺，添精，补髓，天行温疾[4]，狂热乏绝，胸胁气满，健忘。（《大观》卷6页46；《政和》页155；《纲目》页769）

【校注】

[1] **柴胡** 为伞形科植物北柴胡、南柴胡的根。《本经》以茈胡为正名，并云："一名地薰。"《别录》云："一名山菜，一名茹草叶，一名芸蒿，辛香可食，生洪农（今河南灵宝）川谷及冤句（今山东菏泽）。"《本草图经》云："今关（今山西）、陕（今陕西）江湖间近道皆有之，以银州（今陕西米脂西北）者为胜。二月生苗，甚香，茎青紫，叶似竹叶稍紧……七月开黄花，生丹州（今陕西宜川）结青子，与他处者不类。根赤色似前胡而强，芦头有赤毛如鼠尾，独窠长者好。"

[2] **味甘** 《本经》云："味苦，平。"《别录》云："微寒，无毒。"

[3] **补五劳七伤** 《本草衍义》云："柴胡，《本经》并无一字治劳，今人治劳方中鲜有不用者，呜呼，凡此误世甚多。……如《经验方》中治劳热青蒿煎丸用柴胡正合宜耳。"按《本草衍义》所云，治劳热（低热）显系银柴胡功效。《本草图经》明言柴胡以银州为胜，说明在北宋及其以前，把

银柴胡与柴胡混用。银柴胡能除骨蒸劳热（结核低热）以及小儿疳疾发热，有利劳伤的恢复，有补益作用。当时医家误把银柴胡功效归到柴胡头上。所以《日华子本草》亦认为柴胡能补五劳七伤。

[4] **天行温疾**　《药性论》云："茈胡……主时疾内外热不解，单煮服良。"柴胡善治往来寒热。柴胡配人参、黄芩、半夏，治往来寒热有确效。凡感冒发热不退，用之则退。柴胡配黄芩、葛根用，亦可。柴胡配常山、草果，还可截疟，但常山能致吐，故此法今已不用。

柴胡除能退热外，还能调情志。凡精神抑郁所致胁肋胀痛、妇女月经不调，可用柴胡配当归、白芍、白术、茯苓、甘草，即逍遥散，治之。柴胡同升麻一样，有升提作用。

102　菴蕳子[1]

治腰脚重痛[2]，膀胱疼，明目[3]，及骨节烦痛[4]，不下食。（《大观》卷6页83；《政和》页167；《纲目》页847）

【校注】

[1] **菴蕳子**　为菊科植物菴蕳的果实。《别录》云："生雍州（今陕西凤翔）川谷，亦生上党（今山西长子）及道边。"《本草图经》云："今江淮（今长江、淮河流域）亦有之。春生苗，叶如艾蒿，高三二尺，七月开花，八月结实。……江南人家多种此辟蛇。"

[2] **治腰脚重痛**　《本经》云："主五脏瘀血……风寒湿痹，身体诸痛。"《别录》云："疗心下坚……寒热周痹。"

菴蕳子能散瘀血。《本草图经》云："孙思邈《千金翼》、韦宙《独行方》主踠折瘀血，并单用菴蕳一物煮汁服之，亦末服。今人治打扑损伤，亦多用此法，饮、散皆通，其效最速。"《广利方》云："治诸瘀血不散变成痈，捣生菴蕳蒿，取汁一升服之。"《圣惠方》治妇人月水不通方：菴蕳子一升，桃仁去皮尖捣，浸酒二斗，封五日，每饮三合，日三服。《濒湖集简方》治产后血瘀痛方：菴蕳子一两，水煎服。

[3] **明目**　《纲目》引"大明"（即《日华子本草》）文，无此2字。

[4] **烦痛**　《政和》作"烦痛"，《大观》作"酸痛"。

103　车前子[1]

常山为使，通小便淋涩[2]，壮阳，治脱精，心烦，下气。（《大观》卷6页56；《政和》页159；《纲目》页918）

【校注】

[1] **车前子**　为车前科植物车前或平车前的种子。《本经》云："一名当道。"《别录》云："一名芣苢，一名虾蟆衣，一名牛遗，一名胜舄。生真定（今河北正定）平泽、丘陵、阪道中。"《唐本草》云："今出开州（今重庆开州）者为最。"《本草图经》云："春初生苗，叶布地如匙面。累年者长及尺余，如鼠尾，花甚细，青色微赤，结实如葶苈，赤黑色。"

[2] **通小便淋涩** 车前子能利水，可配滑石、木通、萹蓄、瞿麦、栀子，治热淋、血淋之小便涩痛。车前子亦治水泻、白带，可配猪苓、茯苓、香薷，治暑天泄泻。

车前子亦能清热，可配龙胆草、泽泻、木通、生地黄，治尿赤短少。对于肝火所致目赤痛，可用车前子配龙胆草、黄芩、密蒙花、菊花治之。对于肝肾不足所致目暗、视物不清，可用车前子配熟地黄、菟丝子治之。对肺热所致痰多咳嗽，可用车前子配杏仁、紫桔梗治之。

车前子能滑胎，孕妇忌用。

104 茺蔚子[1]

治产后血胀[2]，苗叶同功。乃益母草子也。节节生花。如鸡冠子，黑色。九月采。(《大观》卷6页38;《政和》页153;《纲目》页856)

【校注】

[1] **茺蔚子** 是唇形科植物益母草的果实。《本经》云："一名益母，一名益明，一名大札。"《别录》云："一名贞蔚。生海滨池泽。"陶弘景云："叶如荏，方茎，子形细长，三棱。"《本草图经》云："郭璞云：今茺蔚也，叶似荏，方茎，白花，花生节间。……实似鸡冠子，黑色，茎作四方棱。……医方中稀见用实者。"宋以前用全草，名益母草。

[2] **治产后血胀** 益母草能活血化瘀。《肘后方》云："治一切产后血病，并一切伤损，益母草不限多少，竹刀切，洗净，银器内炼成膏……以酒服。"茺蔚子配当归、赤芍、木香，可治月经痛、经闭、产后血瘀痛；配乳香、没药、川芎、当归，能下胞衣。《子母秘录》云："治产后血晕，心气绝，益母草研绞汁，服一盏，妙。"孙真人云："治马咬方，益母草细切，和醋炒封之。"此法亦治跌打损伤，亦可外敷疔肿、乳痈。因益母草既能活血化瘀，又能消肿解毒，其鲜品捣汁内服、其渣外敷，有良好的消痈肿功效。《唐本草》云："捣茺蔚茎傅丁肿，服汁使丁肿毒内消。"

益母草还有利水作用，配白术、茯苓、车前子、白茅根、桑白皮，能消水气浮肿。陈藏器《本草拾遗》云："捣苗绞汁服，主浮肿下水。"

105 木香[1]

治心腹一切气，止泻，霍乱，痢疾[2]，安胎，健脾消食[3]，疗羸劣，膀胱冷痛，呕逆反胃。(《大观》卷6页59;《政和》页160;《纲目》页805)

【校注】

[1] **木香** 为菊科植物木香的根。《别录》云："一名蜜香，生永昌(今云南保山)山谷。"《本草图经》云："根窠大类茄子，叶似羊蹄而长大，花如菊，实黄黑。"

[2] **治心腹一切气，止泻，霍乱，痢疾** 木香是行气止痛要药。《药性论》云："治九种心痛……逐诸壅气上冲烦闷，治霍乱吐泻，心腹绞刺。"木香配砂仁、香附、陈皮，可治脘腹胀痛；配黄连、

青皮、槟榔、枳实，可治痢疾里急后重腹痛；配乌药、砂仁、香附，可治月经痛；配金铃子、赤芍、柴胡、茵陈，可治黄疸、胁肋胀痛（相当肝区痛）。

［3］**健脾消食** 木香配砂仁、枳实、白术为丸服，能健脾开胃、消食积、除胀痛。对脾胃气滞，食少呕恶，脘腹满闷，用木香配砂仁、四君子（人参、白术、茯苓、甘草）、焦三仙（炒山楂、神曲、麦芽）有确效。

木香用于行气止痛时宜生用，用于止泻时宜煨熟用。《本草衍义补遗》云：“煨熟，实大肠。”

106 龙胆[1]

小豆为使。治客忤，疳气，热病狂语[2]，及疮疥[3]，明目[4]，止烦，益智，治健忘。(《大观》卷6页72；《政和》页163；《纲目》页785)

【校注】

［1］**龙胆** 为龙胆科植物龙胆或三花龙胆的根。《本经》云：“一名陵游。”《别录》云：“生齐朐（今山东临朐）山谷及冤句（今山东菏泽）。”陶弘景云：“状似牛膝，味甚苦，故以胆为名。”《本草图经》云：“宿根黄白色，下抽根十余本，类牛膝，直上生苗，高尺余，四月生叶似柳叶而细，茎如小竹枝，七月开花如牵牛花作铃铎形，青碧色，冬后结子，苗便枯。”

［2］**热病狂语** 龙胆能退高热抽搐，配黄连、黄芩、青黛、牛黄、钩藤服，或配黄连、黄柏、栀子、黄芩、芦荟为丸服。

［3］**疮疥** 对湿热所致下部疮肿湿痒，或阴囊肿痛，或阴痒，用龙胆配木通、车前子、黄芩、栀子治之。

［4］**明目** 对湿邪所致目赤肿痛，以龙胆、黄连浸汁点眼有效。

按，龙胆能清利肝胆、下焦湿热。肝经、胆经行于人体两侧。凡肝经、胆经循行处疾病，如耳聋耳肿、胸胁刺痛，以及阴肿痛、目赤肿痛，均可用。下焦湿热，可致小便淋浊，白带，阴肿阴痒，脚痒、流水等，可用龙胆清利。

107 菟丝子[1]

补五劳七伤[2]，治鬼交泄精[3]，尿血，润心肺。苗、茎似黄麻线，无根。株多附田中草，被缠死。或生一丛，如席阔。开花结子不分明，如碎黍米粒。八月、九月以前采。(《大观》卷6页33；《政和》页151；《纲目》页1002)

【校注】

［1］**菟丝子** 为旋花科寄生性植物菟丝子的种子。《本经》云：“一名菟芦。”《别录》云：“一名菟缕，一名唐蒙，一名玉女，一名赤网，一名菟累。生朝鲜川泽田野。蔓延草木之上，色黄而细为赤网，色浅而大为菟累。”《本草图经》云：“今近京亦有之，以冤句（今山东菏泽）者为胜。夏生

苗，如丝综蔓延草木之上……六、七月结实，极细如蚕子，土黄色。……遍地不能自起，得他草梗则缠绕，随而上生。其根渐绝于地而寄空中。”

［2］**补五劳七伤**　菟丝子配山药、杜仲，治肾亏腰膝酸痛；配枸杞子、车前子、五味子、覆盆子，治肾亏不孕、阳痿；配熟地黄、车前子，治肾亏视物昏花。

［3］**治鬼交泄精**　菟丝子有固涩功效，凡泄精、白浊、尿多、泻下、滑胎均可治。菟丝子配石莲子、金樱子、白茯苓，能止遗精；配乌药、益智仁，可治尿多或尿有余沥；配白扁豆、山药、莲子，可止白浊、白带；配桑螵蛸、煅龙骨、煅牡蛎，可治小儿遗尿；配补骨脂、小茴香、白术、茯苓，可治便溏；配黄芪、人参、白术、杜仲、桑寄生、续断、阿胶，可治滑胎。

108　巴戟天[1]

味苦，安五脏[2]，定心气，除一切风，治邪气，疗水肿。又名不凋草，色紫如小念珠，有小孔，子坚硬难捣。（《大观》卷6页77；《政和》页165；《纲目》页748）

【校注】

［1］**巴戟天**　为茜草科植物巴戟天的根。《别录》云：“生巴郡（今重庆巴南）及下邳（今江苏邳州）山谷。”陶弘景云：“今亦用建平（今重庆巫山）、宜都（今湖北宜都）者，状如牡丹而细，外赤内黑，用之打去心（如远志、麦门冬去心）。”《唐本草》云：“巴戟天苗俗方名三蔓草，叶似茗，经冬不枯，根如连珠多者良。宿根青色，嫩根白紫，用之亦同。连珠肉厚者为胜。”《本草图经》云：“今方家多以紫色为良。蜀人云：都无紫色者，彼方人采得，以黑豆同煮，欲其色紫，此殊失气味，尤宜辨之。”《本草衍义》云：“今人欲要中间紫色，则多伪以大豆汁沃之，不可不察。”

［2］**安五脏**　《本经》云：“强筋骨，安五脏。”巴戟天配肉苁蓉、菟丝子、杜仲、紫河车、萆薢，可治筋骨软弱、腰膝酸痛。

按，《别录》云：“补五劳，益精，利男子。”《药性论》云：“能治男子夜梦鬼交泄精，强阴。”男子阳痿、女子不孕，用巴戟天配人参、山药、覆盆子治之；小便多者，用巴戟天配菟丝子、益智仁、桑螵蛸治之；妇女月经不调、月经推迟、小腹疼痛，用巴戟天配肉桂、吴茱萸、高良姜、艾叶治之。

巴戟天温肾壮阳，同肉苁蓉相仿，温而不燥。仙茅、淫羊藿，壮阳力强于巴戟天，但燥性大，极易损精伤阴，尤以仙茅最烈，为养生者大忌。特别是年老者，服用仙茅、淫羊藿等，可能会出现前列腺肥大、排尿困难。

草部上品之下　卷第六

109 肉苁蓉[1]

治男绝阳不兴，女绝阴不产[2]，润五脏，长肌肉，暖腰膝[3]，男子泄精，尿血，遗沥，带下阴痛。据本草云，即是野马精余沥结成。采访人方知勃落树下井土堑上，此即非马交之处。陶说误耳。又有花苁蓉，即是春抽苗者，力较微耳。（《大观》卷7页16；《政和》页179；《纲目》页737）

【校注】

[1] **肉苁蓉** 是列当科寄生植物肉苁蓉的带鳞叶的肉质茎。《别录》云："生河西（今陕西、甘肃一带）山谷及代郡（今河北蔚县）、雁门（今山西代县）。"《本草图经》云："今陕西州郡多有之，然不及西羌（今甘肃、宁夏、新疆、青海一带）界中来者，肉厚而力紧。"春采为甜苁蓉；秋采以盐浸为咸苁蓉，漂去盐为淡苁蓉（一名淡大芸）。

[2] **治男绝阳不兴，女绝阴不产** 肉苁蓉补肾益精，配菟丝子、五味子、熟地黄，治阳痿；配当归、熟地黄、紫河车、鹿角胶，治女子不孕。

[3] **暖腰膝** 肉苁蓉配巴戟天、杜仲、菟丝子、萆薢，治腰脚冷痛。

110 地肤子[1]

治客热丹肿[2]。又名落帚子[3]，色青，似一眠起蚕沙矣。（《大观》卷7页41；《政和》页187；《纲目》页913）

【校注】

[1] **地肤子** 为藜科植物地肤的果实。《本经》云："一名地葵。"《别录》云："一名地麦，生荆州（今湖北江陵）平泽及田野。"《本草图经》云："今蜀川（今四川）、关中（今陕西）近地皆有之。初生薄地，五六寸，根形如蒿，茎赤，叶青，大似荆芥，三月开黄白花。八月、九月采实，阴干用。"

[2] **治客热丹肿** 《别录》云："去皮肤中热气，散恶疮。"《本草图经》云："解恶疮毒。"按，地肤子善利湿热，散风止痒。对湿热所致淋沥涩痛，用地肤子配猪苓、茯苓、滑石、瞿麦、通草治之。用地肤子治疗皮肤瘙痒，内服、外洗均可。地肤子配荆芥、薄荷、蝉蜕、白鲜皮，内服，可止痒；配花椒、白矾、蛇床子、苦参，煎汤外洗，可治阴囊湿痒及女阴作痒。

《药性论》云："地肤子，君，一名益明，与阳起石同服，主丈夫阳痿不起。"此与蛇床子作用有相似之处。蛇床子配菟丝子、五味子，亦治男子阳痿、女子宫冷。蛇床子配白矾，水煎洗，可治阴囊湿痒及女阴痒。

[3] **又名落帚子** 《本草图经》云："一名鸭舌草。"《唐本草》云："捣绞取汁，主赤白痢，洗目去热暗雀盲（即夜盲）涩痛。苗灰主痢亦善。北人亦名涎衣草。"

111 蒺藜[1]

治贲㹠肾气，肺气胸膈满[2]，催生并堕胎[3]，益精，疗肿毒[4]及水脏冷，小便多，止遗沥、泄精[5]、溺血。入药不计丸散，并炒去刺用。（《大观》卷7页13；《政和》页177；《纲目》页935）

【校注】

[1] **蒺藜** 有两种，刺蒺藜与潼蒺藜。刺蒺藜是蒺藜科植物，有三角刺，以散风、解郁、活血为主；潼蒺藜是豆科植物，无刺，以补肾、涩精、缩尿、明目为主。本条文有"炒去刺"，当指刺蒺藜。《本经》云："一名旁通，一名屈人，一名止行，一名豺羽，一名升推。"《别录》云："一名即藜。"《尔雅》云："茨，蒺藜。"郭璞注云："布地蔓生，细叶，子有三角，刺人。"《本草图经》云："蒺藜子生冯翊（今陕西大荔）平泽或道旁……类军家铁蒺藜……又一种白蒺藜，今生同州（今陕西大荔）沙苑，牧马草地最多……绿叶细蔓，绵布沙上，七月开花黄紫色，如豌豆花而小，九月结实作荚子……其实……褐绿色，与蚕种子相类而差大。"

[2] **治贲㹠肾气，肺气胸膈满** 刺蒺藜配青皮、橘叶、香附、郁金，能疏肝解郁。

[3] **催生并堕胎** 刺蒺藜能活血，故能催生堕胎。刺蒺藜配桃仁、红花、归尾，可以通经，治经闭；配王不留行、木通，可以通乳，治乳胀痛。

[4] **疗肿毒** 刺蒺藜能活血，可以消痈肿丁毒。《千金方》以刺蒺藜苗熬膏敷疮肿。《外台秘要》治一切疔肿方：取刺蒺藜子末，醋和封肿处。

此外，刺蒺藜还能散风热。《千金方》以刺蒺藜苗煮汤洗遍身风痒。刺蒺藜配地肤子、蝉蜕、荆芥、牛蒡子、豨莶草，治风疹瘙痒；配蔓荆子、菊花、钩藤，治头风眩晕；配青葙子、决明子、菊花、银花、连翘，治风火眼赤痛。

[5] **水脏冷，小便多，止遗沥、泄精** 按，此等症状，均由肾虚不固所致。刺蒺藜并不能补肾，只有潼蒺藜才能补肾、固精、缩尿，可以治此等病证。潼蒺藜性温，可以治肾冷腰痛。潼蒺藜配莲子、芡实、煅龙骨、煅牡蛎，能固肾涩精缩尿，治遗沥、小便多、遗精、泄精。又，肾主目，肾虚则目不明，故刺蒺藜配熟地黄、枸杞子、菟丝子、菊花，可治肾亏视物昏花。刺蒺藜以行（血）、散（风）为主，潼蒺藜以固（肾）、涩（精）为主。二者作用有些相反。《日华子本草》在同一蒺藜药名

下，综述两类不同的病证，很显然，《日华子本草》所讲的蒺藜包含潼蒺藜。由此可见，古代对刺蒺藜、潼蒺藜的区分并不严格。

112　防风[1]

治三十六般风[2]，男子一切劳劣，补中，益神，风赤眼[3]，止泪，及瘫缓[4]，通利五脏、关脉，五劳七伤，羸损，盗汗[5]，心烦体重，能安神定志，匀气脉。(《大观》卷7页19；《政和》页179；《纲目》页771)

【校注】

[1] **防风**　为伞形科植物防风的根。《本经》云："一名铜芸。"《别录》云："一名茴草，一名百枝，一名屏风，一名蔺根，一名百蜚。生沙苑（今陕西大荔）川泽及邯郸（今河北邯郸）、琅琊（今山东诸城）、上蔡（今河南上蔡）。"陶弘景云："第一出彭城（今江苏徐州）、兰陵（今山东峄城东）……次出襄阳（今湖北襄阳）、义阳（今河南信阳）县界。"《本草图经》云："又有石防风，出河中府（今山西永济），根如蒿根而黄，叶青花白，五月开花，六月采根，暴干。……江东出一种防风，其苗初春便生，嫩时红紫色，彼人以作菜茹，味甚佳。"

[2] **治三十六般风**　谓防风可治多种风证。如对风寒证、风热证、风寒湿证、破伤风，配以相应的药，防风均能治之。对外感风寒感冒之头痛、鼻塞，用防风配紫苏、荆芥、白芷治之。对外感风热感冒之头痛、咽痛，用防风配连翘、薄荷、桔梗治之。对外感风寒湿之身痛、关节痛，用防风配羌活、独活、秦艽治之。对破伤风，用防风配天南星治之。又，防风炒炭能止泻，配陈皮、白芍、白术，可治腹痛腹泻。单用防风炒炭，可止血。防风花亦止痛。《药性论》云："花主心腹痛，四肢拘急，行履不得，经脉虚羸，主骨节间疼痛。"

[3] **风赤眼**　防风配金银花、连翘、野菊花、青葙子、决明子，治目赤痛。

[4] **瘫缓**　由风寒湿痹所致瘫痪，用防风配黄芪、当归、赤芍、甘草、羌活、活血藤治之。此症极难治，宜配针灸治疗。

[5] **盗汗**　防风配白术、防风、麻黄根、糯稻根、浮小麦，治盗汗。

113　木莲藤[1]

汁傅白癜、疬疡，及风恶疥癣[2]。(《大观》卷7页11；《政和》页176；《纲目》页1050)

【校注】

[1] **木莲藤**　为桑科植物薜荔的藤。本条，《政和》附在"络石"条下。《本草拾遗》云："薜荔夤缘树木，三五十年渐大，枝叶繁茂，叶圆，长二三寸，厚若石韦，生子似莲，房中有细子，一年一熟。子亦入用，房破血，一名木莲，打破有白汁，停久如漆。"《本草图经》云："薜荔与此（络

石）极相类，但茎叶粗大如藤状。……木莲更大如络石，其实若莲房，能壮阳道。”按《本草图经》所云，薜荔与木莲、络石是同类物，今日所用的络石是夹竹桃科植物络石，但也有人将薜荔当络石用。《本草拾遗》云：“络石……与薜荔相似。更有木莲、石血、地锦等十余种藤，并是其类，大略皆主风血，暖腰脚，变白不衰。”

［2］**汁傅白癜、疬疡，及风恶疥癣**　《纲目》引“大明”（即《日华子本草》）化裁为“主治白癜风，疬疡风，恶疥疥癣，涂之”。

114　常春藤[1]

一名龙鳞薜荔。（《大观》卷7页11；《政和》页176；《纲目》页1051）

【校注】

［1］**常春藤**　为五加科植物常青藤的茎、叶。《日华子本草》将之续在木莲藤之后。《本草拾遗》云：“土鼓藤，味苦。子，味甘，温，无毒。主风血羸老，腹内诸冷血闭，强腰脚，变白，煮服，浸酒服。生林薄间，作蔓，绕草木，叶头尖，子熟如珠，碧色正圆，小儿取藤于地打作鼓声。李邕名常春藤。”又云：“络石……与薜荔相似。更有木莲、石血、地锦等十余种藤，并是其类，大略皆主风血，暖腰脚，变白不衰。”今日仅用络石藤，未见用其余同类诸藤。络石藤、薜荔藤偏寒，除能通络止痛外，还能消痈肿，治咽喉肿痛。陈承谓，薜荔叶烂研绞汁，和蜜饮治背痈，并用其滓敷疮上，遂愈。

115　千岁虆[1]

味甘、酸。止渴，悦色，年多大者佳，茎、叶同用。又名蘡薁藤[2]。（《大观》卷7页42；《政和》页187）

【校注】

［1］**千岁虆**　是何物不详。《唐本草》谓千岁虆是蘡薁。《本草拾遗》云：“按，蘡薁是山蒲桃，斫断藤吹，气出一头，如通草……明非蘡薁也。千岁虆似葛蔓，叶下白，子赤，条中有白汁。……此藤大者盘薄，故云千岁虆。”《本草图经》云：“千岁虆生太山（今山东泰安）川谷，作藤生，蔓延木上，叶如葡萄而小，四月摘其茎，汁白而甘，五月开花，七月结实，八月采。子青黑微赤，冬惟凋叶。此即《诗》云葛虆者也。”

［2］**蘡薁藤**　按，蘡薁能止吐。《肘后方》治呕哕，用蘡薁藤煎汁呷之。《唐本草》谓千岁虆是蘡薁，遂说“其茎主哕逆大善，伤寒后呕哕更良”。盖《唐本草》是以蘡薁为千岁虆。《日华子本草》从《唐本草》说，谓千岁虆“又名蘡薁藤”。但《本草拾遗》《本草图经》否定《唐本草》之说，认为千岁虆是葛虆，即似葛（豆科植物）之草也。

116　黄连[1]

治五劳七伤，益气[2]，止心腹痛[3]，惊悸，烦躁，润心肺，长肉，止血[4]，并疮疥，盗汗，天行热疾[5]。猪肚蒸为丸，治小儿疳气。（《大观》卷7页8；《政和》页175；《纲目》页761）

【校注】

[1] **黄连**　为毛茛科黄连属植物黄连、三角叶黄连、云连的根茎。《本经》云："一名王连。"《别录》云："生巫阳（今重庆巫山）川谷及蜀郡（今四川成都）、太山（今山东泰安）。"《唐本草》云："今澧州（今湖南澧县）者更胜。"《本草图经》云："今江（今江西九江）、湖（今浙江湖州）、荆（今湖北江陵）、夔（今重庆奉节）州郡亦有，而以宣城（今安徽宣城）者为胜。施（今湖北恩施）、黔（今贵州）者次之。苗高一尺以来，叶似甘菊，四月开花黄色，六月结实似芹子，色亦黄。……根用生江左（南京至芜湖长江段以东地区为江左）者。根若连珠，其苗经冬不凋，叶如小雉尾草，正月开花作细穗，淡白微黄色，六七月根紧始堪采。"

[2] **治五劳七伤，益气**　陶弘景云："道方服食长生。"梁·江淹《黄连颂》云："黄连上草，丹砂次之。"《神仙传》谓："服黄连五十年得仙。"因此，后世误传谓黄连有益气之功，能治五劳七伤。

[3] **止心腹痛**　心，有时指人体位置而言，人的胃在中心，习惯以胃痛为心痛。慢性胃痛，吐酸水，用黄连配吴茱萸可止。由下痢所致腹痛，用黄连配木香可止。由寒而致的腹痛，非黄连所宜。

[4] **止血**　对内火热盛之吐血、衄血，用黄连配黄芩、大黄，清内火而止血。

[5] **天行热疾**　指热病高热。用黄连配黄芩、栀子、犀角能退热。

按，黄连古来为治痢要药，配黄柏、白头翁、木香治赤痢极有效；配干姜、当归、阿胶治冷痢白冻，效果亦可靠。

黄连可以消痈肿，配黄芩、黄柏、连翘内服，可消疔疮肿毒（对青霉素过敏者可用）。

黄连浸水，取黄连液点眼，可治火眼。黄连、枯矾研细末，可治耳内有脓；吹前用药棉揩干脓水；吹少许，过多则阻塞耳道。

黄连配吴茱萸为丸，治胃酸过多，比用碱性物质（氧化镁、小苏打、氢氧化铝）中和胃酸好得多。黄连配知母、天花粉，可治消渴多食易饥。

117　沙参[1]

补虚[2]，止惊烦，益心肺，并一切恶疮疥癣及身痒[3]，排脓，消肿毒。（《大观》卷7页48；《政和》页189；《纲目》页728）

【校注】

[1] **沙参**　有南、北二种。南沙参为桔梗科植物沙参或轮叶沙参的根，北沙参为伞形科植物珊瑚

菜的根。《本经》云："一名知母。"《别录》云："一名苦心，一名志取，一名虎须，一名白参，一名识美，一名文希。生河内（今河南武陟）川谷及冤句（今山东菏泽）、般阳（今山东淄川）续山。"《唐本草》云："今沙参出华州（今陕西华阴）为善。"《本草图经》云："今出淄（今山东淄川）、齐（今山东济南）、潞（今山西长治）、随（今湖北随县）州……苗长一二尺以来，丛生崖壁间，叶似枸杞而有义牙，七月开紫花，根如葵根筋（筷子）许大，赤黄色，中正白实者佳。……南土生者，叶有细有大，花白，瓣上仍有白黏胶，此为小异。"

[2] **补虚** 以补胃阴虚和肺阴虚为主。对热病伤胃阴之口干、舌干、作渴，用沙参配生地黄、麦门冬、玉竹、冰糖治之。如果热盛，用沙参配鲜生地黄、鲜石斛，兼能清热养胃阴。

对肺热之干咳痰稠，用沙参配麦门冬、玉竹、生甘草、生扁豆、栝楼根治之。对虚劳咳嗽、咯血，伴有低热，用沙参配麦门冬、熟地黄、地骨皮、知母、贝母、鳖甲。

补养肺阴、胃阴，南沙参、北沙参均可用。咳嗽有痰宜用南沙参，热胜宜用鲜沙参（南沙参新鲜者）。

[3] **身痒** 沙参本身并不止痒，但沙参滋阴润燥，可间接缓和痒的感觉。

118 丹参[1]

养神定志，通利关脉，治冷热劳，骨节疼痛[2]，四肢不遂，排脓，止痛[3]，生肌长肉，破宿血，补新生血，安生胎，落死胎，止血崩带下，调妇人经脉不匀，血邪心烦[4]，恶疮疥癣，瘿赘肿毒，丹毒[5]，头痛，赤眼，热温狂闷。又名山参。（《大观》卷7页32；《政和》页183；《纲目》页754）

【校注】

[1] **丹参** 为唇形科植物丹参的根。《别录》云："一名赤参，一名木羊乳。生桐柏山（今河南桐柏）川谷及太山。"《本草图经》云："今陕西、河东（今山西）州郡及随州（今湖北随县）亦有之。二月生苗，高一尺许，茎秆方棱青色，叶生相对如薄荷而有毛，三月开花红紫色似苏花，根赤，大如指，长亦尺余，一苗数根。……又云：冬月采者良，夏月采者虚恶。"

[2] **骨节疼痛** 陶弘景云："茎方，有毛，紫花，时人呼为逐马，酒渍饮之，疗风痹。"《药性论》云："治脚弱疼痹。"《四声本草》云："酒浸服之，治风软脚，可逐奔马，故名奔马草，曾用有效。"丹参能活血化瘀。对血瘀痹痛，单用丹参有效。对伴有风热、风湿，关节红肿作痛者，用丹参配苍术、黄柏、牛膝、银花、赤芍、丹皮治之。

[3] **止痛** 丹参可治血瘀所致各种疼痛。如丹参配檀香、砂仁，可治心腹痛；配川芎、赤芍、红花、苏合香、降香，可治心绞痛；配川芎、赤芍、红花、当归，可治痛经；配苏木、桃仁、当归、川芎、姜黄、乳香、没药，可治外伤痛；配桃仁、赤芍、乳香、没药，可治宫外孕，如不效，可加三棱、莪术；配柴胡、丹皮、赤芍、当归、桃仁、红花、木香，可治肝区痛，如肝脾肿大，可加三棱、莪术、䗪虫、大黄、鳖甲、鸡内金、牡蛎为丸服，以大便软、不影响饭量、无出血迹象为宜。

[4] **血邪心烦** 丹参能生新血。对血虚之心烦不寐，单用丹参浸酒服，能安神除烦。古有"一味丹参，功同四物"之说。热病伤营之心烦不寐，用丹参配生地黄、玄参治之。

[5] **肿毒，丹毒** 丹参配金银花、连翘、野菊花、蒲公英，内服、外敷，治疗疮肿毒；配栝楼、穿山甲、蒲公英、乳香，治乳痈肿痛。

按，丹参和川芎皆能活血、通经、止血瘀痛。丹参性凉，适用于热性血瘀痛，如红肿热痛、痈肿、月经先期腹痛，以及西医学的关节炎、高血压、冠心病、心绞痛；川芎性温，适用于寒性血瘀痛，如风寒头痛、风寒湿痹痛、月经衍期腹痛、心腹血瘀冷痛。

119 王不留行[1]

治发背[2]，游风风疹[3]，妇人血经不匀及难产[4]。根、苗、花、子并通用[5]。又名禁宫花、剪金花。(《大观》卷7页54；《政和》页191；《纲目》页915)

【校注】

[1] **王不留行** 为石竹科植物麦蓝菜。《别录》云："生太山（今山东泰安）山谷。"《蜀本草·图经》云："叶似菘蓝等，花红白色，子壳似酸浆，实圆黑似菘子如黍粟。"《本草图经》载，有成德军（今河北正定）、江宁府（今江苏南京）、河中府（今山西永济）王不留行药图。《本草图经》云："苗茎俱青，高七八寸以来，根黄色如荠根，叶尖如小匙头，亦有似槐叶者，四月开花黄紫色，随茎而生如松子状。……俗间亦谓之剪金草。河北生者，叶圆花红，与此小别。"

[2] **治发背** 发背即背痈。《别录》云："止心烦、鼻衄，痈疽恶疮瘘乳。"《本草图经》云："张仲景治金疮，八物王不留行散，小疮粉其中，大疮但服之。"陶弘景云："子似菘子而多入痈瘘方。"王不留行能活血化瘀。痈肿初起未化脓时，用之能促进疮肿消散。如乳痈初起肿痛，用王不留行配栝楼、蒲公英、夏枯草，能消肿止痛。

[3] **游风风疹** 《本经》云："除风痹。"《药性论》云："能治风毒，通血脉。"对于带状疱疹，可内服、外敷王不留行，单用亦有效。

[4] **妇女血经不匀及难产** 王不留行能活血通经，配桃仁、红花、川芎、当归尾，可治经闭、痛经。《别录》云："治瘘乳。"对于乳妇不下乳，用王不留行配通草、穿山甲同猪蹄煨汤服；如因气血虚致乳少，用王不留行配八珍汤加黄芪。

又，王不留行能利水通淋。王不留行配石韦、瞿麦、滑石、冬葵子，可治血淋涩痛；配通草、海金沙、金钱草，能治石淋、砂淋。王不留行、通草、穿山甲均能下乳，前二者兼能利水通淋，后者兼能溃痈托毒排脓，与皂刺功用相同。

[5] **根、苗、花、子并通用** 现代主要用其子，未见用其根、苗、花。《本草图经》云："五月内采苗、茎，晒干用。"可见宋代其苗、茎皆用。现今中药资源不足，亦当利用苗、茎。

120 吴蓝[1]

味苦、甘，冷，无毒。治天行热狂[2]，丁疮，游风热毒，肿毒风疹[3]，除烦止渴，杀疳，解毒药、毒箭，金疮血闷，虫蛇伤毒刺，鼻洪，吐血，排脓，寒热头痛，赤眼，产后血运，解金石药毒，解狼毒、射罔毒，小儿壮热热疳。(《大观》卷7

页3；《政和》页173；《纲目》页927）

【校注】

[1] **吴蓝** 蓝的品种很多，有十字花科菘蓝及大青，马鞭草科大青，爵床科马蓝，蓼科植物蓼蓝，不详吴蓝是何科植物。《本草图经》云："按，蓝有数种，有木蓝，出岭南，不入药；有菘蓝，可以为淀者，亦名马蓝……有蓼蓝，但可染碧而不堪作淀，即医方所用者也。又，福州有一种马蓝……治妇人败血甚佳。又，江宁（在今江苏）有一种吴蓝，二三月内生，如蒿状，叶青，花白，性寒，去热解毒，止吐血。……又，古方多用吴蓝者，或恐是此。"蓝叶为大青叶，蓝茎及根名板蓝根。蓝的茎叶加水沤烂，去渣，加石灰乳，搅至深红色，捞去浮面泡沫，晒干，名青黛。

[2] **治天行热狂** 蓝的叶、茎、根俱能泻火解毒，配丹皮、栀子、犀角、生地黄，能清火热，止吐血、衄血、发斑，治天行热狂、温毒发斑，对脑炎、肝炎亦有效。

[3] **丁疮，游风热毒，肿毒风疹** 蓝叶（大青叶）、蓝根、蓝茎（板蓝根）配黄连、栀子、玄参，能治疔疮、痈肿、丹毒、口疮、带状疱疹，内服、外敷均有效。所云"游风热毒"，亦包括大头瘟（颜面丹毒）、丹痧（猩红热、咽红肿痛），以蓝的叶或根、茎，配黄连、黄芩、连翘、柴胡、升麻、牛蒡子、薄荷、玄参组成普济消毒饮，治之有确效。此方用于肝炎、脑炎、胰腺炎亦有良效。用抗生素不效时（或因抗药性，或因病毒感染），可用此方。

121 景天[1]

冷。治心烦热狂[2]，赤眼[3]，头痛，寒热，游风丹肿[4]，女人带下[5]。（《大观》卷7页43；《政和》页187；《纲目》页1079）

【校注】

[1] **景天** 为景天科植物景天的全草。《本经》云："一名戒火，一名慎火。"《别录》云："一名火母，一名救火，一名据火。生太山川谷。"《本草图经》云："春生苗，叶似马齿而大，作层而上，茎极脆弱，夏中开红紫碎花，秋后枯死。"

[2] **治心烦热狂** 《本经》云："主大热、火疮、身热烦。"《药性论》云："治发热惊疾。"《普济方》以景天煎水浴，治惊风烦热。

[3] **赤眼** 《本经》《药性论》俱云，花能明目。《圣惠方》谓，捣汁点目翳涩痛。

[4] **游风丹肿** 《药性论》云："能治风疹恶痒，主小儿丹毒。"《千金方》云："治小儿丹发，慎火草生一握，捣绞汁以拭之。"《子母秘录》云："治小儿赤游……捣生景天傅疮上。"

[5] **女人带下** 《本经》云："花，主女人漏下赤白。"

122 蒲黄[1]

治扑损血闷[2]，排脓，疮疖[3]，妇人带下，月候不匀，血气心腹痛，妊孕人下血坠胎，血运，血癥，儿枕急痛[4]，小便不通[5]，肠风泻血[6]，游风肿毒，鼻洪，吐血[7]，下乳，止泄精、血痢[8]。此即是蒲上黄花。入药要破血消肿即生使，要补血止血即炒用[9]。蒲黄筛下后有赤滓，名为萼，炒用，甚涩肠止泻血及血痢。(《大观》卷7页21；《政和》页180；《纲目》页1066)

【校注】

[1] **蒲黄**　为香蒲科植物水烛香蒲的花粉。《别录》云："生河东（今山西）池泽。"《本草图经》云："泰州（今江苏泰州）者为良。春初生嫩叶，未出水时红白色……至夏抽梗于丛叶中，花抱梗端如武士棒杵，故俚俗谓蒲槌，亦谓之蒲厘。花黄，即花中蕊屑也，细若金粉，当其欲开时，有便取之。……医家又取其粉下筛后有赤滓，谓之蒲萼，入药以涩肠已泄殊胜。"

[2] **治扑损血闷**　生蒲黄能活血，配桃仁、红花、当归、川芎，治跌打损伤、瘀血肿痛。

[3] **疮疖**　生蒲黄配乌贼骨为末，外敷疮疖、口疮。

[4] **血运，血癥，儿枕急痛**　儿枕急痛即产后瘀阻腹痛，用生蒲黄配五灵脂可治之。生蒲黄配丹皮、生地黄、延胡索、荷叶，加蜜煎服，可治血晕（产后晕厥）。

[5] **小便不通**　生蒲黄能利尿，配生地黄、冬葵子、石韦，治血淋涩痛、小便不通。

[6] **肠风泻血**　炒蒲黄能止血，配地榆、槐花，治肠风泻血。《肘后方》云："治肠痔，每大便常血水，服蒲黄方寸匕，日三服，良。"

[7] **鼻洪，吐血**　鼻洪即鼻出血。蒲黄配生地黄、茅根、黄芩，可治鼻洪、吐血。《简要济众方》云："治吐血、唾血，蒲黄一两，捣为散，每服三钱，温酒或冷水调妙。""治小儿吐血不止，蒲黄细研，每服半钱，用生地黄汁调下。"

[8] **止泄精、血痢**　蒲黄粉下筛后，其赤滓名蒲萼。蒲萼有收涩作用，能止泄精、血痢。

[9] **入药要破血……即炒用**　消肿即生使，补血止血即炒用。这种用法，最早由《日华子本草》收载。按，活血、止血是两种相反的作用。蒲黄生可活血，炒后可止血，其中机制值得研究。

123　马蹄决明[1]

助肝气，益精[2]。水调末涂，消肿毒。协太阳穴治头痛。又贴脑心，止鼻洪。作枕胜黑豆，治头风，明目也。(《大观》卷7页31；《政和》页183；《纲目》页912)

【校注】

[1] **马蹄决明**　《纲目》云，《本经》中的决明即马蹄决明。马蹄决明为豆科植物决明的种子，呈菱状，近方形。另有同属植物望江南，其种子为圆形，亦作决明用。《别录》云："生龙门（今山西河津）川泽。"《本草图经》云："夏初生苗，高三四尺许，根带紫色，叶似苜蓿而大，七月有花黄白色，其子作穗如青绿豆而锐。……又有一种马蹄决明，叶如江豆，子形似马蹄，故得此名。"

[2] **助肝气，益精**　决明能清肝火，兼益肾阴。对肝火所致头痛、目赤，用决明配黄芩、菊花、夏枯草治之。对肝肾阴亏之目昏暗，用决明配枸杞子、潼蒺藜、女贞子治之。

决明子还能润大便、降血压。对高血压所致便秘、头昏，可用决明子代茶饮治之。

124 芎䓖[1]

畏黄连。治一切风[2]、一切气[3]、一切劳损、一切血[4]。补五劳，壮筋骨，调众脉，破癥结宿血，养新血，长肉，鼻洪、吐血及溺血，痔瘘，脑痈，发背，瘰疬，瘿赘，疮疥，及排脓[5]，消瘀血。(《大观》卷7页6；《政和》页174；《纲目》页796)

【校注】

[1] **芎䓖** 为伞形科植物川芎的根茎。《别录》云："一名胡穷，一名香果。其叶名蘼芜，生武功斜谷西岭（在今陕西武功）。"《本草图经》云："生雍州（今陕西凤翔）川泽及冤句（今山东菏泽），今关（今山西）、陕（今陕西）、蜀川（今四川）、江东（今江苏）山中多有之，而以蜀川者为胜。其苗四五月间生，叶似芹、胡荽、蛇床辈，作丛，而茎细……七八月开白花，根坚瘦，黄黑色。……九月、十月采为佳。"

[2] **治一切风** 芎䓖能散一切风。芎䓖配荆芥、防风、白芷、细辛，可治外感风寒头痛；配石膏、僵蚕、菊花，可治风热头痛；配防风、羌活、独活，可治风湿头痛；配菊花、蔓荆子、当归、白芍、熟地黄，可治血虚头痛；配秦艽、杜仲、续断、细辛、独活，可治风湿腰痛。

[3] **一切气** 芎䓖能活血行气，配香附、木香、柴胡、白芍，可治气滞血瘀胁痛。

[4] **一切血** 芎䓖配当归、白芍、熟地黄，可治月经不调、经闭腹痛、血瘕痞块；配当归、桃仁、炮姜、炙甘草，可治产后瘀阻腹痛；配丹参、赤芍、红花，可治血瘀所致心绞痛；配当归、桃仁、没药，可治血瘀肿痛。

[5] **排脓** 芎䓖配当归尾、皂刺、穿山甲，能活血排脓，治痈肿脓成不溃。

按，芎䓖活血、行气、散风，作用向上，善治头痛，但不可久服。《本草衍义》云"沈括云：予一族子久服芎䓖……无疾而卒。又朝士张子通之妻病脑风，服芎䓖甚久，亦一旦暴亡。"又云："芎䓖……若单服既久，则走散真气，即使他药佐使，又不久服，中病便已。"

在用芎䓖治血病时，宜以他药佐之。芎䓖行气能伤血，应配当归以生血；芎䓖散风行气能伤阴，应配熟地黄、白芍以敛阴。古方四物汤（当归、芎䓖、白芍、熟地黄）是极为巧妙的组合，通治一切血病，尤宜妇科，自古以来，被视为圣药。

如作为补养药的方剂，须久服者，应去芎䓖。如人参养荣汤即不用芎䓖。

125 续断[1]

助气，调血脉，补五劳七伤[2]，破癥结瘀血，消肿毒，肠风，痔瘘，乳痈[3]，瘰疬，扑损[4]，妇人产前后一切病，面黄虚肿，缩小便，止泄精，尿血，胎漏[5]，子宫冷。又名大蓟、山牛蒡。(《大观》卷7页24；《政和》页181；《纲目》页867)

【校注】

［1］**续断** 为川续断科植物川续断的根。《本经》云："一名龙豆，一名属折。"《别录》云："一名接骨，一名南草，一名槐。生常山（今河北元氏）山谷。"陶弘景引《桐君药录》云："续断生蔓延，叶细，茎如荏大，根本黄白有汁。七月、八月采根，今皆用茎叶。节节断，皮黄皱，状如鸡脚者，又呼为桑上寄生。"《本草图经》云："今陕西、河中（今山西永济）、兴元府（今陕西南郑）、舒（今安徽怀宁一带）、越（今浙江绍兴）、晋（今山西临汾）州亦有之。三月已后生苗，秆四棱似苎麻，叶亦类之，两两相对而生，四月开花红白色，似益母花，根如大蓟赤黄色。"

［2］**助气，调血脉，补五劳七伤** 续断能补肝肾。对肝肾虚所致腰膝痛，用续断配牛膝、杜仲、补骨脂、木瓜、萆薢治之。其中杜仲能强腰膝，续断能通利关节，二者合用有协同功效。

［3］**破瘕结瘀血，消肿毒，肠风，痔瘘，乳痈** 续断能通血脉，消痈肿、乳痈。续断配蒲公英等分为末，每服三钱，日三服，同时用醋调药末外敷。

［4］**扑损** 续断能续筋骨，治跌打损伤。续断配血竭、䗪虫、自然铜、补骨脂，可治外伤骨折，内服、外敷均可。

［5］**缩小便，止泄精，尿血，胎漏** 续断能补肝肾。由肝肾虚所致上述诸症，经过适当的配伍，用续断均可治之。续断配乌药、山药、益智仁，治尿频、小儿遗尿；配桑螵蛸、龙骨、金樱子，能止泄精；配菟丝子、桑寄生、阿胶，治尿血、胎漏；配黄芪、当归、熟地黄、五味子、龙骨、赤石脂，治月经过多及子宫出血。

126 黄芪[1]

恶白鲜皮。助气[2]，壮筋骨[3]，长肉[4]，补血[5]，破癥癖，瘰疬瘿赘，肠风，血崩带下[6]，赤白痢，产前后一切病，月候不匀，消渴，痰嗽，并治头风热毒，赤目等。药中补益，呼为羊肉。

白水芪，凉，无毒。排脓，治血及烦闷热毒，骨蒸劳，功次黄芪。

赤水芪，凉，无毒，治血，退热毒，余功用并同上。

木芪，凉，无毒。治烦，排脓，力微于黄芪，遇阙即倍用之。（《大观》卷7页15；《政和》页178；《纲目》页720）

【校注】

［1］**黄芪** 为豆科植物膜荚黄芪或蒙古黄芪的根。《本经》云："一名戴糁。"《别录》云："一名戴椹，一名独椹，一名芰草，一名蜀脂，一名百本。生蜀郡（今四川成都）山谷、白水（今四川昭化）、汉中（今陕西汉中）。"《本草图经》云："今河东（今山西）、陕西州郡多有之。根长二三尺以来，独茎，作丛生，枝秆去地二三寸，其叶扶疏作羊齿状……七月中开黄紫花，其实作荚子长寸许。八月中采根用，其皮折之如绵，谓之绵黄芪。然有数种，有白水芪，有赤水芪，有木芪，功用并同，而力不及白水芪。木芪短而理横。今人多以苜蓿根假作黄芪……苜蓿根坚而脆，黄芪至柔韧，皮微黄褐色，肉中白色，此为异耳。"

［2］**助气** 黄芪助气，能补能升。凡向下的病，如胃下垂、子宫下垂或脱出、脱肛、久泻、久痢，用黄芪配人参、升麻、柴胡，能升提向上。

［3］**壮筋骨** 凡气虚气滞所致筋骨疼痛、麻木或偏枯均可用黄芪治。黄芪配当归、赤芍、姜黄、防己、寻骨风，治风湿性筋骨痛；配桂枝、白芍、生姜、大枣，治筋骨麻木不仁；配当归、赤芍、桃仁、红花、地龙，治血瘀偏枯（如脑栓塞后遗症）。

［4］**长肉** 凡气血虚，疮疡久不收口，用黄芪配十全大补丸能促进生肌长肉收口。若痈肿有脓不溃，用黄芪配当归、川芎、皂刺、穿山甲能促进痈肿溃脓。

［5］**补血** 凡气虚不能生血，用黄芪配当归以补气生血，但黄芪用量宜大，一般比当归用量要大五倍。

［6］**肠风，血崩带下** 黄芪能补气摄血。凡向下出血，如大便下血、子宫出血，用黄芪配地榆、苎麻根、棕榈炭、乌贼骨，有确效。

按，黄芪以鼓舞、提升向上作用为主，又能增强其他各类药的作用。凡机体各种功能（如造血机能、修复机能、抗病机能、防御机能）低下，用黄芪均能提高。凡脏器下垂（胃下垂、子宫脱垂、脱肛等），用黄芪均能提升。在增强其他各类药作用时，也常用黄芪。黄芪与人参合用，可增强补气作用；与当归合用，可增强补血作用；与麻黄根、浮小麦合用，可增强止汗作用；与防己、白术合用，可增强利尿作用；与皂刺、穿山甲合用，可增强溃痈作用；与肉桂、八珍汤合用，可加快溃疡收口等。

127 蛇床子[1]

治暴冷，暖丈夫阳气，助女人阴气[2]，扑损瘀血，腰胯疼[3]，阴汗[4]，湿癣[5]，四肢顽痹，赤白带下[6]，缩小便，凡合药服食，即挼去皮壳，取仁微炒杀毒，即不辣。作汤洗病，则生使。（《大观》卷7页40；《政和》页186；《纲目》页798）

【校注】

［1］**蛇床子** 为伞形科植物蛇床的果实。《本经》云："一名蛇米。"《别录》云："一名蛇粟，一名虺床，一名思益，一名绳毒，一名枣棘，一名墙蘼。生临淄（今山东临淄）川谷及田野。"《本草图经》云："扬州（今江苏扬州）、襄州（今湖北襄阳）者胜。三月生苗，高三二尺，叶青碎作丛似蒿枝，每枝上有花头百余结同一窠，似马芹类；四五月开白花，又似散水，子黄褐色如黍米，至轻虚。五月采实，阴干。"

［2］**暖丈夫阳气，助女人阴气** 蛇床子能温肾壮阳，配菟丝子、五味子等分研末为丸，治男子阳痿、女子宫冷不孕。

［3］**腰胯疼** 蛇床子能温肾去湿，配牛膝、杜仲、桑寄生、秦艽、独活，治风寒湿腰胯痛。

［4］**阴汗** 即外阴部多汗，或因肝经湿热所致，或因肾虚阳衰所致。外治即用蛇床子、枯矾煎汤洗浴。此法亦适用于男子阴囊痒、女子阴痒。

［5］**湿癣** 《千金方》云："治小儿癣疮，杵蛇床末，和猪脂涂之。"

［6］**赤白带下** 蛇床子性温，配五味子、车前子、山茱萸为丸服，可治寒湿白带。

128　石茵陈[1]

味苦，凉，无毒。治天行时疾，热狂，头痛[2]，头旋，风眼疼，瘴疟[3]，女人癥瘕，并闪损乏绝。又名茵陈蒿。

山茵陈，本出和州，及南山岭上皆有。（《大观》卷7页45；《政和》页188；《纲目》页851）

【校注】

［1］**石茵陈**　《日华子本草》云："又名茵陈蒿。"茵陈蒿是菊科植物滨蒿或茵陈蒿的幼苗。陶弘景云："似蓬蒿，而叶紧细，茎冬不死，春又生，惟入疗黄疸用。"《本草衍义》云："茵陈蒿，张仲景治伤寒热甚发黄者，身面悉黄，用之极效。"

［2］**治天行时疾，热狂，头痛**　《本草图经》云："江宁府（今江苏南京）有一种茵陈，叶大根粗，黄白色，至夏有花实。阶州（今甘肃武都）有一种白蒿，亦似青蒿而背白，本土皆通入药用之。……江南所用，茎叶都似家茵陈而大，高三四尺，气极芬香，味甘、辛，俗又名龙脑薄荷。……江南山茵陈，疗伤寒脑痛绝胜。"

［3］**瘴疟**　宋代本草所言茵陈，种类很多，其疗效亦各异。《日华子本草》所云茵陈治瘴疟，或是以青蒿为茵陈，青蒿能截疟。

按，茵陈药效，《本经》云治"热结黄疸"，《别录》云治"通身发黄，小便不利"。茵陈配大黄、栀子，治湿热身黄如橘子；配附子、干姜，治寒湿身黄色晦暗；配黄柏、苍术、土茯苓，治湿疮瘙痒，抓破流黄汁。《药性论》云："茵陈蒿……治眼目通身黄，小便赤。"《日华子本草》"石茵陈"条对治黄疸、利小便，只字未提。疑《日华子本草》"石茵陈"，或是另一物。《本草图经》云："今南方医人用山茵陈乃有数种……又名龙脑薄荷。吴中所用，乃石香葇也。……详《本草正经》惟疗黄疸、利小便，与世方都不应。"

129　漏芦[1]

连翘为使。治小儿壮热，通小肠，泄精，尿血，风赤眼，乳痈发背[2]，瘰疬，肠风，排脓，补血，治扑损，续筋骨，傅金疮止血，长肉，通经脉。花、苗并同用，俗呼为鬼油麻，形并气味似干牛蒡，头上有白花子。（《大观》卷7页27；《政和》页181；《纲目》页868）

【校注】

［1］**漏芦**　为菊科植物祁州漏芦的根。《本经》云："一名野兰。"《别录》云："生乔山（今陕西黄陵）山谷。"《本草图经》云："今京东（今河南开封以东）州郡及秦（今甘肃天水）、海（今江苏东海）州皆有之。旧说（《唐本草》）茎、叶似白蒿，有荚，花黄生荚端，茎若筯（筷子）大；其

子作房……七八月后皆黑……今诸郡所图上，惟单州（今山东单县）者差相类。沂州（今山东临沂）者花叶颇似牡丹；秦州者花似单叶寒菊紫色，五七枝同一秆上；海州者花紫碧如单叶莲花，花萼下及根旁有白茸裹之，根黑色。”

［2］**乳痈发背**　《本经》云：“下乳汁。”《太平惠民和剂局方》治乳汁不下方：漏芦二两半，蛇蜕十条炙焦，栝楼十个烧存性，为末，每服二钱。李迅《痈疽集验方》治发背（背痈）方：漏芦用有白茸者、连翘、生黄芪、沉香各一两，生甘草半两，大黄微炒一两，为细末，每服二钱。

按，漏芦品种很多，古代各家本草所述漏芦的药物形态差异很大，所记主治功用亦各不相同。漏芦，《本经》谓“主皮肤热、恶疮疽痔、湿痹，下乳汁”，《别录》谓“止遗溺，热气疮痒如麻豆”，陶弘景谓“根，苦酒磨以疗疮疥”，《药性论》谓主“皮肌瘙痒瘾疹”，《本草拾遗》谓能“杀虫”，《日华子本草》谓“治扑损，续筋骨，傅金疮止血，长肉，通经脉”。这些不同的功用，当非一个品种漏芦所能具备的。由此可见，不同品种漏芦与药效的关系值得进一步研究。陶弘景、《唐本草》《开宝本草》《蜀本草》《本草拾遗》《日华子本草》《本草图经》所记漏芦形态，出入很大。其中《本草图经》所记漏芦品种最多。从各品种漏芦形态、产地、主治功用，也许能找出其间的关系。

130　茜根[1]

味酸。止鼻洪[2]，带下[3]，产后血运[4]，乳结[5]，月经不止[6]，肠风[7]，痔瘘，排脓，治疮疖，泄精，尿血，扑损瘀血。酒煎服，杀蛊毒，入药剉炒用。

（《大观》卷7页33；《政和》页184；《纲目》页1040）

【校注】

［1］**茜根**　为茜草科植物茜草的根。《别录》云：“一名地血，一名茹藘，一名茅蒐，一名蒨。生乔山（今陕西黄陵）川谷。”《蜀本草·图经》云：“染绯草，叶似枣叶，头尖下阔，茎叶俱涩，四五叶对生节间，蔓延草木上，根紫赤色。”《本草图经》云：“陆机《草木疏》云：茹藘、茅蒐，蒨草也。齐人谓之茜，徐州人谓之牛蔓。二月、三月采根，曝干。”

［2］**止鼻洪**　即止鼻出血。茜根炒炭止各种出血。茜根配丹皮、栀子、大蓟、小蓟，治鼻出血、唾血、吐血；配丹参、紫草、大枣、鸡血藤，治皮下出血。

［3］**带下**　茜根配龙骨、牡蛎、五味子、山萸肉、白芍、乌贼骨、白术、黄芪，治白带，再加地榆炭、棕榈炭、苎麻根，治月经过多及子宫出血。

［4］**产后血运**　茜根生用能行血，配当归、赤芍、红花、桃仁、益母草，治产后血晕、产后瘀阻、恶露不下、血瘀经闭。

［5］**乳结**　茜根配王不留行、通草、栝楼、穿山甲，能通乳散结。

［6］**月经不止**　详见注［3］。

［7］**肠风**　茜根配当归、地榆、棕榈炭、煅牡蛎，治肠风下血；配黄连、黄芩、栀子、地榆、当归、白芍，治热毒血痢。

131 白蔷薇根[1]

味苦、涩，冷，无毒。治热毒风，痈疽，恶疮[2]，牙齿痛，治邪气，通血结，止赤白痢[3]，肠风泻血，恶疮疥癣，小儿疳虫肚痛。野白者用良。(《大观》卷7页28;《政和》页182;《纲目》页1017)

【校注】

[1] **白蔷薇根** 为蔷薇科植物野蔷薇的根。《本经》以"营实"为正名，云："一名墙薇，一名墙麻，一名牛棘。"《别录》云："一名牛勒，一名墙蘼，一名山棘。生零陵（今广西兴安北部）川谷及蜀郡（今四川成都）。"《蜀本草·图经》云："茎间多刺，蔓生，子若杜棠子，其花有百叶八出六出，或赤或白者。"

[2] **治热毒风，痈疽，恶疮** 《本经》云："主痈疽，恶疮……败疮，热气。"《千金方》云："治瘫热，口中及舌生疮烂，剉根，浓煮汁含漱之，冬用根皮，夏用枝叶。"此方亦治牙肿痛。

[3] **止赤白痢** 《别录》云："根止泄痢腹痛。"《千金方》云："治小儿疳痢，行数暴多，生蔷薇根洗净，切，以适多少，浓煎汁，稍稍饮之，差。"

132 五味子[1]

明目，暖水脏[2]，治风，下气[3]，消食，霍乱转筋，痃癖，贲豘，冷气，消水肿，反胃，心腹气胀，止渴[4]，除烦热，解酒毒，壮筋骨。(《大观》卷7页36;《政和》页185;《纲目》页1003)

【校注】

[1] **五味子** 为木兰科北五味子、南五味子的果实，传统以北五味子为正品。《别录》云："一名会及，一名玄及，生齐山（今山东历城）山谷及代郡（今河北蔚县）。"陶弘景云："今第一出高丽（今朝鲜），多肉而酸甜，次出青州（今山东青州）、冀州（今河北冀州），味过酸，其核并似猪肾。又有建平（今重庆巫山）者，少肉，核形不相似，味苦，亦良。"《本草图经》云："今河东（今山西）、陕西州郡尤多，而杭（今浙江杭州）、越（今浙江绍兴）间亦有。春初生苗，引赤蔓于高木，其长六七尺，叶尖圆似杏叶，三四月开黄白花，类小莲花，七月成实，如豌豆许大，生青熟红紫。……今有数种大抵相近，而以味甘者为佳。……一说小颗皮皱泡者有白色盐霜一重，其味酸、咸、苦、辛、甘，味全者真也。"

[2] **暖水脏** 即暖肾脏。对肾寒所致虚喘，用五味子配六味地黄丸治之。对肾寒所致五更泻，用五味子配吴茱萸、补骨脂、肉豆蔻治之。

[3] **下气** 五味子配罂粟壳、罂粟叶，治肺虚久咳。对肺寒所致痰饮喘咳，用五味子配细辛、干姜、桂枝、白芍治之。

[4] **止渴** 五味子能益气生津止渴，配黄芪，可治消渴多饮。

按，五味子作用由外向内，表现为收束趋势，凡病证趋势向外、向上、向下，用之皆能止。例如，对汗液外出，用之能敛阴液而止汗；对肺气上逆所致久咳久喘，用之能敛肺止喘咳；对肾精不固所致下泄，用之能固肾敛精，止遗泄；肠虚所致久泻，用之能固肠止久泻；消渴尿多，用之配黄芪能缩尿止消渴；对心气虚所致不寐，用之能宁心敛神，易入睡；心悸、脉乱，用之配人参、麦门冬（方名生脉散）能止心悸，使脉搏正常。

草部中品之上　卷第七

133　当归[1]

治一切风[2]、一切血[3]，补一切劳[4]，去恶血，养新血，及主癥癖。(《大观》卷8页15；《政和》页199；《纲目》页794)

【校注】

[1] **当归**　为伞形科植物当归的根。《本经》云："一名干归。"《别录》云："生陇西（今甘肃陇西）川谷。"《本草图经》云："今川蜀（今四川）、陕西诸郡及江宁府（今江苏南京）、滁州（今安徽滁州）皆有之，以蜀中者为胜。春生苗，绿叶有三瓣，七八月开花似莳萝，浅紫色，根黑黄色。二月、八月采根，阴干。然苗有二种……而叶有大小为异。……大叶名马尾当归，细叶名蚕头当归。大抵以肉厚而不枯者为胜。"

[2] **治一切风**　当归配羌活、独活、秦艽、威灵仙、桂枝，治风湿痹痛。

[3] **一切血**　当归配川芎、白芍、熟地黄，治月经不调。若痛经，再加乌药、香附；若经闭，再加桃仁、红花；若月经先期，再加丹皮、栀子；若月经后期，再加艾叶、阿胶。

[4] **补一切劳**　当归配川芎、白芍、熟地黄、党参、白术、茯苓、甘草，通治各种虚劳。再加黄芪、桂枝，其补性更大，对疮疡日久，脓水稀薄排不出，用之最宜。

按，当归为调经、补血、止痛要药。对月经不调、血虚、慢性疼痛，经过恰当的配伍，当归疗效极为可靠。例如，当归配川芎、白芍、熟地黄，名四物汤，为妇科调经圣药；配黄芪，名当归补血汤，治血虚很有效。对慢性疼痛，例如，痈肿痛，用当归配蒲公英、穿山甲、皂刺治之；外伤痛，用当归配丹参、乳香、没药治之；虚寒腹痛，用当归配桂枝、白芍、生姜治之；胸胁痛、肝区痛、胆囊炎痛，用当归配柴胡、白芍治之；月经痛，用当归配川芎、白芍、香附、乌药治之；身痛、筋骨痛、关节痛，用当归配防己、姜黄、延胡索、寻骨风、海风藤治之。此外，丹参，配人参、黄芪、川芎、肉桂、白芥子、生姜，酒泡外涂，可促进斑秃生发。对老年血虚便秘，用丹参配火麻仁、生首乌、肉苁蓉为丸服。对多种慢性疾病，在相应方中加当归，能提高疗效、缩短疗程。例如，治慢性鼻旁窦炎，单用苍耳子、辛夷、薄荷、鱼腥草等，疗效并不好，配当归、川芎、白芍、熟地黄疗效很明显。

134 秦艽[1]

味苦，冷。主传尸骨蒸[2]，治疳[3]及时气。又名秦瓜，罗纹者佳。(《大观》卷8页30；《政和》页203；《纲目》页768)

【校注】

[1] **秦艽** 为龙胆科植物秦艽、麻花秦艽、粗茎秦艽或小秦艽的根。陶弘景云："今出甘松（今四川松潘西南）、龙洞（今陕西宁强）、蚕陵（今四川松潘），长大黄白色为佳。"《唐本草》云："今出泾州（今甘肃泾川）、鄜州（今陕西富县）、岐州（今陕西凤翔）者良。"《本草图经》云："根土黄色而相交纠，长一尺以来，粗细不等，枝秆高五六寸，叶婆娑连茎梗俱青色如莴苣叶，六月中开花紫色似葛花，当月结子。"

[2] **主传尸骨蒸** 指慢性传染性疾病低热。用秦艽配青蒿、鳖甲、银柴胡、地骨皮治之。

[3] **治疳** 指小儿疳积，见消瘦、低热。用秦艽配胡黄连、槟榔、使君子、鸡内金治之。

按，《本经》云："主寒热邪气，寒湿风痹，肢节痛。"秦艽配羌活、独活、桂枝、寻骨风，可治寒湿风痹；配丹皮、赤芍、防己、忍冬藤，可治风湿热所致关节红肿痛。

《药性论》云，秦艽治"五种黄病"。《四声本草》云："世人以疗酒黄、黄疸大效。"孙真人云："治黄疸，皮肤眼睛如金色，小便赤，取秦艽五两，牛乳三升，煮取一升，去滓，内芒消一两服。"用秦艽配茵陈、栀子、大黄煎服，治黄疸亦效。此方多用于治阳黄，不宜用于治阴黄。

又，《本经》云："秦艽……下水，利小便。"《药性论》云："秦艽……利大小便。"《圣惠方》云："治小便难，腹满闷……用秦艽一两去苗，以水一大盏，煎取七分，去滓，每于食后，分为二服。"

秦艽以燥风湿、利疸、除劳热为主。张元素谓秦艽能养血荣筋，治手足不遂；王好古谓秦艽能泻热、益胆气，治黄疸烦渴病须用之。

135 黄芩[1]

下气[2]，主天行热疾[3]，丁疮排脓[4]，治乳痈发背。(《大观》卷8页41；《政和》页207；《纲目》页766)

【校注】

[1] **黄芩** 为唇形科植物黄芩的根。《本经》云："一名腐肠。"《别录》云："一名空肠，一名内虚，一名黄文，一名经芩，一名妒妇。……生秭归（今湖北秭归）川谷及冤句（今山东菏泽）。"陶弘景云："今第一出彭城（今江苏徐州），郁州（今江苏灌云）亦有之。圆者名子芩为胜，破者名宿芩，其腹中皆烂，故名腐肠。惟取深色坚实者为好。"《本草图经》云："今川蜀（今四川）、河东（今山西）、陕西近郡皆有之。苗长尺余，茎秆粗如筯，叶从地四面作丛生，类紫草，高一尺许。亦有独茎者，叶细长青色，两两相对，六月开紫花，根黄如知母粗细，长四五寸。"

［2］**下气**　对于肺热引起的咳逆上气，用黄芩配桑白皮、麦门冬、知母治之。

［3］**主天行热疾**　指治流行性外感热病。黄芩能清热泻火，配连翘、栀子、竹叶，治外感热病；配柴胡、人参、半夏，治往来寒热，此方亦适用于一般低热。

［4］**丁疮排脓**　黄芩能消痈肿，配黄连、黄柏、野菊花、金银花、蒲公英治痈肿，内服、外敷均有效。此方亦治乳痈、发背。黄芩配玄参、牛蒡子、金银花、连翘，可治咽喉肿痛。

按，黄芩以清湿热为主，治疗湿热所致的黄疸、痢疾、湿温、暑温均可用。黄芩配茵陈、栀子、柴胡，治湿热黄疸；配黄连、黄柏，治湿热泄泻；配白头翁、黄连、白芍、甘草，治湿热痢疾；配龙胆草、生地黄、木通、车前子、柴胡，治尿路感染之尿频、尿急、尿血涩痛。又，对于妊娠因热胎动不安，用黄芩配当归、白芍、白术能安胎。

136　芍药[1]

治风，补劳[2]，主女人一切病，并产前后诸疾，通月水[3]，退热，除烦[4]，益气，天行热疾，瘟瘴，惊狂，妇人血运，及肠风，泻血，痔瘘，发背，疮疥，头痛，明目，目赤胬肉。赤色者多补气，白者治血，此便是芍药花根，海盐、杭、越俱好。（《大观》卷8页22；《政和》页201；《纲目》页802）

【校注】

［1］**芍药**　为毛茛科植物芍药的根。《别录》云："一名白木，一名余容，一名犁食，一名解仓，一名鋌。生中岳（今河南登封）川谷及丘陵。"陶弘景云："今出白山（今江苏江宁）、蒋山（今南京钟山）、茅山（今江苏句容）最好。"《本草图经》云："春生红芽作丛，茎上三枝五叶，似牡丹而狭长，高一二尺，夏开花，有红、白、紫数种。子似牡丹子而小，秋时采根。根亦有赤、白二色。"陈承云："今世所用者，多是人家种植……淮南（今安徽淮南）、真阳（今广东英德）尤多，药家见其肥大而不知香味绝不佳，故入药不可责其效。今考用宜依《本经》所说川谷、丘陵有生者为胜尔。"

［2］**补劳**　芍药在补劳方中用作配药，如四物汤、八珍汤、十全大补丸均用白芍。

［3］**主女人一切病，并产前后诸疾，通月水**　芍药与当归、川芎、熟地黄组成的四物汤，是妇科调经圣药，随证加减，主女人一切病。对闭经，用四物汤配桃仁、红花能通月水；对痛经，用四物汤配乌药、香附治行经腹痛。

［4］**除烦**　对情志抑郁而烦，用芍药配柴胡、当归、白术、茯苓、薄荷、甘草（逍遥散）治之；对由烦导致的胃肠功能失调（肝脾不和）或胁肋痛（肋神经痛），也用逍遥散治之。对肝胆疾病，妇女乳房、月经疾病，用此方加减，亦有很好的疗效。

按，芍药以养血敛阴、柔肝止痛为主。芍药配当归、川芎、熟地黄，能养血补血，治血虚证。桂枝汤能发汗，但发汗太过则伤阴液，加芍药能防止发汗太过，配五味子、牡蛎能敛阴止盗汗。芍药配龙骨、牡蛎、代赭石、牛膝，能平抑肝阳上亢，治头晕头痛；配柴胡、当归、白术、茯苓，能解郁，调和情志。芍药可止痛，如痢疾时里急后重腹痛，在止痢方中加木香、槟榔、当归、白芍；泄泻腹痛，在止泻方中加白芍。

137 干姜[1]

消痰下气[2]，治转筋，吐泻，腹脏冷，反胃干呕[3]，瘀血扑损，止鼻洪[4]，解冷热毒，开胃，消宿食。(《大观》卷 8 页 1；《政和》页 194；《纲目》页 1197)

【校注】

[1] **干姜** 为姜科植物姜的干燥根茎。《别录》云："生犍为（今四川犍为）川谷及荆州（今湖北江陵）、扬州（今江苏扬州）。"《本草图经》云："以汉（今四川广汉）、温（今浙江温州）、池（今安徽贵池）州者为良。苗高二三尺，叶似箭竹叶而长，两两相对，苗青根黄，无花实。秋采根，于长流水洗过，日晒为干姜。"

[2] **消痰下气** 干姜能温肺，化寒痰水饮，配五味子、细辛、半夏、桂枝、白芍、麻黄、甘草（小青龙汤），治外感寒邪所致痰多清稀、喘咳。

[3] **吐泻，腹脏冷，反胃干呕** 干姜能温胃散里寒，配人参、白术、甘草（理中汤），治腹脏冷、反胃、干呕、吐泻。此方研末为丸，亦治慢性胃寒痛、大便溏泄。

[4] **止鼻洪** 止鼻出血。宜炒炭存性用。一般治虚寒证出血，即形寒、手足冷、舌苔白、脉沉迟而细，伴有吐血、便血、子宫出血，用干姜配血余炭、陈棕炭、阿胶。

按，干姜以温中散寒为主，凡虚寒（形寒肢冷，手足不温，脉沉迟，舌苔白）所致咳喘痰稀、胃痛呕恶、吐清水、腹痛泄泻、吐血、衄血、便血、崩漏，均可用。但干姜用于治泄泻、出血时，应炒炭用。

若吐、泻、出汗太过，失水严重，出现虚脱危象，手冷过肘、足冷过膝（称为四逆），用干姜配附子、人参、甘草（此方名四逆汤），能回阳救逆。

干姜采时，不要晒用，称为生姜。生姜以发散为主，同桂枝、荆芥、防风等合用，能增强发汗之力。生姜能止吐，治因寒而吐，配半夏；治因热而吐，配竹茹、黄连。生姜有轻度止咳化痰作用，配杏仁、紫菀、苏子，可治风寒痰多咳嗽。生姜能解鱼蟹毒、半夏毒、天南星毒。生姜外用可通便。《外台秘要》去燥粪方：生姜削如小指长二寸，盐涂之，内下部中立通。（此法比甘油栓柔和）生姜皮有利水作用，配陈皮、茯苓皮、大腹皮、桑白皮，可治尿少、浮肿。

138 藁本[1]

治痫疾，并皮肤疵皯[2]，酒齄粉刺[3]。(《大观》卷 8 页 60；《政和》页 212；《纲目》页 799)

【校注】

[1] **藁本** 为伞形科植物藁本或辽藁本的根。《本经》云："一名鬼卿，一名地新。"《别录》云："一名微茎。生崇山（今湖南张家界）山谷。"《唐本草》云："其根上苗下似藁根，故名藁本。今出宕州（今甘肃宕昌）者佳。"《本草图经》云："今西川（今四川成都地区）、河东（今山西）州郡及

兖州（今山东兖州）、杭州（今浙江杭州）有之，叶似白芷，香又似芎䓖……五月有白花，七八月结子，根紫色。”

［2］**皮肤疵皯** 疵皯，指黝黑斑。《药性论》亦云，藁本能去“皯皰”。《本经》谓藁本能“悦颜色”。《别录》云：“可作沐药面脂。”有人以藁本、白芷、人参、黄芪、当归、赤芍、桃仁、红花，入猪脂微火熬，待白芷微黄，去滓，待冷，涂黝黑斑。日久涂，则黑斑变淡或消失。

［3］**酒䶑粉刺** 酒䶑即酒渣鼻，重则起疹，疹破出粉白汁，似粉刺，为肺风、血瘀结聚所致，治宜散风凉血、活血散结，可用藁本配红花、五灵脂、当归、川芎、赤芍、黄芩、赤茯苓。

按，藁本与羌活相似，以散肌表风寒湿为主，主治头重痛如裹、身重痛难以转侧。二者多并用，藁本以治头顶痛为主，羌活以治脑后痛为主。治头痛如裹，用藁本、羌活、川芎、蔓荆子、细辛。治一身尽痛、难以转侧，用藁本、羌活、防风、荆芥、独活。

139 麻黄[1]

通九窍[2]，调血脉[3]，开毛孔皮肤[4]，逐风，破癥癖积聚，逐五脏邪气，退热，御山岚瘴气。(《大观》卷8页18；《政和》页199；《纲目》页886)

【校注】

［1］**麻黄** 为麻黄科植物草麻黄、中麻黄或木贼麻黄的干燥草质茎。《本经》云：“一名龙沙。”《别录》云：“一名卑盐。生晋地（今山西）、河东（今山西夏县）。”陶弘景云：“今出青州（今山东青州）、彭城（今江苏徐州）、荥阳（今河南荥阳）、中牟（今河南中牟）者为胜，色青而多沫。”《唐本草》云：“其青、徐者今不复用，同州（今陕西大荔）沙苑最多也。”《本草图经》云：“苗春生，至夏五月则长及一尺以来，梢上有黄花结实……立秋后收采其茎，阴干令青。”

［2］**通九窍** 对寒邪束表，九窍不通，肺气不宣所致的喘咳，麻黄能除肺气壅遏而止喘咳，多配杏仁、甘草合用；寒加桂枝、白芍，热加石膏。

［3］**调血脉** 麻黄能温通血脉。对血脉不通，风痹冷痛，用麻黄、桂心，可止冷痛。对阴寒凝滞，血脉不通所致的阴疽肿而不红、痛而不甚，用麻黄配鹿角霜、炮姜、白芥子、肉桂、熟地黄，能温通血脉。

［4］**开毛孔皮肤** 即开皮肤汗孔，使之出汗，用麻黄配桂枝、杏仁、甘草。此方作用猛，出汗力强，体虚者、有汗者忌用，尤其是产后及大吐、大泻后要禁用，误用极易导致大汗亡阳丧生。

按，麻黄以发汗、平喘、止咳为主，兼能去浮肿。当浮肿伴有表证时，用麻黄配生姜、白术、甘草，能利水消肿。麻黄辛温，善散寒邪，温通经脉，亦治寒胜筋骨痛。但高血压患者慎服麻黄。

麻黄发汗，其节、根则止汗。《药性论》云：“根、节能止汗，方曰：并故竹扇杵末扑之，又牡蛎粉、粟粉并根等分，末，生绢袋盛，盗汗出即扑手摩之。”

140 葛根[1]

冷。治胸膈热，心烦闷，热狂[2]，止血痢[3]，通小肠，排脓，破血，傅蛇虫

啮，解詈毒箭。干者力同。(《大观》卷8页8；《政和》页196；《纲目》页1022)

【校注】

[1] **葛根** 为豆科植物野葛的根。《本经》云："一名鸡齐根。"《别录》云："一名鹿藿，一名黄斤。生汶山（今四川理县）川谷。"陶弘景云："南康（今江西南康）、庐陵（今江西吉安）间最胜。"《本草图经》云："春生苗，引藤蔓，长一二丈，紫色；叶颇似楸叶而青；七月着花，似豌豆花，不结实；根形如手臂，紫黑色……以入土深者为佳。"

[2] **治胸膈热，心烦闷，热狂** 葛根配石膏、黄芩、柴胡，治外感热病发热。对寒重热轻之感冒头痛，用葛根配麻黄、桂枝，能发表出汗、开腠理。

[3] **止血痢** 《本经》云："葛谷主下痢。"葛根配黄连、黄芩、白头翁，可治血痢；配党参、白术、茯苓，可止泄泻，兼腹痛者加木香。

按，葛根有升提作用，如麻疹初起，不易透发，用葛根配升麻、芍药、甘草能透发麻疹。

《本经》云："葛根……主消渴。"葛根配栝楼根、芦根、麦门冬，可治消渴，亦治热病口渴。止渴宜生用，止泻宜煨用。

《药性论》云："主解酒毒。"《食疗本草》云："葛根，蒸食之，消酒毒。"《千金方》云："酒醉不醒，捣葛根汁，饮一二升便醒。"《本草衍义》云："病酒及渴者，得之甚良。"但人们多以葛花解酒。《别录》云："花主消酒。"

141 前胡[1]

治一切劳，下一切气，止嗽[2]，破癥结，开胃，下食，通五脏，主霍乱转筋，骨节烦闷，反胃呕逆，气喘，安胎，小儿一切疳气。越、衢、婺、睦等处皆好。七八月采，外黑里白。(《大观》卷8页53；《政和》页210；《纲目》页771)

【校注】

[1] **前胡** 为伞形科植物白花前胡的根。《本草图经》云："今陕西、梁、汉、江淮、荆（今湖北江陵）、襄（今湖北襄阳）州郡及相州（今河南安阳）、孟州（今河南孟州）皆有之。春生苗青白色，似斜蒿……七月内开白花，与葱花相类，八月结实，根细青紫色。二月、八月采根，暴干。……今最上者出吴中（今江苏太湖）。又寿春（今安徽寿县）生者，皆类柴胡而大，气芳烈，味亦浓苦，疗痰下气最要。"

[2] **下一切气，止嗽** 《别录》云："前胡……微寒……去痰实，下气。"前胡配枇杷叶、桑白皮、贝母，治痰黄咳嗽。《药性论》云："去热实下气。"对由热所致咽肿痛，用前胡配甘草、桔梗、牛蒡子、射干治之。

按，前胡以散风热、祛痰止咳为主。前胡配解表药荆芥、防风、川芎、柴胡、桔梗及甘草、枳壳，治感冒发热头痛，亦治疮疡、痢疾初起伴有表证；配杏仁、贝母、桑白皮、甘草、桔梗，治感冒咳嗽；如见咳喘气急，可加陈皮、厚朴、半夏、苏子，增强化痰止咳平喘作用。

142 知母[1]

味苦、甘。治热劳、传尸、疰病[2]，通小肠，消痰止嗽[3]，润心肺，补虚乏，安心，止惊悸。(《大观》卷8页34；《政和》页205；《纲目》页736)

【校注】

[1] **知母** 为百合科植物知母的根茎。《本经》记载了8个知母异名，《别录》记载了10个知母异名，这说明知母在古代深受医家重视。《本草图经》收载了5种知母的药图，即威胜军（今四川彭州）知母、隰州（今山西隰县）知母、解州（今山西解州）知母、卫州（今河南卫辉）、滁州（今安徽滁州）知母的药图。这说明在宋代就有多种植物被用作知母。《本草图经》云：“根黄色，似菖蒲而柔润，叶至难死，掘出随生，须燥乃止，四月开青花如韭花，八月结实。二月、八月采根，暴干用。”

[2] **治热劳、传尸、疰病** 热劳，指劳病发热；传尸、疰病，指慢性传染病。知母能滋阴清热，配黄柏、龟板、熟地黄、猪脊髓为丸服之。

[3] **消痰止嗽** 知母清热，适用于燥咳（干咳）、热咳（痰黄黏稠）。知母配贝母、沙参、麦门冬，治干咳；配贝母、栝楼、黄芩、甘草、桔梗，治痰黄黏稠咳嗽。

按，知母以滋阴清热为主。对壮热（高热，口渴能饮、汗出，脉洪），用知母配石膏、粳米、甘草治之；对中暑发热，用知母配石膏、黄芩、柴胡、青蒿、桂枝治之；对疟疾高热不退，用知母配青蒿、鳖甲、地骨皮、常山治之；对骨蒸潮热（类似结核病等慢性消耗性疾病导致的低热），用知母配黄柏、龟板及六味地黄丸治之；对牙龈肿痛、口舌生疮，用知母配石膏、生地黄、麦门冬、牛膝治之；对妊娠五心烦热、胎动不安，用知母配人参、黄芪、当归、熟地黄、桑寄生、葛根治之；对肺热咳嗽，用知母配石膏、贝母、甘草、桔梗治之。

知母滋润，脾虚便溏者慎用；便秘者，配火麻仁、生首乌有润肠通便功效。盐腌知母，能保留其滋润性，降低其泻火力。清肺、胃火及退高热宜生用，退骨蒸劳热（低热）宜用盐知母。

143 大青[1]

治热毒风[2]，心烦闷，渴疾口干，小儿身热疾，风疹，天行热疾[3]，及金石药毒，兼涂署肿毒[4]。(《大观》卷8页69；《政和》页214；《纲目》页871)

【校注】

[1] **大青** 为十字花科植物菘蓝、爵床科植物马蓝、马鞭草科植物大青、蓼科植物蓼蓝的叶。大青是《别录》药。陶弘景云：“今出东境及近道，长尺许，紫茎。除时行热毒为良。”《本草图经》云：“今江东（今苏南、皖南）州郡及荆南（今湖北江陵）、眉（今四川眉山）、蜀（今四川崇州）、濠（今安徽凤阳临淮关）、淄（今山东淄川）诸州皆有之。春生青紫茎，似石竹苗、叶，花红紫色，

似马蓼，亦似芫花，根黄。三月、四月采茎、叶，阴干用。”

［2］**治热毒风** 大青能泻火解毒、凉血消斑。大青配板蓝根、山豆根、射干、玄参，治咽喉肿痛、痄腮、疮疡；配丹皮、犀角、生地黄、赤芍、玄参、阿胶，治丹毒、高热出血、发斑；配黄连、黄芩、连翘、薄荷、牛蒡子、玄参、板蓝根、甘草、桔梗，治大头瘟。

［3］**天行热疾** 对传染性热病之高热，用大青配丹皮、赤芍、生地黄、玄参、紫草、栀子、黄芩、生石膏；对急性黄疸高热，用大青配茵陈、柴胡、黄芩、栀子、连翘、败酱草、枳壳。

［4］**涂罯肿毒** 大青捣烂，糖水调外敷，消痈肿疮毒。

按，大青与板蓝根功效相类，对一般急性炎症及病毒所致炎症均有效。如对抗生素过敏者，或有抗药性者，则大青一类有一定的疗效。对病毒性传染病（病毒性脑炎、肝炎、痄腮），大青堪称良药。

在清热解毒作用上，大青强于板蓝根。大青配蒲公英、败酱草、黄连、黄柏，对体表脓肿及体内各种炎症均有效，挟热可加黄芩、栀子。对传染性热病，如热病初期，热在卫分（发热微恶寒），须加金银花、连翘、升麻、薄荷、葛根；热病中期，热在气分（发热恶热，口渴能饮），须加石膏、知母、天花粉；热病极期（高热神昏，舌绛，口干，出血），须加丹皮、赤芍、犀角、生地黄、玄参、紫草、黄芩、栀子。病在头面、口咽者，加牛蒡子、升麻、山豆根、薄荷、甘草、桔梗；病在肝胆者，加枳壳、佛手、柴胡、茵陈、黄芩、栀子。

由大青制成的青黛有同样功效。青黛多作外用，醋调外敷痄腮有良效。

144 贝母[1]

消痰[2]，润心肺。末，和沙糖为丸，含，止嗽[3]。烧灰，油傅人畜恶疮[4]。

（《大观》卷8页36；《政和》页205；《纲目》页780）

【校注】

［1］**贝母** 品种很多，川贝母为百合科植物川贝母及同属植物多种贝母的鳞茎；浙贝母为百合科植物浙贝母的鳞茎。《本经》云：“一名空草。”《别录》云：“一名药实，一名苦花，一名苦菜，一名商草，一名勤母。生晋（今山西）地。”《唐本草》云：“此叶似大蒜，四月蒜熟时采良。”《尔雅》云：“莔，贝母。”注：“根如小贝圆而白华，叶似韭。”陆机《诗疏》：“叶如栝楼而细小。”《本草图经》云：“叶亦青似荞麦叶。……今近道出者正类此。郭璞注《尔雅》云：白花叶似韭，此种罕复见之，此药亦治恶疮。”《唐本草》所云“叶似大蒜”、《尔雅》所云“叶似韭”者，应是百合科贝母。陆机《诗疏》所云“叶如栝楼”、《本草图经》所云叶似“荞麦叶”者，应是葫芦科土贝母。《本草图经》谓贝母治恶疮，正与土贝母功效相合。土贝母专治痈肿疮毒，并无化痰止咳之功。《本经》仅言贝母治金疮，不讲其止咳，疑《本经》“贝母”或是土贝母。《别录》言贝母疗咳嗽上气，疑《别录》“贝母”或是浙贝母。“川贝”之名始见于明代文献。《本草汇言》云：“贝母开郁下气……止嗽定喘……必以川者为妙；若解痈毒……敷恶疮，又以土者为佳。”

［2］**消痰** 中医的痰，含义很广，除指咳痰外，亦指结核（瘰疬痰核）、某些神经症状（痰热互结，心胸郁闷痛）的病因。消热痰，用贝母配黄芩、知母、杏仁、甘草；消燥痰，用贝母配沙参、麦

门冬、紫菀、款冬；消瘰疬痰核，用贝母配玄参、牡蛎；消心胸郁结之痰，用贝母配栝楼、香附、郁金。陈承云："贝母……用以治心中气不快，多愁郁者，殊有功。"

［3］**止嗽**　痰热（痰黄稠）咳嗽，用贝母配黄芩、知母、桔梗、枇杷叶、桑白皮治之；干咳，用贝母配沙参、麦门冬、杏仁、紫菀、款冬治之；咳血，用贝母配白及、阿胶、知母、麦门冬、沙参治之。

［4］**烧灰，油傅人畜恶疮**　治恶疮的贝母只有浙贝母、土贝母，川贝母并不能治恶疮。

按，贝母有川贝母、浙贝母、土贝母。川贝母止燥咳、劳咳，多配沙参、麦门冬、杏仁、甘草、桔梗、紫菀、款冬；浙贝母清热化痰，多配知母、黄芩、杏仁、甘草；浙贝母消痰核、瘰疬，多配玄参、牡蛎等；浙贝母解郁，多配郁金、香附、栝楼；土贝母专消痈肿疮毒恶疮，无化痰止咳功效。

145　栝楼子[1]

味苦，冷，无毒。补虚劳，口干，润心肺[2]，疗手面皱[3]。吐血，肠风泻血，赤白痢，并炒用。（《大观》卷8页10；《政和》页197；《纲目》页1018）

【校注】

［1］**栝楼子**　为葫芦科植物栝楼的种子。亦名瓜蒌子、栝蒌子。《本经》云："一名地楼。"《别录》云："实名黄瓜……生洪农（今河南灵宝）川谷。"《本草图经》云："三四月内生苗，引藤蔓，叶如甜瓜叶，作叉有细毛，七月开花似葫芦花，浅黄色，实在花下，大如拳，生青，至九月熟，赤黄色。……其实有正圆者，有锐而长者，功用皆同。"

［2］**润心肺**　栝楼善治心痛（指心绞痛），多配薤白、桂枝、枳实、厚朴；痛甚加桃仁、红花、丹参。栝楼能化热痰（痰黄稠），多配浙贝母、杏仁、甘草、桔梗、沙参、麦门冬。古方单用栝楼皮化痰止咳，将栝楼实去子，炙黄，研末，每服一钱。

［3］**疗手面皱**　《别录》云："实……悦泽人面。"

按，栝楼，其皮化痰热止咳；其子润燥痰，通大便。《食疗本草》云："子下乳汁，又治痈肿。"栝楼能消肿散结，故其配清热解毒药，能消体表痈肿疮疖。

146　栝楼根[1]

通小肠，排脓，消肿毒[2]，生肌长肉，消扑损瘀血。治热狂时疾[3]，乳痈发背，痔瘘疮疖。（《大观》卷8页10；《政和》页197；《纲目》页1020）

【校注】

［1］**栝楼根**　为葫芦科植物栝楼的根。一名天花粉。《本草图经》云："其根惟岁久入土深者佳。卤地生者有毒。"

［2］**排脓，消肿毒**　栝楼根配金银花、蒲公英、浙贝母、炮穿山甲、皂刺、乳香、没药，治痈肿

溃脓；配大黄、黄柏、蒲公英为末，醋调，外敷，能消肿止痛。

［3］**治热狂时疾** 栝楼根配黄芩、栀子、知母、石膏，能退热病高热、止热病口渴。《本经》云："栝楼根……主消渴，身热烦满大热。"栝楼根治消渴，多配山药、五味子、葛根、生地黄、麦门冬。

按，栝楼根能清热生津止渴、消痈肿，亦治口舌生疮、咽喉干痛、肺热干咳及咳血，多配沙参、麦门冬、杏仁、甘草、桔梗等。

147 玄参[1]

治头风，热毒[2]，游风，补虚[3]，劳损，心惊，烦躁，劣乏，骨蒸[4]，传尸，邪气，止健忘，消肿毒[5]。（《大观》卷8页27；《政和》页203；《纲目》页752）

【校注】

［1］**玄参** 为玄参科植物玄参的根。清代因避康熙皇帝玄烨讳改为元参。《本经》云："一名重台。"《别录》云："一名玄台，一名鹿肠，一名正马，一名咸，一名端。生河间（今河北河间）川谷及冤句（今山东菏泽）。"《本草图经》云："二月生苗，叶似脂麻，又如槐柳，细茎青紫色，七月开花青碧色，八月结子黑色。亦有白花，茎方大紫赤色而有细毛；有节若竹者，高五六尺；叶如掌大而尖长如锯齿；其根尖长，生青白，干即紫黑。新者润腻，一根可生五七枚。"

［2］**热毒** 玄参能滋阴清热、解毒。对温病热毒吐衄发斑，用玄参配犀角、生地黄、丹皮、赤芍、紫草治之；兼高热，加石膏、知母、甘草。

［3］**补虚** 对热病引起的阴液亏虚，用玄参配生地黄、麦门冬能增补阴液，并能润燥通便；挟热者，加金银花、连翘、竹叶。

［4］**骨蒸** 肺结核低热，名骨蒸劳热，伴有咳嗽、咯血，可用玄参配青蒿、鳖甲、地骨皮、生地黄、麦门冬治之。

［5］**消肿毒** 玄参以清热泻火滋阴为主，对痈肿的作用不及清热解毒药可靠，但对咽喉肿痛疗效较好。玄参配生地黄、麦门冬、丹皮、赤芍、土牛膝，治肿毒；痛甚加牛蒡子、射干、大青叶消肿止痛。

按，玄参能消瘰疬。《广利方》治瘰疬经年久不差方：生玄参捣碎傅上，日二易。《医学心悟》以玄参配浙贝母、牡蛎为丸服，治瘰疬。

此外，玄参配当归、生甘草、金银花，可治坏疽灼痛。对肠枯大便干结难解者，用玄参配当归、肉苁蓉、火麻仁为丸服，可以润大便。

148 苦参[1]

杀疳虫[2]。炒带烟出为末，饭饮下治肠风泻血[3]，并热痢[4]。（《大观》卷8页14；《政和》页198；《纲目》页776）

【校注】

［1］**苦参**　为豆科植物苦参的根。《本经》云："一名水槐，一名苦蘵。"《别录》云："一名地槐，一名菟槐，一名骄槐，一名白茎，一名虎麻，一名岑茎，一名禄白，一名陵郎。生汝南（今河南汝南）山谷及田野。"《本草图经》收载了4种药图，即秦州（今甘肃天水）苦参、成德军（今河北正定）苦参、西京（今河南洛阳）苦参、邵州（今湖南宝庆）苦参的药图。这说明在宋代有多种植物被用作苦参。

［2］**杀疳虫**　陶弘景云："患疥者，一两服亦除，盖能杀虫。"《本草图经》云："治癞疾，其法：用苦参五斤，切，以好酒三斗，渍三十日，每饮一合，日三。"

［3］**治肠风泻血**　《医宗金鉴》以苦参、地黄为丸，治湿热肠风便血。

［4］**热痢**　苦参清热燥湿，配黄连、黄柏、白头翁、木香、甘草，治热痢腹痛之里急后重、大便有脓血冻。

苦参清热燥湿，治湿热黄疸。《肘后方》治发黄方：苦参三两、龙胆一合为末，牛胆丸如梧子大，大麦汁服五丸，日三服。

苦参能止痒，配枯矾、百部、蛇床子、川椒、白鲜皮煎汤外洗，止阴痒；配枯矾、硼砂、雄黄、蜈蚣、白蒺藜、木槿皮，煎洗癣痒。

另有苦参子是苦木科植物鸦胆子的种子，不是豆科植物苦参的种子。

149　石韦[1]

治淋沥[2]，遗溺。入药须微炙。（《大观》卷8页61；《政和》页212；《纲目》页1077）

【校注】

［1］**石韦**　为水龙骨科植物有柄石韦及庐山石韦的叶。《本经》云："一名石韀。"《别录》云："一名石皮，用之去黄毛，毛射人肺，令人咳不可疗。生华阴（今陕西华阴）山谷。"《本草图经》云："今晋（今山西临汾）、绛（今山西新绛）、滁（今安徽滁州）、海（今江苏东海）、福（今福建福州）州、江宁府（今江苏南京）皆有之。丛生石上，叶如柳，背有毛而斑点如皮。"

［2］**治淋沥**　《本经》云："主劳热邪气，五癃闭不通，利小便水道。"石韦配通草、木通、车前子、滑石、瞿麦、灯心草、海金沙，治石淋、血淋；如热淋涩痛，加栀子、生地黄。

石韦能清热止血，配蒲黄炭、当归、白芍，治吐血、崩漏下血；配车前草、鱼腥草、生甘草、芦根，治肺痈吐脓血。

《本草图经》云："生古瓦屋上者名瓦韦，用治淋亦佳。"

150　萆薢[1]

治瘫缓软风[2]，头旋，痫疾，补水脏，坚筋骨，益精，明目，中风失音。时人呼为白菝葜。（《大观》卷8页64；《政和》页213；《纲目》页1031）

【校注】

[1] **萆薢** 为薯蓣科植物粉萆薢或绵萆薢的根茎。《本草图经》收载了4种药图，即邛州（今四川邛崃）萆薢、荆门军（今湖北江陵）萆薢、成德军（今河北正定）萆薢、兴元府（今陕西南郑）萆薢的药图。《本草图经》云："根黄白色，多节，三指许大，苗叶俱青，作蔓生，叶作三叉，似山芋，又似绿豆叶，花有黄、红、白数种，亦有无花结白子者。"

[2] **治瘫缓软风** 《本经》云："主腰背痛，强骨节，风寒湿周痹。"《正元广利方》疗腰脚缓，行履不稳方：以萆薢二十四分，合杜仲八分，捣筛，每旦温酒和服三钱匕，增至五匕。萆薢配防己、薏苡仁、白术、牛膝、杜仲煎服亦效。此方亦治风湿性腰脚痹痛。

按，萆薢除湿浊。对湿浊所致白带、小便混浊，用萆薢配茯苓、甘草梢、乌药、菖蒲、益智仁（此方名萆薢分清饮）煎服治之；对湿浊下注所致两腿生疮，疮破流水，用萆薢配土茯苓、牛膝、黄柏、苍术治之；对湿浊引起的湿疮湿疹，搔破流汁，用萆薢配当归、白芍、金银花、连翘、薏苡仁、白芷治之；对湿浊在膀胱所致尿频、尿急、涩痛、浮肿，用萆薢配黄柏、知母、茯苓、滑石、木通、丹皮治之。

另，《孙尚药方》云："治肠风痔漏如圣散，萆薢细剉，贯众逐叶擘下了去土等分捣罗为末，每服二钱，温酒调下，空心食前服。"按，萆薢并不止血，而菝葜止痔疮出血。疑《孙尚药方》所用萆薢，或是菝葜一类植物。

151 菝葜[1]

治时疾，瘟瘴[2]。叶治风肿[3]，止痛[4]，扑损，恶疮[5]，以盐涂傅佳。又名金刚根，又名王瓜草。（《大观》卷8页68；《政和》页214；《纲目》页1032）

【校注】

[1] **菝葜** 为百合科植物菝葜的根茎。《别录》首载此药。陶弘景云："此有三种，大略根苗并相类，菝葜茎紫、短小多细刺。"《本草图经》收载了4种药图，即成德军（今河北正定）菝葜、海州（今江苏东海）菝葜、江州（今江西浔阳）菝葜、江宁府（今江苏南京）菝葜的药图。《本草图经》云："今近京（今河南开封）及江浙（今江苏、浙江）州郡多有之。苗茎成蔓，长二三尺，有刺；其叶如冬青、乌药叶，又似菱叶差大；秋生黄花，结黑子，樱桃许大；其根作块，赤黄色，二月、八月采根，暴干用。"

[2] **瘟瘴** 《本草图经》云："江浙间人呼为金刚根，浸赤汁以煮粉食，云啖之可以辟瘴。"

[3] **叶治风肿** 《本草图经》云："其叶以盐捣，傅风肿、恶疮等，俗用有效。"

[4] **止痛** 菝葜治风湿痹痛及外伤痛。《本草图经》云："田舍贫家，亦取以酿酒，治风毒脚弱痹。"菝葜配萆薢、寻骨风、虎杖，泡酒，治筋骨痛及外伤痛。

[5] **恶疮** 是难治的坏疮，含溃烂的癌肿。

有人以菝葜配栝楼、柴胡、蒲公英、当归、白芍治乳癌，每日一剂，能抑制癌症的发展。

152　木通[1]

安心，除烦[2]，止渴，退热，治健忘，明耳目，治鼻塞，通小肠，下水[3]，破积聚血块，排脓，治疮疖，止痛[4]，催生，下胞，女人血闭，月候不匀[5]，天行时疾[6]，头痛目眩，羸劣，乳结及下乳[7]。子名燕覆子，七八月采。(《大观》卷8页20；《政和》页200；《纲目》页1043)

【校注】

[1] **木通**　为木通科植物木通的茎。《本经》以“通草”（非通脱木的通草）为正名。《别录》云：“生石城（今河南林州西南）山谷及山阳。”《本草图经》云：“今泽（今山西晋城）、潞（今山西长治）、汉中（今陕西汉中）、江淮（今江苏北部）、湖南州郡亦有之。生作藤蔓，大如指，其茎秆大者径三寸，每节有二三枝，枝头出五叶，颇类石韦，又似芍药，三叶相对，夏秋开紫花，亦有白花者，结实如小木瓜，核黑瓤白。……今人谓之木通。而俗间所谓通草，乃通脱木也。此木生山侧，叶如蓖麻，心空，中有瓤，轻白可爱，女工取以饰物。”木通与通草功用相同，以利水、通淋、通经、通乳为主。木通作用强些，且能清心火。注意：关木通对肾功能有损害，应慎用，不得过量。

[2] **安心，除烦**　心火可致心烦、口舌生疮，用木通配生地黄、淡竹叶、生甘草，能泻心火除烦，并使口舌疮随之而愈。

[3] **下水**　木通配猪苓、茯苓、泽泻、苏叶、枳壳、甘草，治水肿；配车前子、滑石、瞿麦、大黄、栀子、灯心草，治热淋（尿频、尿急、涩痛）、血淋。

[4] **止痛**　木通配忍冬藤、海桐皮、寻骨风、桑枝，治关节肿痛。

[5] **女人血闭，月候不匀**　木通能通月经，配桃仁、红花、丹参、牛膝，治经闭。

[6] **天行时疾**　指流行性热病高热。木通配车前子、龙胆草、黄芩、栀子、柴胡、生地黄、甘草、当归（龙胆泻肝汤），有清热功效。

[7] **乳结及下乳**　木通能通乳，配王不留行、穿山甲、漏芦，治乳汁不通；配通草、川芎、穿山甲、猪蹄煨汤，治乳少。

153　瞿麦[1]

催生。又名杜母草、燕麦、蘥麦。又云石竹叶。治痔瘘，并泻血，作汤粥食并得。子治月经不通[2]，破血块，排脓。叶治小儿蛔虫、痔疾，煎汤服，丹石药发，并眼目肿痛[3]及肿毒[4]。捣傅，治浸淫疮并妇人阴疮。(《大观》卷8页25；《政和》页202；《纲目》页914)

【校注】

[1] **瞿麦**　为石竹科植物瞿麦或石竹的带花全草。《本经》云：“一名巨句麦。”《别录》云：

"一名大菊，一名大兰。生太山（今山东泰安）川谷。"陶弘景云："子颇似麦，故名瞿麦。有两种：一种微大，花边有叉桠……一种叶广相似而有毛，花晚而甚赤。按，经云：采实中子至细，燥熟便脱尽。今市人惟合茎、叶用，而实正空壳，无复子尔。"《本草图经》收载了绛州（今山西新绛）瞿麦图，并云："苗高一尺以来，叶尖小青色，根紫黑色，形如细蔓菁。花红紫赤色……七月结实……立秋后合子、叶收采，阴干用。河阳（今河南孟州）、河中府（今山西永济）出者苗可用。淮甸（淮河流域）出者根细，村民取作刷帚。"

按，瞿麦，《本经》谓主小便不通、下闭血，《药性论》谓主五淋，则《日华子本草》亦当有此主治。掌禹锡因前代本草已有记载，故省略之。《本草衍义》云："八正散用瞿麦，今人为至要药。"八正散由瞿麦、木通、车前子、滑石、萹蓄、大黄、栀子、灯心草组成，对热淋（尿频、尿急、涩痛）、血淋、砂淋疗效较好。有人将之试用于癌肿，其能缓解症状。

[2] **治月经不通** 《本经》谓瞿麦"下闭血"。瞿麦配丹参、红花、赤芍、益母草，治血瘀经闭。

[3] **眼目肿痛** 《本经》谓瞿麦"明目去翳"。《圣惠方》煎瞿麦浓汁，洗浴目赤肿痛。

[4] **肿毒** 《证治准绳》治痈疽肿毒，用瞿麦配当归、赤芍、川芎、黄芪、白蔹、赤小豆、桂心、麦门冬，痈肿已溃、未溃均可用之。

154 败酱[1]

味酸，治赤眼障膜[2]，胬肉，聤耳，血气心腹痛，破癥结，产前后诸疾[3]，催生落胞，血运，排脓[4]，补瘘，鼻洪，吐血，赤白带下，疮痍疥癣，丹毒[5]。又名酸益。七、八、十月采。（《大观》卷8页54；《政和》页210；《纲目》页910）

【校注】

[1] **败酱** 为败酱科植物黄花败酱或白花败酱的全草。《本经》云："一名鹿肠。"《别录》云："一名鹿首，一名马草，一名泽败。生江夏（今湖北云梦）川谷。"《本草图经》收载了江宁府（今江苏南京）败酱药图，并云："多生岗岭间，叶似水莨及薇衔，丛生；花黄，根紫色，似柴胡，作陈败豆酱气，故以为名。"

[2] **治赤眼障膜** 败酱能清热解毒，配金银花、连翘、蒲公英、夏枯草、决明子，治目赤肿痛。

[3] **产前后诸疾** 败酱能活血化瘀，配当归、川芎、益母草、山楂、蒲黄、艾叶，治产后瘀阻腹痛；配当归、赤芍、川芎、乳香、桂心、杜仲，治产后腰膝痛。

[4] **排脓** 《别录》云："除痈肿。"张仲景治腹痈有脓方：薏苡仁十分，附子二分，败酱五分，三物捣为末，取方寸匕；水二升，煎取一升，顿服，小便当下愈。今多用败酱配桃仁、冬瓜仁、薏苡仁、丹皮、赤芍、红花、金银花、蒲公英，治阑尾炎；配茵陈、栀子、柴胡、大青叶、大黄、猪苓、茯苓、泽泻，治肝炎、黄疸。

[5] **丹毒** 取鲜败酱草叶，捣汁外涂。《杨氏产乳》云："治蠼螋尿绕腰（类似带状疱疹）者，煎败酱汁涂之差。"又败酱鲜叶和少许生石膏末共捣烂，敷腮腺炎，干则易之，有良效。

155 白芷[1]

治目赤胬肉，及补胎漏滑落，破宿血，补新血，乳痈发背[2]，瘰疬，肠风痔瘘，排脓[3]，疮痍疥癣，止痛[4]，生肌，去面皯疵瘢。(《大观》卷8页38；《政和》页206；《纲目》页800)

【校注】

[1] **白芷** 为伞形科植物白芷或杭白芷的根。《本经》云："一名芳香。"《别录》云："一名白茝……生河东（今山西）川谷下泽。"《本草图经》收载了泽州（今山西晋城）白芷药图，并云："吴地（今苏南）尤多。根长尺余，白色……枝秆去地五寸以上。春生叶相对婆娑，紫色，阔三指许；花白，微黄；入伏后结子，立秋后苗枯。二、八月采根，暴干，以黄泽者为佳。"

[2] **乳痈发背** 白芷能消肿排脓，多配金银花、甘草、蒲公英、乳香、天花粉、当归、赤芍。

[3] **排脓** 痈肿，成脓不溃，用白芷配穿山甲、皂刺、蒲公英、金银花治之。脓已溃者少用。

[4] **止痛** 白芷祛风燥湿，善治头面部痛、牙痛、鼻渊等。风寒头痛，用白芷配川芎、荆芥、防风治之。风热头痛，用白芷配白蒺藜、蔓荆子、黄芩治之；偏头痛，加柴胡。鼻渊（鼻流浊涕不止），用白芷配苍耳子、辛夷、薄荷治之。

按，《本草衍义》云："今人用治带下肠有败脓淋露不已，腥秽殊甚……白芷一两，单叶红蜀葵根二两，芍药根白者、白矾各半两。矾烧枯别研，余为末，同以蜡为丸如梧子大，空肚及饭前米饮下十丸或十五丸。"白芷配椿根白皮、乌贼骨，亦治白带过多。

民间以白芷、枯矾、雄黄等分研细末，外敷蛇咬伤。敷前，用盐水洗，剔除毒牙。

156 紫菀[1]

调中，及肺痿，吐血，消痰[2]，止渴，润肌肤，添骨髓。形似重台根，作节，紫色润软者佳。(《大观》卷8页48；《政和》页209；《纲目》页898)

【校注】

[1] **紫菀** 为菊科植物紫菀的根及根茎。《别录》云："一名紫蒨，一名青苑。生房陵（今湖北房县）山谷及真定（今河北正定）、邯郸（今河北邯郸）。"《本草图经》云："今耀（陕西耀州）、成（今甘肃成县）、泗（今安徽泗县）、寿（今安徽寿县）、台（今浙江临海）、孟州（今河南孟州）、兴国军皆有之。三月内布地生苗、叶。其叶三四相连，五月、六月内开黄紫白花，结黑子。本有白毛，根甚柔细……又有一种白者名白菀。"

[2] **消痰** 紫菀能降气消痰止嗽。对久咳不愈，用紫菀配枇杷叶、款冬、百部治之；对劳咳，痰中带血，用紫菀配川贝母、知母、沙参、麦门冬、白及治之；对感冒咳嗽，用紫菀配杏仁、桔梗、甘草治之，若偏热（痰黄稠）加前胡，喉中痰鸣（作水鸡声）加桑白皮，偏寒（痰白而稀）加白前、

百部、荆芥、防风。

按，紫菀味苦，温，性燥，治疗火咳（有实质炎症）、干咳、咳血时，不能单独使用。

157 白鲜[1]

通关节[2]，利九窍及血脉，并一切风痹，筋骨弱乏，通小肠水气，天行时疾[3]，头痛眼疼。根皮良。花功用同上。亦可作菜食，又名金雀儿椒。（《大观》卷8页55；《政和》页210；《纲目》页778）

【校注】

[1] **白鲜** 为芸香科植物白鲜的根皮。《别录》云："生上谷（今河北保定、易州一带）川谷及冤句（今山东菏泽）。"《本草图经》云："今河中（今山西永济）、江宁府（今江苏南京）、滁州（今安徽滁州）、润州（今江苏镇江）亦有之。苗高尺余，茎青，叶稍白如槐，亦似茱萸，四月开花淡紫色，似小蜀葵，根似蔓菁，皮黄白而心实。……其气息都似羊羶，故俗呼为白羊鲜，又名地羊羶，又名金爵儿椒。"

[2] **通关节** 白鲜皮苦寒，能燥湿清热。对风湿热所致关节痛，用白鲜皮配黄芪、防己、丹参、苍术、黄柏、牛膝治之。

[3] **天行时疾** 《药性论》云："治一切热毒……壮热恶寒，主解热黄。"对湿热发黄，用白鲜皮配茵陈、栀子、大黄治之。

按，白鲜皮可清湿热、去疮毒。《药性论》云："治一切热毒，恶风风疮，疥癣赤烂。"对湿热疮毒，如黄水湿疮湿疹或脓窠疮，用白鲜皮配苦参、苍术、黄柏、金银花、连翘治之；对湿疹、疥癣瘙痒，用白鲜皮配苦参、蛇床子、地肤子、花椒、百部煎汤外洗。白鲜皮亦治阴痒。

158 葈耳[1]

治一切风气[2]，填髓，暖腰脚，治瘰疬疥癣，及瘙痒[3]。入药炒用。（《大观》卷8页5；《政和》页195；《纲目》页877）

【校注】

[1] **葈耳** 为菊科植物苍耳的果实。《本经》云："一名胡葈，一名地葵。"《别录》云："一名葹，一名常思。生安陆（今湖北安陆）川谷及六安（今安徽六安）田野。"陆机《诗疏》："叶青白，似胡荽，白花，细茎，蔓生，可煮为茹，滑而少味，四月中生子，正如妇人耳珰。"《本草图经》云："诗人谓之卷耳，《尔雅》谓之苓耳，《广雅》谓之葈耳。……此物本生蜀中，其实多刺，因羊过之，毛中粘缀，遂至中国，故名羊负来。"

[2] **治一切风气** 治风寒头痛，用葈耳配荆芥、防风、细辛、藁本；治风热头痛，用葈耳配川芎、白芷、黄芩、薄荷；治风湿痹痛，用葈耳配当归、川芎、羌活、独活、秦艽、威灵仙。苍耳既能

发表散风寒热，又能燥风寒湿，止筋骨拘挛痹痛。

菜耳祛风燥湿，善治鼻渊流涕。治初起流清涕，用菜耳配白芷、辛夷、细辛、川芎；治流黄浊涕，用菜耳配白芷、辛夷、薄荷、黄芩、鱼腥草。若日久转成慢性（类似鼻旁窦炎），或遇感冒即发，甚至鼻臭，宜加四物汤，才能见效。

［3］**瘙痒** 菜耳善止疮疹瘙痒，多配地肤子、蛇床子、白鲜皮、蝉蜕、白蒺藜，煎汤外洗。又菜耳全草与子同功，但它们都有毒，内服用量宜小，以免中毒。《圣惠方》治妇人风瘙瘾疹身痒方：用菜耳花、叶、子等分，捣罗为末，豆淋酒调服二钱匕。

《千金翼方》治一切疔肿方：取菜耳根、茎、叶烧焦为末，醋调如泥，涂上，干即易，不过十余度，即拔出其根。民间取全草煎汁熬膏外敷疔肿。菜耳草茎至秋变黑处，内有虫，取出泡麻油中。患疔肿者，取虫置疔肿上，包好，其肿自消。

159 茅根[1]

主妇人月经不匀，通血脉淋沥[2]，是白花茅根也。

屋四角茅，平，无毒。主鼻洪[3]。

茅针[4]，凉。通小肠[5]，痈毒、软疖不作头，浓煎和酒服[6]。

茅花，罯刀箭疮，止血并痛[7]。（《大观》卷8页46；《政和》页208；《纲目》页784）

【校注】

［1］**茅根** 为禾本科植物白茅的根茎。《本经》云："一名兰根，一名茹根。"《别录》云："一名地菅，一名地筋，一名兼杜。生楚地（今湖北、湖南）山谷田野。"陶弘景云："根如渣芹甜美。"《本草图经》收载了2种药图，即鼎州（今湖南常德）茅根、澶州（今河南濮阳西）茅根的药图。

［2］**通血脉淋沥** 茅根清热凉血利尿，治淋沥涩痛。治尿血，用茅根配木通、瞿麦、滑石、冬葵子、大蓟、小蓟、旱莲草、竹叶；治咯血，用茅根配桑白皮、大蓟、小蓟、白及。

［3］**主鼻洪** 茅根能清热凉血止血。茅根配丹皮、栀子、侧柏炭、茜根，可止鼻出血。

此外，茅根能清热生津、止渴止呕，具有与芦根一样的作用。茅根与芦根合用，再加葛根、黄芩、知母、天花粉，能治热病口渴或热病呕吐。

茅根有轻度去黄疸作用，配玉米须、赤小豆、金钱草、茵陈，能去黄疸；如因湿热所致，配虎杖、败酱草、苦参、黄芩、黄柏、龙胆草。

［4］**茅针** 为禾本科植物白茅的幼苗。《本草图经》云："春生苗，布地如针，俗间谓之茅针。"陈藏器云："茅针，味甘，平，无毒。……即茅笋也。"

［5］**通小肠** 义同利水。《本经》云："其苗主下水。"茅根配灯心草、玉米须、赤小豆、冬葵子、石韦，可利水通淋、消浮肿。

［6］**痈毒、软疖不作头，浓煎和酒服** 《本草拾遗》云："茅针……主恶疮肿未溃者，煮服之。"刘禹锡《传信方》云："疗痈肿……取茅锥一茎正尔，全煎十数沸服之，立溃。"

［7］**茅花，罯刀箭疮，止血并痛** 罯（音暗），按压包扎。茅花敷外伤出血，能止血止痛。《本草图经》云："今人取茅针挼以傅金疮，塞鼻洪，止暴下血及溺血者殊效。"

160 白百合[1]

安心，定胆[2]，益志，养五脏，治癫邪，啼泣，狂叫，惊悸[3]，杀蛊毒气，熁乳痈发背及诸疮肿，并治产后血狂运。（《大观》卷8页32；《政和》页204；《纲目》页1225）

【校注】

[1] **白百合** 为百合科植物百合或细叶百合的鳞茎。《别录》云："一名中逢花，一名强瞿。生荆州（今湖北江陵）川谷。"《唐本草》云："此药有二种：一种细叶花红白色；一种叶大茎长，根粗、花白。"按《唐本草》所云，白百合当是后一种。《本草图经》收载了2种药图，即滁州（今安徽滁州）百合、成州（今甘肃成县）百合的药图。前者叶细，后者叶宽阔。白百合当是后者。

[2] **安心，定胆** 百合能安心神、定胆怯，治病后虚烦惊悸不寐，或精神恍惚（《金匮要略》名百合病）。治百合病发汗后，用百合配知母；吐后，用百合配鸡子黄；发热后，用百合配滑石；下后，用百合配滑石、代赭石合用。不经吐、下、发汗者，用百合配地黄合用。

[3] **治癫邪，啼泣，狂叫，惊悸** 这些症状，都是神志不正常的症状，热病后余热未清，有时可见上述症状，《金匮要略》称之为百合病。其治法详见注[2]。

按，百合以润肺止干咳、久咳、劳咳、咳血为主，多配款冬花等分为末，制蜜丸服。治劳咳、咳血，用百合配生地黄、玄参、麦门冬、贝母、甘草、桔梗、当归、白芍。

161 红百合[1]

凉，无毒。治疮肿，及疗惊邪[2]。此是红花者名连珠[3]。（《大观》卷8页32；《政和》页204；《纲目》页1226）

【校注】

[1] **红百合** 为百合科植物细叶百合的鳞茎。余详见"白百合"条注[1]。

[2] **疗惊邪** 详见"白百合"条注[2]。

[3] **此是红花者名连珠** 按《唐本草》所注，百合有红花、白花两种，红花叶细，白花叶大茎长。《本草图经》所记，亦是开红白花者，谓："春生苗，高数尺，秆粗如箭，四面有叶如鸡距，又似柳叶青色，叶近茎微紫，茎端碧白，四五月开红白花。如石榴觜而大；根如葫蒜重叠，生二三十瓣。二月、八月采根，暴干。"《食疗本草》云："红花者名山丹。"《本草纲目》以"山丹"为红百合正名。按，《纲目》所讲的"山丹"应是百合科植物山丹的鳞茎，与《日华子本草》所说"红百合"疑非同一药物。

162 仙灵脾[1]

紫芝为使，得酒良。治一切冷风劳气，补腰膝[2]，强心力，丈夫绝阳不起，女人绝阴无子[3]，筋骨挛急，四肢不任[4]，老人昏耄，中年健忘。又名黄连祖、千两金、干鸡筋、放杖草、弃杖草。（《大观》卷8页39；《政和》页206；《纲目》页750）

【校注】

[1] **仙灵脾** 为小檗科植物淫羊藿、心叶淫羊藿、箭叶淫羊藿的茎、叶。《本经》以“淫羊藿”为正名，并云：“一名刚前。”《别录》云：“生上郡阳山（今陕西榆林）山谷。”《本草图经》收载了2种药图［即永康军（今四川都江堰）淫羊藿、沂州（今山东兰山）淫羊藿的药图］，并云：“今江东（今苏南、皖南地区）、陕西（今陕西）、太山（今山东泰安）、汉中（今陕西汉中）、湖（今浙江吴兴一带）、湘（今湖南）间皆有之。叶青似杏叶，上有刺，茎如粟秆，根紫色有须，四月开花色白，亦有紫色，碎小，独头子。五月采叶，晒干。湖、湘出者，叶如小豆，枝茎紧细，经冬不凋，根似黄连。关中俗呼三枝九叶草。苗高一二尺许，根叶俱堪使。”

[2] **补腰膝** 淫羊藿能补肾、强筋骨，配枸杞子、熟地黄、杜仲、桑寄生，治腰膝痛无力。

[3] **丈夫绝阳不起，女人绝阴无子** 淫羊藿能补肾助阳，配仙茅、韭菜子、蛇床子、巴戟天、锁阳，治男子阳痿；配仙茅、巴戟天、当归、知母、黄柏，治妇女肾阳虚月经不调及更年期综合征。

[4] **筋骨挛急，四肢不任** 淫羊藿配人参、黄芪、桂心、威灵仙、川芎，治风寒湿所致筋骨挛急、四肢不任或麻木。血虚加当归、熟地黄。《圣惠方》治偏风手足不遂、皮肤不仁方：淫羊藿一斤，酒二斗浸之，春夏三日，秋冬五日，每日随性暖饮少许，以不醉为宜；若酒尽再合服之。凡腰膝痿弱，拄杖而行者，服之皆不杖。故《日华子本草》称此药为放杖草、弃杖草。

按，淫羊藿性辛温燥烈，同仙茅相似，兴奋性欲作用很强，多用则伤阴损精助火，养生者应戒之，阴虚火旺者更应忌用。淫羊藿用于除风湿痹痛时，应配当归、熟地黄以制其燥烈之性；用于强身健体时，应配知母、黄柏，制助火之弊。

163 马蔺[1]

治妇人血气烦闷，产后血运，并经脉不止，崩中，带下，消一切疮疖肿毒[2]，止鼻洪，吐血[3]，通小肠，消酒毒，治黄病，傅蛇虫咬，杀蕈毒。亦可蔬菜食[4]，茎叶同用。（《大观》卷8页32；《政和》页202；《纲目》页872）

【校注】

[1] **马蔺** 为鸢尾科植物马蔺的全草。《本经》以“蠡实”为正名，云：“一名剧草，一名三坚，一名豕首。”《别录》云：“一名荔实。生河东（今山西）川谷。”《本草图经》载有冀州（今河北冀州）蠡实药图，并云：“今陕西诸郡及鼎（今湖南常德）、澧（今湖南澧县）州亦有之，近京尤多。叶似薤而长厚，三月开紫碧花，五月结实作角，子如麻大而赤色有棱，根细长通黄色。人取以为刷。”

[2] **消一切疮疖肿毒** 崔元亮治喉痹肿痛方：取荔花、皮、根共十二分，以水一升煮取六合，去滓含之，细细咽汁。《外台秘要》治喉痹不通，以根、叶煮汁含之。

[3] **止鼻洪，吐血** 鼻洪即鼻出血。《千金方》治中蛊下血如鸡肝方：以马蔺根为末，服方寸

匕，随吐则出。

又张文仲治水痢方：以马蔺子用面熬黄为末，服方寸匕。

《肘后方》云："治面及鼻病酒皶，以马蔺子花杵傅之佳。"

［4］**亦可蔬菜食**　《本草衍义》云："若果是马蔺，则《日华子》不当更言亦可为蔬菜食。盖马蔺其叶马牛皆不食，为才出土，叶已硬沉，又无味，岂可更堪人食也。今不敢以蠡实为马蔺子。"

草部中品之下　卷第八

164 款冬花[1]

润心肺[2]，益五脏，除烦，补劳劣，消痰止嗽[3]，肺痿[4]吐血，心虚惊悸，洗肝明目，及中风等疾。十一、十二月雪中出花[5]。（《大观》卷9页24；《政和》页226；《纲目》页910）

【校注】

[1] **款冬花** 为菊科植物款冬的花蕾。《本经》云："一名橐吾，一名颗东，一名虎须，一名菟奚。"《别录》云："一名氐冬。生常山（今河北元氏）山谷及上党（今山西长子）水旁。"陶弘景云："第一出河北（今黄河以北），其形如宿莼未舒者佳。其腹里有丝。次出高丽百济（今朝鲜），其花乃似大菊花，次亦出蜀北部宕昌（今甘肃宕昌），而并不如其冬月在冰下生，十二月、正月旦取之。"《本草图经》收载了秦州（今甘肃天水）款冬花、耀州（今陕西耀州）款冬花的药图。《本草衍义》云："虽在冰雪之下，至时亦生芽……入药须微见花者良，如已芬芳，则都无力也。"

[2] **润心肺** 款冬花润肺下气。《药性论》云："款冬花……疗肺气心促急，热乏劳咳，连连不绝，涕唾稠黏。"

[3] **消痰止嗽** 《本经》云："款冬花……主咳逆上气善喘。"款冬花化痰降气止咳，功同紫菀，但化痰力弱于紫菀，止咳力强于紫菀，二者多合用，治各种咳嗽。治外感寒咳，用款冬花配麻黄、射干、杏仁、甘草；治寒痰清稀，用款冬花配细辛、干姜、半夏；治暴咳连连不绝，用款冬花配杏仁、甘草、知母、贝母、桑白皮、五味子；治久咳、劳咳、干咳、咳血，用款冬花配知母、百合、白及、阿胶、贝母。

[4] **肺痿** 《药性论》云："款冬花……治肺痿、肺痈吐脓。"治肺痿，用款冬花配甘草、桔梗、芦根、冬瓜仁、薏苡仁。

[5] **十一、十二月雪中出花** 《本草图经》云："根紫色，茎青紫，叶似萆薢；十二月开黄花，青紫萼，去土一二寸，初出如菊花萼，通直而肥实……又有红花者，叶如荷。"《本草衍义》云："有人病嗽多日，或教以然款冬花三两枚于无风处，以笔管吸其烟满口则咽之，数日效。"

165　牡丹[1]

除邪气[2]，悦色，通关腠血脉，排脓[3]，通月经[4]，消扑损瘀血[5]，续筋骨，除风痹，落胎下胞，产后一切女人冷热血气。此便是牡丹花根。巴、蜀、渝、合州者上，海盐者次[6]。服忌蒜。(《大观》卷9页26；《政和》页227；《纲目》页804)

【校注】

[1] **牡丹**　为毛茛科植物牡丹的根皮。《本经》云："一名鹿韭，一名鼠姑。"《别录》云："生巴郡（今重庆巴南）山谷及汉中（今陕西汉中）。"《唐本草》云："剑南（今四川成都）所出者，苗似羊桃，夏生白花，秋实圆绿，冬实赤色，凌冬不凋，根似芍药，肉白皮丹。"《本草图经》云："今丹（今陕西宜川）、延（今陕西延安）、青（今山东青州）、越（今浙江绍兴）、滁（今安徽滁州）、和（今安徽和县）州山中皆有之。花有黄、紫、红、白数色，此当是山牡丹……其花、叶与人家所种者相似。"

[2] **除邪气**　治热病邪入营血（舌绛，发斑疹，出血），用牡丹配赤芍、生地黄；治劳热骨蒸，用牡丹配地骨皮、青蒿、鳖甲、知母。

[3] **排脓**　治肠痈，用牡丹配蒲公英、红藤、金银花、连翘、桃仁、大黄、芒硝。

[4] **通月经**　牡丹配桃仁、赤芍、桂枝、茯苓，治瘀血经闭、子宫肌瘤等。

[5] **消扑损瘀血**　治跌仆损伤、瘀血肿痛，用牡丹配乳香、没药、桃仁、赤芍。

按，牡丹皮凉血活血，治皮下出血（过敏性紫癜），配黄芪、当归、赤芍；治高血压，配茯苓、泽泻、山药、山萸肉、熟地黄；治慢性鼻炎，配辛夷、苍耳子、薄荷、白芷。

[6] **巴、蜀、渝、合州者上，海盐者次**　巴，今重庆巴南；蜀，今四川崇州；渝，今重庆；合州，今重庆合川；海盐，今浙江海盐。

166　泽兰[1]

通九窍，利关脉，养血气，破宿血。消癥瘕，产前产后百病[2]，通小肠[3]，长肉生肌，消扑损瘀血[4]。治鼻洪，吐血，头风目痛，妇人劳瘦，丈夫面黄。四月、五月采，作缠把子。(《大观》卷9页12；《政和》页222；《纲目》页832)

【校注】

[1] **泽兰**　为唇形科植物毛叶地瓜儿苗的全草。《本经》云："一名虎兰，一名龙枣。"《别录》云："一名虎蒲。生汝南（今河南汝南）诸大泽旁。"《唐本草》云："泽兰茎方，节紫色，叶似兰草而不香。"《本草图经》收载了2种药图［即徐州（今江苏徐州）泽兰、梧州（今广西苍梧）泽兰的药图］，并云："今荆（今湖北）、徐（今江苏徐州）、随（今湖北随县）、寿（今安徽寿县）、蜀（今四川崇州）、梧（今广西苍梧）州，河中府（今山西永济）皆有之。根紫黑色如粟根。二月生苗，高

二三尺，茎秆青紫色作四棱，叶生相对如薄荷微香，七月开花带紫白色，萼通紫色……此与兰草大抵相类。但兰草生水旁，叶光润阴小紫，五六月盛。而泽兰生水泽中及下湿地，叶尖微有毛，不光润，方茎，紫节，七月、八月初采，微辛。”

［2］**产前产后百病** 泽兰活血化瘀，治瘀血所致经闭、经痛，配当归、赤芍、香附；治产后瘀阻腹痛，配丹参、赤芍、蒲黄、益母草，或配当归、赤芍、延胡索；治产后血晕，配人参、川芎。

［3］**通小肠** 即利小便。泽兰配防己、猪苓，治产后浮肿。

［4］**消扑损瘀血** 泽兰活血化瘀，配当归、赤芍、乳香、没药、血竭、红花、三七，治跌仆损伤、瘀血肿痛。按，《本经》云，泽兰治“痈肿疮脓”。泽兰配蒲公英、金银花、甘草、当归，能散痈肿，治疮疡肿毒。

167 地榆[1]

排脓[2]，止吐血，鼻洪，月经不止，血崩[3]，产前后诸血疾，赤白痢[4]，并水泻[5]。浓煎，止肠风[6]。但是平原川泽皆有，独茎，花紫。七八月采。（《大观》卷9页7；《政和》页220；《纲目》页754）

【校注】

［1］**地榆** 为蔷薇科植物地榆的根。《别录》云：“生桐柏（今河南桐柏）及冤句（今山东菏泽）山谷。”《本草图经》收载了2种药图［即江宁府（今江苏南京）地榆、衡州（今湖南衡阳）地榆的药图］，并云：“宿根三月内生苗，初生布地，茎直，高三四尺，对分出叶；叶似榆少狭细长，作锯齿状，青色，七月开花如椹子，紫黑色。根外黑里红，似柳根。”

［2］**排脓** 《药性论》云：“地榆……蚀脓。”地榆配蒲公英、金银花、连翘、甘草，治痈肿疮毒，煎汤内服、外洗均可。如治痈肿初起，用地榆配蒲公英捣烂外敷；治烫伤，以地榆炭二分，生石膏、黄柏各一分，大黄炭、寒水石各半分，共为极细末，油调外涂。其中大黄炭宜现炒现用，日久者则致痛，不可用。

［3］**月经不止，血崩** 地榆凉血止血，配苎麻根、陈棕炭、血余炭、阿胶，治月经不止、血崩；伴有血热者，加丹皮、生地黄、黄芩。

［4］**赤白痢** 地榆能凉血止血。治湿热赤痢，用地榆配木香、黄连、黄柏、白头翁、当归，效果佳；治白痢，应用地榆配干姜、当归、阿胶、黄连，其中干姜制地榆、黄连之苦寒。

［5］**水泻** 治水泻时应分清寒热。治寒性水泻，用地榆配陈皮、苍术、厚朴、甘草、茯苓、高良姜；治热性水泻，用地榆配车前子、淡竹叶、滑石、木通。

［6］**止肠风** 多指便血、痔血，多用地榆配槐花、槐角、生地黄、防风治之。按，地榆、槐花、槐角均能凉血止血，用于下焦出血（子宫出血，大便出血，痔疮出血）最相宜。

168 白前[1]

治贲豘肾气[2]，肺气烦闷及上气[3]。（《大观》卷9页43；《政和》页233；《纲目》

页 790）

【校注】

［1］**白前**　为萝藦科植物柳叶白前或芫花叶白前的根、根茎。此药首载于《别录》。《唐本草》云："此药叶似柳，或似芫花。苗高尺许，生洲、渚、沙碛之上，根白，长于细辛。……俗名石蓝，又名嗽药。今用蔓生者味苦，非真也。"《本草图经》收载了 2 种药图，即越州（今浙江绍兴）白前、舒州（今安徽舒城一带）白前的药图。

［2］**治贲豘肾气**　贲豘肾气亦称奔豚气，表现为气从少腹上冲胸咽，腹痛、往来寒热，或有咳逆。白前长于降气、止喘逆。《唐本草》云："主上气冲喉中，呼吸欲绝。"

［3］**肺气烦闷及上气**　《本草图经》云："《深师》疗久咳逆上气，体肿，短气胀满，昼夜倚壁不得卧，常作水鸡声者，白前汤主之。白前二两，紫菀、半夏洗各三两，大戟七合，切，四物以水一斗渍一宿，明旦煮取三升，分三服。"《梅师方》治久咳喉中作声不得眠，"取白前捣为末，温酒调二钱匕服"。以上两方均以肺气壅滞、痰多喉鸣、胸满喘急为主要适应证。

按，白前、前胡均能降肺气、祛痰、止咳逆上气，素有"肺家要药"之称。凡肺气上逆，痰多壅滞，胸满气急咳逆之证，不论寒、热，做适当配伍，均可应用之。

169　百部[1]

味苦，无毒。治疳蚘，及传尸[2]，骨蒸劳嗽[3]，杀蚘虫、寸白、蛲虫[4]，并治一切树木蛀蚛。烬之，亦可杀蝇蠓。又名婆妇草，一根三十来茎。（《大观》卷 9 页 20；《政和》页 225；《纲目》页 1027）

【校注】

［1］**百部**　为百部科蔓生百部或直立百部的块根。《别录》首载此药。《本草图经》云："今江（今江西九江）、湖（今浙江湖州）、淮（今淮河流域）、陕（今陕西）、齐（今山东济南、淄博）、鲁（今山东曲阜）州郡皆有之。春生苗作藤蔓，叶大而尖长，颇似竹叶，面青色而光。根下作撮如芋子，一撮乃十五六枚，黄白色。二月、三月、八月采，暴干用。"

［2］**传尸**　一名劳瘵、传尸劳、尸注、鬼注、殗殜。病程缓慢，相互传染。治宜滋阴降火，清肺杀虫。《理虚元鉴》百部清金汤，以百部配人参、麦门冬、丹皮、地骨皮、甘草、桔梗、茯苓治传尸。

［3］**骨蒸劳嗽**　类似肺痨低热咳嗽。用百部熬膏配紫菀、款冬、桑白皮、地骨皮、青蒿、鳖甲治之。

［4］**杀蚘虫、寸白、蛲虫**　百部能杀各种虫、虱、疥癣，酒泡或煮汁外擦能灭头虱、阴虱、疥癣、阴道滴虫，煎汤内服可杀蛔虫，灌肠可杀蛲虫。

按，百部通治各种咳嗽。治寒咳，用百部配麻黄、杏仁、甘草；治外感咳，用百部配紫菀、白前、前胡、荆芥、甘草、桔梗；治热咳，用百部配紫菀、贝母、知母、石膏、竹叶；治劳咳，用百部配桑白皮、地骨皮、沙参、麦门冬、百合。

170 王瓜子[1]

润心肺，治黄病[2]，生用。肺痿吐血[3]，肠风泻血[4]，赤白痢[5]，炒用。（《大观》卷 9 页 6；《政和》页 219；《纲目》页 1022）

【校注】

[1] **王瓜子** 为葫芦科植物王瓜的种子。《本经》云："一名土瓜。"《别录》云："生鲁地（今山东曲阜一带）平泽田野及人家垣墙间。"《唐本草》云："此物蔓生，叶似栝楼，圆无叉缺，子如栀子，生青熟赤，但无棱尔，根似葛，细而多糁……皮黄肉白。"《本草图经》收载了均州（今湖北丹江口）王瓜药图，并云："盖菟瓜别是一种也。又云芴菲（葸菜）亦谓之土瓜……非此土瓜也。大凡物有异类同名甚多，不可不辨也。"

[2] **治黄病** 《唐本草》云："疗黄疸破血，南者大胜。"

[3] **肺痿吐血** 《十药神书》取赤雹儿（俗名王瓜），焙为末，每酒服一钱。

[4] **肠风泻血** 王瓜一两烧存性，熟地黄二两，黄连半两，焙为末，蜜丸如梧子，每服二十丸。

[5] **赤白痢** 治法同注[4]。

又，《药性论》云："王瓜子……主蛊毒，治小便数遗不禁。"《集简方》用王瓜子炒开口，为末，酒服一钱，日二服，治筋骨挛痛。《丹溪纂要》用王瓜子烧存性一钱，入好枣肉、平胃散（陈皮、苍术、厚朴、甘草）末二钱，酒服，治反胃吐食。

171 土瓜根[1]

通血脉[2]，天行热疾，酒黄病[3]，壮热，心烦闷，吐痰，痰疟[4]，排脓，热劳，治扑损，消瘀血，破癥癖，落胎。（《大观》卷 9 页 6；《政和》页 219；《纲目》页 1021）

【校注】

[1] **土瓜根** 为葫芦科植物王瓜的根。《本经》以"王瓜"为正名。《别录》云："生鲁地（今山东曲阜一带）平泽田野及人家垣墙间。"《本草图经》云："《月令》：四月王瓜生，即此也。叶似栝楼，圆无叉缺，有刺如毛，五月开黄花，花下结子如弹丸，生青熟赤，根似葛，细而多糁，谓之土瓜根。北间者，其实累累相连大如枣，皮黄肉白，苗、叶都相似，但根状不同耳。三月采根，阴干。均（今湖北丹江口）、房（今湖北房县）间人呼为老鸦瓜。"

[2] **通血脉** 《金匮要略》治经水不利，带下，少腹满方：土瓜根、芍药、桂枝、䗪虫各三两为末，酒服方寸匕，日三服。

[3] **酒黄病** 《肘后方》云："治黄疸变成黑疸，医所不能治，土瓜根汁顿服一小升，平旦服，食后须病汗当小便出愈。不尔再服。"

[4] **吐痰，痰疟**　《本草拾遗》云："王瓜，主蛊毒……并疟，取根及叶捣，绞汁服，当吐下。宜少进之，有小毒故也。"《外台秘要》云："治蛊，土瓜根大如拇指，长三寸，切，以酒半升，渍一宿，一服当吐下。"从以上两方看，土瓜根有催吐作用。土瓜根早在《本经》已被收载，唐、宋医家尚用，宋以后未见用。

又，《肘后方》以土瓜根作美容药：土瓜根捣细末，浆水（泡米水变酸如浆）和匀，入夜别以浆水洗面涂药，旦复洗之，百日光彩射人，夫妻不相识也。

172　荠苨[1]

杀蛊毒[2]，治蛇虫咬，热狂温疾，罯毒箭[3]。（《大观》卷9页44；《政和》页233；《纲目》页729）

【校注】

[1] **荠苨**　为桔梗科植物荠苨的根。《别录》首载此药，并云："味甘，寒。主解百药毒。"《本草图经》收载了2种药图［即润州（今江苏镇江）荠苨、蜀州（今四川崇州）荠苨的药图］，并云："春生苗茎都似人参，而叶小异，根似桔梗根，但无心为异。"陈承云："今多以蒸压褊乱人参，但味淡尔。"

[2] **杀蛊毒**　《小品方》疗蛊，取荠苨根捣末，以饮服方寸匕，立差。

[3] **罯毒箭**　《朝野佥载》云："野猪中毒药箭，多食此物出。"

陶弘景云："根味甜，绝能杀毒。"《金匮玉函方》云："钩吻（毒物）叶与芹叶相似，误食之杀人。荠苨八两，水六升，煮取三升，为两服解之。"

173　高良姜[1]

治转筋泻痢[2]，反胃呕食[3]，解酒毒，消宿食。（《大观》卷9页18；《政和》页224；《纲目》页809）

【校注】

[1] **高良姜**　为姜科植物高良姜的根茎。《别录》首载此药。陶弘景云："出高良郡（今广东阳江、恩平一带）。人腹痛不止，但嚼食亦效。"《本草图经》云："春生茎、叶如姜苗而大，高一二尺许，花红紫色如山姜。二月、三月采根，暴干。"

[2] **治转筋泻痢**　转筋即小腿肚抽筋，吐泻过胜则出现此症。高良姜配干姜，能祛寒止泻。高良姜温中焦祛寒，干姜温下焦祛寒，二者合用有协同功效。

[3] **反胃呕食**　治胃寒引起的呕吐，用高良姜配生姜、半夏。高良姜辛热，以温中为主，生姜辛温，兼有解表发散之功，二者合用，止吐更佳。

高良姜主要用于胃肠冷痛，配干姜、肉桂、丁香、香附子、荜澄茄，能温中散寒，止胃痛、腹痛。治热痛（有炎症，痛而拒按）忌用高良姜。

174 积雪草[1]

味苦、辛。以盐挼贴，消肿毒[2]，并风疹疥癣。（《大观》卷9页41；《政和》页233；《纲目》页839）

【校注】

［1］**积雪草** 为伞形科植物积雪草的全草。《别录》云："生荆州（今湖北江陵）川谷。"《唐本草》云："叶圆如钱大，茎细劲蔓延，生溪涧侧。"

［2］**消肿毒** 《本经》云："主大热，恶疮痈疽，浸淫赤熛，皮肤赤。"《本草拾遗》云："主小儿丹毒……捣绞汁服之。"《本草衍义》云："积雪草……今人谓之连钱草，盖取象也。叶叶各生，捣烂贴一切热毒痈疽等。"

175 大蓟叶[1]

凉。治肠痈[2]，腹脏瘀血，血运扑损，可生研，酒并小便任服[3]。恶疮疥癣，盐研罯傅。又名刺蓟、山牛蒡。（《大观》卷9页9；《政和》页221；《纲目》页866）

【校注】

［1］**大蓟叶** 为菊科植物蓟的叶。《别录》首载此药，名大小蓟根。《唐本草》云："大、小蓟叶欲相似，功力有殊……大蓟生山谷，根疗痈肿；小蓟生平泽，俱能破血，小蓟不能消肿也。"《本草图经》云："大蓟根苗与此（小蓟）相似，但肥大耳。"

［2］**治肠痈** 大蓟叶能活血化瘀，消痈肿。大蓟叶配红藤、地榆、冬瓜仁、败酱、牛膝、金银花、蒲公英煎浓汁治肠痈。单用大蓟叶捣汁服或捣烂外敷能消痈肿。

［3］**腹脏瘀血，血运扑损，可生研，酒并小便任服** 大蓟能活血化瘀，故能治瘀血所致诸症，单用捣汁服亦效。

又，大蓟能凉血止血，与小蓟、地榆、槐花、槐角、苎麻根、旱莲草、侧柏叶功效相同。大蓟止血兼能消肿毒，小蓟止血兼能利尿利胆。以上各药，任取几味合用，可治各种出血，如咯血、呕血、衄血、大便下血、尿血、崩漏下血。如因高热出血，须配丹皮、赤芍、白茅根、生地黄。

176 小蓟根[1]

凉，无毒。治热毒风，并胸膈烦闷[2]，开胃下食，退热，补虚损。苗，去烦热，生研汁服。小蓟力微，只可退热，不似大蓟能补养，下气。（《大观》卷9页9；《政和》页221；《纲目》页866）

【校注】

[1] **小蓟根** 为菊科植物刺儿菜的根。《别录》首载此药，名大小蓟根。陶弘景云："大蓟是虎蓟，小蓟是猫蓟，叶并多刺相似。"《本草图经》云："小蓟……名青刺蓟，苗高尺余，叶多刺，心中出花，头如红蓝花而青紫色，北人呼为千针草。当二月苗初生二三寸时，并根作茹食之，甚美。四月采苗，九月采根，并阴干入药。"《本草衍义》云："大蓟高三四尺，叶皱；小蓟高一尺许，叶不皱。"

[2] **治热毒风，并胸膈烦闷** 《食疗本草》云："夏月热烦闷不止，捣叶取汁半升，服之立差。"

按，小蓟、大蓟功用相近，均能活血化瘀、消痈肿、凉血止血，但小蓟药效不及大蓟强。治疮疖痈肿，单用内服、外敷均可。熬膏敷疮疖及外伤感染有确效。大蓟、旱莲草、白茅根、苎麻根、槐花、槐角合用，可治咯血、呕血、鼻衄、大便出血、尿血、崩漏下血。治热病过程中出血，另加丹皮、生地黄、赤芍、金银花、连翘、黄芩。

小蓟根、叶单用亦可止血。《食疗本草》云："根主崩中。又，女子月候伤过，捣汁半升服之。金疮血不止，挼叶封之。"《圣惠方》云："治心热吐血口干，用刺蓟叶及根，捣绞取汁，每服一小盏，顿服。"《简要济众方》云："治九窍出血，以刺蓟一握，绞取汁，以酒半盏，调和顿服之。如无清汁，只捣干者为末，冷水调三钱匕。"又云："治小儿浸淫疮疼痛不可忍，发寒热，刺蓟末，新水调傅疮上，干即易之。"

此外，小蓟利尿、利胆。治血淋，用小蓟配瞿麦、滑石、蒲黄、白茅根；利胆，用小蓟配茵陈、栀子、大黄。

177 垣衣[1]

冷[2]。(《大观》卷9页52；《政和》页236)

【校注】

[1] **垣衣** 《别录》首载此药，云："味酸，无毒。主黄疸，心烦咳逆……金疮。……一名昔邪，一名乌韭，一名垣嬴，一名天韭，一名鼠韭。生古垣墙阴或屋上。"《唐本草》云："此即古墙北阴青苔衣也。其生石上者名昔邪，一名乌韭。……《别录》云：主暴风口噤、金疮，酒渍服之，效。"

[2] **冷** 按，《日华子本草》"垣衣"条，不会仅记一个"冷"字，当有其他内容，只因其他内容与前代本草相同，掌禹锡作《嘉祐本草》时未予摘录。

178 地衣[1]

冷，微毒。治卒心痛，中恶，以人垢腻为丸，服七粒。此是阴湿地被日晒，起苔藓是也。并生油调傅马反花疮[2]，良。(《大观》卷9页52；《政和》页236；《纲目》页1088)

【校注】

[1] **地衣** 此药为《日华子本草》首载，《纲目》名之为地衣草，《本草拾遗》名之为仰天皮，即湿地上苔衣如草状。

[2] **马反花疮** 疮口有胬肉翻出，其状如菌，头大蒂小，碰破易出血。取晒干地衣为末，油调傅。《外台秘要》治阴上粟疮，取停水湿处（含有苔衣者）干卷皮，为末傅之。

179 艾叶[1]

止霍乱转筋[2]，治心痛[3]，鼻洪[4]，并带下，及患痢[5]人后分寒热急痛，和蜡并诃子烧熏，神验。

艾实，暖，无毒。壮阳，助水脏腰膝，及暖子宫[6]。（《大观》卷9页1；《政和》页217；《纲目》页848）

【校注】

[1] **艾叶** 为菊科植物艾的叶。《别录》首载此药，云："味苦，微温。……一名冰台，一名医草。"但《唐本草》所引《别录》作"艾，生寒熟热"。可见古代《别录》也有不同的版本。《本草图经》云："以复道（今河南汤阴伏道）者为佳。……初春布地生，苗、茎类蒿，而叶背白，以苗短者为佳。三月三日、五月五日采叶，暴干，经陈久方可用。"

[2] **止霍乱转筋** 《外台秘要》云："《千金》疗霍乱洞下不止方：取艾一把，水三升，煮取一升，顿服之。"

[3] **治心痛** 《肘后方》治卒心痛方：白熟艾成熟者一升，以水三升，煮取一升，去滓，顿服。若为客气所中者，当吐虫物。

[4] **鼻洪** 即鼻血不止。《圣惠方》以艾叶烧烟尽，为末吹；或以艾叶煎服治之。

[5] **患痢** 《圣济总录》治诸痢久下方：艾叶、陈皮等分，末，以饭为丸，每盐汤下二十丸。此二味以陈者为佳，再配马齿苋、车前草、神曲，可治诸痢。此等药草极便宜，且疗效可靠。

《唐本草》云："主下血、衄血、脓血痢，水煮及丸、散任用。"

[6] **暖子宫** 艾叶，性温，能散寒。治妇女经寒不调、宫寒不孕、小腹寒痛，用艾叶配当归、吴茱萸、肉桂、香附、白芍。治宫寒所致月经过多或崩漏，用艾叶配当归、熟地黄、阿胶。治热性出血，不可用艾叶；如果用，当配凉性止血药，如大蓟、小蓟、侧柏叶、地榆、生地黄，以制艾叶之温性。

此外，艾叶煎汤洗，可治湿痒疮疹。将陈艾叶捣为绒，制成艾条，烧灸穴位，可熏寒痛。

180 水萍[1]

治热毒[2]、风热疾[3]、热狂，熁肿毒、汤火疮、风疹[4]。（《大观》卷9页4；《政和》页219；《纲目》页1068）

【校注】

[1] **水萍** 为浮萍科浮萍或紫萍的全草。《本经》云："一名水花。"《别录》云："一名水白。"《本草图经》云："苏恭云：此有三种，大者曰蘋；中者荇菜，即下凫葵是也；小者水上浮萍，即沟渠间生者是也。……浮萍，俗医用治时行热病，亦堪发汗。"

[2] **治热毒** 《子母秘录》云："热毒，浮萍捣汁傅之，令遍。"《圣惠方》云："发背初得毒肿焮热赤烂，捣和鸡子清贴之，良。"

[3] **风热疾** 《本草图经》云："浮萍，俗医用治时行热病，亦堪发汗，甚有功。其方用浮萍草一两……麻黄去节、根，桂心，附子炮去皮、脐各半两，四物捣细，筛，每服二钱，以水一中盏入生姜半分，煎至六分，不计时候和滓热服，汗出乃差。"

[4] **风疹** 浮萍配蝉蜕、牛蒡子、薄荷，治风疹瘙痒，亦治麻疹透发不畅。按，浮萍能发汗、透疹、利水。浮萍配黄芪、防己、茯苓，能去浮肿。

181 石帆[1]

平，无毒。紫色，梗大者如筯，见风渐硬，色如漆，多人饰作珊瑚装。(《大观》卷9页10；《政和》页221；《纲目》页1074)

【校注】

[1] **石帆** 为矾花科柳珊瑚属动物柳珊瑚的骨骼。《本草拾遗》首载此药，并云："石帆，高尺余，根如漆，上渐软，作交罗文，生海底。"《本草图经》云："《吴都赋》所谓草则石帆、水松。刘渊林注云：石帆生海屿石上，草类也（古人不知是动物，误为草类）也。无叶，高尺许。其华离楼相贯连，死则浮水中，人于海边得之，稀有见其生者。"《日华子本草》未记其主治。按，《本草拾遗》云："煮汁服，主妇人血结月闭。"

182 井中苔及萍、井中蓝[1]

无毒[2]。(《大观》卷9页56；《政和》页238；《纲目》页1087)

【校注】

[1] **井中苔及萍、井中蓝** 《别录》首载此药，并云："大寒，主漆疮，热疮，水肿。"《蜀本草》云："井中苔及萍，味苦。"陶弘景云："废井中多生苔、萍，及砖土间生杂草、菜蓝。"

[2] **无毒** 《日华子本草》"井中苔"条，仅言"无毒"，别无他文。《嘉祐本草》作者掌禹锡引诸本草作注，以前代本草未录内容为主，对与前代本草内容相同者皆不录。

183 猪莼[1]

解蛊毒、毒药[2]。丝莼，已见莼条解之。(《大观》卷9页53；《政和》页237)

【校注】

[1] **猪莼** 《政和》以“凫葵”为正名。《唐本草》云：“南人名猪莼。”凫葵即荇菜，为睡菜科植物荇菜。《本草图经》云：“今处处池泽皆有之。叶似莼，茎涩，根甚长，花黄色，水中极繁盛。谨按，《尔雅》：荅，谓之接余……郭璞以为丛生水中，叶圆在茎端，长短随水深浅。江东人食之。《诗·周南》所谓‘参差荇菜’是也。陆机云：白茎，叶紫赤色，正圆，径寸余，浮在水上，根在水底，大如钗股，上青下白。”

[2] **解蛊毒、毒药** 《别录》又作“主消渴，去热淋，利小便”。《开宝本草》云：“南人捣汁服之，疗寒热也。”

184 鳢肠[1]

排脓，止血[2]，通小肠[3]，长须发[4]，傅一切疮并蚕瘑。（《大观》卷9页55；《政和》页238；《纲目》页923）

【校注】

[1] **鳢肠** 即旱莲草，为菊科植物鳢肠的全草。《本草图经》云：“生下湿地……此有二种：一种叶似柳而光泽，茎似马齿苋，高一二尺许，花细而白，其实若小莲房。……一种苗梗枯瘦，颇似莲花而黄色，实亦作房而圆。……二种摘其苗皆有汁出，须臾而黑，故多作乌髭发药用之。”

[2] **止血** 治各种热性出血，如呕血、衄血、咯血、大便下血、尿血、崩漏等，皆可用鳢肠，且其常与槐花、槐角、地榆、苎麻根、大蓟、小蓟、侧柏叶、茅根等合用；伴有阴虚者，当加生地黄、阿胶、白芍。单用鳢肠炕干研末，可治外伤出血。

[3] **通小肠** 即利尿。鳢肠配车前子、大蓟、小蓟、茅根、滑石，能治尿血。

[4] **长须发** 《本草图经》云：“乌髭发。”鳢肠配女贞子为丸，治须发早白，并能补肝肾，治肾亏腰痛、头晕眼花。

185 白药[1]

冷。消痰，止嗽，治渴，并吐血，喉闭[2]，消肿毒[3]。（《大观》卷9页47；《政和》页234；《纲目》页1037）

【校注】

[1] **白药** 为防己科植物金线吊乌龟的块根。《别录》首载此药，并云：“出原州（今甘肃镇原）。”《唐本草》云：“三月苗生，叶似苦苣，四月抽赤茎，花白，根皮黄，八月叶落，九月枝折。采根日干。”《本草图经》云：“今夔（今重庆奉节）、施（今湖北恩施）、江西（今江西）、岭南（今广东、广西）亦有之。……江西出者，叶似乌臼，子如绿豆，至八月，其子变成赤色。”

[2] **喉闭** 《直指方》治喉闭肿痛方：白药、朴硝等分为末，吹之，日四五次。

［3］**消肿毒**　《本草图经》云："诸疮痈肿不散者，取生根烂捣傅贴，干则易之；无生者，用末，水调涂之亦可。"另，《别录》云："白药，味辛，温。主金疮生肌。"《开宝本草》云："按别本注云：解野葛、生金、巴豆药毒；刀斧折伤，能止血痛，干末傅之。"《药性论》云："白药……味苦，能治喉中热塞，噎痹不通，胸中隘塞，咽中常痛肿胀。"

186　翦草[1]

凉，无毒。治恶疮疥癣[2]，风瘙。根名白药。（《大观》卷9页61；《政和》页240；《纲目》页1041）

【校注】

［1］**翦草**　《日华子本草》谓翦草根名白药。《嘉祐本草》云"根名白药"，并注云："新分条见《日华子》。"则翦草当是白药的茎叶。其基原亦是防己科植物金线吊乌龟。《本草图经》云："翦草，生润州（今江苏镇江）。"《治劳瘵方》云："惟婺州（今浙江金华）者可用，状如茜草，又如细辛。"《本草拾遗》云："生山泽间，叶如茗而细。"

［2］**治恶疮疥癣**　《本草拾遗》云："主虫疮疥癣，浸酒服之。"

翦草又可止咯血。《治劳瘵方》用翦草一斤为末，入生蜜二斤和为膏，令匙抄药如粥服之，治久病肺损咯血。寻常咳嗽，血妄行，每一服一匙可也。

187　蘹香子[1]

得酒良。治干湿脚气，并肾劳、癞疝气[2]，开胃下食[3]，治膀胱痛[4]、阴疼。入药炒。（《大观》卷9页22；《政和》页225；《纲目》页1202）

【校注】

［1］**蘹香子**　为伞形科植物小茴香的果实。一名小茴香。《唐本草》首载此药。《本草图经》云："三月生，叶似老胡荽，极疏细，作丛。至五月，高三四尺，七月生花，头如伞盖，黄色，结实如麦而小，青色，北人呼为土茴香。茴、蘹声近，故云耳。八九月采实，阴干。"《本草衍义》云："胡荽叶如蛇床，蘹香徒有叶之名，但散如丝发，特异诸草。"

［2］**癞疝气**　即疝气偏坠。用小茴香配橘核、山楂治之。治寒疝或阴寒腹痛，用小茴香配乌药、沉香、肉桂，或八角茴香、乳香。

［3］**开胃下食**　小茴香能散寒，理气开胃下食，止呕，宜配生姜、高良姜。

［4］**治膀胱痛**　《集要方》治疝气膀胱小肠痛，用小茴香盐炒、晚蚕沙盐炒，等分为末，炼蜜为丸如弹子大，每服一丸，温酒嚼下。

另有大茴香，为木兰科植物八角茴香树的果实。大茴香主治、功效同小茴香，但药力弱。

188 姜黄[1]

热，无毒。治癥瘕血块，痈肿，通月经，治扑损瘀血[2]，消肿毒，止暴风痛[3]冷气，下食。海南生者即名蓬莪蒁，江南生者即为姜黄。(《大观》卷9页30;《政和》页228;《纲目》页818)

【校注】

[1] **姜黄** 为姜科植物姜黄的根茎。《唐本草》首载此药，并云："叶、根都似郁金。花春生于根，与苗并出，夏花烂无子，根有黄、青、白三色。"《本草图经》云："叶青绿，长一二尺许，阔三四寸，有斜文如红蕉叶而小，花红白色，至中秋渐凋……不结实，根盘屈，黄色，类生姜而圆有节。"

[2] **治扑损瘀血** 姜黄能活血行气。姜黄配血竭、红花、桃仁、乳香、苏木，治跌打损伤、瘀血疼痛。

[3] **止暴风痛** 姜黄能驱风除痹痛。姜黄配防风、羌活、当归、桂枝、防己、延胡索，治风湿性肩关节痛；配黄芪、防己、延胡索、当归、寻骨风，治坐骨神经痛；配荆芥、防风、蝉蜕、白僵蚕、大黄，治风疹瘙痒。

按，姜黄、延胡索均能活血行气止痛，凡由气滞血瘀所致各种疼痛，均可用之。治脐腹痛，用姜黄配当归、川芎、莪术、木香、香附。治月经痛夹寒，用姜黄加吴茱萸、乌药、高良姜。治胸胁痛，用姜黄配当归、柴胡、白芍、延胡索。治疝痛，用姜黄配香附、川楝子、小茴香。治肝区痛、胆痛，用姜黄配当归、柴胡、白芍、郁金、枳壳、木香。但姜黄伤气耗血，治慢性疼痛时，应配补气、补血药。

189 阿魏[1]

热。治传尸[2]，破癥癖[3]，冷气，辟温治疟，兼主霍乱，心腹痛，肾气温瘴。御一切蕈、菜毒。(《大观》卷9页17;《政和》页224;《纲目》页1379)

【校注】

[1] **阿魏** 为伞形科植物新疆阿魏或阜康阿魏的树脂。《唐本草》首载此药，并云："苗、叶、根、茎酷似白芷，捣根汁日煎作饼者为上，截根穿暴干者为次。体性极臭。"《本草图经》云："今广州(今广东广州)出者，云是木膏液滴酿结成。"《酉阳杂俎》云："阿魏木生波斯国……长八九尺，皮色青黄，三月生叶似鼠耳，无花、实，断其枝，汁出如饴，久乃坚凝，名阿魏。"

[2] **传尸** 又名尸疰，指慢性传染病。《千金翼方》云："尸疰恶气，阿魏治之神效。"

[3] **破癥癖** 阿魏能行气活血，治癥瘕痞块。阿魏配五灵脂等分为末，以狗胆汁和为丸黍米大，空心服二三十丸。《卫生宝鉴》治癥瘕积聚痞块，以阿魏五钱，山楂、南星、半夏、黄连、麦芽、神曲、莱菔子各一两，连翘、贝母、栝楼各五钱，芒硝、白芥子、胡黄连、石碱各二钱五分，研为末，姜汁为丸，每服二钱。沈括《苏沈良方》治一切痞块，用阿魏制成膏药外贴。膏药制法：先用羌活、独活、肉

桂、赤芍、穿山甲、大黄、生地黄、玄参、白芷、天麻浸麻油中，熬枯，去滓，再入血余炭熬，滤清，下黄丹制膏，入阿魏、乳香、没药、风化硝熔化，离火，入苏合香油、麝香调匀成膏，摊帛上，贴患处。

190　天麻[1]

味甘，暖。助阳气，补五劳七伤，鬼疰，蛊毒，通血脉，开窍。服无忌。（《大观》卷9页15；《政和》页223；《纲目》页740）

【校注】

[1] **天麻**　为兰科植物天麻的根茎。《药性论》首载此药。《本草图经》云："生郓州（今山东郓城）、利州（今四川广元）……春生苗，初出若芍药，独抽一茎直上，高三二尺，如箭秆状，青赤色……茎中空，依半以上贴茎，微有尖小叶，梢头生成穗，开花结子如豆粒大，其子至夏不落，却透虚入茎中，潜生土内。其根形如黄瓜，连生一二十枚，大者有重半斤或五六两，其皮黄白色名白龙皮，肉名天麻。"《本草衍义》云："天麻用根……苗则赤箭也。"

《开宝本草》云："天麻……主诸风湿痹，四肢拘挛，小儿风痫惊气。"天麻配钩藤、黄芩、山栀子、全蝎、白僵蚕，治小儿惊风；配石决明、生龙骨、生牡蛎、黄芩、栀子，治高血压所致头痛头晕；配当归、川芎、羌活、桑枝、秦艽，治冷痹麻木、半身不遂，亦治肩关节痛、背痛。

191　延胡索[1]

除风，治气[2]，暖腰膝，破癥癖[3]，扑损瘀血[4]，落胎及暴腰痛[5]。（《大观》卷9页35；《政和》页230；《纲目》页779）

【校注】

[1] **延胡索**　为罂粟科植物延胡索的块茎。《本草拾遗》首载此药。《海药本草》云："生奚国（今河北承德等地区，古代东胡族居处为奚），从安东道（今朝鲜平壤地区）来。"《开宝本草》云："根如半夏，色黄。"

[2] **治气**　《胜金方》治气块方，将猪胰切作块炙熟，蘸延胡索药末食之。此亦可治气滞血瘀成块作痛。因延胡索能行气活血止痛。治疝气痛，用延胡索配川楝子。治胸痹痛（心绞痛），用延胡索配高良姜、檀香、荜茇。治胃气痛，用延胡索配枯矾、乌贼骨。治小腹冷痛，用延胡索配乌药、吴茱萸、小茴香。

[3] **破癥癖**　治血瘀所致癥癖（癥瘕包块）、经闭、产后儿枕痛，均可用之。《开宝本草》云："主破血……妇人月经不调，腹中结块。"延胡索配当归、赤芍、姜黄、蒲黄、乳香、肉桂，可治癥癖。

[4] **扑损瘀血**　延胡索能行气活血，化瘀止痛。延胡索配当归、红花、血竭、乳香，可治跌打损伤瘀血痛，亦可治血瘀身痛。

[5] **落胎及暴腰痛**　延胡索能行气活血。延胡索配三棱、鳖甲、大黄为散，能落胎及治暴腰痛。

192 京三棱[1]

味甘、涩，凉。治妇人血脉不调，心腹痛[2]，落胎，消恶血，补劳，通月经，治气胀[3]，消扑损瘀血，产后腹痛血运，并宿血不下。（《大观》卷9页28；《政和》页227；《纲目》页821）

【校注】

[1] **京三棱** 为黑三棱科植物黑三棱的块状根茎（另有沙草科植物荆三棱的块茎，亦作三棱用，但质量较次）。《本草拾遗》首载此药。《本草图经》云："今河（今黄河流域）、陕（今河南陕州一带）、江淮（今江淮流域）、荆（今湖北江陵）、襄（今湖北襄阳）间皆有之。春生苗，高三四尺，似茭蒲，叶皆三棱，五六月开花，似莎草，黄紫色。霜降后采根。……谓之鸡爪三棱……谓之黑三棱……又有石三棱……下品别有草三棱条……其实一类，故附见于此一说。三棱生荆楚，字当作荆……《本经》作京非也。……采药者莫究其用，因缘差失，不复更辨。"

[2] **心腹痛** 京三棱能破血行气。治血瘀气结所致心腹痛或经闭腹痛，用三棱配莪术、延胡索、牛膝、地龙。京三棱配莪术、桃仁、赤芍、丹参、乳香、没药，可除腹中包块（如宫外孕），亦可落胎、消恶血。

[3] **治气胀** 京三棱能消积止痛。京三棱配莪术、陈皮、枳壳、麦芽、神曲、木香、槟榔，可治食积胀满、胸腹胀痛。孕妇及月经过多者禁用京三棱。

193 蓬莪茂[1]

得酒醋良。治一切气，开胃消食[2]，通月经，消瘀血[3]，止扑损痛[4]，下血，及内损恶血等。此即是南中姜黄根也。（《大观》卷9页41；《政和》页232；《纲目》页820）

【校注】

[1] **蓬莪茂** 为姜科植物蓬莪术的根茎。现多称莪术。《本草拾遗》首载此药。《开宝本草》云："生西戎（我国西部少数民族居处）及广南（今广东、广西）诸州。子似干椹，叶似蘘荷，茂在根下，并生一好一恶，恶者有毒。"《本草图经》云："今江浙（今江苏、浙江）或有之。三月生苗，在田野中，其茎如钱大，高二三尺，叶青白色，长一二尺，大五寸以来，颇类蘘荷。五月有花作穗，黄色，头微紫。根如生姜，而茂在根下，似鸡鸭卵，大小不常。九月采。"

[2] **治一切气，开胃消食** 莪术能行气消积止痛，与三棱同。二者合用，再配木香、槟榔、陈皮、枳壳，可治停食胀满作痛。如伴有大便秘结，也可二者合用。

[3] **通月经，消瘀血** 莪术同三棱均能行气活血，治血瘀所致经闭、经痛。二者合用，再配丹参、赤芍、桃仁、红花、牛膝，可治经闭，亦可除腹中血结包块（如宫外孕）。莪术配三棱、鳖甲、郁金、䗪虫、大黄为丸，可消血瘀肝脾肿大。

［4］**止扑损痛** 莪术与三棱均能活血化瘀，二者合用，再配桃仁、红花、当归、苏木，能治跌打损伤血瘀痛。

按，莪术、三棱活血化瘀作用的强度与用量及用药时长有关，微量或短时间用可起到活血作用，大量或久用可起到破血作用。其用于破血很不安全，往往导致出血不止或大出血。所以，有出血史的患者，或月经过多者，或妊娠者，均忌用之。近年临床上将此药用于宫外孕、癌肿块、肝脾肿大，要注意观察，防止出血不止或大出血。对脑动脉硬化者，尤宜慎用，防止脑出血的危险。对高血压者亦不宜用。

194 荜拨[1]

治霍乱冷气[2]，心痛[3]血气。（《大观》卷9页31；《政和》页228；《纲目》页814）

【校注】

［1］**荜拨** 为胡椒科植物荜茇的果穗。《本草拾遗》首载此药，并云："丛生，子细，味辛烈于蒟酱。……生波斯国，胡人将来此，调食用之。"《本草图经》云："今岭南（今广东、广西一带）有之，多生竹林内。正月发苗作丛，高三四尺，其茎如筯，叶青圆，阔二三寸，如桑，面光而厚，三月开花白色在表。七月结子如小指大，长二寸以来，青黑色，类椹子。九月收采，灰杀暴干。"《本草拾遗》说，荜茇根与荜茇功效同。

［2］**治霍乱冷气** 荜茇主温中下气，除胃冷。荜茇配高良姜、吴茱萸、木香、厚朴，治胃冷呕吐、腹痛、腹胀。《本草拾遗》云："毕勃……主冷气呕逆，心腹胀满，食不消。"

［3］**心痛** 指胃痛。胃居身体中心，习以心名之。治心痛之寒痛，痛而喜按者，用荜茇配炮姜（干姜炒黑）、高良姜、木香。治热痛（痛而拒按）不可用荜茇。又，荜茇研末，塞龋齿内，可止牙痛。

此外，荜茇配诃子、肉桂、干姜、高良姜、木香、甘草，可用于寒性腹泻。

195 荜澄茄[1]

治一切气[2]，并霍乱泻，肚腹痛[3]，肾气膀胱冷[4]。（《大观》卷9页49；《政和》页235；《纲目》页1321）

【校注】

［1］**荜澄茄** 为胡椒科荜澄茄的果实，或樟科山鸡椒的果实。《海药本草》首载此药。《开宝本草》云："生佛誓国（在印度尼西亚），似梧桐子及蔓荆子微大。"《本草图经》云："今广州（今广东广州一带）亦有之。春夏生叶，青滑可爱，结实似梧桐子及蔓荆子微大。八月、九月采之。"

［2］**治一切气** 《开宝本草》云："主下气。"治胃寒呃逆呕吐，以荜澄茄、高良姜等分为末，取二钱，煎十余沸，入少许醋，搅匀，和滓如茶热呷。

［3］**并霍乱泻，肚腹痛** 《海药本草》云："主心腹卒痛，霍乱吐泻。"荜澄茄配高良姜、生姜、陈皮、苍术、厚朴、甘草，治霍乱吐泻、心腹痛。

[4] **肾气膀胱冷** 荜澄茄、荜茇均能温中下气，止胃寒吐泻腹痛。但荜澄茄能温肾，治寒疝痛，利小便，治小便浑浊。荜澄茄配川楝子、小茴香、乌药、吴茱萸，治寒疝痛；配防己、茯苓、萆薢、甘草梢、菖蒲、乌药、益智仁，治小便浑浊。

荜澄茄辛温燥烈，寒凝气滞湿郁者可用之，热证或阴虚干瘦者慎用之。

196 肉豆蔻[1]

调中下气[2]，止泻痢[3]，开胃消食[4]。皮外络，下气，解酒毒，治霍乱。味珍，力更殊。(《大观》卷9页36;《政和》页231;《纲目》页816)

【校注】

[1] **肉豆蔻** 为肉豆蔻科植物肉豆蔻的种仁。《药性论》首载此药。《本草拾遗》亦载之，并云："大舶来即有。"《海药本草》云："《广志》云：生秦国（古罗马）及昆仑。"《开宝本草》云："生胡国（外国）。"《本草图经》云："今惟岭南（今广东、广西一带）人家种之。春生苗，花、实似豆蔻而圆小，皮紫紧薄，中肉辛辣。六月、七月采。"《本草衍义》云："肉豆蔻，对草豆蔻言之，去壳只用肉，肉油色者佳；枯白味薄，瘦虚者下等。"

[2] **调中下气** 《开宝本草》云："主鬼气温中……冷气，消食。"《本草衍义》云："善下气。"肉豆蔻配木香、姜半夏、陈皮，治胃寒呕吐及寒凝气滞脘腹胀满。

[3] **止泻痢** 肉豆蔻有固涩作用，配诃子、肉桂、白术、茯苓、党参，治虚寒久泻久痢，宜煨熟去油用。治泻痢初起或湿热泻痢忌用之。治久泻脱肛，用肉豆蔻配补骨脂、吴茱萸、五味子。

[4] **开胃消食** 《开宝本草》云："消食。"肉豆蔻配陈皮、砂仁、神曲、麦芽，治胃寒少食。

按，肉豆蔻与草豆蔻皆能温中祛寒湿，专理胃肠。草豆蔻燥性大，偏于燥湿；肉豆蔻燥性弱，偏于收涩，经煨后去油，则固涩大肠与诃子同，常与诃子并用，治久泻脱肛。

197 缩沙蜜[1]

治一切气[2]，霍乱转筋[3]，心腹痛[4]，能起酒香味。(《大观》卷9页39;《政和》页232;《纲目》页812)

【校注】

[1] **缩沙蜜** 一名砂仁。为姜科植物阳春砂的果实。《药性论》首载此药，并云："出波斯国。"《本草图经》云："今惟岭南（今广东、广西一带）山泽间有之。苗、茎似高良姜，高三四尺，叶青，长八九寸，阔半寸以来，三月、四月开花在根下，五六月成实，五七十枚作一穗，状似益智，皮紧厚而皱如栗文，外有刺，黄赤色，皮间细子一团，八漏，可四十余粒，如黍米大，微黑色。七月、八月采。"

[2] **治一切气** 砂仁能温中、行气、化湿。砂仁配白术、木香、枳实，治停食胀满、呕恶泄泻；配白豆蔻、陈皮、厚朴，治湿阻中焦之胃口不开、不欲食。

［3］**霍乱转筋** 吐泻过胜致小腿肚痉挛，名转筋。砂仁配陈皮、苍术、厚朴、高良姜、半夏，止霍乱吐泻。

［4］**心腹痛** 治寒湿气滞所致心腹痛，用砂仁配陈皮、藿香、生姜、木香。

又，砂仁壳，功同砂仁，但药力弱。又，砂仁与白豆蔻作用同，二者均能化湿消痞、理气宽中。砂仁作用在脘腹，白豆蔻作用在胃脘。砂仁配桑寄生、续断，能安胎；配黄芩、竹茹、半夏，能治妊娠呕吐。

198 补骨脂[1]

兴阳事[2]，治冷劳，明耳目[3]。南蕃者色赤，广南者色绿，入药微炒用，又名胡韭子。(《大观》卷9页37；《政和》页231；《纲目》页817)

【校注】

［1］**补骨脂** 为豆科植物补骨脂的果实。《药性论》首载此药，并云："一名破故纸。"《开宝本草》云："生广南（今广东、广西一带）诸州及波斯国（今伊朗），树高三四尺，叶小似薄荷，其舶上来者佳。"《本草图经》云："花微紫色，实如麻子圆扁而黑。九月采。"

［2］**兴阳事** 《本草图经》云："唐·郑相国……年七十有五……阳气衰绝……破故纸十两为末……胡桃瓤二十两，汤浸去皮，细研如泥……更以好蜜搅令匀如饴糖，……旦日以暖酒二合调药一匙，服之。"后人用补骨脂配胡桃、菟丝子、沉香为丸，治阳痿。此方亦可治肾寒喘咳。

［3］**治冷劳，明耳目** 补骨脂能温肾。治肾阳虚所致腰膝冷痛、目不明，用补骨脂配杜仲、胡桃为丸服之。

按，补骨脂以温肾阳为主，对肾阳虚所致阳痿、五更泻、尿多、尿频、遗尿均可治。补骨脂配吴茱萸、肉豆蔻、五味子为丸，治肾阳虚衰、五更泻；配小茴香为丸，治肾阳虚尿多，亦治遗尿、遗精。

补骨脂，性温燥，能止泻，大便干结者忌用之；又燥能伤阴，阴虚干瘦者慎用之。

199 零陵香[1]

治血气腹胀[2]，酒煎服茎、叶。(《大观》卷9页38；《政和》页232；《纲目》页829)

【校注】

［1］**零陵香** 《本草拾遗》云："薰草……一名蕙草。生下湿地……即蕙根也。叶如麻，两两相对，此即是零陵香也。"按，"薰草"出《别录》，《别录》云："一名蕙草，生下湿地，三月采。"陶弘景注云："世人呼燕草，状如茅而香者为薰草。……《山海经》云：薰草，麻叶而方茎，赤花而黑实，气如蘼芜，可以已厉。今市人皆用燕草，此则非。今诗书家多用蕙语，而竟不知是何草。"《开宝本草》将上述各家文字糅为一体，名之曰"零陵香"。今日所讲的零陵香为报春花科植物灵香草的全草。

［2］**治血气腹胀** 《开宝本草》云："主恶气疰，心腹痛满，下气。"《海药本草》云："主风邪冲心，牙车肿痛，虚劳疳䘌。凡齿痛，煎含良。"

按，零陵香多作香料用。《蜀本草》云："宜合衣中香。"《本草图经》云："今合香家及面膏、澡豆诸法皆用之，都下（今河南开封）市肆货之甚多。"

200　甘松香[1]

治心腹胀，下气[2]。作浴汤令人身香[3]。（《大观》卷9页52；《政和》页236；《纲目》页807）

【校注】

[1] **甘松香**　为败酱科植物甘松的根及根茎。《本草拾遗》载此药，云："丛生，叶细，出凉州（今甘肃武威）。"《本草图经》云："出姑臧（今甘肃武威）。今黔（今贵州）、蜀（今四川）州郡及辽州亦有之。丛生山野，叶细如茅草，根极繁密，八月采。"

[2] **治心腹胀，下气**　甘松香能行气止痛、开胃，配香附、木香，止胃脘胀痛。如治胃寒痛，用甘松香配肉桂、砂仁。治心腹满痛，用甘松香配丁香、沉香、香附。

[3] **作浴汤令人身香**　《本草图经》云："作汤浴，令人体香。"甘松香配荷叶、藁本煎汤洗，治湿脚气。

《本草拾遗》云："甘松香……主黑皮䵟𪒠，风疳，齿䘌，野鸡痔，得白芷、附子良。合诸香及裛（包掩）衣妙。"《妇人良方》用甘松香、香附子各四两，黑牵牛半斤，为末，日用洗面，治面䵟风疮。《圣济总录》治风疳虫牙方：甘松香、腻粉各二钱半，芦荟半两，猪肾一对切，炙为末，夜漱口后贴之，有涎吐出。

201　莳萝[1]

健脾，开胃气，温肠[2]，杀鱼、肉毒，补水脏，及壮筋骨，治肾气。（《大观》卷9页51；《政和》页236；《纲目》页1204）

【校注】

[1] **莳萝**　为伞形科植物莳萝的嫩茎叶。《海药本草》载此药，云："《广州记》云：生波斯国（今伊朗）。"《开宝本草》云："生佛誓国（今印度尼西亚苏门答腊），如马芹子。"《本草图经》云："今岭南（今广东、广西一带）及近道皆有之。三月、四月生苗，花、实大类蛇床而香辛。六月、七月采实。"

[2] **健脾，开胃气，温肠**　《开宝本草》云："主小儿气胀，霍乱呕逆，腹冷，食不下。"《海药本草》云："主膈气消食，温胃。"《本草图经》云："今人多以和五味，不闻入药用。"

202　白茅香花[1]

塞鼻洪[2]，傅久不合灸疮，署刀箭疮[3]，止血并痛。煎汤[4]，止吐血、鼻

衄[5]。(《大观》卷9页27;《政和》页238;《纲目》页827)

【校注】

[1] **白茅香花** 为禾本科植物茅香的花序。《本草拾遗》首载此药。《海药本草》云:"生广南(今广东、广西一带)山谷。"《开宝本草》云:"生剑南(今四川剑阁以南)道诸州。"《本草图经》云:"今陕西、河东(今山西)、京东(今河南开封以东)州郡亦有之。三月生苗似大麦,五月开白花,亦有黄花者,或有结实者,亦有无实者。正月、二月采根,五月采花,八月采苗。"

[2] **塞鼻洪** 鼻洪,即鼻出血不止。单用白茅香花可塞鼻止血。

[3] **傅久不合灸疮,署刀箭疮** 灸疮,即因艾火灼伤而成的疮;署即包敷。白茅香花单用,能傅久不愈合的灸疮,亦治刀箭外伤疮。

[4] **煎汤** 《海药本草》云:"茅香主小儿遍身疮疱,以桃叶同煮浴之。"

[5] **鼻衄** 即鼻出血。茅香花与茅根均能止鼻出血。

203 马兰[1]

味辛,平,无毒。主破宿血,养新血[2],合金疮[3],断血痢[4]、蛊毒,解酒疸,止鼻衄、吐血及诸菌毒。生捣傅蛇咬。生泽旁,如泽兰气臭。《楚辞》以恶草喻恶人。北人见其花,呼为紫菊,以其花似菊而紫也。又山兰,生山侧,似刘寄奴,叶无桠,不对生,花心微黄赤,亦大破血,下俚人多用之。(《大观》卷9页58;《政和》页239;《纲目》页833)

【校注】

[1] **马兰** 为菊科植物马兰的全草或根。《本草拾遗》首载此药。《嘉祐本草》糅合《本草拾遗》《日华子本草》两家文字,将之收为正品。《本草图经》"泽兰"条下注云:"又有一种马兰,生水泽旁,颇似泽兰,而气臭味辛,亦主破血,补金疮,断下血。陈藏器以为《楚辞》所喻恶草即是也,北人呼为紫菊,以其花似菊也。又有一种山兰,生山侧,似刘寄奴,叶无桠,不对生,花心微黄赤,亦能破血,皆可用。"

[2] **破宿血,养新血** 马兰同泽兰相似,能活血化瘀。治瘀血所致诸症,做适当配伍,均可用之。马兰配当归、川芎、白芍、甘草,治经闭,再加香附、乌药可治经痛;配当归、赤芍、延胡索,治产后血瘀腹痛。

[3] **合金疮** 马兰能活血化瘀,亦治跌打损伤、金疮,宜配三七、乳香、没药、血竭。

[4] **断血痢** 马兰配当归、白芍、木香、白头翁、黄柏、黄连、黄芩,能治血痢、里急后重坠痛。

204 地笋[1]

温,无毒。利九窍,通血脉[2],排脓,治血[3],止鼻洪,吐血,产后心腹痛[4]，一切血病。肥白人，产妇可作蔬菜食，甚佳，即泽兰根也。(《大观》卷9页60；《政和》页240；《纲目》页833)

【校注】

[1] **地笋** 为唇形科植物地笋和毛叶地笋的根。《本草拾遗》首载此药。《嘉祐本草》糅合《本草拾遗》《日华子本草》两家文字，将之收为正品。其药物产地、形态，详见“泽兰”条。

[2] **利九窍，通血脉** 地笋即泽兰根，能活血化瘀、利水消肿，可治经闭、经痛、产后血瘀痛、尿少浮肿。地笋配当归、川芎、赤芍、甘草，治月经不调、经闭；配当归、赤芍、延胡索，治月经痛；配防己、茯苓、泽泻，治小便不利及血虚浮肿。

[3] **排脓，治血** 地笋能活血化瘀，消痈排脓。地笋配当归、金银花、蒲公英、生甘草、乳香、没药，可消散痈肿疼痛；如已成脓，再加穿山甲、皂刺，能溃痈排脓。

[4] **产后心腹痛** 治瘀血阻滞腹痛，用地笋配当归、赤芍、延胡索合用。

205 干苔[1]

味咸，寒。主痔，杀虫及霍乱呕吐不止，煮汁服之[2]。又，心腹烦闷者，冷水研如泥，饮之即止[3]。又，发诸疮疥，下一切丹石，杀诸药毒，不可多食，令人萎黄少血色。杀木蠹虫[4]，内木孔中。但是海族之流，皆下丹石。(《大观》卷9页59；《政和》页239；《纲目》页1087)

【校注】

[1] **干苔** 为石莼科植物浒苔的藻体。孟诜《食疗本草》载此药。《嘉祐本草》糅合《食疗本草》《本草拾遗》《日华子本草》三家文字，将之收为正品。按《纲目》所注，各家文字的起止，应如下[2]、[3]、[4]注。其中注[4]应属《日华子本草》文。

[2] **主痔，杀虫及霍乱呕吐不止，煮汁服之** 以上文字，《纲目》注出处为“孟诜”。

[3] **心腹烦闷者，冷水研如泥，饮之即止** 此文，《纲目》注出处为“藏器”。

[4] **下一切丹石……杀木蠹虫** 《纲目》化裁为“下一切丹石，杀诸药毒，纳木孔中，杀蠹”，并注出处为“日华”。

206 水中细苔[1]

主天行病心闷，捣绞汁服。(《大观》卷9页50；《政和》页236)

【校注】

[1] **水中细苔** 此条原附在“船底苔”条条文之末。《嘉祐本草》载船底苔，并注云“新补见孟诜、陈藏器、《日华子》”。在“船底苔”条条文中有两个“又”字，第一个“又”字下文字，与所附

注“陈藏器云：主五淋，取一鸭卵大块水煮服之”文全同，则第二个“又”字下的文字当为《日华子本草》文。《纲目》将《日华子本草》文移入“陟厘”条中。

《子母秘录》云：“小儿赤游行于体上下，至心即死，水中苔捣末傅上，良。”

按《纲目》所注，《日华子本草》“水中细苔”与《别录》“陟厘”为同一物。《唐本草》云：“此物乃水中苔，今取以为纸名苔纸，青黄色，体涩。”《别录》云：“陟厘，味甘，大温，无毒。主心腹大寒，温中消谷，强胃气，止泄痢。”然《日华子本草》“水中细苔”性冷，主天行病（指传染性热病）。因此，《开宝本草》据药性“大温”与“冷”不同，确认水中细苔与陟厘非同一物也。《开宝本草》在“陟厘”条注云：“水中苔性冷，陟厘甘温，明其陟厘与苔全异，池泽中石上名陟厘，浮水中者名苔尔。”

草部下品之上　卷第九

207 大黄[1]

通宣一切气，调血脉，利关节，泄壅滞水气，四肢冷热不调，温瘴热疾[2]，利大小便[3]，并傅一切疮疖痈毒[4]。廓州[5]马蹄峡中者次。(《大观》卷10页15；《政和》页246；《纲目》页941)

【校注】

[1] **大黄** 为蓼科植物掌叶大黄、唐古特大黄、药用大黄的根茎。《本经》首载此药。《别录》云："一名黄良。生河西（今陕西、甘肃一带）山谷及陇西（今甘肃陇西）。"《本草图经》云："今蜀川（今四川）、河东（今山西）、陕西州郡皆有之，以蜀川锦文者佳。……正月内生青叶似蓖麻，大者如扇。根如芋，大者如椀，长一二尺，旁生细根如牛蒡……四月开黄花，亦有青红似荞麦花者，茎青紫色，形如竹。二月、八月采根。……江淮出者曰土大黄，二月开花，结细实。又鼎州（今湖南常德）出一种羊蹄大黄，疗疥瘙甚效。"

[2] **热疾** 凡高热伴有腹满、便秘，用大黄配芒硝、枳实、厚朴能通下去实热。若胃肠有湿热，下痢腹痛，用大黄配木香、黄连、白芍清除湿热而止痢。

[3] **利大小便** 大黄能利大便，制成大黄丸、麻仁丸（麻仁、杏仁、白芍、枳实、厚朴、大黄），通治各种热结便秘；配附子、干姜，治寒积便秘。大黄亦利小便，配茵陈、栀子，利黄疸；配葶苈子、椒目、防己，利肠间水饮。

[4] **傅一切疮疖痈毒** 大黄能凉血解毒。大黄、蒲公英等分研细末，醋调敷疮疖痈毒。大黄、地榆、虎杖根炒炭，研极细末，麻油调，涂水火烫伤及灼伤疮疡。大黄配芒硝、丹皮、桃仁、冬瓜仁、败酱草，消肠痈。

[5] **廓州** 今青海尖扎。

又，大黄能活血化瘀、通经闭、破癥块，治跌打损伤。大黄配当归、桃仁、红花，治月经闭塞不通；配䗪虫、桃仁、三棱、莪术，能消癥块；配桃仁、红花、苏木、乳香、没药，治跌打损伤肿痛，内服、外敷均可用。

大黄药力与产地及炮制有关。《本草拾遗》云："大黄用之，当分别其力，若取和厚深沉能攻病者，可用蜀中（今四川）似牛舌片紧硬者。若取泻泄峻快，推陈去热，当取河西（今陕西、甘肃、宁夏地区）锦纹者。凡有蒸、有生、有熟，不得一概用之。”大黄生用攻下力强，制熟用泻下力缓，久蒸供老年人体虚便秘者用。有出血者，以及月经期、妊娠妇女及乳母均忌用之。

208 桔梗[1]

下一切气[2]，止霍乱转筋，心腹胀痛，补五劳，养气，除邪，辟温，补虚，消痰，破癥瘕，养血，排脓[3]，补内漏及喉痹[4]、瘾毒，以白粥解。（《大观》卷10页20；《政和》页249；《纲目》页731）

【校注】

[1] **桔梗** 为桔梗科植物桔梗的根。《本经》首载此药。《别录》云：“一名利如，一名房图，一名白药，一名梗草，一名荠苨。生嵩高（今河南登封）山谷及冤句（今山东菏泽）。”《本草图经》云：“根如小指大，黄白色。春生苗，茎高尺余，叶似杏叶而长椭，四叶相对而生。……夏开花紫碧色，颇似牵牛子花，秋后结子。八月采根，细剉，暴干用。叶名隐忍。其根有心，无心者乃荠苨也。……荠苨叶下光泽无毛为异。”

[2] **下一切气** 治风寒、风热外感气上逆咳嗽，均可用桔梗。桔梗配杏仁、苏叶、生姜、半夏，治风寒气上逆咳嗽；配杏仁、桑叶、菊花、薄荷、芦根、连翘，治风热气上逆咳嗽。若气滞胸闷，再加枳壳。

[3] **排脓** 治肺痈吐脓血，用桔梗配甘草、冬瓜仁、桃仁、芦根。

[4] **喉痹** 治咽喉肿痛，用桔梗配甘草、金银花、连翘、牛蒡子、薄荷。

按，桔梗能引药上行，被称为诸药之舟楫。欲使诸药作用于上焦，方中宜加桔梗，作为引药。引药有部分选择作用。如病在上肢，方中加桂枝；病在下肢，加牛膝；病在头侧、身侧，加柴胡；病在前额，加白芷；病在头，加川芎、藁本。

209 甘遂[1]

京西者上，汴、沧、吴者次，形似和皮甘草，节节切之。（《大观》卷10页33；《政和》页254；《纲目》页951）

【校注】

[1] **甘遂** 为大戟科植物甘遂的根。《本经》首载此药，云：“一名主田。”《别录》云：“一名甘藁，一名陵藁，一名凌泽，一名重泽。生中山（今河北定州）川谷。”陶弘景云：“本出太山，江东比来用京口（今江苏丹徒）者，大不相似，赤皮者胜。白皮者都下，亦有名草甘遂，殊恶。”《唐本草》云：“草甘遂者，乃蚤休也。疗体全别。真甘遂苗似泽漆。草甘遂苗一茎，茎六七叶，如蓖麻、鬼臼叶。……真甘遂皆以皮赤肉白，作连珠实重者良。”

《本经》云："主……面目浮肿，留饮……利水谷道。"甘遂研末蜜丸，每服一分，治大小便不通。甘遂配大戟、黑丑，治便秘、水肿；配大戟、芫花、大枣，泻留饮积聚，治胸满胁痛喘促。《本草衍义》云："甘遂……专于行水，攻决为用，入药须斟酌。"甘遂忌与甘草同用。

210 葶苈[1]

利小肠[2]，通水气虚肿[3]。（《大观》卷10页18；《政和》页248；《纲目》页917）

【校注】

[1] **葶苈** 为十字花科植物南葶苈、北葶苈的种子。《本经》首载此药，并云："一名大室，一名大适。"《别录》云："一名丁历，一名草蒿。生藁城（今河北石家庄）平泽及田野。"《本草图经》收载了3种药图［即曹州（今山东菏泽）葶苈、丹州（今陕西宜川东北）葶苈、成德军（今河北正定）葶苈的药图］，并云："曹州者尤胜。初春生苗、叶，高六七寸，有似荠，根白，枝茎俱青，三月开花，微黄，结角，子扁小如黍粒微长，黄色。立夏后采实暴干。……至夏则枯死。"

[2] **利小肠** 葶苈能泻肺中水饮，下行逐水。张仲景治肺气壅实，喘不得卧方：葶苈炒黄为末，丸如弹丸，与大枣共煮服之。

又，《圣惠方》治支饮（饮在胸膈）方：甜葶苈隔纸炒令紫色，捣末为丸如弹子，与大枣四枚共煎服。

崔知悌疗上气咳嗽、长引气不得卧方：葶苈子，熬为末，酒浸服之。

[3] **通水气虚肿** 葶苈能行水消肿。《圣惠方》治遍身浮肿，用甜葶苈隔纸炒令紫色，捣末，抄服一匙，粥饮调下，日三四服。

《经验方》治水肿及暴肿方：葶苈三两杵如泥，防己细末四两，入鸭血，杵成膏为丸如梧子，每服五、十丸，五日止。此方利水极效。

《梅师方》治遍身肿满、小便涩，用葶苈配大枣煎服，通水气、去浮肿。

又，葶苈亦治胸腹、胸胁积水。葶苈配大黄、芒硝、杏仁，治胸胁积水；配大黄、防己、椒目，治胸腹积水。

按，《本草衍义》云："葶苈……有甜、苦两等，其形则一也……皆以行水走泄为用。故曰久服令人虚。"肺虚喘促、脾虚肿满者慎用之。

211 芫花[1]

疗嗽、瘴疟[2]。所在有小树子，在陂涧旁，三月中盛花浅紫色。（《大观》卷14页51；《政和》页360；《纲目》页991）

【校注】

[1] **芫花** 为瑞香科灌木芫花的花蕾。《本经》首载此药，云："一名去水。"《别录》云："一名毒鱼，一名杜芫。……生淮源（今河南信阳）川谷。"《蜀本草·图经》云："苗高二三尺，叶似白前及

柳叶，根皮黄似桑根，正月、二月花发，紫碧色。叶未生时收，日干。三月即叶生，花落不堪用也。”

［2］**疗嗽、瘴疟** 《肘后方》治咳嗽，用芫花一升，水三升，煮汁一升，以枣十四枚，煮汁干，日食五枚。张文仲《备急方》治咳嗽有痰，用芫花一两炒，水一升，煮四沸，去滓，入白糖半斤，每服枣许。

又，《直指方》治久疟，用芫花炒二两，朱砂五钱为末，蜜丸如梧子，每服五至十丸，枣汤下。按，此方中朱砂有毒，不可多服。

按，芫花、大戟、甘遂都是逐水峻剂，少量能泻水祛湿、除痰饮。治疗痰饮咳喘，三者加大枣合用，能化痰逐饮。治疗水湿肿满，三者合用，再入牵牛子。用量从小剂量开始，出现泻即停药。年高者禁用之。

按，芫花能杀虫。汉代淳于意以芫花治蛲虫，后人以醋炒芫花配雄黄治虫积腹痛。又，芫花细末调猪油，擦头癣，良。

212 泽漆[1]

冷，微毒。止疟疾，消痰[2]退热。此即大戟花，川泽中有，茎梗小，有叶，花黄，叶似嫩菜。四五月采之。(《大观》卷10页40;《政和》页256;《纲目》页950)

【校注】

［1］**泽漆** 为大戟科植物泽漆的全草。《本经》首载此药。《别录》云：“一名漆茎，大戟苗也。生太山（今山东泰安）川泽。”《本草图经》云：“今冀州（今河北冀州）、鼎州（今湖南常德）、明州（今浙江鄞州）及近道亦有之。生时摘叶有白汁出，亦能啮人，故以为名。”

［2］**消痰** 张仲景治肺咳上气，以泽漆、半夏、紫参、生姜、白前、甘草、黄芩、人参、桂枝煎服。

按，《本经》云：“泽漆……主皮肤热，大腹水气，四肢面目浮肿。”《圣惠方》治十种水气，用泽漆十斤，酒一斗，捣汁约二斗，熬如稀饧，每日酒调下一茶匙。

213 大戟[1]

小豆为之使，恶薯蓣，泻毒药，泄天行黄病，温疟，破癥结[2]。(《大观》卷10页39;《政和》页256;《纲目》页949)

【校注】

［1］**大戟** 为大戟科植物大戟的根，或茜草科植物红大戟的根。《本经》首载此药，并云：“一名邛钜。”《别录》云：“生常山（今河北元氏）。”《本草图经》收载了4种药图［即河中府（今山西永济）大戟、并州（今山西太原）大戟、信州（今江西上饶）大戟、滁州（今安徽滁州）大戟的药图］，并云：“春生红芽，渐长作丛，高一尺以来，叶似初生杨柳小团，三月、四月开黄紫花，团圆似杏花，

又似芫荑。根似细苦参，皮黄黑肉黄白色，秋冬采根，阴干。淮甸（今淮河流域）出者，茎圆，高三四尺，花黄，叶至心亦如百合苗。江南生者，叶似芍药。”

[2] **破瘕结** 《本经》云：“主蛊毒，十二水，腹满积聚。”水饮结聚，大戟能破之。《本草图经》云：“李绛《兵部手集方》疗水病无问年月深浅……大戟、当归、橘皮各一大两切，以水二大升，煮取七合，顿服。利水二三斗勿怪，至重不过，再服便差。”

按，治水肿实证之便秘、尿少，用大戟配芫花、甘遂、黑丑、白丑。先少少饮之，中病即止。年高体弱者，不可服。

又，治痰饮停积，如支饮、悬饮所致胸膈胀满、胁肋疼痛不能转侧，用大戟配甘遂、白芥子。李时珍谓大戟泻脏腑水，甘遂利经隧水湿，白芥散痰气，善用者，可收奇功。

又，《别录》云大戟主“颈腋痈肿”。玉枢丹由大戟、续随手、五倍子、山慈姑、朱砂、雄黄、麝香制成，外敷消痈肿疮毒、瘰疬结块。

214 旋覆花[1]

无毒。明目，治头风[2]，通血脉，叶止金疮血[3]。（《大观》卷10页25；《政和》页251；《纲目》页862）

【校注】

[1] **旋覆花** 为菊科植物旋覆花的花序。《本经》首载此药，并云：“一名金沸草，一名盛椹。”《别录》云：“一名戴椹。”《本草图经》收载了随州（今湖北随县）旋覆花药图，并云：“二月已后生苗，多近水旁，大似红蓝而无刺，长一二尺已来，叶如柳，茎细，六月开花如菊花，小铜钱大，深黄色。上党（今山西长治）田野人呼为金钱花。七月、八月采花，暴干。”

《本草衍义》云：“旋覆花，叶如大菊，又如艾蒿，八九月有花……花淡黄绿，繁茂圆而覆下。……其旋花，四月、五月有花，别一种，非此花也。”

[2] **治头风** 《本草衍义》云：“行痰水，去头目风……亦走散之药也。”

[3] **叶止金疮血** 《梅师方》云：“治金疮止血，捣旋覆花苗傅疮上。”

又，《别录》云：“消胸上痰结，唾如胶漆。”旋覆花配海浮石，治咳嗽痰喘；配桔梗、桑白皮，治痰多喘咳。

又，《药性论》云：“止呕逆。”《伤寒论》治心下痞、噫气不除，用旋覆花配代赭石、生姜、半夏、人参、甘草、大枣。治呃逆偏寒者，加丁香、柿蒂，其效尤佳。治心下痞硬、呕吐，用旋覆花配青皮、半夏、茯苓。

又，旋覆根能续断筋。《外台秘要》云：“破斫筋断者，以旋覆根捣汁，沥疮中，仍用滓封疮上，十五日即断筋便续。”

215 及己[1]

主头疮白秃[2]，风瘙，皮肤痒虫[3]，可煎汁浸并傅。（《大观》卷10页44；《政和》

页 258；《纲目》页 788）

【校注】

[1] **及己** 为金粟兰科植物及己的根或全草。《别录》首载此药。《唐本草》云："此草一茎，茎头四叶，叶隙着白花。好生山谷阴虚软地。根似细辛而黑……今以当杜衡非也。"《蜀本草·图经》云："二月采根，日干之。"《本草纲目》云："二月生苗，先开白花，后方生叶三片，状如獐耳，根如细辛，故名獐耳细辛。"

[2] **主头疮白秃** 《别录》云："主诸恶疮，疥痂瘘蚀。"

[3] **风瘙，皮肤痒虫** 陶弘景云："合疮疥膏甚验。"《唐本草》云："疥瘙必须用之。"《药性论》云："及己亦可单用，能治瘑疥。"疥疮生于肘、腿窝处者为瘑疥，广义的瘑疥即泛指疥疮。搔破感染化脓者，则称脓瘑疥。

216 土附子[1]

味瘯、辛，热，有毒。生去皮，捣，滤汁，澄清，旋添，晒干，取膏名为射罔[2]，猎人将作毒箭使用。或中者，以甘草、蓝青、小豆叶、浮萍、冷水、荠苨皆可御也。（《大观》卷 10 页 6；《政和》页 243；《纲目》页 972）

【校注】

[1] **土附子** 疑即草乌，为毛茛科植物乌头的块根。《本经》云："乌头……一名奚毒，一名即子。……其汁煎之名射罔。"《日华子本草》亦云："土附子……生去皮，捣，滤汁，澄清，旋添，晒干，取膏名为射罔。"二者的汁均能制成射罔，则土附子、乌头当是同一物。又，《本经》云："射罔杀禽兽。"《日华子本草》云："猎人将作毒箭使用。"陶弘景云："亦以八月采，捣笮茎取汁，日煎为射罔，猎人以傅箭射禽兽。"陶弘景所言乌头制射罔供猎人作毒箭使用，正与《日华子本草》土附子制射罔相合。四川人工栽培的乌头称川乌，野生的乌头为草乌。

[2] **射罔** 《别录》云："射罔，味苦，有大毒。治尸疰（慢性传染病）、瘕坚及头中风痹痛。"《本草拾遗》云："射罔本功外，主瘘疮，疮根结核，瘰疬毒肿及蛇咬。先取药涂肉四畔，渐渐近疮，习习逐病。至骨疮有熟脓及黄水出涂之。若无脓水，有生血，及新伤肉破，即不可涂，立杀人，亦如杀走兽，傅箭镞，射之十步倒也。"

按，射罔有剧毒。凡有溃破处严禁用射罔。新伤口、有鲜血出的伤口，绝对不可用射罔，用则杀人。生川乌、生草乌的汁不可入口，入口亦杀人。生川乌、生草乌亦不能口尝，舐之，则舌作麻。微量川乌、草乌有麻醉作用，医家曾用以止痛，局部应用有局部麻醉作用，全身应用有全部麻醉作用。川乌、草乌含有乌头碱，乌头碱进入人体后不易被破坏，麻醉时间极长，稍过量即易使人死亡。

经过加热处理（炮）的制川乌，大部分乌头碱被破坏，仅存微量，被应用后，仅有止痛作用，而极少引起中毒。如果制川乌炮制不合格，则极易导致中毒死亡。

217　天雄[1]

治一切风[2]、一切气[3]，助阳道，暖水脏，补腰膝[4]，益精，明目，通九窍，利皮肤，调血脉、四肢不遂，破痃癖癥结，排脓止痛，续骨，消瘀血，补冷气虚损，霍乱转筋[5]，背脊偻伛，消风痰，下胸膈水，发汗[6]，止阴汗。炮，含，治喉痹。凡丸散，炮去皮、脐用。饮药即和皮生使，甚佳，可以便验。又云，天雄大长，少角刺而虚。

乌喙似天雄，而附子大短有角，平稳而实。乌头次于附子。侧子小于乌头。连聚生者，名为虎掌。并是天雄一裔子母之类，力气乃有殊等，即宿根与嫩者耳。以上并忌豉汁。(《大观》卷10页8;《政和》页244;《纲目》页971)

【校注】

[1] **天雄**　为毛茛科植物乌头形长而细的块根。《本经》首载此药，云："一名白幕。"《别录》云："生少室（河南登封）山谷。"陶弘景云："天雄似附子，细而长便是。长者乃至三四寸许。"陈承云："天雄者，始种乌头而不生，诸附子、侧子之类经年独生长大者是也。蜀人种之，忌生此，以为不利。"天雄是细长的独根。乌头附生的根块，称为附子。从附子根块再生的侧根为侧子。生附子、侧子的母根为乌头。天雄、乌头、附子、侧子是同一种植物不同处的根。它们的作用、毒性都相同。医家多用乌头、附子，少用天雄、侧子。

[2] **治一切风**　治诸风所致言语謇涩、麻木、挛搐，用天雄配荆芥穗。治中风偏瘫，用天雄配羌活、乌药。治头风痛，用天雄配川芎。天雄、乌头、附子必炮熟方可用，以防止中毒。

[3] **一切气**　治气虚头痛，用天雄配全蝎；治疝气痛，用天雄配栀子；治寒疝气痛，用天雄配桂枝汤。《本事方》治肾气上攻，用配花椒。

[4] **助阳道，暖水脏，补腰膝**　天雄、乌头、附子均大辛、大热，有大毒，经炮制后，能助阳益火，治肾阳虚所致腰膝酸痛、手足不温、尿频、阳痿，且用时多配六味地黄丸。

如治肾阳虚引起的脾阳虚所致胃脘冷痛、大便溏泄，用附子配干姜、白术、党参。一般多用制附子。

[5] **霍乱转筋**　治吐泻太过，阳气衰微所致四肢厥冷、脉微欲绝，用附子配干姜、甘草。一般用制附子。治出汗不止，用附子配黄芪，黄芪能固表止汗。

[6] **发汗**　治素体阳虚，感受风寒，出现表证，但脉反沉者，用附子配麻黄、细辛。

又，治风寒湿所致周身骨节痛，用附子配桂枝、白术、甘草。一般多用制附子。

按，后世医家很少用天雄，多用制乌头、制附子。此等药毒性大，不制不可用，特别是野生乌头（草乌），毒尤烈。

218　茵芋[1]

治一切冷风，筋骨怯弱，羸颤[2]。入药炙用，出自海盐[3]，形似石南，树生，

叶厚。五、六、七月采。(《大观》卷10页41;《政和》页257;《纲目》页995)

【校注】

[1] **茵芋** 为芸香科植物茵芋的茎叶。《本经》首载此药。《别录》云:“一名莞草,一名卑共。生太山(今山东泰安)川谷。”《蜀本草·图经》云:“苗高三四尺,叶似石榴短厚,茎赤。今出华州(今陕西华阴)、雍州(今陕西一带)。四月采茎、叶,日干。”《本草图经》收载了绛州(今山西绛县)茵芋药图。

[2] **治一切冷风,筋骨怯弱,羸颤** 《药性论》云:“能治五脏寒热似疟,诸关节中风痹,拘急挛痛。”《本草图经》云:“胡洽治贼风手足枯痹,四肢拘挛,茵芋酒主之。其方:茵芋、附子、天雄、乌头、秦艽、女萎、防风、防己、踯躅、石南、细辛、桂心各一两……酒一斗渍之,冬七日,夏三日,春秋五日,药成。初服一合,日三。”

[3] **出自海盐** 海盐,即浙江海盐。然陶弘景云:“好者出彭城(今江苏徐州)。”

219 射干[1]

消痰,破癥结[2],胸膈满,腹胀,气喘,痃癖,开胃下食,消肿毒[3],镇肝明目。根润,亦有形似高良姜大小,赤黄色淡硬。五、六、七、八月采。(《大观》卷10页28;《政和》页252;《纲目》页986)

【校注】

[1] **射干** 为鸢尾科植物射干的根茎。《本经》首载此药,云:“一名乌扇,一名乌蒲。”《别录》云:“一名乌翣,一名乌吹,一名草姜。生南阳(今河南南阳)川谷。”《本草图经》收载了滁州(今安徽滁州)射干药图,并云:“春生苗,高二三尺,叶似蛮姜而狭长,横张疏如翅羽状,故一名乌翣,谓其叶耳;叶中抽茎似萱草而强硬;六月开花,黄红色,瓣上有细文;秋结实作房,中子黑色;根多须,皮黄黑,肉黄赤。三月三日采根,阴干。”

[2] **消痰,破癥结** 治喘咳,用射干配紫菀、款冬花、麻黄。《药性论》云:“通女人月闭,治疰气,消瘀血。”妊娠者忌用之。

[3] **消肿毒** 射干消肿利咽。《外台秘要》云:“治喉痹(咽喉肿痛),射干一片,含咽汁,差。”射干配甘草、桔梗、连翘、金银花、黄芩,可治喉痹不通;配山豆根为细末,吹咽喉肿痛处,能消肿止痛。

又,《本草拾遗》云:“射干、鸢尾,按此二物相似,人多不分。……射干即人间所种为花卉,亦名凤翼,叶如乌翅,秋生红花赤点。鸢尾亦人间多种,苗低下于射干,如鸢尾,春夏生紫碧花者是也。”

220 半夏[1]

味瘖[2]、辛。治吐食反胃[3],霍乱转筋,肠腹冷,痰疟[4]。(《大观》卷10页11;

《政和》页 245；《纲目》页 980）

【校注】

［1］**半夏** 为天南星科植物半夏的地下块茎。《本经》首载此药，云："一名地文，一名水玉。"《别录》云："一名示姑。生槐里（今陕西兴平）川谷。"陶弘景云："今第一出青州（今山东青州），吴中（今江苏）亦有，以肉白者为佳，不厌陈久。用之皆先汤洗十许过令滑尽，不尔戟人咽喉。方中有半夏，必须生姜者，以制其毒故也。"《本草图经》收有齐州（今山东历城）半夏药图，并云："二月生苗，一茎，茎端出三叶，浅绿色，颇似竹叶而光……根下相重生，上大下小，皮黄肉白。五月、八月内采根，以灰裛二日，汤洗暴干。……其平泽生者甚小，名羊眼半夏。"《唐本草》谓"江南者大乃径寸"，疑此是由跋。《本草图经》又云："由跋绝类半夏，而苗高近一二尺许，根如鸡卵大。"

［2］**味薟** 刺激口舌咽部黏膜，即所谓戟人咽喉。所以生半夏不可口尝，更不能嚼。如已戟人口舌咽，可嚼生姜以制之，或用矾水含漱。生半夏仅供外用敷痈肿，内服必须炮制。用生姜制者名姜半夏，善止呕。清半夏善化痰。法半夏善燥湿。

［3］**治吐食反胃** 半夏降逆止呕，治各种反胃，多配代赭石、旋覆花、生姜。治胃寒吐，用半夏配生姜、炮姜合用；治胃热吐，用半夏配竹茹、黄芩；治妊娠吐，用半夏配人参。

［4］**痰疟** 半夏能化痰，古人认为半夏可治痰疟。对风痰所致手足顽麻、半身不遂，用《太平惠民和剂局方》"青州白丸子"治之，其丸中有半夏、川乌及天南星、白附子。按中药"十八反"，半夏反乌头，不知此方中半夏、川乌为何能合用。

按，若痰饮在肺，咳痰清稀，用半夏配陈皮、茯苓、甘草、紫菀、款冬花治之。若寒饮在肺，喘闷，用半夏配麻黄、细辛、干姜、桂枝、白芍。若热痰在肺，咳嗽痰黄，用半夏配栝楼、黄芩。若痰饮在胃，吐酸水、食不下，用半夏配陈皮、茯苓、白术、甘草、神曲。若痰在胃，呕吐、眩晕，用半夏配陈皮、白术、茯苓、泽泻、蔓荆子、白蒺藜。若痰在胸脘，痞闷胀满，甚或坚痞作痛，用半夏配黄连、黄芩、干姜、栝楼。

221 莨菪[1]

温，有毒。甘草、升麻、犀角并能解之，烧熏蚛牙[2]，及洗阴汗。（《大观》卷 10 页 22；《政和》页 249；《纲目》页 953）

【校注】

［1］**莨菪** 为茄科植物莨菪的全草。《本经》首载此药，云："一名横唐。"《别录》云："一名行唐。生海滨川谷及雍州（今陕西凤翔）。"《蜀本草·图经》云："叶似王不留行、菘蓝等，茎、叶有细毛，花白，子壳作罂子形，实扁细若粟米许，青黄色。"《本草图经》收有秦州（今甘肃天水）莨菪药图，并云："房中子……一名天仙子。"

［2］**烧熏蚛牙** 蚛牙即虫牙，实即龋齿。《药性论》云："主齿痛，蚛牙孔，子咬之，虫出。"又云："生能泻人见鬼（幻觉）……热炒止冷痢。"

又《本草拾遗》云："莨菪子，主痃癖……隔日空腹水下一指捻，勿令子破，破即令人发狂。"

按，与莨菪相似的茄科植物毛曼陀罗、白曼陀罗的花所含化学成分相同，有麻醉作用，配以当归、川芎、生草乌，口服，有全身麻醉作用。《医宗金鉴》中整骨用的麻药，由曼陀罗花配川乌、草乌、羊踯躅、姜黄、麻黄制成。民间游医，多以此方小量治筋骨痛。单味曼陀罗花作烟抽，可止哮喘。曼陀罗花配天麻、天南星、全蝎、丹砂、乳香，可治小儿慢惊风。

莨菪、曼陀罗，都含有阿托品类成分，能抑制腺体分泌，可使人口干、皮肤干燥。喘咳而有表证者不可用之，用后妨碍出汗解表。咳痰稠而干者忌用之。

222　蜀漆[1]

治癥瘕[2]。又名鸡尿草、鸭尿草[3]。李含光云：常山茎也。八月、九月采。（《大观》卷10页32；《政和》页254；《纲目》页958）

【校注】

[1] **蜀漆**　为虎耳草科植物常山的苗、叶。《本经》首载此药。《别录》云："生江林山（今四川泸县）川谷及蜀（今四川）、汉中（今陕西汉中），常山苗（嫩枝叶）也。五月采叶，阴干。"《唐本草》云："此草日微萎则把束暴使燥，色青白堪用，若阴干便黑烂郁坏矣。"《本草图经》收有海州（今江苏东海）蜀漆药图，并云："今京西（今河南开封以西）、淮（今淮河流域）、浙（今浙江）、湖南州郡亦有之。叶似茗而狭长，两两相当，茎圆有节，三月生红花青萼，五月结实青圆，三子为房，苗高者不过三四尺，根似荆。"

[2] **治癥瘕**　久疟会引起癥瘕（类似肝脾大），用蜀漆配陈皮、半夏、厚朴、槟榔、草果，治一切新久疟疾。《金匮要略》治温疟，用蜀漆配龙骨、云母等分，杵末，于发作前，以浆水（泡米的水）和半钱服之。

又，《本草衍义》云："蜀漆，常山苗也，治疟多吐人。"蜀漆能引吐痰饮，且其作用强于常山。

[3] **鸡尿草、鸭尿草**　《纲目》作"鸡屎草、鸭屎草"。按，鸡、鸭是鸟类，无膀胱，当无尿，只有屎。《纲目》改得对。

223　常山[1]

忌菘菜[2]。（《大观》卷10页30；《政和》页253；《纲目》页958）

【校注】

[1] **常山**　为虎耳草科植物常山的根。《本经》首载此药，云："一名互草。"《别录》云："生益州（今四川）川谷及汉中（今陕西汉中）。八月采根，阴干。"《蜀本草·图经》云："树高三四尺，根似荆，根黄色而破。今出金州（今陕西安康）、房州（今湖北竹山）、梁州（今陕西勉县）。五月、六月采叶，名蜀漆也。"《本草衍义》云："常山，蜀漆根也……如鸡骨者（细实黄者）佳。"

常山善吐老痰积饮。《千金方》治痰积胸膈胀满，欲吐不能吐者，用常山配甘草蜜煎服使吐，不吐再服。

又，《外台秘要》治疟方：常山三两，以浆水三升浸一宿，煎取一升，欲发前顿服，然后微吐。《肘后方》治疟方：常山三两，捣末，以鸡子白和丸如桐子，服三十丸。常山治疟可致吐，故多加陈皮、半夏、藿香以制其吐；若加草果、厚朴、槟榔，减少常山用量，亦可降低常山致吐的副作用，同时还能增强燥湿截疟的疗效。

[2] **忌菘菜** 《纲目》引“大明”作“忌葱菜及菘菜。伏砒石”。

224 青葙子[1]

治五脏邪气，益脑髓，明耳目[2]，镇肝，坚筋骨，去风寒湿痹。苗，止金疮血。（《大观》卷10页35；《政和》页255；《纲目》页863）

【校注】

[1] **青葙子** 为苋科植物青葙的种子。《本经》首载此药，云：“一名草蒿，一名萋蒿。”《唐本草》云：“苗高尺许，叶细软，花紫白色，实作角，子黑而扁光，似苋实而大，生下湿地。四月、五月采。荆、襄（今湖北襄阳）人名为昆仑草。”《本草图经》收有滁州（今安徽滁州）青葙子药图。

[2] **明耳目** 《本经》云：“青葙子味苦，微寒。”苦寒能降，当肝火上冲于目，目赤翳障、视物不清时，用青葙子配菊花、密蒙花、决明子，能清肝火明目。《本草衍义》云：“经中并不言治眼。《药性论》始言之，能治肝脏热毒冲眼，赤障青盲。”按，青盲即青光眼。青葙子有扩散瞳孔作用，故能治之。

《本经》又云：“主邪气皮肤中热，风瘙身痒。”《别录》云：“主恶疮疥、虱、痔，蚀下部䘌疮。”《药性论》所云与《别录》同。但后世未见用其治疮疥、下部䘌疮者。

225 牙子[1]

杀腹脏一切虫[2]，止赤白痢[3]，煎服。（《大观》卷10页43；《政和》页258；《纲目》页947）

【校注】

[1] **牙子** 疑为蔷薇科龙牙草属一类植物，与龙牙草很相似。《本经》云：“一名狼牙。”《别录》云：“一名狼齿，一名狼子，一名犬牙。生淮南（今皖北、苏北）川谷及冤句（今山东菏泽）。”陶弘景云：“其根牙亦似兽之牙齿也。”龙牙草在秋季地上部分枯时，自当年根状茎先端生白色芽，圆锥形，向上弯曲，形若兽牙，与陶弘景所云合。《蜀本草·图经》云：“苗似蛇莓而厚大，深绿色。”此与龙牙草形态亦暗合。《外台秘要》治金疮，用狼牙草茎、叶熟捣傅贴之，兼止血。此与龙牙草能止血亦相合。

按，《外台秘要》治妇人阴蚀方：狼牙三两，水四升，煮，去滓，内苦酒（醋）如鸡子，以绵濡汤沥患处，日四五即愈。又，《外台秘要》用狼牙二两、蛇床子三两，煎水热洗，治妇人阴痒。此与龙芽草煎水洗阴痒同。

[2] **杀腹脏一切虫** 《本经》云：“牙子……去白虫。”《药性论》云：“杀寸白虫。”《范汪方》治

寸白虫方：狼牙五两，捣末，蜜丸如麻子，宿不食，明日以浆水下一合，服尽，差。

[3] **止赤白痢** 牙子能治赤痢、白痢。龙牙草单用，亦治血痢不止。

按，从以上注释可以看出，牙子与龙牙草，在形态、命名、主治功用上，都有相似或相同之处，故疑《本经》牙子与龙牙草是同科同属植物。龙牙草，一名仙鹤草，出《滇南本草》。

226 白蔹[1]

止惊邪，发背[2]，瘰疬[3]，肠风，痔瘘，刀箭疮，扑损，温热疟疾，血痢，汤火疮[4]，生肌止痛[5]。(《大观》卷10页34；《政和》页255；《纲目》页1033)

【校注】

[1] **白蔹** 为葡萄科植物白蔹的块根。《本经》首载此药，云："一名菟核、一名白草。"《别录》云："一名白根，一名昆仑。生衡山（今湖南衡山）山谷。"《本草图经》收有滁州（今安徽滁州）白蔹药图，并云："今江淮（今安徽、江苏一带）州郡及荆（今湖北江陵）、襄（今湖北襄阳）、怀（今河南沁阳）、孟（今河南孟州）、商（今陕西商州）、齐（今山东历城）诸州皆有之。二月生苗，多在林中，作蔓，赤茎，叶如小桑，五月开花，七月结实，根如鸡鸭卵，三五枚同窠，皮赤黑，肉白。二月、八月采根，破片暴干。"

[2] **发背** 即背痈。白蔹善消痈肿。《肘后方》治发背初起，用白蔹末傅，良。《圣惠方》治疔疮，以水调白蔹末傅疮上。《本经》云："主痈肿。"陶弘景云："生取根，捣傅痈肿亦效。"

[3] **瘰疬** 其后，《纲目》有"面上疱疮"。按，此4字，原出《药性论》，非《日华子本草》文。

[4] **汤火疮** 《外台秘要》云："《备急》治汤火灼烂方：白蔹末涂之，立有效。"

[5] **生肌止痛** 《瑞竹堂方》治诸疮不敛，用白蔹、赤蔹、黄柏各三钱炒研，轻粉五分，共为细面，用葱汤洗净，傅之。按，此方有轻粉，对汞过敏者禁用。如疮口不红肿作硬，则少用或不用轻粉。

又，赤蔹，据《本草图经》云："濠州有一种赤蔹，功用与白蔹同，花、实亦相类，但表里俱赤耳。"

227 白及[1]

味甘、辛。止惊邪，血邪[2]，痫疾，赤眼，癥结，发背，瘰疬，肠风，痔瘘，刀箭疮[3]，扑损[4]，温热疟疾，血痢，汤火疮[5]，生肌止痛，风痹。(《大观》卷10页37；《政和》页255；《纲目》页758)

【校注】

[1] **白及** 为兰科植物白及的块茎。《本经》首载此药，云："一名甘根，一名连及草。"《别录》云："生北山（今陕西关中地区）川谷，又冤句（今山东菏泽）及越山（今浙江绍兴）。"《本草图经》收有兴州（今陕西略阳）白及药图，并云："春生苗，长一尺许，似栟榈及藜芦，茎端生一台，叶两指

大，青色，夏开花紫，七月结实，至熟黄黑色，至冬叶凋，根似菱米，有三角，白色，角端生芽。二月、七月采根。”

[2] **血衄** 白及质黏而涩，收敛止血，治各种出血。内服、外敷均可。《经验方》治鼻衄不止方：调白及末一钱水服，立止。白及同半量三七粉合用，治咯血、吐血；配阿胶、蛤粉、藕节、枇杷叶，治咳血；同乌贼骨细末合用，治胃出血。

[3] **刀箭疮** 《济急方》治刀伤方：白及、煅石膏等分为末，掺之。此方亦治疮疡已溃久不收口，因白及有生肌敛疮作用。

[4] **扑损** 《永类钤方》治跌打损伤，用酒调白及末二钱服。其功不减自然铜、古铢钱。

[5] **汤火疮** 取白及细末，油调傅之，治汤火疮。又，白及细粉加油制成软膏，可涂手足皲裂及肛裂。

228 蛇含[1]

能治蛇虫蜂虺所伤[2]，及眼赤，止血，熁风疹[3]痈肿[4]。茎叶俱用，又名威蛇。（《大观》卷10页30；《政和》页253；《纲目》页921）

【校注】

[1] **蛇含** 为蔷薇科委陵菜属植物蛇含委陵菜的全草。《本经》以“蛇全”为正名，并云：“一名蛇衔。”《别录》云：“生益州（今四川）山谷。八月采，阴干。”《蜀本草·图经》云：“生石上及下湿地，花黄白，人家亦种之，五月采苗生用。”《本草图经》收有兴州（今陕西略阳）蛇含药图，并云：“一茎五叶或七叶。此有两种，当用细叶黄色花者为佳。”《政和》云：“晋《异苑》云：有田父见一蛇被伤，又见蛇衔一草着其疮上，经日伤蛇乃去，田父因取其草以治疮，皆验，遂名曰蛇衔草。”又，《斗门方》称之为“小龙牙”。

[2] **治蛇虫蜂虺所伤** 《本草拾遗》云：“蛇衔主蛇咬，种之亦令无蛇，今以草内（纳入）蛇口中，纵伤人亦不能有毒矣。”《肘后方》治蜈蚣蜇人，用蛇含草挼傅之。又，“治蛇虫蜂虺所伤”，《纲目》作“汁傅蛇虺蜂毒”。

[3] **熁风疹** 《药性论》云：“蛇衔能治丹疹。”又，“熁风疹”，《纲目》作“协风毒”。

[4] **痈肿** 《肘后方》用蛇衔膏治痈肿瘀血。蛇衔膏方：蛇衔、大黄、附子、当归、白芍、细辛、独活、大戟、黄芩、薤白为末，苦酒（醋）淹一宿，以猪膏二斤，微火煎成膏，温酒服一弹丸。日再服。外傅之。《抱朴子》云：“蛇衔膏连已断之指。”

229 青蒿[1]

补中益气，轻身补劳，驻颜色，长毛发，发黑不老[2]，兼去蒜发，心痛，热黄，生捣汁服并傅之。泻痢[3]，饭饮，调末五钱匕。烧灰和石灰煎，治恶毒疮。并茎亦用。（《大观》卷10页23；《政和》页250；《纲目》页852）

【校注】

[1] **青蒿** 为菊科植物黄花蒿的全草。《本经》首载此药，以“草蒿”为正名，并云：“一名青蒿，一名方溃。”《别录》云：“生华阴（今陕西华阴）川泽。”《蜀本草·图经》云：“叶似茵陈蒿，而背不白，高四尺许。四月、五月采苗，日干。江东（今苏南、皖南）人呼为犼蒿，为其臭似犼（黄鼠狼），北人呼为青蒿。”

[2] **补中益气，轻身补劳，驻颜色，长毛发，发黑不老** 《食疗本草》云：“青蒿，寒。益气长发，能轻身，补中不老。”

[3] **泻痢** 《本草拾遗》云：“青蒿主鬼气尸疰……冷热久痢，秋冬用子，春夏用苗，并捣绞汁服。”《圣惠方》治赤白痢方：青蒿、艾叶等分，同豆豉捣作饼，日干；每用一饼，水一盏半煎服。

又，《肘后方》治疟疾寒热方：青蒿一握，水二升，捣汁服之。或用青蒿配黄芩、竹茹、半夏治之。

又，《灵苑方》治虚劳寒热方：八九月青蒿成实时采，去枝梗，日干为末，每服二钱。后人多用青蒿配银柴胡、胡黄连、地骨皮、鳖甲、秦艽，治骨蒸劳热盗汗及温病后期之夜热早凉。治暑天感冒发热，用青蒿配滑石、藿香、佩兰。

又，《百一方》治蜂蜇人，嚼青蒿傅疮上，即差。

又，《唐本草》云：“若五月五日采蘩蒌、葛叶、鹿活草、槲叶、地黄叶、芍药叶、苍耳叶、青蒿叶，合石灰捣，为团如鸡卵，暴干，末之，疗诸疮生肌，极神验。”

230 青蒿子[1]

味甘，冷，无毒。明目[2]，开胃，炒用。治劳[3]，壮健人，小便浸用。治恶疮疥癣风疹，杀虱，煎洗。（《大观》卷10页23；《政和》页250；《纲目》页854）

【校注】

[1] **青蒿子** 为菊科植物青蒿的种子。详见“青蒿”条注[1]。《本草拾遗》云：“草蒿主鬼气尸疰伏连，妇人血气，腹内满及冷热久痢。秋冬用子。”

[2] **明目** 《十便良方》治积热眼涩方：五月五日采青蒿子阴干为末，每用井水服二钱，久服明目。

[3] **治劳** 《食疗本草》云：“甚去热劳又鬼气，取子为末，酒服之方寸匕，差。”崔元亮《海上方》疗骨蒸鬼气，取带子青蒿细剉熬汁，入猪胆汁熬膏，入甘草粉捣为丸服。

231 臭蒿子[1]

凉，无毒。治劳，下气，开胃，止盗汗，及邪气、鬼毒。又名草蒿[2]。（《大观》卷10页23；《政和》页250）

【校注】

[1] **臭蒿子** 详见“青蒿”条注[1]。

[2] **又名草蒿** 《本草衍义》云："草蒿，今青蒿也。"《蜀本草·图经》云："叶似茵陈蒿，而背不白……江东人呼为犼蒿，为其臭似犼(黄鼠狼)，北人呼为青蒿。"按，《蜀本草·图经》所云,犼蒿疑即《日华子本草》的臭蒿，二者仅是同一植物草蒿在不同地区的不同名称。二者主治亦相同。

232 何首乌[1]

味甘。久服令人有子[2]，治腹脏宿疾，一切冷气及肠风。此药有雌雄，雄者苗、叶黄白，雌者赤黄色。凡修合药，须雌雄相合吃，有验。其药本草无名，因何首乌见藤夜交，便即采食有功，因以采人为名耳，又名桃柳藤。(《大观》卷11页1；《政和》页262；《纲目》页1028)

【校注】

[1] **何首乌** 为蓼科植物何首乌的块根。李翱《何首乌传》首载此药。《本草图经》云："本出顺州南河县（今广西陆川），岭外（今广东、广西一带）、江南诸州亦有。今在处有之，以西洛（今山西寿阳）、嵩山（今河南登封）及南京柘城县（今河南柘城）者为胜。春生苗，叶叶相对如山芋而不光泽；其茎蔓延竹木墙壁间；夏秋开黄白花，似葛勒花；结子有棱，似荞麦而细小，才如粟大；秋冬取根，大者如拳，各有五棱瓣，似小甜瓜。此有二种，赤者雄，白者雌。……一云：春采根，秋采花，九蒸九曝乃可服。"

[2] **久服令人有子** 《本草图经》云："此药本名交藤，因何首乌服而得名。何首乌者顺州南河县人……年五十八，无妻、子……服七日而思人道，百日而旧疾皆愈，十年而生数男。"按，何首乌能补肝肾、益精血，配当归、牛膝、菟丝子、枸杞子、补骨脂、茯苓，治须早白、腰膝酸痛。

又，《斗门方》根治瘰疬或破或不破，生嚼常服何首乌，又取其叶捣覆疮上；其药久服黑发延年。何首乌配夏枯草、土贝母、当归、川芎、香附，亦治瘰疬。

又，《王氏博济方》治疥癣满身作疮方：何首乌、艾等分，以水煎浴，甚能解痛生肌肉。何首乌配薄荷、防风、苦参，亦治遍身疮痒作痛。

又，《经验方》治遍身瘙痒方：首乌、牛膝为蜜丸服之。

又，生首乌配人参、当归、陈皮、煨姜，可以治疟。

又，生首乌有润肠作用，配火麻仁、黑芝麻、肉苁蓉为丸服之，治肠燥便秘。

又，制首乌有补血作用，药力不减熟地黄，且无熟地黄滋腻作用。制首乌与黑芝麻、桑叶为丸，久服能延缓头发变白的速度。

草部下品之下　卷第十

233 连翘[1]

通小肠[2]，排脓，治疮疖[3]，止痛，通月经。所在有，独茎，稍开三四黄花，结子，内有房瓣子。五月、六月采。(《大观》卷11页35;《政和》页275;《纲目》页924)

【校注】

[1] **连翘** 为木犀科植物连翘的果实。《本经》首载此药，云："一名异翘，一名兰华，一名折根，一名轵，一名三廉。"《唐本草》云："此物有两种：大翘、小翘。大翘叶狭长如水苏，花黄可爱，生下湿地，著子似椿实之未开者，作房，翘出众草。其小翘生岗原之上，叶、花、实皆似大翘而小细，山南人并用之。今京下（今陕西西安）惟用大翘子，不用茎、花也。"《本草图经》收载了5种药图，即鼎州（今湖南常德）连翘、泽州（今山西晋阳）连翘、兖州（今山东兖州）连翘、河中府（今山西永济）连翘、岳州（今湖南岳阳）连翘的药图。

[2] **通小肠** 《药性论》云："主通利五淋，小便不通。"连翘配木通、淡竹叶、车前子，治热结尿赤、淋痛。

[3] **排脓，治疮疖** 《本经》云："主寒热、鼠瘘、瘰疬、痈肿、恶疮。"连翘配黄芩、栀子、赤芍、玄参，治痈肿恶疮；配玄参、贝母、牡蛎、夏枯草，治寒热瘰疬。

又，《药性论》云："除心家客热。"治热病邪入心包，烦热神昏，用连翘配犀角、玄参、麦门冬。治风热感冒，用连翘配金银花、竹叶、甘草、桔梗、薄荷、芦根。此方有辛凉解表之功，可除上焦心胸邪热。《纲目》云："元素曰：连翘之用有三，泻心经客热，一也；去上焦诸热，二也；为疮家圣药，三也。"

234 白头翁[1]

得酒良，治一切风气及暖腰膝，明目，消赘[2]。子，功用同上[3]。茎、叶同

用。(《大观》卷11页21;《政和》页270;《纲目》页757)

【校注】

[1] **白头翁** 为毛茛科植物白头翁的根。《本经》首载此药，云:“一名野丈人，一名胡王使者。”《别录》云:“一名奈何草。生高山(今河南登封)山谷及田野。”关于白头翁的形态，各书所记不同。陶弘景云:“近根处有白茸，状似人白头，故以为名。”《唐本草》云:“其叶似芍药而大，抽一茎，茎头一花紫色，似木堇花，实大者如鸡子，白毛寸余皆披下，以纛头，正似白头老翁故名焉。今言近根有白茸，陶似不识。”《开宝本草》云:“验此草丛生，状如白薇而柔细稍长。叶生茎头如杏叶，上有细白毛，近根者有白茸。旧经陶注则未述其茎叶，唐注又云……此皆误矣。”《本草衍义》从《唐本草》注，说陶弘景注失于不审。《本草图经》收载了2种药图[即商州(今陕西商州)白头翁、徐州(今江苏徐州)白头翁的药图]，并糅合诸家文字描述之，其所述与所收药图不尽相合。

[2] **消赘** 消赘瘤。《本经》云:“主温疟……瘿气。”《药性论》云:“主项下瘤疬。”

[3] **子，功用同上** 按，白头翁多用根，很少用子。陶弘景云:“方用亦疗毒痢”。《药性论》云:“白头翁……止腹痛及赤毒痢。……主百骨节痛。”《伤寒论》以白头翁、黄柏、黄连、秦皮(白头翁汤)治热痢下重、毒痢、血痢。方中皆用白头翁根，未言用子。

按，名为白头翁的药材很多，其植物来源亦复杂，有毛茛科、蔷薇科、菊科、石竹科等，各科又有很多品种及不同的名称。它们治疗痢疾，有的有效，有的无效，用时宜分辨之。

235 苦芙[1]

冷。治丹毒。(《大观》卷11页53;《政和》页282;《纲目》页868)

【校注】

[1] **苦芙** 为菊科植物蒙山莴苣的全草。《别录》首载此药。《蜀本草·图经》云:“子若猫蓟，茎圆无刺……所在下湿地有之。”《唐本草》云:“今人以为漏芦，非也。”

又，《别录》云:“主面目通身漆疮。”《食疗本草》云:“生食，治漆疮。五月五日采，曝干作灰(研细末)，傅面目通身漆疮，不堪多食尔。”

又，民间端午采苦芙、艾叶、大蓟、小蓟，与石灰捣烂为团，晒干，研细面，傅金疮止血，甚验。

236 羊蹄根[1]

治癣[2]，杀一切虫[3]。肿毒[4]，醋摩贴。叶，治小儿疳虫，杀胡夷鱼、鲑鱼、檀胡鱼毒。亦可作菜食。(《大观》卷11页13;《政和》页267;《纲目》页1061)

【校注】

[1] **羊蹄根** 为蓼科植物羊蹄的根。《本经》首载此药，云："一名东方宿，一名连虫陆，一名鬼目。"《别录》云："一名蓄。生陈留（今河南陈留）川泽。"《蜀本草·图经》云："生下湿地，高者三四尺，叶狭长，茎、节间紫赤，花青白色，子三棱，夏中即枯。又有一种，茎、叶俱细，节间生子，若茺蔚子。"

[2] **治癣** 《简要济众方》治癣，用羊蹄根捣绞取汁，调腻粉少许如膏，若干加猪脂调和，傅癣。《千金翼方》治漏瘤疮湿癣痒方：羊蹄细切，醋浸，洗，傅上，一时间以冷水洗之，日一傅；若为末，傅之。《医宗金鉴》治疮湿痒，以羊蹄根配枯矾外用。

[3] **杀一切虫** 《本经》云："主头秃疥瘙。"《别录》云："杀虫。"《外台秘要》治疥，捣羊蹄根，和猪脂涂。

[4] **肿毒** 治肿毒，用鲜羊蹄根捣烂外傅；或用干羊蹄根剉，研末，醋调外傅；或用醋磨汁外涂，干再涂。

又，羊蹄根可治各种出血，内服、外用皆可。《斗门方》治肠风泻血方：羊蹄叶烂蒸一碗食之。羊蹄根末单服，止咯血、呕血、崩漏、便血、痔血；配等量乌贼骨为末，治外伤出血。

羊蹄根能泻下。《圣惠方》治大便不通，用羊蹄根一两剉，水一大盏，煎取六分，去滓温服。方中所云煎取六分，意为久煮。久煮使其泻下作用温和，否则羊蹄根泻下作用猛烈且引起腹痛。

237 酸模[1]

味酸，凉，无毒。治小儿壮热[2]。生山岗，状似羊蹄叶而小黄[3]。（《大观》卷11页13；《政和》页267；《纲目》页1062）

【校注】

[1] **酸模** 为蓼科植物酸模的根。《本草经集注》首载此药。陶弘景注"羊蹄"云："又一种极相似而味酸，呼为酸模。"《本草拾遗》云："酸模叶酸美。"

[2] **治小儿壮热** 《本草拾遗》云："根，主暴热、腹胀，生捣绞汁服，当下痢。杀皮肤小虫。"

[3] **状似羊蹄叶而小黄** 《本草拾遗》云："酸模……叶似羊蹄，是山大黄，一名当药。"《尔雅》云："须飧芜。"注云："似羊蹄而细，味酸可食。"

238 石衣[1]

涩，冷，有毒。垣衣为使。烧灰沐头长发[2]。此即是阴湿处山石上苔，长者可四五寸，又名乌韭。（《大观》卷11页44；《政和》页278；《纲目》页1090）

【校注】

[1] **石衣** 即乌韭。《唐本草》云："此物即石衣也，亦曰石苔，又名石发，生岩石阴不见日

处。”《本草拾遗》云：“生大石及木间阴处，青翠茸茸者，似苔而非苔也。”

［2］**沐头长发** 《本草拾遗》云：“烧灰沐发令黑。”

239 重台根[1]

冷，无毒。治胎风搐手足[2]。能吐泻、瘰疬。根如尺二蜈蚣，又如肥紫菖蒲，又名蚤休、螯休也。（《大观》卷11页46；《政和》页279；《纲目》页984）

【校注】

［1］**重台根** 为百合科植物蚤休的根茎。《本经》首载此药，以“蚤休”为正名，并云：“一名蚩休。”《别录》云：“生山阳（向日光处）川谷及冤句（今山东菏泽）。”《本草图经》收载了滁州（今安徽滁州）蚤休药图，并云：“今河中（今山西永济）、河阳（今河南孟州）、华（今陕西华阴）、凤（今陕西凤翔）、文州（今甘肃文县）及江淮（今苏北、皖北）间亦有之。……六月开紫黄花、蕊赤黄色，上有金丝垂下，秋结红子，根似肥姜，皮赤肉白。四月、五月采根，日干用。”《本草衍义》云：“蚤休无旁枝，止一茎挺生，高尺余，巅有四五叶，叶有歧，似虎杖。中心又起茎，亦如是生叶。”

［2］**治胎风搐手足** 《本经》云：“主惊痫摇头弄舌。”重台根配天花粉、麝香、薄荷，治小儿惊风抽搐。

又，《本经》云：“主惊痫……痈疮阴蚀……去蛇毒。”《唐本草》云：“醋磨，疗痈肿，傅蛇毒有效。”重台根配黄连、金银花、生甘草、赤芍，治痈肿疔毒。治蛇咬伤，重台根醋磨浓汁外涂。治痈肿疮毒，内服、外敷均可用。重台根配蒲公英、紫花地丁、野菊花、金银花，煎汤内服，或研细末后醋调外敷，能解毒、消痈肿止痛。

240 马鞭草[1]

味辛，凉，无毒。通月经，治妇人血气肚胀，月候不匀[2]。似益母草，茎圆。并叶用。（《大观》卷11页18；《政和》页269；《纲目》页920）

【校注】

［1］**马鞭草** 为马鞭草科植物马鞭草的地上部分。《别录》首载此药。《唐本草》云：“苗似狼牙及茺蔚，抽三四穗紫花似车前，穗类鞭鞘，故名马鞭。”《本草图经》收载了衡州（今湖南衡阳）马鞭草药图。

［2］**通月经，治妇人血气肚胀，月候不匀** 《圣惠方》治妇人月水滞涩，结成瘕块，肋胀，用马鞭草根苗五斤，细剉，水五斗，煎汁熬膏，每食前温酒下半匙。马鞭草配益母草、泽兰、丹参，亦可治之。有瘕块，用马鞭草配三棱、莪术、鳖甲。马鞭草配当归、桃仁、红花、苏木，治跌打损伤疼痛。

又，《葛氏方》治大腹水病，用马鞭草、鼠尾草熬膏，以粉和丸，一服二三大豆许，加至四五豆。马鞭草配刘寄奴、半边莲，或配牛膝、木瓜、车前草，亦可利腹中水，治大腹水病。

又，《本草拾遗》治疟疾，以马鞭草作煎如饧，酒服之。

241 虎杖[1]

治产后恶血不下[2]，心腹胀满，排脓，主疮疖痈毒，妇人血运，扑损瘀血，破风毒结气。又名酸杖，又名斑杖。(《大观》卷13页46；《政和》页333；《纲目》页933)

【校注】

[1] **虎杖** 为蓼科植物虎杖的根茎及根。《别录》首载此药。陶弘景云："状如大马蓼，茎斑而叶圆。"《蜀本草·图经》云："生下湿地，作树高丈余，其茎赤，根黄。二月、八月采根，日干。"《本草图经》收有3个药图［即滁州（今安徽滁州）虎杖、汾州（今山西临汾）虎杖，越州（今浙江绍兴）虎杖的药图］，并云："三月生苗，茎如竹笋状，上有赤斑点，初生便分枝丫，叶似小杏叶，七月开花，九月结实。南中出者无花，根皮黑色，破开即黄，似柳根，亦有高丈余者。"

[2] **治产后恶血不下** 《别录》云："主通利月水，破留血癥结。"《药性论》云："能破女子经候不通，捣以酒浸常服。有孕人勿服，破血。"

又，《外台秘要》治暴癥，腹中有物硬如石，取虎杖捣末，酒浸之。

又，《圣惠方》治月水不利，用虎杖配凌霄花、没药为末，酒服一钱匕。

又，《集验方》治五淋，用虎杖研末，每服二钱。

按，虎杖能活血化瘀通淋，消疮疖痈毒。凡妇科、伤科、疮疡有瘀血诸证，均可用之。

242 斑杖[1]

虎杖之别名，即前条虎杖是也。(《大观》卷11页54；《政和》页283)

【校注】

[1] **斑杖** 《日华子本草》谓斑杖即虎杖。虎杖是蓼科植物虎杖的根茎及根。《本草纲目》"蒟蒻"条"集解"云："其斑杖，即天南星之类有斑者。"《开宝本草》"蒻头"条云："又有斑杖，苗相似，至秋有花，直出生赤子。其根傅痈肿毒甚好。根如蒻头，毒猛不堪食。"根据《纲目》《开宝本草》所云，"蒻头"条中的"斑杖"，源自天南星科魔芋一类植物，有毒，与蓼科植物虎杖并非同一植物。但是《嘉祐本草》作者掌禹锡将《日华子本草》虎杖的别名"斑杖"与《开宝本草》"蒻头"中的"斑杖"，视为一物，显然有误。

243 蛇莓[1]

味甘、酸，冷，有毒。通月经，熁疮肿[2]，傅蛇虫咬。(《大观》卷11页39；《政

和》页276；《纲目》页1007）

【校注】

[1] **蛇莓** 为蔷薇科植物蛇莓的全草。《别录》首载此药。陶弘景云："园野亦多，子赤色，极似莓而不堪啖。"《蜀本草·图经》云："生下湿处，茎端三叶，花黄，子赤若覆盆子，根似败酱。二月、八月采根，四月、五月收子。"

《别录》云："主胸腹大热不止。"陶弘景云："疗溪毒、射工、伤寒大热，甚良。"

[2] **熁疮肿** 《伤寒类要》治天行热盛，口中生疮方：捣绞蛇莓汁一斗，煎取五升，稍稍饮之。《肘后方》治毒攻手足肿痛方：蛇莓汁服三合，日三。

244 苎根[1]

味甘，滑，冷，无毒。治心膈热，漏胎下血[2]，产前后心烦闷，天行热疾，大渴大狂，服金石药人心热，署毒箭、蛇虫咬[3]。（《大观》卷11页19；《政和》页270；《纲目》页870）

【校注】

[1] **苎根** 为荨麻科植物苎麻的根。《别录》首载此药。《本草图经》云："今闽（今福建）、蜀（今四川）、江（今江苏）、浙（今浙江）多有之。其皮可以绩（缉麻线）布，苗高七八尺，叶如楮叶，面青背白，有短毛，夏秋间着细穗，青花，其根黄白而轻虚，二月、八月采。又有一种山苎，亦相似。谨按，陆机《草木疏》云：苎，一科数十茎，宿根在地中，至春自生，不须栽种。荆（今湖北）、扬（今江苏扬州）间岁三刈（割）。"

[2] **漏胎下血** 《肘后方》治胎动不安，取苎根如足大趾一尺，㕮咀，以水五升，煮取三升，去滓服。《药性论》云："主怀妊安胎。"《小品方》治胎漏，用苎根配阿胶、当归、地黄。治胎动不安，用苎根配香附、竹茹、黄芩。

《斗门方》治五种淋，用苎根两茎打碎，以水一碗半煎取半碗，频服之。按，苎根能通淋利水，且多配车前子、滑石。治血淋，用苎根配瞿麦、大蓟、小蓟、茅根等。

[3] **署毒箭、蛇虫咬** 苎根能解毒。捣鲜苎根取汁内服，治蛇虫咬、疮毒痈肿、痔疮肿痛。其汁亦可外涂。

按，苎根能安胎、止血、利水、解毒，尤以止血效果最好。治妇女崩漏，用苎根配陈棕炭、血余炭、荆芥穗炭、黄芪、当归有确效。此方用于紫癜亦佳。

245 茭首[1]

微毒。多食发气并弱阳[2]。叶利五脏。食巴豆人不可食。（《大观》卷25页14；《政和》页267；《纲目》页1067）

【校注】

[1] **茭首** 为禾本科植物菰的花茎经茭白黑粉的刺激形成的肥大菌瘿，名茭白，又名茭首、茭瓜、茭粑、茭笋、茭耳菜、菰首、菰手、菰笋。其根名菰根。《本草图经》云："生水中，叶如蒲苇……生笋……即菰菜也，又谓之茭白。其岁久者中心生白台如小儿臂，谓之菰手……其台中有墨者，谓之茭郁，其根亦如芦根。"

[2] **多食发气并弱阳** 《本草拾遗》云："茭首主心胸中浮热。动气，不中食之，发冷，滋牙齿，伤阳道，令下焦冷，不食为妙。"

又，《外台秘要》治汤火所灼未成疮，用菰根烧灰，鸡子黄和封之。

又，《广济方》治毒蛇啮方：菰草根灰，取以封之。

246 舂杵头细糠[1]

平，治噎，煎汤呷[2]。(《大观》卷11页11；《政和》页491；《纲目》页1168)

【校注】

[1] **舂杵头细糠** 为米皮糠，别名米糠、米秕、杵头糠。

[2] **治噎，煎汤呷** 陶弘景云："食卒噎不下，刮取含之即去。"《圣惠方》治膈气噎塞，饮食不下方：碓觜上细糠，蜜丸弹子大，时时含咽津液。

又，《圣惠方》治咽喉似有物吞吐不利方：杵头糠、人参、石莲肉炒各一钱，水煎服，日三次。

247 半天河[1]

平，无毒。主蛊毒。(《大观》卷5页20；《政和》页131；《纲目》页558)

【校注】

[1] **半天河** 陶弘景云："此竹篱头水也，及空树中水，皆可饮。"《别录》首载此药，并云："主鬼疰狂邪气恶毒。"《本草拾遗》云："主诸风及恶疮风瘙疥痒，亦温取洗疮。"《外台秘要》治身体白驳，取树木孔中水洗之；捣桂屑，唾和傅驳上，日再。白驳者浸淫渐长似癣，但无疮。

248 地浆[1]

无毒。(《大观》卷5页19；《政和》页131；《纲目》页563)

【校注】

[1] **地浆** 陶弘景云："此掘地作坎，以水沃其中，搅令浊，俄顷取之，以解中诸毒。"《别录》云："主解中毒烦闷。"《梅师方》云："食生肉中毒，掘地深三尺，取土三升，以水五升，煎五沸，

清之，一升即愈。”

249 刘寄奴[1]

无毒。治心腹痛，下气，水胀血气[2]，通妇人经脉癥结[3]，止霍乱水泻[4]。六、七、八月采。(《大观》卷11页31；《政和》页274；《纲目》页860)

【校注】

[1] **刘寄奴** 为菊科植物奇蒿的全草，产于南方者名南刘寄奴；或为玄参科植物阴行草，产于北方者，名北刘寄奴。《唐本草》首载此药，并云：“茎似艾蒿，长三四尺，叶似兰草尖长，子似稗而细，一茎上有数穗，叶互生。”《蜀本草·图经》云：“今出越州（今浙江绍兴），夏收苗，日干之。”《本草图经》云：“生江南。今河中府（今山西永济）、孟州（今河南孟州）、汉中（今陕西汉中）亦有之。春生苗，茎似艾蒿，上有四棱，高三二尺已来，叶青似柳，四月开碎小黄白花，形如瓦松，七月结实似黍而细……根淡紫色，似莴苣。”

[2] **水胀血气** 《开宝本草》云：“疗金疮止血为要药。”《千金方》治折伤血瘀痛，用刘寄奴配延胡索、骨碎补。《本事方》治外伤出血，单用刘寄奴粉末敷口止之。《集简方》治大小便血，取刘寄奴为末，茶调，空心服二钱，即止。

[3] **通妇人经脉癥结** 《开宝本草》云：“产后余疾，下血，止痛，极效。”《别录》云：“主破血。”《沈氏尊生书》治经闭，用刘寄奴配红花、牛膝、当归、凌霄花。

又，刘寄奴亦治汤火灼伤。《经验方》治汤火疮方：刘寄奴捣末，先以糯米浆，用鸡翎扫烫着处，后掺药末在上，并不痛，亦无痕。

[4] **霍乱水泻** 《圣济总录》治霍乱成痢，单用刘寄奴，水煎服。元代艾元英《如宜方》治泻痢，单用刘寄奴，水煎服。治血痢加乌梅，治下白冻加炮姜。

250 牵牛子[1]

味苦、獠。得青木香、干姜良。取腰痛，下冷脓，泻蛊毒药[2]，并一切气壅滞[3]。(《大观》卷11页7；《政和》页264；《纲目》页1012)

【校注】

[1] **牵牛子** 为旋花科圆叶牵牛或裂叶牵牛的种子。《别录》首载此药。《本草图经》云：“二月种子，三月生苗，作藤蔓，绕篱墙，高者或三二丈，其叶青，有三尖角，七月生花微红带碧色，似鼓子花而大，八月结实，外有白皮，里作球，每球内有子四五枚，如荞麦大，有三棱，有黑、白二种。九月后收之。”

[2] **泻蛊毒药** 牵牛子能泻蛊杀虫。《普济方》治蛔虫、绦虫（蛊的一种），用牵牛子配槟榔、紫苏。

[3] **一切气壅滞** 凡由水气、痰涎壅滞所致水肿胀满、痰饮喘咳，牵牛子均可治之。治水气肿

满，用牵牛子配大黄、大戟、甘遂，用时先从极小量开始，一旦出现泄泻，即停药，切不可一开始即用大量。治痰饮喘咳，用牵牛子配葶苈、陈皮、杏仁。

又，《简要济众方》治大便不通方：牵牛子半生半熟，捣末，每服一至二钱，姜汤调下，量虚实，无时候加减服。《本草衍义》治大肠风秘，取牵牛子末二、桃仁一为蜜丸如梧子，每服二三十丸。

251　紫葛[1]

味苦，滑，冷。主瘫缓，挛急，并热毒风，通小肠。紫葛有二种，此即是藤生者。（《大观》卷11页45；《政和》页279；《纲目》页1047）

【校注】

[1] **紫葛**　《唐本草》首载此药，并云："苗似葡萄，根紫色，大者径二三寸，苗长丈许。"《蜀本草·图经》云："蔓生，叶似蘡薁，根皮肉俱紫色……出雍州（今陕西长安）。三月、八月采根皮，日干。"《本草图经》云："今惟江宁府（今江苏南京）、台州（今浙江临海）有之。春生冬枯，似葡萄。"

又，《唐本草》云："主痈肿恶疮，取根皮捣为末，醋和封之。"《经验方》治金疮生肌，破血补损方：紫葛二两剉，水三盏煮取一盏，去滓，分三服，食前服。

252　蓖麻[1]

治水胀腹满，细研水服，壮人可五粒[2]。催生，傅产人手足心，产后速拭去[3]。疮痍疥癞亦可研傅[4]。（《大观》卷11页9；《政和》页265；《纲目》页956）

【校注】

[1] **蓖麻**　为大戟科植物蓖麻的种子。《唐本草》首载此药。《蜀本草·图经》云："树生，叶似大麻，大数倍，子壳有刺，实大于巴豆，青黄色斑。夏用茎、叶，秋收子，冬采根，日干。胡中来者，茎子更倍大。所在有之。又云：叶似葎草而厚大，茎赤有节如甘蔗。"

[2] **治水胀腹满，细研水服，壮人可五粒**　《外台秘要》治水气方：蓖麻子去皮，研令熟，水解得三合，清旦一顿服之尽，日中当下青黄水。

[3] **催生，傅产人手足心，产后速拭去**　《肘后方》治产难方：蓖麻子二枚，两手各把一枚，须臾立下。

[4] **疮痍疥癞亦可研傅**　《儒门事亲》治瘰疬恶疮及软疖方：蓖麻子六十四粒，去壳研膏，入熔化白胶香一两，加油半匙，熬成膏药，摊布上，贴疮处。

又，《古今录验》治汤火灼伤，用蓖麻子、蛤粉等分，研膏，汤伤以油调敷，火灼以水调涂。

又，《摘玄方》治面上雀斑，用蓖麻子、密陀僧、硫黄等分为末，用羊髓和匀，夜夜傅之。

253　独行根[1]

无毒。治血气[2]。(《大观》卷11页45;《政和》页279;《纲目》页1011)

【校注】

[1] **独行根**　为马兜铃科植物马兜铃或北马兜铃的根。其果实名马兜铃。《唐本草》首载此药,并云:“蔓生,叶似萝摩,其子如桃李,枯则头四开,悬草木上。其根扁,长尺许,作葛根气,亦似汉防己,生古堤城旁。山南名为土青木香。”今名青木香,味苦、辛,寒;通络行气止痛,化湿解毒;适用于疔肿、湿疹。

[2] **治血气**　独行根解毒消肿。《唐本草》云:“疗丁肿大效。”《本草衍义》云:“独行根……细捣,水调敷丁肿。”

又,独行根的茎名天仙藤,亦能活血通络、化湿消肿,治风湿痛、胃痛、产后腹痛、疝痛。其叶功效与天仙藤同。

又,独行根的果实名马兜铃,能止咳平喘,除肛门肿胀痛,止痔漏下血。

254　芦根[1]

治寒热时疾[2],烦闷[3],妊孕人心热,并泻痢人渴。(《大观》卷11页23;《政和》页271;《纲目》页882)

【校注】

[1] **芦根**　为禾本科植物芦苇的地下茎。《别录》首载此药。《本草图经》云:“芦根……生下湿陂泽中,其状都似竹,而叶抱茎生,无枝,花白作穗若茅花,根亦若竹根而节疏。二月、八月采,日干用之。当极取水底甘辛者,其露出及浮水中者,并不堪用。”

[2] **治寒热时疾**　芦根善清肺热,配冬瓜仁、鱼腥草、金银花、桔梗,治肺热成痈吐脓血。治外感风热咳嗽,用芦根配桑叶、杏仁、菊花、薄荷、甘草、桔梗;治肺热痰黄黏稠,用芦根配桑白皮、栝楼、黄芩。

[3] **烦闷**　芦根亦能清胃热、除烦止呕。《肘后方》单用芦根止胃热呕吐。《千金方》治胃热呕吐,用芦根配竹茹、粳米、姜汁。

255　生芭蕉根[1]

治天行热狂,烦闷,消渴[2],患痈毒[3],并金石发热闷,口干人并绞汁服及梳头长益发。肿毒,游风,风疹[4],头痛,并研罯傅。(《大观》卷11页22;《政和》页271;《纲目》页884)

【校注】

[1] **生芭蕉根** 为芭蕉科植物芭蕉的根茎。《别录》首载此药，以“甘蕉根”为正名。《本草图经》云：“甘蕉根……陶隐居云本出广州，江东（今苏南、皖南）并有，根叶无异，惟子不堪食。今出二广（今广东、广西）、闽中（今福建）。川蜀者有花，闽（今福建）广（今广东、广西）者实极美可啖……此云甘蕉，乃是有子者，叶大抵与芭蕉相类……红者如火炬，谓之红蕉；白者如蜡色，谓之水蕉；其花大类象牙，故谓之牙蕉。其实亦有青黄之别，品类亦多，食之大甘美。”

[2] **治天行热狂，烦闷，消渴** 《圣惠方》治消渴、骨节烦热方：生芭蕉根捣汁，时饮一二合。《本草图经》云：“俚医以治时疾狂热及消渴……并可饮其汁。”

[3] **患痈毒** 《别录》云：“主痈肿结热。”陶弘景云：“捣傅热肿甚良。”《开宝本草》云：“其根捣傅热肿尤良。”《药性论》云：“捣傅一切痈肿上，干即更上，无不差。”《百一方》治发背欲死，用芭蕉捣根涂上。

[4] **游风，风疹** 《子母秘录》治小儿赤游，用芭蕉根汁煎涂之。

256 芭蕉油[1]

冷，无毒。治头风热，并女人发落，止烦渴，及汤火疮。（《大观》卷11页22；《政和》页271；《纲目》页885）

【校注】

[1] **芭蕉油** 《本草图经》云：“取之用竹筒插皮中，如取漆法。”又云：“芭蕉油治暗风痫病涎作，晕闷欲倒者，饮之得吐，便差，极有奇效。”

257 白章陆[1]

味苦，冷。得大蒜良。通大小肠[2]，泻蛊毒，堕胎，熁肿毒，傅恶疮[3]。赤者有毒[4]。（《大观》卷11页3；《政和》页263；《纲目》页944）

【校注】

[1] **白章陆** 即商陆，为商陆科植物商陆的根。《本经》首载此药，云：“一名葛根，一名夜呼。”《别录》云：“生咸阳（今陕西咸阳）川谷。”《唐本草》云：“此有赤、白二种，白者入药用，赤者见鬼神，甚有毒。”《本草图经》云：“春生苗，高三四尺，叶青如牛舌而长。茎青赤至柔脆，夏秋开红紫花作朵，根如芦菔而长，八月、九月内采根。……有赤、白二种，花赤者根赤，花白者根白。赤者不入药。服食用白者。”

[2] **通大小肠** 商陆能行水消肿、通大便、利小便，配茯苓、泽泻、槟榔，治水肿胀满。《药性论》云：“能泻十种水病。”《圣济总录》用商陆配甘遂、赤小豆，治大小便不通、水肿。

[3] **熁肿毒，傅恶疮** 商陆能散结消痈肿。《孙真人食忌》云：“主一切热毒肿，章陆根和盐少

许，傅之，日再易。”又云：“主疮中毒，切章陆根汁，热布裹熨之，冷即易。”张文仲治石痈坚如石不作脓者，用生商陆根捣，擦之，燥即易，取软为度。《本草图经》云：“喉中卒被毒气攻痛者，切根，炙令热，隔布熨之，冷辄易。”

[4] **赤者有毒** 《唐本草》云：“此有赤、白二种……赤者见鬼神，甚有毒，但贴肿外用。若服之伤人，乃至痢血不已而死也。”

按，商陆泻下力，与甘遂、大戟相似，但药力稍弱些。其行水消肿之效亦快。年老体弱者、孕妇忌用之，脾虚水肿者亦忌用之。生根捣烂能敷痈肿疮疖。

258 水蓼[1]

味辛，冷，无毒。(《大观》卷 11 页 59；《政和》页 285；《纲目》页 930)

【校注】

[1] **水蓼** 为蓼科植物水蓼的全草。《唐本草》首载此药，并云：“叶似蓼，茎赤，味辛，生下湿水旁。”《开宝本草》云：“生于浅水泽中，故名水蓼。其叶大于家蓼。”

又，《唐本草》云：“水蓼，主蛇毒，捣傅之。绞汁服，止蛇毒入内心闷。水煮渍捋脚，消气肿。”

又，《本草衍义》云：“水蓼大率与水红相似，但枝低尔。”《本草图经》“荭草”条云：“荭草即水红也……生水旁……似蓼而叶大，赤白色，高丈余。”

按，水红为蓼科植物荭草。其子能散血破瘕，熬膏贴胁腹痞块。水红配海藻、昆布、夏枯草，治甲状腺肿；配牵牛子、大腹皮，能利腹水。《本草衍义》云：“水荭子不以多少，微炒一半，余一半生用，同为末，好酒调二钱，日三服，食后、夜卧各一服。治瘰疬，疮破者亦治。”

259 白附子[1]

无毒。主中风失音[2]，一切冷风气，面皯瘢疵[3]。入药炮用。新罗出者佳。(《大观》卷 11 页 44；《政和》页 279；《纲目》页 976)

【校注】

[1] **白附子** 分禹白附、关白附。禹白附为天南星科植物独角莲的块茎，关白附为毛茛科植物黄花乌头的块茎。《别录》首载此药，并云：“生蜀郡（今四川）。”《唐本草》云：“此物本出高丽（今朝鲜），今出凉州（今甘肃一带）已西，形似天雄……凉州者生沙中，独茎，似鼠尾草，叶生穗间。”《海药本草》云：“生东海，又新罗国（今朝鲜），苗与附子相似。”

[2] **主中风失音** 《别录》云：“主心痛血痹，面上百病。”祛风痰，治口眼㖞斜，用《杨氏家藏方》牵正散（白僵蚕、白附子、全蝎）。治中风半身不遂、语言謇涩，以白附子配天麻、全蝎、蜈蚣、天南星、半夏。破伤风，以白附子、天麻、天南星、白芷治之。治痰厥头痛，用白附子配天南星、天麻、半夏。凡头面部诸风痰，白附子均可治之。

[3] **一切冷风气，面皯瘢疵** 《海药本草》云："大温，有小毒。主治疥癣风疮，头面痕……诸风冷气，入面脂皆好也。"

按，禹白附与天南星相近，均能燥湿化痰。禹白附主头面部风邪，天南星善能祛风定惊。关白附与乌头、附子相近，温热燥烈，有毒。关白附亦主头面部诸风，可治中风口眼㖞斜、语言謇涩。乌头、附子温下焦，附子能回阳救逆。

260 鹤虱[1]

凉，无毒。杀五脏虫[2]，止疟，及傅恶疮上。(《大观》卷11页42；《政和》页278；《纲目》页880)

【校注】

[1] **鹤虱** 分南、北鹤虱二种。北鹤虱为菊科植物天名精的果实，南鹤虱为伞形科植物野胡萝卜的果实。《唐本草》首载此药，谓"生西戎（今我国西部少数民族居处）"，并云："子似蓬蒿子而细，合叶、茎用之。"《开宝本草》云："出波斯（今伊朗）者为胜。今上党（今山西长治）亦有，力势薄于波斯者。"《本草图经》云："今江淮（今苏北、皖北）、衡（今湖南衡阳）、湘（今湖南）间皆有之。春生苗，叶皱似紫苏，大而尖长，不光，茎高二尺许，七月生黄白花，似菊，八月结实，子极尖细，干即黄黑色。"(以上所述为北鹤虱)

[2] **杀五脏虫** 《别录》云："主蚘蛲虫。"《古今录验》疗蛔咬心痛，取鹤虱十两，捣筛，蜜和丸如梧子，空腹，蜜汤吞四十丸，日增至五十丸。

又，《千金方》治虫咬心痛，用鹤虱一两为末，空心温醋下，虫当出。

又，李楼《怪疾奇方》治大肠虫出（蛲虫）不断，断之复生，用鹤虱末，水调半两服，自愈。

261 猴姜[1]

平。治恶疮，蚀烂肉，杀虫。是树上寄生草，苗似姜细长。(《大观》卷11页33；《政和》页274；《纲目》页1076)

【校注】

[1] **猴姜** 即骨碎补。为水龙骨科植物附生蕨类槲蕨的根茎。《本草拾遗》云："骨碎补似石韦而一根，余叶生于木。岭南（今广东、广西一带）、虔（今江西赣县）、吉（今江西吉安）亦有。本名猴姜，开元（713—741）皇帝以其主伤折，补骨碎，故作此名耳。"《本草图经》云："根生大木……引根成条，上有黄毛及短叶附之。又有大叶成枝，面青绿色有黄点，背青白色有赤紫点。春生叶，至冬干黄，无花实，惟根入药。采无时，削去毛用之。"《开宝本草》云："主破血止血，补伤折。"《本草图经》云："蜀人治闪折筋骨伤损，取根捣筛，煮黄米粥和之，裹伤处良。"《圣惠方》治金疮伤筋断骨作痛方：骨碎补、虎骨、龟板、自然铜各五钱，没药一两为末，每日三四次，每服一钱。

又，《灵苑方》治牙齿痛出血方：骨碎补炒黑捣末，擦齿根下，止痛。骨碎补配六味地黄丸，每服五钱，治牙痛，亦治肾虚耳鸣耳聋。

又，《圣惠方》治肾虚腰痛，以补骨脂三两，安息香、槟榔各二两，桂心一两半，骨碎补、牛膝各一两，捣末，蜜丸如梧子，每服二十丸。

《孙氏仁存堂经验方》治病后发落，取骨碎补、野蔷薇嫩枝，煎汁刷之。用骨碎补、补骨脂各三钱，斑蝥三个，酒三两，渍十日，取汁刷之，可使落发再生。一方加桃仁、红花、川芎、当归、人参、黄芪各一钱，其效更佳。但此方对陈旧年久脱发无效。

262 盍合子[1]

温。治一切风，补五劳七伤，其功不可备述，并治痃癖气块，天行温疾，消宿食，止烦闷，利小便，催生，解毒药，中恶，失音，发落，傅一切蛇虫蚕咬。双仁者可带。单方服，治一切病。每日取仁二七粒，患者服不过三千粒，永差。又名仙沼子、圣知子、预知子、圣先子。（《大观》卷11页48；《政和》页280；《纲目》页1011）

【校注】

[1] **盍合子** 即榼藤子。为豆科植物榼藤的种子。《开宝本草》以“预知子”为正名。《本草图经》云：“预知子……作蔓生，依大木上，叶绿有三角，面深背浅，七月、八月有实作房。初生青，至熟深红色，每房有子五七枚如皂荚子，斑褐色，光润如飞蛾。旧说取二枚缀衣领上，遇蛊毒物则侧侧有声，当便知之，故有此名。今蜀人极贵重。”

263 续随子[1]

宣一切宿滞，治肺气水气[2]，傅一切恶疮[3]、疥癣。单方日服十粒。泻多，以酸浆水并薄醋粥吃，即止。一名菩萨豆、千两金。叶汁傅白癜面皯[4]。（《大观》卷11页36；《政和》页275；《纲目》页953）

【校注】

[1] **续随子** 即千金子，为大戟科植物续随子的种子。《本草拾遗》首载此药。《本草图经》云：“苗如大戟。初生一茎，茎端生叶，叶中复出数茎相续，花亦类大戟，自叶中抽秆而生，实青有壳。……秋种冬长，春秀夏实，故又名拒冬。”

[2] **宣一切宿滞，治肺气水气** 《开宝本草》云：“利大小肠，除痰饮积聚，下恶滞物。”《斗门方》治水气，用续随子一两，去壳，纸裹，压去油，研末，分七服，每治一人，只可一服。续随子配大黄为末，丸服，治水肿胀满；配防己、葶苈子、槟榔，治水肿喘满。

[3] **傅一切恶疮** 续随子配五倍子、大戟、朱砂、雄黄、山慈姑，治恶疮肿毒。

又，崔元亮《海上方》治蛇咬肿毒闷欲死，用重台（蚤休）六分、续随子七颗去皮，捣筛为散，酒服方寸匕，兼唾和少许傅咬处。

[4] **叶汁傅白癜面皯** 《开宝本草》云："茎中白汁，剥人面皮，去鼾黵。"

又，《圣济总录》治癥块，用续随子配青黛、轻粉为末，枣肉为丸服。治血瘀经闭，用续随子配当归、川芎、赤芍、桃仁、红花为丸服。

264 天南星[1]

味辛烈，平。畏附子、干姜、生姜。署扑损瘀血[2]，主蛇虫咬[3]、疥癣恶疮[4]。入药炮用，又名鬼蒟蒻。(《大观》卷11页11；《政和》页266；《纲目》页977)

【校注】

[1] **天南星** 为天南星科植物天南星或东北天角星或异叶天南星的球状茎。《本草拾遗》首载此药。《本草图经》云："二月生苗，似荷梗，茎高一尺以来，叶如蒟蒻，两枝相抱；五月开花似蛇头，黄色；七月结子作穗，似石榴子红色；根似芋而圆。二月、八月采根，与蒟蒻根相类，人多误采，茎斑花紫，是蒟蒻。"

[2] **署扑损瘀血** 《本草拾遗》云："天南星主金疮伤折瘀血，取根碎，傅伤处。"

[3] **主蛇虫咬** 天南星、雄黄研细末，酒调，敷咬处。或用鲜天南星捣烂，外傅咬处。

[4] **疥癣恶疮** 生天南星醋磨浓汁涂患处。用其涂瘰疬亦行。有人试将其用于宫颈癌治疗中，发现有一定疗效。《必效方》治小儿走马牙疳蚀透损骨方：天南星一个，作坑子，安雄黄一块，用曲裹烧，候雄黄作汁，以盏子合定，出火毒，去曲研末，入麝香少许，拂疮验。

按，天南星善于燥湿化痰止咳。《十全博救方》治咳嗽方：天南星一个，大者炮令裂为末，取一钱末，水一盏，生姜三片，煎至五分温服。天南星配二陈汤（陈皮、半夏、茯苓、甘草），治胸闷痰嗽；若痰清稀加生姜、桂枝，若痰黄加黄芩。

天南星能祛风解痉。《初虞世方》治破伤风入疮强直方：防风、天南星等分为末，以醋调，作靥贴上。《太平惠民和剂局方》"青州白丸子"，以天南星配白附子、生川乌、生半夏，治风痰口眼㖞斜、手足顽麻。按，此方中的川乌、半夏合用是十八反所禁，用宜注意。

265 马兜铃[1]

治痔瘘疮，以药于瓶中烧熏病处[2]。入药炙用，是土青木香，独行根子。越州七、八月采。(《大观》卷11页26；《政和》页272；《纲目》页1010)

【校注】

[1] **马兜铃** 为马兜铃科植物马兜铃或北马兜铃的果实。《药性论》首载此药。《本草图经》云："生关中（今陕西）。今河东（今山西）、河北、江淮、夔（今四川奉节）、浙州郡亦有之。春生苗如藤蔓，叶如山芋叶；六月开黄紫花，颇类枸杞花；七月结实枣许大，如铃，作四五瓣。其根名云南根，似木香，小指大，赤黄色，亦名土青木香。七月、八月采实，暴干。"

[2] **治痔瘘疮，以药于瓶中烧熏病处** 《开宝本草》云："主肺热咳嗽……血痔瘘疮。"内服马兜铃，对肠热痔瘘下血有清热消肿止痛之功。

按，马兜铃善清肺热咳嗽。《开宝本草》云："主肺热咳嗽，痰结喘促。"《简要济众方》治肺气喘嗽方：马兜铃二两，取子用，去壳，酥半两，和匀，慢火炒干，炙甘草一两，二味为末，每服一钱。若咳痰带血，用马兜铃配阿胶、炙甘草、牛蒡子。

《药性论》云："主肺气上急，坐息不得。"《本草衍义》云："治肺气喘急。"

266 蒴藋[1]

味苦，凉，有毒。治瘑癞风痹[2]，并煎汤浸。并叶用。(《大观》卷 11 页 10；《政和》页 265；《纲目》页 925)

【校注】

[1] **蒴藋** 为忍冬科植物蒴藋的全草及根。《别录》首载此药，云："一名堇草，一名芨。生田野。春夏采叶，秋冬采茎、根。"陶弘景、《唐本草》《药性论》皆说蒴藋即陆英。《本草图经》云："春抽苗，茎有节，节间生枝，叶大似水芹及接骨。……蒴藋条云用叶、根、茎，盖一物而所用别，故性味不同，何以明之？……芹名水英，此名陆英，接骨名木英。此三英花、叶并相似。"按，忍冬科植物另有陆英，其根、茎、叶入药。

[2] **治瘑癞风痹** 《别录》云："蒴藋……主风瘙瘾疹，身痒湿痹，可作浴汤。"《本经》云："陆英……主骨间诸痹，四肢拘挛疼酸，膝寒痛。"

267 仙茅[1]

治一切风气，延年益寿，补五劳七伤，开胃下气，益房事[2]。彭祖单服法，以米泔浸去赤汁出毒后，无妨损。(《大观》卷 11 页 28；《政和》页 273；《纲目》页 751)

【校注】

[1] **仙茅** 为石蒜科植物仙茅的根茎。《海药本草》载此药。《开宝本草》云："一名婆罗门参……生西域。"《本草图经》云："叶青如茅而软，复稍阔，面有纵理，又似棕榈，至冬尽枯。春初乃生，三月有花如栀子黄，不结实，其根独茎而直，旁有短细根相附，肉黄白，外皮稍粗，褐色。二月、八月采根，暴干。衡山（今湖南衡阳）出者花碧，五月结黑子。"

[2] **益房事** 《海药本草》云："主丈夫七伤，明耳目，益筋力，填骨髓，益阳事。"仙茅配淫羊藿、枸杞子、人参、山药、覆盆子，治阳痿、不孕。治妇女宫冷不孕，加吴茱萸、肉桂。治妇女更年期综合征，仙茅配淫羊藿合用，能改善症状。

268 谷精草[1]

凉，喂饲马肥[2]。二三月于田中生。白花者结水银成沙子。(《大观》卷 11 页 52；

《政和》页 282；《纲目》页 936）

【校注】

［1］**谷精草** 为谷精草科植物谷精草的头状花序。《本草拾遗》首载此药。《本草图经》云："春生于谷田中，叶、秆俱青，根、花并白色，二月、三月内采花用，一名戴星草，以其叶细、花白而小圆似星，故以名尔。又有一种，茎梗差长有节，根微赤，出秦（今陕西）、陇（今甘肃）间。"

［2］**喂饲马肥** 《开宝本草》云："主疗喉痹、齿风痛及诸疮疥，饲马。"

又，《集验方》治偏正头痛方：谷精草一两为末，用白面调摊纸上，贴痛处，干又换。谷精草配牛蒡子、荆芥、生地黄、赤芍、龙胆草，治肝火头痛、牙痛、目赤。

又，《明目良方》治目中翳膜，以谷精草、防风等为末，米饮服之。谷精草配木贼草亦可治之。

269 燕蓐草[1]

无毒。主眠中遗溺不觉，烧令黑，研，水进方寸匕。亦主哕气。此燕窠中草也。(《大观》卷 11 页 55；《政和》页 283；《纲目》页 1092)

【校注】

［1］**燕蓐草** 《本草拾遗》首载此药，其后《日华子本草》亦载之。掌禹锡糅合两家本草文字为一体，将之收入《嘉祐本草》中。

另有胡燕窠草亦入药。《千金方》治妇人尿血，以胡燕窠草烧末，酒服半钱。此方亦治丈夫尿血。《孙真人食忌》治腰患恶疮，以胡燕窠末，和水涂之；并云此病治不可迟，遍身则害人。

270 鸭跖草[1]

味苦，大寒，无毒。主寒热瘴疟，痰饮，丁肿，肉癥，涩滞，小儿丹毒，发热狂痫，大腹痞满，身面气肿，热痢，蛇犬咬，痈疽等毒。和赤小豆煮，下水气湿痹，利小便。生江东、淮南平地。叶如竹，高一二尺，花深碧，有角如鸟觜。北人呼为鸡舌草，亦名鼻斫草，吴人呼为跖。跖、斫声相近也。一名碧竹子，花好为色。(《大观》卷 11 页 55；《政和》页 283；《纲目》页 902)

【校注】

［1］**鸭跖草** 为鸭跖草科植物鸭跖草的全草。《本草拾遗》首载此药，其后《日华子本草》亦载之。掌禹锡糅合两家本草文字为一体，将之收入《嘉祐本草》中。

按，鸭跖草利水、止痢，治喉痹肿痛。《集简方》治小便不利，用鸭跖草配车前草。《活幼全书》治赤白痢，用鸭跖草配淡竹叶。《袖珍方》治喉痹肿痛，捣鸭跖草汁点之。

271 山慈菰[1]

根有小毒。主痈肿疮瘘[2]，瘰疬[3]结核等，醋摩傅之。亦剥人面皮，除皯䵟。生山中湿地，一名金灯花，叶似车前，根如慈菰。零陵间又有团慈菰，根似小蒜，所主与此略同。（《大观》卷11页56；《政和》页283；《纲目》页781）

【校注】

［1］**山慈菰** 为百合科植物丽江山慈姑的鳞茎。《本草拾遗》首载此药，其后《日华子本草》亦载之。掌禹锡糅合两家本草文字为一体，将之收入《嘉祐本草》中。

［2］**主痈肿疮瘘** 《经验方》治疮肿，取山慈姑茎、叶捣为膏，入蜜，贴疮口上，候清血出，效。王璆《百一选方》"紫金锭"由山慈姑、续随子、红芽大戟、朱砂、雄黄、五倍子、麝香制成，外涂痈疽发背、疔肿恶疮，有解毒消痈肿之功。

［3］**瘰疬** 山慈姑消瘰疬结核，配三棱、莪术、夏枯草、续随子。有人试用山慈姑配白花蛇舌草、半枝莲治疗癌肿，发现其有一定抑制癌肿的功效。

272 鼠曲草[1]

味甘，平，无毒。调中益气，止泄除痰，压时气，去热嗽[2]。杂米粉作糗，食之甜美。生平岗熟地，高尺余，叶有白毛，黄花。《荆楚岁时记》云：三月三日取鼠曲汁，蜜和为粉，谓之龙舌粁，以压时气。山南人呼为香茅，取花杂榉皮染褐，至破犹鲜。江西人呼为鼠耳草[3]。（《大观》卷11页58；《政和》页285；《纲目》页911）

【校注】

［1］**鼠曲草** 为菊科植物鼠曲草的全草。《本草拾遗》首载此药，其后《日华子本草》亦载之。掌禹锡糅合两家文字为一体，将之收入《嘉祐本草》中。《药类法象》记载其别名佛耳草，《本草会编》记载其别名黄蒿。

［2］**去热嗽** 《药类法象》谓治寒嗽，与此相反。

［3］**鼠耳草** 《纲目》云："《日华本草》鼠曲，即《别录》鼠耳也。唐宋诸家不知，乃退鼠耳入有名未用中。"按，《别录》"有名未用"药，原出陶弘景《本草经集注》，非唐宋诸家所退。

273 萱草根[1]

凉，无毒。治沙淋，下水气。主酒疸，黄色通身者：取根捣绞汁服，亦取嫩苗煮食之。又主小便赤涩，身体烦热[2]。一名鹿葱，花名宜男。《风土记》云：怀妊

妇人佩其花，生男也。(《大观》卷 11 页 61；《政和》页 286；《纲目》页 901)

【校注】

[1] **萱草根** 为百合科植物萱草或小黄花菜或黄花菜的根。《本草拾遗》首载此药，其后《日华子本草》载之。掌禹锡糅合两家文字为一体，将之收入《嘉祐本草》中。《本草图经》云："萱草，俗谓之鹿葱。处处田野有之……五月采花，八月采根。今人多采其嫩苗及花跗作菹，云利胸膈甚佳。"

[2] **主小便赤涩，身体烦热** 《杏林摘要》治小便不通，用萱草根煎水，频饮之。《本草衍义》治大热衄血，用萱草根洗净，捣研汁一大盏，与生姜汁半盏相和，时时细呷。

又，嵇康《养生论》云："合欢蠲忿，萱草忘忧。"《本草图经》云："萱草……主安五脏，利心志，令人好，欢乐无忧。"

按，古籍对合欢、萱草多并提，《本经》收载了合欢，不知为何无萱草，直至唐代《本草拾遗》始载之。《嘉祐本草》将其录为正品。

274 鸡窠中草[1]

主小儿白秃疮，和白头翁花烧灰，腊月猪脂傅之，疮先以酸泔洗，然后涂之。又主小儿夜啼，安席下，勿令母知。(《大观》卷 11 页 61；《政和》页 286；《纲目》页 1092，又页 1678)

【校注】

[1] **鸡窠中草** 《本草拾遗》首载此药，《日华子本草》亦载之。掌禹锡糅合两家本草文字为一体，将之收入《嘉祐本草》中。

又，《千金方》治产后遗尿，用故鸡窠中草烧作末，酒下二钱匕，差。

275 鸡冠子[1]

凉，无毒。止肠风泻血，赤白痢，妇人崩中带下。入药炒用。(《大观》卷 11 页 61；《政和》页 286；《纲目》页 864)

【校注】

[1] **鸡冠子** 《本草拾遗》首载此药，《日华子本草》亦载之。掌禹锡糅合两家本草文字为一体，将之收入《嘉祐本草》中。

木部上品　卷第十一

276 茯苓[1]

补五劳七伤[2]，安胎，暖腰膝，开心益智，止健忘[3]。忌醋及酸物。(《大观》卷 12 页 17；《政和》页 296；《纲目》页 1468)

【校注】

[1] **茯苓** 为多孔菌科寄生植物茯苓的菌核。《本经》首载此药，云："一名茯菟。"《别录》云："其有抱根者名茯神……生太山（今山东泰安）山谷大松下，二月、八月采。"陶弘景云："今出郁州（今江苏灌云）……大如三四升器，外皮黑细皱，内坚白。"《蜀本草·图经》云："生枯松树下，形块无定。"《本草图经》云："出大松下，附根而生，无苗、叶、花、实，作块如拳，在土底……肉有赤、白二种……采之法：山中古松，久为人斩伐者，其枯折槎枿，枝、叶不复上生者，谓之茯苓拨。见之，即于四面丈余地内，以铁头锥刺地；如有茯苓，则锥固不可拔，于是掘土取之。"

[2] **补五劳七伤** 茯苓能补脾益胃，配人参、白术、甘草、山药，补五劳七伤。

又，茯苓能健脾利湿。凡治脾虚湿胜泄泻，用茯苓配白术、山药、扁豆、薏苡仁、莲子；治脾虚肿满，用茯苓配桂枝、白术、猪苓、泽泻；治水湿痰饮眩晕，用茯苓配陈皮、半夏、白术、泽泻；治水在皮肤，用茯苓皮配桑白皮，其利水力更佳。

[3] **开心益智，止健忘** 茯苓能宁心安神，配人参、龙齿、枣仁，治惊悸不寐。茯神配朱砂、龙齿、远志，亦可安神定志，且其作用强于茯苓。

277 琥珀[1]

疗蛊毒，壮心，明目，摩翳，止心痛癫邪，破结癥[2]。(《大观》卷 12 页 193；《政和》页 297；《纲目》页 1471)

【校注】

[1] **琥珀** 为古代松科植物的树脂，埋藏地下，经久凝结而成。《别录》首载此药，云："生永昌（今云南保山）。"陶弘景云："旧说云是松脂沦入地千年所化，今烧之，亦作松气。俗有琥珀中有蜂，形色如生……此或当蜂为松脂所粘，因坠地沦没尔。"

[2] **止心痛癫邪，破结瘕** 《别录》云："消瘀血，通五淋。"《海药本草》云："主止血生肌，镇心明目，破癥瘕气块，产后血晕闷绝，儿枕痛等并宜饵此。方：琥珀一两，鳖甲一两，京三棱一两，延胡索半两，没药半两，大黄六铢，熬捣为散，空心酒服三钱匕，日再服……产后即减大黄。"

又，《外台秘要》疗从高坠下，或为重物所顿笮得瘀血方：刮琥珀屑，酒服方寸匕，取蒲黄二三匕服，日四五服，良。

又，《直指方》治小便出血方：琥珀为末，每服一钱，灯心汤下。琥珀配生地黄、木通、淡竹叶、灯心草、丹皮、赤芍，亦可治小便出血。

又，琥珀亦能安神定惊。《活幼心书》琥珀抱龙丸，由琥珀、天竺黄、胆南星、金箔、檀香、朱砂、山药组成，治小儿惊风抽搐。《景岳全书》琥珀多寐丸，由琥珀、远志、羚羊角、金箔、茯神、人参、甘草组成，治心悸不寐。

278 松叶[1]

暖，无毒。炙，罯冻疮、风湿疮[2]佳。（《大观》卷12页6；《政和》页291；《纲目》页1351）

【校注】

[1] **松叶** 为松科植物油松或马尾松的针状叶。《别录》首载此药。

[2] **风湿疮** 《简便方》治阴囊湿痒，用松叶煎汤频洗。《圣惠方》治大风恶疮，以松叶、麻黄去节，细剉，浸酒服。

又，《千金方》治历节风，用松叶捣，取一升，以酒三升浸之，七日后，服一合，日三服；又治脚气风痹不能行，以松叶煮汁酿酒服。

279 松节[1]

无毒。治脚软、骨节风[2]（《大观》卷12页6；《政和》页291；《纲目》页1353）

【校注】

[1] **松节** 为松科植物油松或马尾松的瘤状节。《别录》首载此药。

[2] **治脚软、骨节风** 松节性温燥，能祛风燥湿，善治风寒湿痹关节痛。《外台秘要》用松节酒治历节风，四肢痛如解落。松节酒方：松节二十斤，酒五斗，渍三七日，服一合，日五六服。松节配桑枝、防己、威灵仙、黄芪、当归亦可治之，上肢痛加姜黄、桂枝，下肢痛加牛膝、续断、桑寄生。

《别录》云："主百节久风……脚痹痛。"

又，《孙尚药方》治脚转筋挛急痛方：松节一两细剉如米粒，乳香一钱慢火炒焦只留一二分性，出火毒，研细，每服一钱，热木瓜酒调下。

280 松根白皮[1]

味苦，温，无毒。补五劳，益气。（《大观》卷12页6；《政和》页291；《纲目》页1353）

【校注】

[1] **松根白皮** 为松科植物油松或马尾松的根皮。《别录》首载此药，并云："主辟谷不饥。"

281 松脂[1]

润心肺，下气，除邪，煎膏治瘘烂，排脓[2]。（《大观》卷12页6；《政和》页291；《纲目》页1351）

【校注】

[1] **松脂** 为松科植物油松或马尾松的树脂。《本经》首载此药，云："一名松膏，一名松肪。"《别录》云："生太山（今山东泰安）山谷。六月采。"陶弘景云："采炼松脂法……以桑灰汁或酒煮软，挼内寒水中数十过白滑，则可用。其有自流出者，乃胜于凿树及煮用膏也。"

[2] **煎膏治瘘烂，排脓** 《药性论》云："贴诸疮脓血，煎膏生肌止痛。"

按，松脂经加工成松香，制成各种膏药，外贴软疖疮肿、烂疮。《验方》千捶膏，即由松香、蓖麻仁、杏仁、乳香、没药、铜绿，捶极烂，隔水炖化，摊贴而成。

282 柏子仁[1]

治风，润皮肤。此是侧柏子，入药微炒用。（《大观》卷12页14；《政和》页295；《纲目》页1349）

【校注】

[1] **柏子仁** 为柏科植物侧柏的种仁。《本经》首载此药。《别录》云："生太山（今山东泰安）山谷。"《本草图经》云："乾州（今陕西乾县）者最佳，三月开花，九月结子，候成熟收采，蒸，暴干，舂礧取熟仁子用。"

按，柏子仁能宁心安神、止汗，润肠通大便。配远志、枣仁、茯神、五味子，治惊悸不寐；配糯稻根、麻黄根、煅龙骨、煅牡蛎、五味子，止自汗、盗汗；配松子仁、杏仁、桃仁、火麻仁、白芍、制大黄为丸，治年老肠枯便秘。危亦林《世医得效方》以松子仁、柏子仁、郁李仁、桃仁、杏仁为丸，名五仁丸，润大便亦佳。

283 柏叶[1]

炙，罯冻疮[2]。烧取汁，涂头，黑润鬓发[3]。（《大观》卷12页14；《政和》页295；《纲目》页1350）

【校注】

[1] **柏叶** 为柏科植物侧柏的叶。《别录》首载此药，云："生太山（今山东泰安）山谷。"《本草图经》云："其叶名侧柏，密州（今山东诸城）出者尤佳，虽与他柏相类，而其叶皆侧向而生。"

[2] **炙，罯冻疮** 亦可熨鼠瘘肿核。《证类本草》云："《姚氏方》治鼠瘘肿核痛未成脓者，以柏叶傅着肿上，熬盐着肿上，熨令热气下即消。"

[3] **烧取汁，涂头，黑润鬓发** 侧柏叶不仅能乌发，亦能生发。侧柏叶配何首乌、女贞子、桑叶、黑芝麻为丸，治须发早白。侧柏叶泡成酒剂，涂斑秃，能促进落发再生。

按，侧柏叶自古用于各种出血。《别录》云："主吐血、衄血、痢血、崩中。"《本草图经》云："张仲景方疗吐血不止者，柏叶汤主之。青柏叶一把，干姜三片，阿胶一挺炙，三味以水二升，煮一升……"《普济方》用侧柏叶同槐花研末吹鼻止鼻衄，或制成丸内服止便血、尿血。侧柏叶配鲜生地黄、鲜荷叶、鲜艾叶，可治吐血。

又，《别录》云："主……崩中，赤白。"侧柏叶配黄柏、白芷、樗根皮为丸，治妇女赤白带下。民间验方以侧柏叶熬膏和甘草粉为丸服之，治百日咳，能缓解咳嗽。

284 柏白皮[1]

无毒。（《大观》卷12页14；《政和》页295；《纲目》页1351）

【校注】

[1] **柏白皮** 为柏科植物侧柏的已去掉栓皮的根皮。《别录》首载此药，并云："柏白皮，主火灼烂疮，长毛发。"

《鬼遗方》治中热油及火烧疮，以柏白皮、猪脂煎膏涂之。柏白皮研极细末，以菜油调涂，亦可治之。如无柏白皮，用侧柏叶代之，亦有同功。

按，柏白皮与侧柏叶均能长毛发。《孙真人食忌》生发方：侧柏叶或柏白皮为末，和油涂之。

285 桂心[1]

治一切风气，补五劳七伤，通九窍，利关节，益精，明目，暖腰膝[2]，破痃癖癥瘕，消瘀血[3]，治风痹[4]，骨节挛缩，续筋骨，生肌肉。（《大观》卷12页3；《政和》页289；《纲目》页1357）

【校注】

[1] **桂心** 为樟科植物肉桂树的树皮。《本草拾遗》云："桂心即是削除皮上甲错，取其近里辛而有味。"《本经》载有菌桂、牡桂。《别录》载有桂。《本草图经》云："菌桂生交趾（今越南北部）山谷，牡桂生南海（今广东、广西一带）山谷，桂生桂阳（今广西桂林一带）。"《本草拾遗》云："菌桂、牡桂、桂心，以上三色并同是一物。按桂林、桂岭因桂为名，今之所生，不离此郡。从岭以南际海有桂树。"

[2] **暖腰膝** 桂心能温肾，配附子、六味地黄丸，治肾阳虚之手足不温、腰膝冷痛、阳痿、尿频；配理中汤（附子、干姜、白术、甘草），治脾虚泄泻或脘腹冷痛。

[3] **破痃癖癥瘕，消瘀血** 桂心配当归、川芎、桃仁、红花，能消瘀血，治癥瘕痃癖，亦治血瘀经闭。

[4] **治风痹** 肉桂能温通经脉、散寒止痹痛。治风寒痹痛，用桂心配细辛、独活、杜仲、桑寄生、狗脊。

按，肉桂能温通经脉，可治阴疽肿块。肉桂配麻黄、白芥子、炮姜、鹿角胶、熟地黄，治阴疽漫肿不溃；若阴疽溃后不敛，用桂心配黄芪、当归、川芎、党参、白术、甘草，可以温通经脉，解寒凝而敛疮。

286 杜仲[1]

暖，治肾劳，腰脊挛伛[2]，入药炙用。（《大观》卷12页36；《政和》页305；《纲目》页1388）

【校注】

[1] **杜仲** 为杜仲科植物杜仲的树皮。《本经》首载此药，云："一名思仙。"《别录》云："一名思仲，一名木绵。生上虞（今河南虞城，非今浙江上虞）山谷及上党（今山西长子）、汉中（今陕西汉中）。"《本草图经》云："今出商州（今河南商州）、成州（今甘肃成县）、峡州（今湖北宜昌），近处大山中亦有之。木高数丈；叶如辛夷，亦类柘；其皮类厚朴，折之，内有白丝相连。二月、五月、六月、九月采皮用。"

[2] **治肾劳，腰脊挛伛** 《本经》云："主腰脊痛。"《别录》云："主脚中酸痛，不欲践地。"杜仲多配补骨脂、胡桃肉，治腰背痛。《肘后方》治腰背痛，单用杜仲，酒渍服。《箧中方》治腰痛方，以杜仲合羊肾煮食之。

又，《本经》云："除阴下痒湿，小便余沥。"杜仲多配山萸肉、车前子、小茴香治之。

又，《胜金方》治妇人胎动不安并产后诸疾方：杜仲捣末，煮枣肉为丸如弹子大，每服一丸烂嚼，以糯米饮下。

又，杜仲配牛膝、夏枯草、决明子煎汤代茶饮，可以治高血压。

287　枫皮[1]

止霍乱[2]，刺风冷风，煎汤浴之。(《大观》卷12页37；《政和》页305；《纲目》页1370)

【校注】

[1] **枫皮**　为金缕梅科植物枫香的树皮。《唐本草》首载此药，云："所在大山皆有。"《本草图经》云："似白杨，甚高大；叶圆而作歧，有三角而香；二月有花，白色，乃连着实，大如鸭卵，八月、九月熟。"

[2] **止霍乱**　《本草拾遗》云："性涩，止水痢。"《本草图经》云："止水痢，水煎饮之。"

按，枫树的脂名枫香脂。《本草图经》云："其脂为白胶香，五月斫为坎，十一月采之。"《唐本草》云："枫香脂……主瘾疹风痒，浮肿，齿痛，一名白胶香。"

又，《儒门事亲》治软疖瘰疬方：白胶香一两化开，以蓖麻子仁六十四粒，研烂加入，再研成膏，摊贴疮疖、痈肿、瘰疬。一方入少许铜绿。

288　干漆[1]

治传尸劳，除风，入药须捣碎炒熟，不尔，损人肠胃。若是湿漆，煎干更好。或毒发，饮铁浆并黄栌汁及甘豆汤。吃蟹并可制。(《大观》卷12页28；《政和》页301；《纲目》页1391)

【校注】

[1] **干漆**　为漆树科植物漆树的树脂经加工后的干燥品。《本经》首载此药。《别录》云："生汉中（今陕西汉中）川谷，夏至后采，干之。"《蜀本草·图经》云："树高二丈余，皮白，叶似椿樗，皮似槐，花子若牛李，木心黄，六月、七月刻（以竹筒钉入木中），取滋汁。出金州（今陕西安康）者最善也。"《本草图经》云："今蜀（今重庆）、汉（今陕西汉中）、金（今陕西安康）、峡（今湖北宜昌）、襄（今湖北襄阳）、歙（今安徽歙县）州皆有之。……旧云用漆桶中自然干者，状如蜂房，孔孔隔者。今多用筒子内干者，以黑如瑿，坚若铁石为佳。"

按，干漆能活血化瘀。席延赏治女人经血不行及癥瘕方：干漆一两为粗末，炒令烟尽，牛膝末一两，生地汁一升，共熬，俟为丸，丸如梧子，每服一丸至三丸，以通利为度。干漆亦可配当归、川芎、赤芍、桃仁、红花治经闭；若有瘢块，再加三棱、莪术。

又，干漆能杀虫。杜壬治小儿虫心痛方：干漆捣炒烟尽，白芜荑等分为细末，米饮调下一字至一钱。《直指方》治虫积腹痛，以干漆捣碎炒熟，合陈皮、苍术、厚朴为丸服之。

又，《本经》云："生漆去长虫。"后人不用生漆，都炒至烟尽时用。陶弘景云："生漆毒烈，人以鸡子和服之去虫，犹有啮肠胃者。畏漆人乃致死……用蟹消之。”

289 蔓荆子[1]

利关节[2]，治赤眼[3]，痫疾。注云：海盐亦有，大如豌豆，蒂有小轻软盖子，六、七、八月采。(《大观》卷12页32；《政和》页303；《纲目》页1458)

【校注】

[1] **蔓荆子** 为马鞭草科植物蔓荆或单叶蔓荆的果实。《本经》首载此药，以“蔓荆实”为正名。《本草图经》收载了眉州（今四川眉山）蔓荆图，并云：“今近京（今河南开封）及秦（今甘肃天水）、陇（今甘肃陇县）、明（今浙江宁波）、越（今浙江绍兴）州多有之。苗、茎高四尺，对节生枝，初春因旧枝而生叶，类小楝，至夏盛茂，有花作穗浅红色，蕊黄白色，花下有青萼，至秋结实斑黑如梧子许大而轻虚。八月、九月采。一说作蔓生故名蔓荆，而今所有并非蔓也。”

[2] **利关节** 蔓荆子能除风湿。《本经》云：“主筋骨间寒热湿痹拘挛。”蔓荆子多与羌活、独活、防风、桑枝、络石藤合用。

[3] **治赤眼** 蔓荆子能除头面风热。《本经》云：“明目，坚齿。”蔓荆子配决明子、菊花、密蒙花、龙胆草，治风热目赤肿痛；配川芎、薄荷、菊花、刺蒺藜，治风热头痛头晕。

又，《蜀本草》《药性论》俱云蔓荆子“长须发”。

290 冬青皮[1]

凉，无毒。去血，补益肌肤。(《大观》卷12页38；《政和》页306；《纲目》页1447)

【校注】

[1] **冬青皮** 为冬青科植物冬青的树皮。《政和》将《日华子本草》“冬青皮”条内容列在“女贞实”条中。女贞为木樨科植物女贞。《本草拾遗》云：“冬青，其叶堪染绯，子浸酒去风血补益。木肌白有文作象齿笏，冬月青翠，故名冬青。”

《本草图经》云：“其实亦浸酒，去风补血。其叶烧灰，作膏涂之，治瘅瘃（冻疮）殊效，兼灭瘢疵。又，李邕云：五台山冬青，叶似椿，子如郁李，微酸，性热，与此小有同异，当是别一种耳。”

《唐本草》云：“女贞叶似枸骨及冬青树等，其实九月熟黑。”《本经》首载女贞实，女贞实善补肝肾阴。女贞实配旱莲草治肝肾阴虚之头发早白、腰膝酸痛；配枸杞子、菟丝子、车前子、熟地黄，治头昏目暗、耳鸣；配青蒿、鳖甲、地骨皮，治阴虚发热。

291 桑上寄生[1]

助筋骨，益血脉[2]。采人多在榉树上收，呼为桑寄生。在桑上者极少，纵有，形与榉树上者亦不同。次即枫树上，力同榉树上者，黄色。七月、八月采。(《大观》卷12页35；《政和》页304；《纲目》页1474)

【校注】

[1] **桑上寄生** 为桑寄生科植物桑寄生或槲寄生的带叶茎枝。《本经》首载此药，云："一名寄屑，一名寓木，一名宛童。"《别录》云："一名茑。生弘农（今河南灵宝）川谷桑树上。"陶弘景云："生树枝间，寄根在皮节之内，叶圆青赤厚泽，易折，旁自生枝节，冬夏生，四月花白，五月实赤，大如小豆……出彭城。"

[2] **助筋骨，益血脉** 桑寄生能祛风湿，益血脉，强筋骨。桑寄生配独活、防风、细辛、秦艽、牛膝、杜仲、八珍汤，治筋骨痿软、腰膝酸痛。

又，《药性论》云："桑寄生，臣，能令胎牢固，主怀妊漏血不止。"桑寄生配菟丝子、续断、阿胶，治胎动不发、胎漏下血；再加黄芪、当归、杜仲，可预防习惯性流产。

292 五加皮[1]

明目，下气，治中风，骨节挛急[2]，补五劳七伤。

叶，治皮肤风，可作蔬菜食。(《大观》卷12页29；《政和》页301；《纲目》页1450)

【校注】

[1] **五加皮** 分南、北二种，南五加为五加科植物细柱五加的根皮，北五加为萝摩科植物杠柳的根皮。《本经》首载此药，云："一名犲漆。"《别录》云："一名犲节，五叶者良。生汉中（今陕西汉中）及冤句（今山东菏泽）。"《本草图经》收载了无为军（今安徽无为）五加皮药图、衡州（今湖南衡阳）五加皮药图，并云："今江淮（今苏北、皖北）、湖南州郡皆有之。春生苗，茎、叶俱青作丛。赤茎又似藤蔓，高三五尺，上有黑刺，叶生五叉作簇者良……每一叶下生一刺，三、四月开白花，结细青子，至六月渐黑色，根如荆，根皮黄黑肉白，骨坚硬。五月、七月采茎，十月采根，阴干用。"

[2] **骨节挛急** 治风寒湿痹痛所致筋骨挛急，用南五加皮泡酒服，或用南五加皮配木瓜、松节渍酒服。《药性论》云"主虚羸，小儿三岁不能行"，南五加皮配木瓜、牛膝治之。

按，北五加皮以利水湿为主，配茯苓皮、大腹皮、陈皮、生姜皮，治水气浮肿。

又，《别录》云五加皮主"囊下湿，小便余沥"，此为北五加皮之功。由此可见，《别录》所言的五加皮包括北五加皮。

293 沉香[1]

味辛，热，无毒。调中，补五脏，益精，壮阳[2]，暖腰膝[3]，去邪气，止转筋吐泻冷气[4]，破癥癖，冷风麻痹，骨节不任，湿风皮肤痒，心腹痛气痢。(《大

观》卷12页43；《政和》页307；《纲目》页1361）

【校注】

[1] **沉香** 为瑞香科植物沉香及白木香含有黑色树脂的木材。《别录》首载此药。《本草拾遗》云："沉香枝叶并似椿……其枝节不朽、最紧实者为沉香，浮者为煎香，以次形如鸡骨者为鸡骨香，如马蹄者为马蹄香，细枝未烂紧实者为青桂香。"

[2] **益精，壮阳** 沉香配补骨脂、附子、阳起石，治男子精冷、阳痿、早泄。

[3] **暖腰膝** 沉香能温肾。治肾寒所致腰膝冷、手足不温、腹痛等，用沉香配附子、肉桂、干姜。

[4] **止转筋吐泻冷气** 沉香能温中止呕，配丁香、柿蒂、白豆蔻、紫苏，治吐泻冷气。

按，沉香能温肾，暖脾胃，行气止痛，止吐，止呃逆，止虚喘。沉香配木香、乌药、槟榔，治脘腹冷痛胀痛；配丁香、柿蒂，止呕吐呃逆；配人参、蛤蚧、五味子、补骨脂、熟地黄，治肾不纳气虚喘；配当归、肉苁蓉、枳壳，治肠虚气滞便秘。

294 檀香[1]

热，无毒。治痛，霍乱，肾气腹痛[2]，浓煎服。水磨傅外肾，并腰肾痛处。（《大观》卷12页47；《政和》页309；《纲目》页1366）

【校注】

[1] **檀香** 为檀香科植物檀香的木心。《别录》首载此药。《本草图经》曰："又有檀香，木如檀，生南海（指今广东、广西一带）……有数种，黄、白、紫之异。"

[2] **肾气腹痛** 檀香能散寒行气止痛，配乌药、砂仁、白豆蔻、丁香、藿香，治寒凝脘腹痛；配延胡索、高良姜、荜茇、苏合香，治胸痛。

295 檗木[1]

安心，除劳，治骨蒸[2]，洗肝，明目，多泪，口干，心热，杀疳虫，治蚘心痛，疥癣。蜜炙治鼻洪，肠风泻血[3]，后分急热肿痛。身、皮力微，次于根。（《大观》卷12页24；《政和》页299；《纲目》页1383）

【校注】

[1] **檗木** 即黄柏，分关、川两种。关黄柏为芸香科植物黄柏的树皮，川黄柏为芸香科植物黄皮树的树皮。《本经》首载此药。《别录》云："生汉中（今陕西汉中）山谷及永昌。"《本草图经》云："木高数丈，叶类茱萸及椿、楸叶，经冬不凋，皮外白里深黄色，根如松下茯苓作结块。五月、六月采皮，去皱粗，暴干。"

[2] **除劳，治骨蒸** 黄柏配知母能滋阴清热，再合六味地黄丸方，可治阴虚发热、骨蒸、盗汗。

[3] **肠风泻血** 《药性论》云："治下血如鸡鸭肝。"黄柏配黄连、白头翁、地榆、槐花、槐角，治肠风泻血。

按，黄柏能清热燥湿，消疮肿，除湿痒。黄柏配黄连、秦皮、白头翁，治痢疾；配栀子、茵陈蒿，治黄疸；配车前子、白扁豆、莲子、白果、山药，治带下色黄；配苍术研细末，掺浸淫湿疮；配蛇床子、白鲜皮、苦参，治湿疮瘙痒。黄柏研细末，以猪胆汁调敷疮疖肿毒，同时再配黄连、黄芩、蒲公英煎汤内服，有良效。

黄柏味苦寒，易伤胃气，脾胃虚寒者慎用。

296 辛夷[1]

通关脉，明目，治头痛憎寒[2]，体噤，瘙痒。入药微炙，已开者劣，谢者不佳。(《大观》卷12页33；《政和》页303；《纲目》页1361)

【校注】

[1] **辛夷** 为木兰科植物望春花、玉兰或武当玉兰的花蕾。《本经》首载此药，云："一名辛矧，一名侯桃、房木。"《别录》云："生汉中（今陕西汉中）川谷。九月采实，暴干。"《唐本草》云："此是树花未开时收之，正月、二月好采。……其九月采实者，恐误。其树大，连合抱，高数仞，叶大于柿叶。"

[2] **治头痛憎寒** 辛夷逐风寒、通鼻窍，配苍耳子、白芷，治风寒头痛或鼻塞流清涕。治风热所致头痛、鼻塞、流黄涕，用辛夷配薄荷、金银花、鱼腥草。鼻塞、流浊涕日久不愈，则涕腥臭，名鼻渊。鼻渊极难治，每遇感冒即加重，以辛夷配苍耳子、薄荷、白芷、金银花、鱼腥草治之；如已成慢性，在此方中再加四物汤。

297 榆白皮[1]

通经脉[2]。涎傅癣[3]。(《大观》卷12页21；《政和》页298；《纲目》页1416)

【校注】

[1] **榆白皮** 为榆科植物榆树的树皮或根皮。《本经》首载此药，以"榆皮"为正名，云："一名零榆。"《别录》云："生颍川（今河南禹州）山谷。二月采皮，取白（韧皮），暴干。"

[2] **通经脉** 《子母秘录》疗妊娠胎死腹中，或母病欲下胎，用榆白皮煮汁服二升。陈承云："榆白皮焙干为末，妇人妊娠临月，日三服方寸匕，令产极易。"由于榆白皮通经脉、止滑胎，《本草图经》云"今孕妇滑胎方多用之"。

[3] **涎傅癣** 《子母秘录》治小儿白秃疮（头癣）方：捣榆白皮末，醋和涂之。

298 酸枣仁[1]

治脐下满痛[2]。(《大观》卷10页22;《政和》页298;《纲目》页1440)

【校注】

[1] **酸枣仁** 为鼠李科植物酸枣的种仁。《本经》首载此药。《别录》云:“生河东(今山西)川泽。八月采实,阴干。”陶弘景云:“即是山枣树,子似武昌枣而味极酸。”《唐本草》云:“此即樲枣实也,树大如大枣。”《开宝本草》云:“酸枣小而圆,其核中仁微扁;大枣仁大而长。”《本草图经》云:“野生多在坡坂及城垒间,似枣木而皮细,其木心赤色,茎、叶俱青,花似枣花,八月结实紫红色,似枣而圆小,味酸。当月采实,取核中仁,阴干。”

[2] **治脐下满痛** 《别录》云酸枣主“脐上下痛”。

按,酸枣仁能益肝宁心。《别录》云酸枣主“烦心不得眠……益肝气”。张仲景以酸枣仁、茯苓、知母、甘草、川芎治虚烦不寐。《圣惠方》治夜不眠方:酸枣仁半两炒黄研末,酒三合浸汁服之。

又,酸枣仁能生津止渴、止汗。《别录》云酸枣主“虚汗烦渴”。酸枣仁配生脉饮(人参、麦门冬、五味子),治体虚多汗、津亏口干作渴。

又,《药性论》云:“主筋骨风,炒末作汤服之。”

又,《政和》云:“《五代史》:后唐刊《石药验》云,酸枣仁,睡多生使,不得睡炒熟。”

299 槐子[1]

治丈夫、女人阴疮湿痒[2]。催生[3],吞七粒。

槐花[4],味苦,平,无毒。治五痔[5]、心痛、眼赤[6],杀腹脏虫及热,治皮肤风并肠风泻血[7]、赤白痢[8],并炒服。

槐叶[9],平,无毒。煎汤,治小儿惊痫,壮热,疥癣及丁肿。皮、茎同用[10]。(《大观》卷12页9;《政和》页292;《纲目》页1399)

【校注】

[1] **槐子** 为豆科植物槐树的种子,其荚名槐角。《本经》以“槐实”为正名。《本草图经》云:“槐实,生河南平泽……其木有极高大者……四月、五月开花,六月、七月结实。”

[2] **治丈夫、女人阴疮湿痒** 《别录》谓槐枝“主洗疮及阴囊下湿痒”。

[3] **催生** 《别录》云槐实主“堕胎”。《药性论》云槐子主“难产”。《食疗本草》云槐实主“产难”。

又,槐子亦治痔。《千金方》疗痔方:槐子熟捣,绞取汁,熬成,取鼠粪大,内谷道中,日三;亦主瘘、百种疮。《太平惠民和剂局方》治痔漏脱肛,肠风便血,血色鲜红,用槐角丸,即槐子配地榆、枳壳、防风、黄芩、当归。

[4] **槐花** 为豆科植物槐树的花蕾。《日华子本草》首载此药。余详见注[1]。

[5] **治五痔** 槐花能凉血止血。槐花配侧柏叶、荆芥穗炭、枳实，治痔疮出血。若痔疮发作肿痛，可加黄连、栀子。

[6] **眼赤** 槐花能消肝火，治目赤、头痛；配决明子、夏枯草、黄芩、菊花，可治肝阳上亢及西医学高血压所致头痛、目赤。

[7] **肠风泻血** 《集简方》治肠风下血，血色鲜红，用槐花配侧柏叶、枳壳、荆芥穗、地榆。此亦可治痔疮出血。槐花配荆芥穗为末，酒服一钱匕，治下血。

[8] **赤白痢** 槐花配黄连、黄柏、白头翁、地榆、枳壳、白芍、甘草，治赤痢；若为白痢（下白冻），用此方加炮姜、阿胶、当归。

按，槐花善治各种出血。《简要济众方》治妇人漏下血不绝方：槐花烧作灰，细研，食前温酒服二钱匕。《沈氏尊生书》治吐血，用槐花配百草霜为末服。《证治准绳》治衄血，用槐花配蒲黄为末服。槐花陈久者为末服，治下血。

[9] **槐叶** 为豆科植物槐树的叶。余详见注[1]。

按，《食医心镜》云："治野鸡痔下血肠风，明目方：嫩槐叶一斤蒸如造炙法，取叶碾作末，如茶法煎，呷之。"

《食疗本草》云："春初嫩叶亦可食，主瘾疹、牙齿诸风疼。"

[10] **茎同用** 槐茎即槐树枝。刘禹锡《传信方》治痔，以槐树枝浓煎汤，先洗痔，再以艾灸其上七壮，以知为度。《必效方》疗阴疮及湿痒，以槐树枝一大握，水煎浓汁洗之。《别录》云槐枝"主洗疮及阴囊下湿痒"。

300 槐皮[1]

平。治中风皮肤不仁，喉痹[2]，浸洗五痔[3]，并一切恶疮[4]，妇人产门痒痛，及汤火疮。煎膏，止痛长肉，消痈肿。（《大观》卷12页9；《政和》页292；《纲目》页1400）

【校注】

[1] **槐皮** 为豆科植物槐树的树皮。《别录》首载此药。余详见"槐子"条注[1]。

[2] **喉痹** 《本草图经》云："煮白皮汁以治口齿及下血。"

[3] **浸洗五痔** 《梅师方》治痔或下脓血方：取槐皮浓煮汁，安盆坐汤之，虚其谷道令更暖。《肘后方》治内瘘，用槐白皮捣丸，绵裹，内下部中，得效。

[4] **并一切恶疮** 《千金翼方》治蠼螋疮方：槐白皮醋浸半日洗之及诸恶疮。

301 楮实[1]

壮筋骨，助阳气[2]，补虚劳，助腰膝，益颜色。皮斑者是楮，皮白者是穀。（《大观》卷12页26；《政和》页300；《纲目》页1433）

【校注】

[1] **楮实** 为桑科植物构树的果实。《别录》首载此药，云："生少室（今河南登封）山，一名谷实。"《本草图经》云："此有二种，一种皮有斑花文，谓之斑谷，今人用为冠者；一种皮无花，枝叶大相类……其实初夏生，如弹丸，青绿色，至六、七月渐深红色乃成熟。八月、九月采，水浸，去皮、穰，取中子，日干。"

[2] **助阳气** 《别录》云："主阴痿，水肿。"《药性论》云："治水肿气满。"

302 楮叶[1]

凉，无毒。治刺风身痒[2]。此是斑谷树。(《大观》卷12页26；《政和》页300；《纲目》页1434)

【校注】

[1] **楮叶** 为桑科植物构树的叶。余详见"楮实"条注[1]。

[2] **治刺风身痒** 《圣惠方》治癣湿痒方：楮叶半斤，细切，捣烂傅。又，《小品方》治鼻衄方：捣楮叶汁饮之，良。

303 榖树汁[1]

傅蛇、虫、蜂、犬咬[2]。能合朱砂为团，名曰五金胶漆。(《大观》卷12页26；《政和》页300；《纲目》页1435)

【校注】

[1] **榖树汁** 为桑科植物构树的汁。《别录》首载此药，余详见"楮实"条注[1]。

[2] **傅蛇、虫、蜂、犬咬** 《广利方》治蝎螫人痛不止方：谷树白汁涂之，立差。

304 地仙苗[1]

除烦，益志，补五劳七伤，壮心气，去皮肤骨节间风，消热毒，散疮肿。即枸杞也[2]。(《大观》卷12页11；《政和》页293；《纲目》页1452)

【校注】

[1] **地仙苗** 为茄科植物枸杞或宁夏枸杞的苗。《本经》首载"枸杞"。《别录》云："生常山（今河北元氏）平泽。"陶弘景云："今出堂邑（今江苏六合），而石头烽火楼下最多。"《本草图经》云："春生苗，叶如石榴叶而软薄，堪食，俗呼为甜菜。其茎高三五尺作丛。六月、七月生小红紫花，随便结红实，形微长如枣核。其根名地骨。……与枸棘二种相类……圆而有刺者，枸棘也。枸棘不堪

入药。"

[2] **即枸杞也** 《日华子本草》云地仙苗"即枸杞也"。枸杞能补肝肾、明目，配菊花、六味地黄丸，治肝肾阴虚之头晕、视力差、腰膝痛；配知母、贝母、麦门冬、五味子，治阴虚干咳、劳咳。

又，枸杞的根名地骨皮，能清肺热和骨蒸劳热，并能凉血止血。治肺热喘咳，用地骨皮配桑白皮、甘草；治劳热，用地骨皮配青蒿、鳖甲、银柴胡、知母；出血，单用地骨皮煎服。

305 橘[1]

味甘、酸。止消渴，开胃，除胸中膈气[2]。(《大观》卷23页5；《政和》页461；《纲目》页1281)

【校注】

[1] **橘** 为芸香科植物柑橘的果实。《本经》以"橘柚"为正名。《本草图经》云："今江浙(今苏南、皖南、福建一带)、荆襄(今湖北)、湖岭(今湖南大庾岭)皆有之。木高一二丈，叶与枳无辨，刺出于茎间。夏初生白花，六月、七月而成实，至冬而黄熟，乃可啖。旧说小者为橘，大者为柚。又云柚似橙而实酢，大于橘。……又闽中(今福建)、岭外(今广东、广西一带)、江南皆有柚，比橘黄白色而大……今医方乃用黄橘、青橘两物，不言柚。"

[2] **止消渴，开胃，除胸中膈气** 《本草拾遗》云："橘类有朱橘、乳橘……实总堪食。"孟诜《食疗本草》云："橘，止泄痢，食之下食，开胸膈痰实结气；下气不如皮。穰不可多食。"

306 橘皮[1]

暖。消痰止嗽[2]，破癥瘕痃癖。(《大观》卷23页5；《政和》页461；《纲目》页1282)

【校注】

[1] **橘皮** 为芸香科植物柑橘的果皮。陶弘景云："此(《本经》橘柚)是说其皮功尔……以陈者为良。"《本草图经》云："黄橘以陈久者入药良。古今方书用之最多。"橘皮外层名橘红，燥性大，善理肺气化痰；橘皮内层名橘白，燥性小，善和胃化湿。橘的幼果色青，名青橘皮。青橘皮行气力胜过橘皮，能疏肝胆，消乳肿，止胸胁痛、疝痛，化食积。

[2] **消痰止嗽** 《药性论》云："消痰涎，治上气咳嗽。"橘皮能燥湿化痰，若咳痰清稀，配半夏、茯苓、甘草。

又，《药性论》云："能治胸膈间气，开胃。"《本草拾遗》云："去气调中。"橘皮配木香、砂仁、枳壳，治脾胃气滞之消化不良、食少吐泻。治痰湿阻中焦之苔腻、脘痞不欲食，甚或呕恶，用橘皮配苍术、厚朴、甘草。治病后胃口不开、食少、倦怠，用橘皮配四君子汤(党参、白术、茯苓、甘草)、神曲。

307 橘核[1]

治腰痛[2]，膀胱气肾疼[3]。炒去壳，酒服，良。(《大观》卷23页5；《政和》页461；《纲目》页1284)

【校注】

[1] **橘核** 为芸香科植物柑橘的核。余详见“橘”条注[1]。

按，此条，《纲目》引“大明”(即《日华子本草》)作“主治肾疰腰痛，膀胱气痛，肾冷。炒研，每温酒服一钱，或酒煎服之”。

[2] **治腰痛** 《简便方》治肾虚腰痛，用橘核配杜仲等分，炒研细末，每服二钱。

[3] **膀胱气肾疼** 橘核配川楝子、延胡索、木香为散，治睾丸肿胀痛及寒疝痛。

308 橘囊上筋膜[1]

治渴及吐酒。炒，煎汤饮，甚验也。(《大观》卷23页5；《政和》页461；《纲目》页1284)

【校注】

[1] **橘囊上筋膜** 即橘络。为芸香科植物柑橘果实的络。余详见“橘”条注[1]。其能化痰顺气、活血通络，治久咳胸痛及咳血。

又，橘叶能疏肝理气、消肿散结，配柴胡、郁金、白芍，治肝郁气滞之胸闷胁痛；配栝楼、蒲公英、金银花，消乳痈肿痛；配穿山甲、浙贝母、夏枯草、柴胡、枳壳、当归、白芍，散乳房结块。

309 柚子[1]

无毒。治妊孕人吃食少，并口淡，去胃中恶气，消食，去肠胃气，解酒毒，治饮酒人口气。(《大观》卷23页5；《政和》页461；《纲目》页1286)

【校注】

[1] **柚子** 为芸香科植物柚的果实。《本经》“橘柚”并称。陶弘景分称“橘”与“柚子”。《唐本草》云：“柚皮厚，味甘，不如橘皮味辛而苦。……按，《吕氏春秋》云：果之美者，有云梦(今湖北云梦)之柚。郭璞云：柚似橙而大于橘。”柚皮外层名化橘红，能宽中理气、燥湿化痰，治外感咳嗽痰多。

310 乳香[1]

味辛，热，微毒。下气，益精，补腰膝，治肾气，止霍乱，冲恶中邪气，心腹痛，疰气[2]。煎膏，止痛，长肉[3]。入丸散，微炒杀毒，得不粘。(《大观》卷12页47；《政和》页309；《纲目》页1371)

【校注】

[1] **乳香** 为橄榄科植物乳香树的树皮渗出的树脂。《别录》首载此药，并将之与薰陆香并列在“沉香”条下。《本草图经》云：“今人无复别薰陆者，通谓乳香为薰陆耳。”《政和》云：“沈存中：乳香即熏陆香也，如乳头者为乳香。”《海药本草》云：“乳头香，谨按《广志》云：生南海，是波斯树脂也，紫赤如樱桃者为上。”《本草图经》云：“《南方草木状》：如熏陆出大秦国（古罗马），其木生于海边沙上，盛夏木胶出沙上，夷人取得卖与贾客。乳香亦其类也。”

[2] **心腹痛，疰气** 乳香能活血，以止瘀血痛为主。如治瘀血心腹痛、胃痛，用乳香配五灵脂、没药、川乌；治月经血瘀痛，用乳香配丹参、当归、没药；治痹痛日久有瘀血，用乳香配没药、川乌、地龙；治外伤有瘀血痛，用乳香配血竭、红花、没药、儿茶、冰片，或配没药、川芎、白芷、丹皮、赤芍、生地黄、甘草。乳香亦可止外伤痛。

[3] **煎膏，止痛，长肉** 乳香能消肿止痛，亦能敛疮生肌。治疮疡初起肿痛，用乳香配土贝母、金银花、穿山甲、皂刺、没药、蒲公英，内服亦可消；治痈疽瘰疬有硬块不消，用乳香配雄黄、麝香、没药；治溃疡久不收口，用乳香与没药研末外掺伤口，以膏药盖之，能化腐生肌收口。

311 没药[1]

破癥结宿血[2]，消肿毒[3]。(《大观》卷13页37；《政和》页330；《纲目》页1373)

【校注】

[1] **没药** 为橄榄科植物地丁树或哈地丁树的树脂。《海药本草》首载此药，并云：“生波斯国（今伊朗）。”《本草图经》云：“木之根之株皆如橄榄，叶青而密，岁久者则有膏液流滴在地下，凝结成块……亦类安息香。”

[2] **破癥结宿血** 没药活血化瘀力强于乳香，功效与乳香同，常与乳香合用。凡瘀血阻滞之心腹诸痛、痹痛，均可用之。没药配五灵脂、川乌、乳香，治血瘀胃痛、腹痛；配当归、乳香、丹参，治血瘀痛经；配地龙、乳香、川乌、草乌、南星，治血瘀痹痛；配桃仁、红花、血竭、儿茶，治跌打伤痛。

[3] **消肿毒** 没药能消肿、生肌敛疮，配乳香、蒲公英、金银花、皂刺、土贝母，治痈肿初起未成脓；配乳香、雄黄、麝香，治痈疽瘰疬有硬块不消；配乳香研末，掺疮口久不敛。

312 丁香[1]

治口气[2]，反胃[3]，鬼疰，蛊毒，及疗肾气，贲豚气，阴痛，壮阳[4]，暖腰

膝，治冷气，杀酒毒，消痃癖，除冷劳。(《大观》卷12页42；《政和》页307；《纲目》页1363)

【校注】

[1] **丁香** 为桃金娘科植物丁香的花蕾。《海药本草》云："二月、三月花开紫白色，至七月方始成，实大者如巴豆，为之母丁香，小者实为之丁香。"《本草图经》云："丁香出交广（今越南一带）、南蕃，今惟广州（今广东一带）有之。木类桂，高丈余，叶似栎，陵冬不凋，花圆细黄色，其子出枝蕊上如钉子，长三四分，紫色。其中有粗大如山茱萸者，谓之母丁香。"

[2] **治口气** 《本草衍义》云："丁香，日华子云治口气，此正是御史所含之香。"《本草图经》云："此乃是母丁香，疗口臭最良，治气亦效。"

[3] **反胃** 丁香能温中降逆，配旋覆花、代赭石、生姜、半夏、柿蒂，治胃寒呕吐、反胃、呃逆。

[4] **阴痛，壮阳** 丁香能温肾阳，配附子、肉桂、巴戟天，治阴冷痛、阳痿。

又，《梅师方》治妒乳、乳痈方：取丁香捣末，水调方寸匕服。

按，丁香分公母，公丁香为花蕾，气力雄厚；母丁香为果实，气力弱。入药多用公者。丁香忌与郁金同用。热证不可服丁香。

313 藿香[1]

味辛。(《大观》卷12页46；《政和》页309；《纲目》页829)

【校注】

[1] **藿香** 为唇形科植物藿香或广藿香的全草。《别录》首载此药，将之附在木部"沉香"条内。陈承云："藿香……旧虽附五香条中，今详枝梗，殊非木类，恐当移入草部尔。"《本草图经》云："今岭南郡（今广东、广西）多有之，人家亦多种植，二月生苗，茎梗甚密，作丛，叶似桑而小薄，六月、七月采之，暴干乃芬香。"

按，藿香能祛暑，除湿浊。藿香与紫苏、陈皮、半夏、厚朴合用，治夏令外感风寒。治湿浊呕吐，用藿香配陈皮、半夏、丁香、砂仁；治湿浊泄泻，用藿香配陈皮、苍术、厚朴、甘草；治湿浊阻滞中焦之苔腻、脘腹胀满、不渴、食少作呕、大便溏，用藿香配佩兰、陈皮、半夏、厚朴、白豆蔻。

314 金樱花[1]

平。止冷热痢，杀寸白、蛔虫等。和铁粉研，拔白发傅之，再出黑者。亦可染发。(《大观》卷12页50；《政和》页310；《纲目》页1444)

【校注】

[1] **金樱花** 为蔷薇科植物金樱子的花。《雷公炮炙论》首载此药，并云："林檎向里子名金樱

子，与此同名而已，医方中亦用林檎子者。”《本草图经》云：“以江西、剑南（今四川成都）、岭外（今广东、广西一带）者为胜，丛生郊野中，大类蔷薇，有刺，四月开白花，夏秋结实亦有刺，黄赤色，形似小石榴，十一月、十二月采，江南、蜀中人熬作煎酒服。”

按，医家多用子。其子性涩，能涩精、止泻、止带下、止崩漏、缩小便。沈存中《梦溪笔谈》云，子半黄时熬膏服，涩性大；待至红熟，涩性极小。金樱子配山药、白术、茯苓、党参，治久泻久痢、脱肛、子宫脱垂、崩漏。《本草图经》云：“服食家用和鸡头实（芡实）作水陆丹，益气补真甚佳。”

315 金樱东行根[1]

平，无毒。治寸白虫[2]。剉二两，入糯米三十粒，水二升，煎五合，空心服，须臾泻下，神验。(《大观》卷 12 页 50；《政和》页 310；《纲目》页 1444)

【校注】

[1] **金樱东行根** 为蔷薇科植物金樱子的根。余详见“金樱花”条注[1]。

[2] **治寸白虫** 寸白虫即绦虫。后世本草多用雷丸、南瓜子、苦楝根皮、槟榔治绦虫，很少用金樱东行根。

按，《纲目》云：“东行根……止滑痢，煎醋服，化骨鲠。”

316 金樱皮[1]

平，无毒。炒，止泻血，及崩中、带下。(《大观》卷 12 页 50；《政和》页 310；《纲目》页 1444)

【校注】

[1] **金樱皮** 为蔷薇科植物金樱子的皮。余详见“金樱花”条注［1］。

木部中品　卷第十二

317　厚朴[1]

健脾，主反胃[2]，霍乱转筋[3]，冷热气，泻膀胱，泄五脏一切气，妇人产前产后腹脏不安[4]，调关节，杀腹脏虫，除惊，去烦闷，明耳目。入药去粗皮，姜汁炙或姜汁炒用[5]，又名烈朴。（《大观》卷13页23，《政和》页324，《纲目》页1386）

【校注】

[1] **厚朴**　为木兰科植物厚朴的树皮。《本经》首载此药。《别录》云："一名厚皮，一名赤朴。……生交阯（今越南北部）、冤句（今山东菏泽）。"《本草图经》收载了商州（今陕西商州）厚朴药图及归州（今湖北秭归）厚朴药图，并云："以梓州（今四川三台）、龙州（今四川平武）者为上。木高三四丈，径一二尺，春生叶如槲叶，四季不凋，红花而青实，皮极鳞皱而厚。紫色多润者佳，薄而白者不堪。三月、九月、十月采皮，阴干。"

[2] **健脾，主反胃**　厚朴以降气燥湿为主。《别录》云："下气……胃中冷逆，胸中呕。"厚朴配苍术、陈皮、甘草、茯苓、半夏，治胸腹满闷、反胃呕吐。

[3] **霍乱转筋**　《别录》云："温中益气……疗霍乱。"厚朴配藿香、白芷、苍术、陈皮、半夏、茯苓、甘草，止霍乱吐泻。《梅师方》治水谷痢久不差，用厚朴配黄连。

又，厚朴下气除满，配大黄、枳实、芒硝，亦可治热结便秘。

按，《别录》云："消痰下气。"厚朴配麻黄、杏仁、半夏，治肺气上逆之痰饮喘咳。

[4] **妇人产前产后腹脏不安**　按，厚朴下气力较猛，妇人产前产后本应忌用之，而《日华子本草》云治"妇人产前产后腹脏不安"，切切注意，不可轻用。

[5] **姜汁炙或姜汁炒用**　《本草衍义》云："今西京伊阳县……不如梓州者厚而紫色有油。味苦，不以姜制，则棘人喉舌。"

又，厚朴花与厚朴同功，能下气消痰、开郁化湿，可治湿郁胸闷。

318　淡竹[1]并根

味甘，冷，无毒。消痰[2]，治热狂烦闷，中风失音不语[3]，壮热头痛，头风，并怀妊人头旋倒地，止惊悸，温疫迷闷[4]，小儿惊痫天吊[5]。茎、叶同用[6]。（《大观》卷13页5，《政和》页317，《纲目》页1477）

【校注】

[1] **淡竹** 有二种，一是禾本科木本植物淡竹，另一是禾本科草本植物淡竹。二者主治功用相近。《日华子本草》所讲淡竹是木本植物。《本经》以“竹叶”为正名。《别录》以“淡竹叶”为正名，云：“生益州（今四川）。”陶弘景云：“竹类甚多，此前一条云是篁竹，次用淡、苦尔。又一种薄壳者名甘竹，叶最胜。”《本草图经》云：“篁竹、淡竹、苦竹……入药者惟此三种，人多不能尽别。……篁字音斤，其竹坚而促节，体圆而质劲，皮白如霜……细者可为笛。苦竹有白有紫。甘竹似篁而茂，即淡竹也。”

[2] **消痰** 淡竹为痰家要药。按，消痰，多用竹沥，将鲜竹茎秆锯成尺长，两头去节，劈开架起，中部用火烤，取两头流出汁液（竹沥）供用。竹沥配生姜汁，治肺热、中风、癫狂。《别录》云：“沥，大寒，疗暴中风风痹、胸中大热，止烦闷。”

另，《外台秘要》云：“《肘后》疗凡脱折折骨诸疮肿者……若中风则发痉，口噤杀人。若已中此，觉颈项强，身中急束者，急服此方。竹沥，饮二三升……竹沥，卒烧难得多，可合束十许枚，并烧中央，两头承其汁，投之可活。”

另，《梅师方》治产后身或强直，面青手足强反张方：饮竹沥一二升醒。

[3] **中风失音不语** 竹沥配生姜汁、生葛根汁合用。

[4] **止惊悸，温疫迷闷** 《千金方》治时气，五六日心神烦躁不解，用竹沥半盏、新汲水半盏相合服。

[5] **小儿惊痫天吊** 《全幼心鉴》治小儿惊天吊，四肢抽搐，用竹沥配牛黄、胆南星、生姜汁。竹沥配生姜汁、半夏、青礞石、大黄、黄芩，治惊悸、癫狂及痰壅咳逆。

[6] **茎、叶同用** 按，竹的茎与叶的主治功用不全相同。竹茎制竹沥以消痰为主，凡风痰、咳喘痰均可用之。竹叶以清心热除烦为主，尤以竹叶卷心最佳。治外感风热，用竹叶配金银花、连翘、薄荷、甘草、桔梗；治热病后期伤阴，用竹叶配人参、麦门冬、石膏；治热入心包所致神昏谵语，用竹叶配犀角、玄参、连翘、石菖蒲。

按，淡竹叶亦能清心热除烦，但以利尿通淋为主，尤以草本淡竹叶利尿力最佳。治口舌生疮、小便涩痛、小便赤，用淡竹叶配生地黄、木通、生甘草梢，其效快而可靠。

又，竹的青皮，除去外层后，刮下的中间层名竹茹，能化痰、止呕、止咳。张仲景用橘皮竹茹汤（橘皮、竹茹、人参、生姜）治呕哕。治湿热呕吐，用竹茹配黄连、陈皮、半夏；治热证呕吐，用竹茹配石膏、芦根。竹茹配栝楼、桑白皮、黄芩，可治痰热咳嗽；配胆南星、半夏、石菖蒲，治中风失音不语；配陈皮、半夏、胆南星、枳实，治痰热郁结所致心烦不寐。

按，竹茹治痰热、风痰（中风）宜生用，治呕哕、呃逆、咳嗽宜姜汁炒用。胃寒者忌用之。

319 苦竹[1]

味苦，冷，无毒。治不睡[2]，止消渴，解酒毒，除烦热[3]，发汗，治中风失

音[4]。作沥，功用与淡竹同[5]。（《大观》卷13页5；《政和》页317；《纲目》页1477）

【校注】

［1］**苦竹** 为禾本科植物苦竹。《别录》首载此药。《本草图经》云："苦竹亦有二种：一种出江西及闽中（今福建），本极粗大，笋味殊苦，不可啖；一种出江浙，近地亦时有，肉厚而叶长阔，笋微有苦味，俗呼甜苦笋，食品所最贵者，亦不闻入药。"

《食疗本草》云："苦竹叶主口疮、目热、喑哑。"苦竹叶多与生地黄、木通、甘草梢合用。口舌生疮，多因心火所致。竹叶能泻心火，心火去，则口舌疮自愈。

［2］**治不睡** 《食疗本草》云："苦竹茹主下热壅。"治痰热郁结所致虚烦不入睡，用苦竹茹配陈皮、半夏、茯苓、枳实。

［3］**止消渴，解酒毒，除烦热** 竹叶能散热、清心、除烦，配金银花、连翘、薄荷、甘草、桔梗，治外感风热之心烦、口渴、发热。

［4］**治中风失音** 一般多用竹沥。竹沥性寒，善滑热痰，加姜汁可治各种痰，亦治风痰。治中风失音不语、心神恍惚不识人，用竹沥配生姜汁、生葛汁；治癫狂，用竹沥配青礞石、生姜汁、半夏、大黄、黄芩，此方亦治痰满咳逆。

［5］**作沥，功用与淡竹同** 详见"淡竹"条注[2][3][4][5]。

按，《食医心镜》云："理心烦闷，益气力，止渴，苦笋熟煮，任性食之。又，苦竹笋，主消渴，利水道，下气，理风热脚气，取蒸煮食之。"

320 山茱萸[1]

暖腰膝，助水脏[2]，除一切风，逐一切气，破癥结，治酒皻。（《大观》卷13页29；《政和》页326；《纲目》页1443）

【校注】

［1］**山茱萸** 为山茱萸科植物山茱萸的果肉。《本经》首载此药，云："一名蜀枣。"《别录》云："一名鸡足，一名魃实。生汉中（今陕西汉中）山谷及琅琊（今山东诸城海边小岛）、冤句（今山东菏泽）、东海承县。"《本草图经》云："今海州（今江苏连云港）亦有之。木高丈余，叶似榆，花白，子初熟未干赤色，似胡颓子有核，亦可啖，既干皮甚薄，九月、十月采实，阴干。"

［2］**暖腰膝，助水脏** 《药性论》云："山茱萸……补肾气……添精髓。"《小儿药证直诀》用山茱萸配熟地黄、丹皮、茯苓、泽泻、山药，治腰膝酸软；配当归、补骨脂，暖腰膝、助水脏，治阳痿、遗精。

按，山茱萸有固涩功能。《药性论》云："止月水不定。"山茱萸配乌贼骨、陈棕炭、苎麻根，止月经过多或崩漏。又，《别录》云山茱萸主"出汗"，《药性论》亦云"能发汗"。在临床实践中，山茱萸配煅龙骨、煅牡蛎、人参，确能止汗，并对久病虚证有固脱功效。

山萸肉能固涩，亦可止小便利。《药性论》云："止老人尿不节。"《汤液本草》云："止小便利。"小便不利者忌用山茱萸。有湿热者亦不宜用山茱萸。

321 吴茱萸[1]

健脾[2]，通关节，治霍乱泻痢[3]，消痰[4]，破癥癖，逐风[5]，治腹痛[6]，肾气，脚气，水肿[7]，下产后余血。(《大观》卷13页8；《政和》页318；《纲目》页1322)

【校注】

[1] **吴茱萸** 为芸香科植物吴茱萸的果实。《本经》首载此药，云："一名藙。"《别录》云："生上谷（今河北怀来）川谷及冤句（今山东菏泽）。九月九日采，阴干。"《本草图经》云："江、浙、蜀、汉尤多。木高丈余，皮青绿色，叶似椿而阔厚，紫色。"

[2] **健脾** 吴茱萸能温中散寒。治寒性胃脘痛，用吴茱萸配生姜、人参、大枣。

[3] **泻痢** 治阳虚所致泻痢日久不愈，用吴茱萸配补骨脂、肉豆蔻、五味子。孙真人《备急方》治赤痢、脐下痛方：吴茱萸一合，黑豆汤吞之，效。

[4] **消痰** 以消胃中浊痰涎沫为主。《兵部手集》治痰水醋心，醋气上攻如酽醋方：吴茱萸一合，水三盏，煎七分顿服。若吞酸偏于寒湿，用吴茱萸配生姜、半夏；若偏热，用吴茱萸配黄连。

[5] **逐风** 《千金翼方》治头风，以吴茱萸煎汤沐头。又，小儿风疹，用吴茱萸煎汤，以帛染拭之。《肘后方》治中风，以吴茱萸合豉煮服之。

[6] **治腹痛** 《别录》云吴茱萸主"腹内绞痛"。吴茱萸配川楝子、木香、小茴香，治寒疝腹痛；配当归、川芎、桂枝、白芍，治女子宫寒月经痛。

[7] **脚气，水肿** 吴茱萸能散寒燥湿，配木瓜，治寒湿脚气、足肿。

322 茱萸叶[1]

热，无毒。治霍乱下气，止心腹痛冷气。内外肾钓痛，盐研罯，神验。干即又浸，复罯。霍乱脚转筋，和艾以醋汤拌罯，妙也。(《大观》卷13页8；《政和》页318；《纲目》页1324)

【校注】

[1] **茱萸叶** 为芸香科植物吴茱萸的树叶。余详见"吴茱萸"条注[1]。

又，《纲目》云："治大寒犯脑，头痛，以酒拌叶，袋盛蒸熟，更互枕熨之，痛止为度。"

323 秦皮[1]

洗肝益精明目[2]，小儿热惊[3]，皮肤风痹，退热[4]。一名盆桂。(《大观》卷13页26；《政和》页325；《纲目》页1402)

【校注】

[1] **秦皮** 为木樨科植物苦枥白蜡树或尖叶白蜡树的干燥枝皮或干皮。《本经》首载此药。《别录》云："一名岑皮，一名石檀。生庐江（今安徽庐江）川谷及冤句（今山东菏泽）。二月、八月采皮，阴干。"《本草图经》收载了河中府（今山西永济）秦皮药图、成州（今甘肃成县）秦皮药图，并云："今陕西州郡及河阳（今河南孟州）亦有之。其木大都似檀，枝秆皆青绿色，叶如匙头许大而不光，并无花实，根似槐根。……其皮有白点而不粗错……取皮渍水便碧色，书纸看之青色，此为真也。"

[2] **洗肝益精明目** 《药性论》云："秦皮……主明目，去肝中久热，两目赤肿疼痛……皮一升，水煎，澄清，冷，洗赤眼极效"。《淮南子》云："梣木色青翳，而蠃瘉蜗睆。此皆治目之药也。"秦皮配黄连、野菊花，水煎内服，治赤眼肿痛。

[3] **小儿热惊** 《别录》云秦皮主"小儿痫，身热"。

[4] **退热** 《本经》云秦皮"除热"。《药性论》云："治小儿身热，作汤浴差。"

又，《别录》云秦皮主"妇人带下"。秦皮配椿根皮、黄柏、蛇床子，治妇人赤白带下。秦皮有清热燥湿收涩之功，亦可用于湿热下痢。《伤寒论》白头翁汤，由秦皮、黄柏、黄连、白头翁组成，治湿热下痢后重。

《证类本草》云："沈存中：秦皮治天蛇毒，似癞而非癞也。天蛇即草间黄花蜘蛛是也。人被其螫，仍为露水所濡乃成此疾，遂煮汁一斗饮之，差。"疑天蛇毒是带状疱疹，俗名蛇箍疮。

324 槟榔[1]

味涩。除一切风，下一切气[2]，通关节，利九窍，补五劳七伤，健脾调中[3]，除烦，破癥结，下五膈气[4]。（《大观》卷13页11；《政和》页319；《纲目》页1305）

【校注】

[1] **槟榔** 为棕榈科植物槟榔的种子。《别录》首载此药，并云："生南海（今广东、广西一带）。"《本草图经》云："高五七丈，正直无枝，皮似青桐，节如桂竹，叶生木巅，大如楯头，又似甘蕉叶。其实作房从叶中出，旁有刺若棘针，重叠其下，一房数百实如鸡子状，皆有皮壳，肉满壳中，正白，味苦、涩……其实春生，至夏乃熟，然其肉极易烂，欲收之，皆先以灰汁煮熟，仍火焙熏干……医家不复细分，但取作鸡心状……破之作锦文者为佳。"

[2] **下一切气** 《海药本草》云："治脚气壅毒水肿浮气。秦医云：槟榔二枚一生一熟捣末，酒煎服之。善治膀胱诸气也。"《外台秘要》治脚气胀满方：槟榔捣末，以豉汁调服方寸匕。槟榔配吴茱萸、木瓜、陈皮，亦可治脚气胀满。

《药性论》云："下水肿。"治膀胱不利所致水肿，用槟榔配木通、茯苓皮、泽泻。

[3] **健脾调中** 槟榔能下气消积。若停食胀满不消，炒槟榔、炒山楂、炒麦芽、鸡内金为末服，能健脾调胃，消食积。

[4] **下五膈气** 治食积气滞、大便不爽，用槟榔配陈皮、木香、香附，可消气滞、除积聚。又，治痢疾里急后重、作坠、腹痛，用槟榔配白芍、木香、黄连、白头翁。

又，《简要济众方》治诸虫方：槟榔半两炮，捣为末，每服一钱，空心服。《太平惠民和剂局方》化虫丸，由槟榔、苦楝根皮、鹤虱、枯矾、胡粉组成，治肠中诸虫。槟榔配石榴根皮，可治绦虫；配常山，可治疟虫。又，白槟榔配黄连为细末，敷金疮、口角疮。

325 夜合皮[1]

杀虫，煎膏，消痈肿[2]，并续筋骨[3]。叶可洗衣垢[4]。又名合欢树。（《大观》卷13页44；《政和》页332；《纲目》页1403）

【校注】

[1] **夜合皮** 即合欢皮，为豆科植物合欢的树皮。《本经》首载此药。《别录》云："生益州（今四川）山谷。"《本草图经》云："今近京（今河南开封）、雍（今陕西凤翔）、洛（今河南洛阳）间皆有之。人家多植于庭除间，木似梧桐，枝甚柔弱，叶似皂荚、槐等，极细而繁密，互相交结，每一风来，辄似相解了，不相牵缀，其叶至暮而合，故一名合昏。五月花发，红白色，瓣上若丝茸，然至秋而实作荚，子极薄细，采皮及叶用。"

[2] **消痈肿** 韦宙《独行方》治肺痈方：夜合皮掌大一枚，水三升，煮取半，分再服。夜合皮配白蔹煎服，治肺痈久不愈；配阿胶煎服，治肺痿吐血。

另，《证类本草》引《子母秘录》云："小儿撮口病，夜合花、枝浓煮汁，拭口并洗。"

[3] **续筋骨** 《百一选方》治筋骨折伤方：夜合皮四两炒，芥菜子一两炒，研细末，酒调服，患处用酒调敷。《子母秘录》治打磕损疼痛方：夜合花末，酒调服二钱匕。合欢花与皮同有活血消肿止痛之功。

按，《本草衍义》云："陈藏器、《日华子》皆曰皮杀虫，又曰续筋骨，经中不言。"即《本经》未言夜合皮"续筋骨"，《日华子本草》首载之。

又，《本经》云："合欢……主安五脏，利心志，令人欢乐。"按，合欢皮、花皆能解郁安神，配琥珀、生龙齿、首乌藤、柏子仁，治忧郁不寐。嵇康《养生论》云："合欢蠲忿，萱草忘忧。"《证类本草》云："崔豹《古今注》曰：欲蠲人之忧……欲蠲人之忿，则赠以青裳，青裳合欢也。"

[4] **叶可洗衣垢** 《本草拾遗》云合欢叶"去垢"，又云："合欢皮杀虫，捣为末，和铛下墨、生油调，涂蜘蛛咬疮。"

326 鬼箭羽[1]

味甘、涩。通月经，破癥结[2]，止血崩带下，杀腹脏虫及产后血咬肚痛。（《大观》卷13页41；《政和》页331；《纲目》页1448）

【校注】

[1] **鬼箭羽** 为卫矛科植物卫矛的枝翅。《本经》首载此药，以"卫矛"为正名。《别录》云："生霍山（今安徽霍山）山谷。八月采，阴干。"《本草图经》收有信州（今江西上饶）卫矛药图，并

云：“今江淮（苏北、皖北）州郡或有之。三月以后生茎、苗，长四五尺许，其秆有三羽，状如箭翎，叶亦似山茶，青色。”

［2］**通月经，破癥结**　《药性论》云：“鬼箭羽……能破陈血，能落胎。”按，鬼箭羽能活血通经下乳。《外台秘要》治乳无汁方：鬼箭羽水煮服；或作灰，服方寸匕，日三，大效。

327　紫葳根[1]

治热风身痒，游风风疹，治瘀血带下。花、叶功用同[2]。（《大观》卷 13 页 30；《政和》页 327；《纲目》页 1016）

【校注】

［1］**紫葳根**　为紫葳科植物凌霄的根。《本经》首载此药。《别录》云：“一名陵苕，一名茇华。生西海（今内蒙古额济纳旗）川谷及山阳（今山东金乡）。”《本草图经》云：“初作藤蔓，生依大木，岁久延引至巅而有花，其花黄赤，夏中乃盛。”《本经》仅名紫葳，不言根、花。《本草衍义》云：“本条虽不言其花，又却言茎、叶味苦，则紫葳为花，故可知矣。”

［2］**花、叶功用同**　《本经》云：“主妇人产乳余疾，崩中，癥瘕，血闭……养胎。”《别录》云：“茎、叶……主痿蹷益气。”《斗门方》治暴耳聋方：凌霄叶烂杵自然汁灌耳内，差。

328　凌霄花[1]

治酒齇，热毒风刺风[2]，妇人血膈游风，崩中带下。（《大观》卷 13 页 30；《政和》页 327；《纲目》页 1016）

【校注】

［1］**凌霄花**　为紫葳科植物凌霄的花。《本经》首载此药，以“紫葳”为正名。《本草衍义》云：“紫葳（即凌霄花），今蔓延而生，谓之为草。又有木身，谓之为木。又须物而上……故分入木部。”

［2］**热毒风刺风**　《药性论》云：“主热风。”凌霄花（紫葳花）配荆芥、防风、白鲜皮、当归、赤芍、生地黄，治风热周身痒、风疹块发红、瘙痒。治皮肤湿癣痒，用凌霄花配羊蹄根、天南星、白矾、黄连、雄黄。

又，《本经》云：“主妇人产乳余疾，崩中，癥瘕，血闭。”这说明凌霄花能活血化瘀。治瘀血所致经闭，用凌霄花配丹皮、赤芍、红花；治癥瘕肿块，用凌霄花配大黄、䗪虫、鳖甲。凌霄花亦可治久疟疟母、肝大、脾大。

又，《本经》云：“养胎。”《药性论》云：“安胎”。按，凌霄花能活血化瘀，岂能养胎、安胎？读者当注意，不可拘泥古籍。

329　芜荑[1]

治肠风痔瘘，恶疮，疥癣[2]。（《大观》卷 13 页 18；《政和》页 322；《纲目》页 1418）

【校注】

［1］**芜荑**　为榆科植物大果榆果实的加工品。《本经》首载此药，云："一名无姑，一名蕨蘠。"《别录》云："生晋山（今山西太行山）川谷。三月采实，阴干。"《本草图经》云："大抵榆类而差小，其实亦早成。此榆乃大，气臭如犼。《尔雅·释木》云：无姑，其实夷。郭璞云：无姑，姑榆也。生山中，叶圆而厚，剥取皮合渍之，其味辛香，所谓芜荑也。"后世制芜荑法：取榆的种子，浸水发酵后，入榆皮末、菊花末、红土粉，混匀，加温开水调成糊，摊平板上，切成小方块，晒干，用。

［2］**治肠风痔瘘，恶疮，疥癣**　《嘉祐本草》引孟诜文云："又热疮，捣和猪脂涂，差。又，和白蜜治湿癣。和沙牛酪疗一切疮。人长食，治五痔。"《食疗本草》云："和马酪，可治癣。"《本草拾遗》云："作酱食之，主五鸡病（痔），除疮癣。"

又《证类本草》引《千金方》云："主脾胃有虫，食即痛，面黄无色，疼痛无时必效。以石州（今山西离石）芜荑仁二两，和面炒令黄色为末，非时米饮调二钱匕，差。"

又，《本事方》治诸虫方：生芜荑、生槟榔为末，蒸饼食之。

从《千金方》云"芜荑仁"、《本事方》云"生芜荑"可知，古代所讲芜荑即榆荚中种仁，非加工品。《本经》云芜荑"去三虫"，《别录》云芜荑"逐寸白"，此皆以榆的种仁为芜荑。

330　桑白皮[1]

温。调中，下气[2]，益五脏，消痰止渴，利大小肠[3]，开胃下食，杀腹脏虫，止霍乱吐泻。此即出桑根皮。（《大观》卷13页1；《政和》页315；《纲目》页1429）

【校注】

［1］**桑白皮**　为桑科植物桑树的根皮。《本经》首载此药，以"桑根白皮"为正名。《别录》云："生犍为（今四川犍为）山谷。"《本草图经》收载了信州（今江西上饶）黄桑药图，并云："桑根白皮……不可用出土上者，用东行根益佳。或云木白皮亦可用。初采得，以铜刀剥去上粗皮，取其里白，切，焙干。其皮中青涎勿使刮去，药力都在其上。恶铁及铅。"

［2］**下气**　桑白皮能下肺气，治肺热喘咳。《经验方》治咳嗽甚者方：桑白皮捣为末，米饮调下一二钱。《小儿药证直诀》泻白散，由桑白皮、地骨皮、甘草组成，治肺热气急、咳嗽喘促。

［3］**利大小肠**　桑白皮配大腹皮、茯苓皮、陈皮，能泻肺气水肿胀满。治肺中水饮，用桑白皮配桂枝、白芍、细辛、干姜、五味子、半夏、麻黄。

《本草图经》云："皮中白汁主小儿口疮，傅之便愈。又以涂金刃所伤燥痛，须臾血止，更剥白皮裹之，令汁得入疮中，良。"《经验后方》治坠马伤损方：桑根白皮煎膏傅损处，效。

又，《本草图经》云："白皮作线，以缝金创肠出者，更以热鸡血涂之。"

331　家桑东行根[1]

暖，无毒。研汁，治小儿天吊，惊痫客忤，及傅鹅口疮[2]，大验。（《大观》卷13页1；《政和》页315；《纲目》页1429）

【校注】

[1] **家桑东行根** 为桑科植物桑树的根。《别录》云："出土上者杀人。"余详见"桑白皮"条注[1]。《本草图经》云："用东行根益佳。"

[2] **傅鹅口疮** 《子母秘录》治小儿鹅口方：桑白皮汁和胡粉傅之。《宫气方》治小儿舌上生疮如粥皮方：桑白皮汁傅之，三两度，差。

332 家桑叶[1]

暖，无毒。利五脏[2]，通关节，下气，煎服。除风痛出汗[3]，并扑损瘀血，并蒸后罯。蛇虫蜈蚣咬，盐挼傅上。

桑枝[4]，春叶未开，枝可作煎酒服，治一切风[5]。(《大观》卷13页1；《政和》页315；《纲目》页1430)

【校注】

[1] **家桑叶** 为桑科植物桑树的叶。《本草图经》云："桑叶，以夏秋再生者为上，霜后采之。煮汤淋渫手足，去风痹殊胜。"

[2] **利五脏** 桑叶配沙参、麦门冬、杏仁、贝母，治肺燥干咳；配菊花、白芍、石决明、决明子，平肝阳、清肝火，治肝阳头痛头晕、肝火目赤痛；配黑芝麻为丸服，治肝阴虚、目昏暗。

[3] **除风痛出汗** 桑叶能散风热，配菊花、杏仁、甘草、芦根、连翘、薄荷，治外感风热头痛。

[4] **桑枝** 为桑科植物桑树的嫩枝。

[5] **治一切风** 桑枝能祛风行水，治风湿痹痛。《外台秘要》治偏风及一切风方：取当年新嫩枝剉一大升，水一大斗，煎取二升，每日服一盏。桑叶配羌活、独活、秦艽、防风、寻骨风，治风湿筋骨痛；若痛久不愈，宜加黄芪、当归。

《本草图经》云："桑枝，平，不冷不热，可以常服。疗遍体风痒干燥，脚气风气，四肢拘挛……利小便。"《圣济总录》治浮肿脚气方：嫩桑枝二两炒香，煎服。

又，桑椹为桑树的果实。《本草拾遗》云："椹，利五脏关节，通血气……收暴干，捣末，蜜和为丸，每日服六十丸。"按，桑椹能滋阴生津、养血、润大便，治阴血虚、大便干、口干口渴。《本草拾遗》又云："取黑桑椹一升和科斗子一升，瓶盛封闭，悬屋东头一百日，尽化为黑泥，染白发如漆。"

333 桑耳[1]

温，微毒。止肠风泻血[2]，妇人心腹痛[3]。(《大观》卷13页1；《政和》页315；《纲目》页1242)

【校注】

[1] **桑耳** 为寄生于桑树上的木耳。

[2] **肠风泻血** 《药性论》云："桑耳……疗伏血，下赤血"。又云："桑耳……又名桑黄。"《圣惠方》治泻血不止，用桑耳一两、熟附子一两，为末，炼蜜为丸如梧子大，每米饮二十丸。《广利方》治泻血不止，用桑耳一大两，熬令黑，水煎服。

[3] **妇人心腹痛** 《集简方》治心下急痛，用桑耳烧存性，研末，热酒服二钱。又，《摘玄方》治面上黑斑，用桑耳焙研，每食后服一钱，一月愈。

334 桑花[1]

暖，无毒。健脾，涩肠，止鼻洪，吐血，肠风，崩中[2]，带下。此不是桑椹花，即是桑树上白癣，如地钱花样，刀削取入药，微炒使。(《大观》卷13页49；《政和》页334；《纲目》页1091)

【校注】

[1] **桑花** 《本草图经》云："皮上白藓花，亦名桑花，状似地钱。"

按，本条，前代本草未著录，《日华子本草》首载之。《嘉祐本草》转录之，将此条桑花收为正品。本条文字比较完整，可以作为研究《日华子本草》药物条文体例的重要参考资料。

[2] **止鼻洪，吐血，肠风，崩中** 《本草图经》云："刀削取，炒干，以止衄、吐血等。"《圣惠方》治大便后血或吐血，用桑树上白藓花，水煎服，或研末服。

335 松萝[1]

令人得眠[2]。(《大观》卷13页39；《政和》页330；《纲目》页1475)

【校注】

[1] **松萝** 为松萝科植物破茎松萝或长松萝的丝状体。《本经》首载此药，云："一名女萝。"《别录》云："生熊耳山（今河南卢氏）川谷松树上。"陶弘景云："东山甚多，生杂树上，而以松上者为真。《毛诗》云：茑与女萝，施于松上。"《本草图经》云："五月采，阴干。古方入吐膈药，今医家鲜用，亦不复采之。"

[2] **令人得眠** 《纲目》将此文续在《药性论》文之后。

336 安息香[1]

治邪气魍魉，鬼胎，血邪，辟蛊毒[2]，肾气[3]，霍乱，风痛，治妇人血噤，并产后血运[4]。(《大观》卷13页39；《政和》页330；《纲目》页1374)

【校注】

[1] **安息香**　为安息香科植物白花树的树脂。《唐本草》首载此药，云："出西戎（今我国西部少数民族），似松脂，黄黑色为块，新者亦柔韧。"《嘉祐本草》引《酉阳杂俎》云："安息香树……树长三丈，皮色黄黑，叶有四角，经寒不凋，二月开花黄色，花心微碧，不结实。刻其树皮，其胶如饴，名安息香，六七月坚凝乃取之。"

[2] **治邪气……辟蛊毒**　安息香能辟邪恶开窍。痧气昏厥或中风昏迷，以含有安息香制剂（如苏合香丸，含丁香、沉香、麝香、白檀香、青木香、安息香、苏合香）治之。

[3] **肾气**　《海药本草》云："又主男子遗精，暖肾，辟恶气。"

[4] **治妇人血噤，并产后血运**　安息香能行气活血，配五倍子、五灵脂为末，以姜汤送服一钱，治妇人血噤、产后血晕。

337　毗梨勒[1]

下气[2]，止泻痢[3]。（《大观》卷13页401；《政和》页331；《纲目》页1302）

【校注】

[1] **毗梨勒**　《唐本草》载此药，并云："功用与菴摩勒同。出西域（今我国西部）及岭南（今广东、广西一带）、交爱等州。（原书注：树似胡桃，子形亦似胡桃，核似诃梨勒而圆短无棱，用亦同法。）"

[2] **下气**　毗梨勒能下气，敛肺开音。毗梨勒配甘草、桔梗，治久咳失音不能言；配杏仁、煨姜、通草，治久嗽失音。

按，毗梨勒与诃梨勒功用相同，都能下气利咽喉、出声音，治久咳声音嘶哑。

[3] **止泻痢**　毗梨勒能涩肠止泻，配黄连、木香、甘草，治热痢赤痢；配陈皮、干姜、罂粟壳，治虚寒久泻或寒痢下白冻。

338　枳壳[1]

健脾开胃[2]，调五脏，下气，止呕逆，消痰，治反胃[3]，霍乱，泻痢，消食，破癥结痃癖，五膈气[4]，除风，明目，及肺气水肿，利大小肠，皮肤痒，痔肿。可炙熨。入药浸软剉，炒令熟。（《大观》卷13页20；《政和》页323；《纲目》页1437）

【校注】

[1] **枳壳**　为芸香科植物酸橙的果实。《药性论》首载此药。《本草图经》云："枳壳生商州（今陕西商州）川谷，今京西（今河南洛阳）、江（今江西九江）、湖（今浙江吴兴）州郡皆有之，以商州者为佳；如橘而小，高亦五七尺，叶如枨多刺，春生白花，至秋成实。……七月、八月采者为实，九月、十月采者为壳。今医家多以皮厚而小者为枳实，完大者为壳，皆以翻肚如盆口唇状，须陈久者

为胜。"

［2］**健脾开胃**　枳壳能理气宽胸、消胀除痞，治饮食停滞、脘痞腹胀。《本事方》治停食胀满、噫败卵气，用枳壳配香附、木香、槟榔、白术。

［3］**止呕逆，消痰，治反胃**　枳壳能散胸膈痞气。治胸膈痞气所致呕逆反胃，可用枳壳配陈皮、生姜、半夏。

［4］**五膈气**　枳壳能散肝气郁结，配柴胡、香附、白芍、甘草，可除胸胁胀满。《千金方》治胸痹气壅满，心膈不利方：枳壳麸炒微黄为末，清粥饮下一二钱。

又，《本草衍义》云："枳实、枳壳一物也。小则其性酷而速，大则其性详而缓。故张仲景……承气汤中用枳实……皆取其疏通、决泄、破结实之义。他方但导败风壅之气，可常服者，故用枳壳。"

又，枳壳、枳实配人参、黄芪，有升提作用，治久痢脱肛、胃下垂、子宫脱垂。

339　乌药[1]

治一切气[2]，除一切冷[3]，霍乱及反胃，吐食，泻痢，痈疖疥癞，并解冷热，其功不可悉载。猫犬百病[4]，并可摩服。（《大观》卷13页37；《政和》页329；《纲目》页1368）

【校注】

［1］**乌药**　为樟科植物乌药的根。《日华子本草》首载此药。《开宝本草》云："生岭南（今广东、广西）邕（今广西南宁）、容（今广西容县）州及江南。树，生似茶，高丈余，一叶三桠，叶青阴白，根色黑褐，作车毂形。"《本草图经》云："以天台（今浙江天台）者为胜……五月开细花黄白色，六月结实如山芍药……根有二种，岭南者黑褐色而坚硬，天台者白而虚软……不及海南者力大。"

［2］**治一切气**　乌药能行气止痛，配木香、香附、延胡索，治小腹痛；配香附、当归、赤芍、延胡索，治行经腹痛；配延胡索、川楝子、木香、小茴香，治寒疝腹痛。

［3］**除一切冷**　乌药能温肾散寒，配山药、益智仁，治膀胱冷、尿频、遗尿。《开宝本草》云："偏止小便滑数。"

又，《本草衍义》云："乌药，和来气少，走泄多，但不甚刚猛，与沉香同磨作汤点，治胸腹冷气，甚稳当。"乌药、沉香再合人参、槟榔，可治胸腹胀痛。

［4］**猫犬百病**　指某些精神疾病，类似癔症。

按，乌药、香附、木香均能行气止痛。木香刚猛，通治胃肠气滞、腹胀痛、下痢后重；香附次之，疏肝解郁，治胸胁胀痛、月经痛；乌药柔和，除下焦冷，治寒疝痛、膀胱冷、尿频数、遗尿。

340　大腹皮[1]

下一切气，止霍乱[2]，通大小肠[3]，健脾开胃，调中。（《大观》卷13页43；《政和》页332；《纲目》页1308）

【校注】

[1] **大腹皮** 为棕榈科植物槟榔的果皮。《日华子本草》首载此药。《开宝本草》将之录为正品，并云："所出与槟榔相似。"余详见"槟榔"条注[1]。

[2] **下一切气，止霍乱** 大腹皮能宽中下气。治湿阻气滞所致脘腹痞闷、吐泻，用大腹皮配藿香、白芷、苏梗、陈皮、厚朴、半夏、茯苓。

[3] **通大小肠** 大腹皮能利大小便、行水消肿，配黑丑、白丑、郁李仁、槟榔、木香、木通、桑白皮，治脚气肿满、二便不通；配陈皮、生姜皮、茯苓皮、五加皮，治皮水面目浮肿。

按，大腹皮与槟榔功效相近。但槟榔能驱绦虫，大腹皮不能驱虫。二者在理气消积方面，亦有小异。《本草求真》云："槟榔……泄有形之滞积。腹皮……散无形之积滞，故痞满膨胀，水气浮肿，脚气壅逆者宜之。惟虚胀禁用，以其能泄真气也。"

341 海桐皮[1]

温。治血脉麻痹疼痛[2]，及目赤，煎洗[3]。（《大观》卷13页42；《政和》页331；《纲目》页1396）

【校注】

[1] **海桐皮** 为豆科植物刺桐的树皮。《海药本草》首载此药。《海药本草》云："谨按，《广志》云：生南海（今广东、广西沿海一带）山谷中，似桐皮，黄白色。"《本草图经》云："叶如手大，作三花尖。皮若梓白皮而坚韧，可作绳，入水不烂。"

[2] **治血脉麻痹疼痛** 南唐·王绍颜所用《传信方》治腰膝痛不可忍方：海桐皮二两，牛膝、芎䓖、羌活、地骨皮、五加皮各一两，甘草半两，薏苡仁二两，地黄十两，细剉，浸酒二斗，食后服一杯。

[3] **目赤，煎洗** 《开宝本草》云："水浸洗目，除肤赤。"

又，《海药本草》云："主腰脚不遂……赤白泻痢、血痢、疥癣。"《如宜方》治疥癣方：海桐皮、蛇床子等分研细末，猪脂调涂之。

又，《开宝本草》云："主霍乱……牙齿虫痛，并煮服及含之。"

342 天竺黄[1]

平。治中风痰壅，卒失音不语[2]，小儿客忤及痫痰[3]。此是南海边竹内尘沙结成者耳。（《大观》卷13页48；《政和》页333；《纲目》页1480）

【校注】

[1] **天竺黄** 为禾本科植物青皮竹或华思劳竹，被寄生的天竺黄蜂咬洞后，于竹节间贮积的伤流液干涸凝结而成的块状物。《日华子本草》首载此药。《开宝本草》云："天竺黄……一名竹膏，人多

烧诸骨及葛粉等杂之。按，《临海志》云：生天竺国（今印度）。今诸竹内往往得之。”

［2］**治中风痰壅，卒失音不语**　天竺黄能凉心经、去风热，配僵蚕、朱砂、黄连、青黛、石菖蒲，治热病神昏、中风不语。

［3］**小儿客忤及痫痰**　《开宝本草》云：“主小儿惊风、天吊。”天竺黄配朱砂、雄黄、胆南星、麝香，治小儿惊风、痰壅抽搐；配僵蚕、蝉蜕，治小儿惊热夜啼。钱乙治小儿惊热方：天竺黄二钱，雄黄、黑丑、白丑各一钱，研末，丸粟米大，每服三丸。

又，《开宝本草》云：“去诸风热，疗金疮止血。”

343　仙人杖[1]

味咸，平，无毒。主哕气呕逆，辟痁，小儿吐乳，大人吐食，并水煮服，小儿惊痫及夜啼，安身伴睡良。又，主痔病，烧为末，服方寸匕。此是笋欲成竹时立死者，色黑如漆，五六月收之。苦桂竹多生此。

草仙人杖[2]，味甘，小温，无毒。久服长生，坚筋骨，令人不老。作茹食之，去痰癖，除风冷。生剑南[3]平泽，叶似苦苣，丛生。（《大观》卷13页39；《政和》页330；《纲目》页1216，又页1480）

【校注】

［1］**仙人杖**　本条是《嘉祐本草》糅合陈藏器、《日华子本草》两家文字而成。《纲目》将文中“小儿惊……服方寸匕”注为《日华子本草》文，将余下的文字注为陈藏器文。

［2］**草仙人杖**　《纲目》作“仙人杖草”。《本草图经》云：“按，枸杞一名仙人杖，而陈藏器《拾遗》别有两种仙人杖：一种是枯死竹竿之色黑者；一种是菜类。并此为三物，而同一名也。……按此仙人杖，作菜茹者，叶似苦苣。”

［3］**剑南**　今四川剑阁以南地区。

木部下品　卷第十三

344 巴豆[1]

通宣一切病，泄壅滞[2]，除风，补劳，健脾开胃，消痰[3]，破血，排脓[4]，消肿毒[5]，杀腹脏虫[6]，治恶疮息肉及疥癞丁肿[7]。凡合丸散，炒不如去心膜煮五度，换水各煮一沸。(《大观》卷14页1;《政和》页339;《纲目》页1423)

【校注】

[1] **巴豆** 为大戟科植物巴豆的果实。《本经》首载此药，云："一名巴椒。"《别录》云："生巴郡（今重庆巴南）川谷。八月采，阴干，用之去心、皮。"陶弘景云："似大豆，最能泻人，新者佳，用之皆去心、皮乃秤。又，熬令黄黑，别捣如膏乃和丸散尔。"《唐本草》云："树高丈余，叶似樱桃叶，头微赤，十二月叶渐凋，至四月落尽，五月叶渐生，七月花，八月结实，九月成，十月采其子，三枚共蒂，各有壳裹。出眉州（今四川眉山）、嘉州（今四川乐山）者良。"

[2] **泄壅滞** 《本经》云："荡练五脏六腑，开通闭塞。"《千金方》治寒癖宿食，大便秘方：巴豆煮熟，煎为丸如胡豆大，每服半丸。《金匮要略》三物备急丸，用巴豆配大黄、干姜为丸，下寒滞便秘，治心腹冷痛。巴豆去油名巴豆霜，配胆南星、神曲、朱砂为散，治小儿食积停乳。

[3] **消痰** 巴豆能逐痰行水，治腹水、水肿。《外台秘要》张文仲方：巴豆三枚，杏仁二枚，熬黄黑，捣丸小豆大，每服一丸，以利为度。

[4] **排脓** 巴豆能溃脓。巴豆仁、蓖麻仁、木鳖子、乳香、没药，捣为膏，外贴疮头，促其溃破排脓。

[5] **消肿毒** 《普济方》治恶疮肿毒方：巴豆三十粒，麻油煎黑，去豆，以油调雄黄、轻粉细末，涂患处。

[6] **杀腹脏虫** 治血吸虫腹水，用巴豆配干漆、苍术、陈皮。巴豆熬黄黑，捣膏，入药粉为丸如小豆，每服一丸，以利为度。

[7] **治恶疮息肉及疥癞丁肿** 《十全方》治疥疮方：巴豆十粒炮过黄去皮膜，研如面，入酥、腻粉各少许，研匀，涂患处。不得近眼。

按，巴豆药力、毒性均在油，油腐蚀性极强。巴豆，一般炒黄黑捣膏入药，或压去油制成巴豆霜入药，巴豆霜残存微量油，仍有致泻作用。有人将少量油同大量神曲混匀成含油浓度与巴豆霜一样的制剂，将之当作巴豆霜制万应保赤散，以节省药材。

345 汉椒[1]

破癥结，开胃，治天行时气温疾，产后宿血，治心腹气，壮阳[2]，疗阴汗，暖腰膝，缩小便。(《大观》卷 14 页 4；《政和》页 340；《纲目》页 1316)

【校注】

[1] **汉椒** 即蜀椒，为芸香科植物花椒的果皮。《本经》首载此药。《别录》云："一名巴椒，一名蓎藙。生武都（今甘肃武都）川谷及巴郡（今重庆巴南）。"《本草图经》云："今归（今湖北秭归）、峡（今湖北宜昌）及蜀川（今四川）、陕（今河南陕州）、洛（今河南洛阳）间，人家多作园圃种之。高四五尺，似茱萸而小，有针刺，叶坚而滑，可煮饮，食甚辛香。四月结子无花，但生于叶间如小豆，颗而圆，皮紫赤色。八月采实，焙干。"

[2] **壮阳** 蜀椒能温肾阳，治肾虚腰痛、肺冷痰喘。又，《食疗本草》云："主上气咳嗽。"蜀椒配茯苓，治上气咳嗽。又，《别录》云："主肠澼下痢……疰蛊毒，杀虫"。《伤寒论》乌梅丸，由蜀椒、乌梅、细辛、肉桂、干姜组成，治蛔厥腹痛、吐蛔虫。《本经》云："温中，逐骨……寒湿。"蜀椒配人参、干姜，治寒湿下痢腹痛；配平胃散（陈皮、苍术、厚朴、甘草），治寒湿泄泻、冷痢。

《食疗本草》云蜀椒去"齿痛"。《谭氏方》治漆疮方：蜀椒煎汤洗之。

346 椒目[1]

主膀胱急[2]。(《大观》卷 14 页 4；《政和》页 340；《纲目》页 1316)

【校注】

[1] **椒目** 为芸香科植物花椒的种子。余详见"汉椒"条注[1]。

[2] **主膀胱急** 椒目能行水，配防己、葶苈子、大黄，治水肿喘满。

又，《本草衍义》云："椒目能行水，又治水蛊。"又云："治盗汗尤功。将目微炒，捣为极细末，用半钱匕，以生猪上唇煎汤一合调，临睡服，无不效。"

347 椒叶[1]

热，无毒。治贲豘[2]，伏梁[3]气，及内外肾钓，并霍乱转筋，和艾及葱研，以醋汤拌罯并得。(《大观》卷 14 页 4；《政和》页 340；《纲目》页 1316)

【校注】

[1] **椒叶** 为芸香科植物花椒的叶。余详见“汉椒”条注[1]。

[2] **贲㹠** 即奔豚，古病名，出《难经》，症见气上冲胸、腹痛、往来寒热。《金匮要略》有奔豚汤（当归、川芎、白芍、生姜、半夏、甘草、葛根、黄芩、甘李根白皮）。《日华子本草》以椒叶治奔豚。

[3] **伏梁** 《难经》云：“心之积，曰伏梁，起脐上，大如臂，上至心下，久不愈。”《武威汉代医简》有“治伏梁里脓在胃肠之外治方”，疑“伏梁”是胸腹间内痈。李东垣用黄连、黄芩、丹参、茯神、菖蒲、干姜、肉桂、川乌、红豆蔻、巴豆霜治之。《日华子本草》以椒叶治之。

348 莽草[1]

治皮肤麻痹，并浓煎汤淋[2]。风蚛牙痛[3]，喉痹，亦浓煎汁，含后净漱口[4]。（《大观》卷14页18；《政和》页346；《纲目》页994）

【校注】

[1] **莽草** 为八角科植物狭叶茴香的叶。《本经》首载此药。《别录》云：“一名葞，一名春草。生上谷（今河北怀来）山谷及冤句（今山东菏泽）。五月采叶，阴干。”陶弘景云：“叶青新烈者良。人用捣以和米内水中，鱼吞即死浮出。”

《本草图经》云：“今南中州郡及蜀川（今四川）皆有之。木若石南，而叶稀，无花、实。五月、七月采叶，阴干。一说藤生绕木石间。”

[2] **治皮肤麻痹，并浓煎汤淋** 《本草衍义》云：“浓煎汤，淋渫皮肤麻痹。”又云：“今所用者皆木、叶也，如石南枝、梗，干则绉，揉之，其嗅如椒。”

[3] **风蚛牙痛** 《本草图经》云：“今医家取其叶煎汤热含，少顷间吐之，以治牙齿风蚛甚效。”《肘后方》治风齿疼颊肿方：莽草五两，水一斗，煮取五升，热含漱吐，一日尽。《圣惠方》治牙齿蚛孔痛方：莽草为末，绵裹内蚛孔中或痛处，咬之，低头吐津，勿咽之，痛便定。

[4] **含后净漱口** 按，莽草有剧毒，可杀死虫、鱼，亦毒人。煎其水含漱，漱后必须漱口，以防吸收中毒。

按，《药性论》云：“莽草……治瘰疬……主头疮白秃，杀虫，与白蔹、赤小豆为末，鸡子白调如糊，熁毒肿，干即更易上。”《圣惠方》治瘰疬发肿而坚结成核方：莽草一两为末，鸡子白和，傅于帛上贴之，日二易之。此方亦能溃痈脓。

349 郁李仁[1]

通泄五脏、膀胱急痛[2]，宣腰胯冷脓，消宿食，下气[3]。（《大观》卷14页16；《政和》页345；《纲目》页1445）

【校注】

[1] **郁李仁** 为蔷薇科植物欧李的种子。《本经》首载此药，云："一名爵李。"《别录》云："一名车下李，一名棣。"陶弘景云："子熟赤色，亦可啖之。"《蜀本草》云："又《图经》云：树高五六尺，叶、花及树并似大李，惟子小若樱桃，甘酸。"

[2] **膀胱急痛** 《本草图经》云："韦宙《独行方》：疗脚气浮肿……以郁李仁十二分，捣碎，水研取汁。薏苡仁捣碎如粟米，取三合，以汁煮米作粥，空腹食之佳。"郁李仁配白术、茯苓、槟榔，治水肿、尿少；配大黄、甘遂、黑丑、白丑，利周身水肿。《杨氏产乳》疗身体肿满水气，卧不得方：郁李仁为末，和麦面作饼食之，大便通，利气即差。因郁李仁能通利大小便。

[3] **消宿食，下气** 大肠气滞、津枯便结，用郁李仁配火麻仁、杏仁、柏子仁、蜂蜜为丸服。郁李仁润肠通便作用强于火麻仁，且能利小便。其根白皮煮汁含，治龋齿痛。

350 郁李根[1]

凉，无毒。治小儿热发，作汤浴[2]。风蚛牙，浓煎含之[3]。（《大观》卷14页16；《政和》页345；《纲目》页1445）

【校注】

[1] **郁李根** 为蔷薇科植物郁李的根。余详见"郁李仁"条注[1]。

[2] **治小儿热发，作汤浴** 郁李根煎汤浴能退小儿热，郁李仁有同功。姚和众治小儿多热，用熟汤研郁李仁如杏酪，一日服二合。

[3] **风蚛牙，浓煎含之** 《药性论》云："根治齿痛。"《政和》引《外台秘要》云："张文仲龋齿，以郁李根白皮切，水煮浓汁含之，冷即易，吐出虫。"《本草衍义》云："根煎汤渫风蚛牙。"

351 鼠李[1]

味苦，凉，微毒。治水肿[2]。皮主风痹[3]。（《大观》卷14页35；《政和》页353；《纲目》页1446）

【校注】

[1] **鼠李** 为鼠李科植物鼠李的果实。《本经》首载此药。《别录》云："一名牛李，一名鼠梓。"《本草衍义》云："木高七八尺，叶如李但狭而不泽，子于条上四边生，熟则紫黑色，生则青，叶至秋则落，子尚在枝。"

[2] **治水肿** 《食疗本草》云："主腹胀满。"但《本经》云："鼠李主寒热瘰疬疮。"

[3] **皮主风痹** 《别录》谓鼠李皮"主除身皮热毒"。

又，鼠李根亦入药。刘禹锡《传信方》治口中疳疮方：鼠李根、蔷薇等分，细切熬膏，少少温含咽之。治发背，以膏摊帛上贴发背处。

352 杉材[1]

味辛。治风毒，贲豚，霍乱上气，并煎汤服，并淋洗[2]。须是油杉及臭者良。（《大观》卷 14 页 39；《政和》页 355；《纲目》页 1354）

【校注】

[1] **杉材** 为杉科植物杉的心材及树枝。《别录》首载此药。《本草图经》云：“木类松而劲直，叶附枝生，若刺针……作柱埋之不腐也。”

[2] **霍乱上气，并煎汤服，并淋洗** 《斗门方》治霍乱，用黄杉木劈开作片一握，以水浓煎一盏服之。

又，《别录》云：“主疗漆疮。”陶弘景云：“削作柹，煮以洗漆疮，无不即差。”《唐本草》云：“杉材木，水煮汁，浸捋脚气肿满。”

353 楠材[1]

味辛，热，微毒。治转筋[2]。（《大观》卷 14 页 48；《政和》页 359；《纲目》页 1367）

【校注】

[1] **楠材** 为樟科植物楠木的木材及枝叶。《本草衍义》云：“楠材，今江南等路造船场皆用此木也。缘木性坚而善居水，久则多中空，为白蚁所穴。”

[2] **治转筋** 因霍乱吐泻而致小腿肚抽筋。《别录》云：“楠材，微温，主霍乱吐下不止。”陶弘景云：“削作柹煮服之，穷无他药用此。”

354 钓樟[1]

温，无毒。治贲豘、脚气、水肿，煎服。并将皮煎汤洗疮痍、风瘙疥癣[2]。（《大观》卷 14 页 27；《政和》页 349；《纲目》页 1368）

【校注】

[1] **钓樟** 为樟科植物大叶钓樟的根或根皮。陶弘景云：“出桂阳（今广东连州）、邵陵诸处，亦呼作乌樟。”《唐本草》云：“树高丈余，叶似楠叶而尖长，背有赤毛，若枇杷叶，八月、九月采根皮，日干也。”

[2] **皮煎汤洗疮痍、风瘙疥癣** 《本草拾遗》云：“作浴汤治脚气，除疥癣风痒。”

又，《别录》云：“钓樟根皮，主金疮止血。又，钓樟根皮似乌药，取根摩服治霍乱。”陶弘景云：“刮根皮屑，以疗金疮断血易合，甚验。”

355 雷丸[1]

入药炮用。(《大观》卷14页21;《政和》页347;《纲目》页1473)

【校注】

[1] **雷丸** 为白蘑科真菌雷丸的菌核。《本经》首载此药。《别录》云:"一名雷矢,一名雷实。赤者杀人。生石城(今河南林州)山谷及汉中(今陕西汉中)土中。"陶弘景云:"今出建平(今重庆巫山)、宜都(今湖北宜都)间,累累相连如丸。"《唐本草》云:"雷丸,竹之苓也,无有苗蔓,皆零无相连者。今出房州(今湖北房县)、金州(今陕西石泉)。"

按,雷丸能杀肠虫。《药性论》云:"雷丸……主癫痫狂走,杀蚘虫。"《经验前方》下寸白虫(绦虫)方:雷丸一味,水浸软去皮,切,焙干为末,五更初以一钱匕药稀粥调服。雷丸配苦楝根皮、黑丑、白丑、木香、槟榔为丸,驱各种虫(蛔虫、钩虫、绦虫)。

按,雷丸宜末服,煮则无效,服时忌食醋及其他酸物。

356 榉树皮[1]

味苦,无毒。下水气,止热痢[2],安胎,主妊娠人腹痛。(《大观》卷14页25;《政和》页348;《纲目》页1411)

【校注】

[1] **榉树皮** 为榆科植物大叶榉树的树皮。《别录》首载此药。《唐本草》云:"生溪涧水侧,叶似樗而狭长,树大者连抱,高数仞,皮极粗厚。"

[2] **下水气,止热痢** 《唐本草》云:"俗人取煮汁以疗水及断痢。"

357 榉树叶[1]

冷,无毒。治肿烂恶疮,盐捣罯[2]。(《大观》卷14页25;《政和》页348;《纲目》页1411)

【校注】

[1] **榉树叶** 为榆科植物大叶榉树的叶。余详见"榉树皮"条注[1]。

[2] **治肿烂恶疮,盐捣罯** 《唐本草》云:"取嫩叶挼贴火烂疮,有效。"

358 山榉树皮[1]

平,无毒。治热毒风,熻肿毒。乡人采叶为甜茶。(《大观》卷14页25;《政和》页

348；《纲目》页 1411）

【校注】

[1] **山榉树皮** 《嘉祐本草》引《日华子本草》山榉树皮，将之列在“榉树皮”条下。《本草纲目》亦将榉树皮、山榉树皮并为一条论述。疑二者基原或是同一类植物，只是生境不同。榉树生溪涧水侧，山榉树生在山中。

359 白杨[1]

味酸，冷。治扑损瘀血，并须酒服[2]。煎膏，可续筋骨。非寻常杨、柳并松杨树，叶如梨者是也。（《大观》卷 14 页 23；《政和》页 347；《纲目》页 1415）

【校注】

[1] **白杨** 为杨柳科植物山杨。生于山坡。《雷公炮炙论》首载此药。《本草图经》云：“株大，叶圆如梨，皮白，木似杨，故名白杨。……此下又有水杨条，经云：叶圆阔而赤，枝条短梗，多生水岸旁……故名水杨。”

[2] **治扑损瘀血，并须酒服** 《本草拾遗》云：“白杨去风痹，宿血折伤，血沥在骨肉间，痛不可忍，杂五木为汤，捋浸损处。”

360 钓藤[1]

治客忤胎风[2]。（《大观》卷 14 页 44；《政和》页 357；《纲目》页 1045）

【校注】

[1] **钓藤** 即钩藤。为茜草科植物钩藤的带钩茎枝。《别录》首载此药。陶弘景云：“出建平（今重庆巫山），亦作吊藤。”《唐本草》云：“出梁州（今陕西南郑）。叶细长，茎间有刺若钓钩者是。”《本草衍义》云：“钓藤中空，二经不言之。长八九尺，或一二丈者，湖南北、江南、江西山中皆有。小人有以穴隙间致酒瓮中盗取酒，以气吸之，酒既出，涓涓不断。”

[2] **治客忤胎风** 《别录》云：“主小儿寒热十二惊痫。”《药性论》云：“钓藤……主小儿惊啼、瘈疭、热壅。”《通俗伤寒论》治肝风手足抽搐，用钩藤配羚羊角、桑叶、菊花、白芍、鲜生地。《小儿药证直诀》治小儿惊风，用钩藤配全蝎、天麻、犀角。治高血压头晕，用钩藤配天麻、夏枯草、生石决明、菊花、黄芩、白芍。

又，《本草图经》云：“今亦兴元府（今陕西南郑）有之……三月采。”按，三月采，可得嫩钓藤。嫩钓藤药力好，但不能煮，宜用开水泡，在煎药将成时下（后下）。

又，钓藤皮亦治小儿惊痫。《广济方》《崔氏方》疗小儿惊痫诸汤饮，皆用钓藤皮。

361 皂荚[1]

通关节，除头风，消痰[2]，杀劳虫[3]，治骨蒸，开胃，及中风口噤[4]。入药去皮子，以酥炙用。（《大观》卷 14 页 6；《政和》页 341；《纲目》页 1403）

【校注】

［1］**皂荚** 一名皂角，为豆科植物皂荚的果实。《本经》首载此药。《别录》云："生雍州（今陕西凤翔）川谷及鲁邹县（今山东邹城）。如猪牙者良。"《本草图经》云："以怀（今河南沁阳）、孟（今河南孟州）州者为胜，木极有高大者。此有三种。本经云：形如猪牙者良。陶注云：长尺二者良。唐注云：长六寸、圆厚节促直者，皮薄、多肉、味浓大好。"

［2］**消痰** 孙真人治痰嗽方：皂荚烧研二钱匕，豉汤下之。《金匮要略》治痰喘上气，但坐不得卧方：皂荚研末，和蜜为丸，枣膏汤下之。《灵苑方》治急喉闭方：皂荚去皮子，生，半两为末，每服少许，以筋头点肿处，更以醋调药末，傅项下，须臾便破，少血出，即愈。

［3］**杀劳虫** 《十全方》治牙疼，用猪牙皂角、盐等分，烧为末，揩疼处，良。《仁斋直指方》以皂荚研末为丸，治大风诸癞。

［4］**中风口噤** 皂荚能通窍。《简要济众方》治中风口噤方：皂角去皮涂猪脂炙令黄为末，每服一钱匕；如牙关不开，用白梅揩齿，口开即灌药，以吐出痰涎，差。

按，《本草图经》云："米醋熬嫩刺针（皂刺）作浓煎，以傅疮癣有奇效。"《医宗金鉴》治麻风，用皂刺、大风子、大黄、朴硝、郁金为丸。治疮疡脓成不溃，用皂荚配当归、川芎、黄芪、炮穿山甲。痈疽脓已溃忌用此方。又，皂角、皂刺能落胎，妊娠、咳血者忌用之。

362 楝皮[1]

苦，微毒。治游风热毒，风疹恶疮疥癞[2]，小儿壮热，并煎汤浸洗。服食须是生子者，雌树皮一两，可入五十粒糯米煎煮，杀毒，泻多以冷粥止，不泻者以热葱粥发。无子雄树能吐泻杀人[3]，不可误服。（《大观》卷 14 页 13；《政和》页 344；《纲目》页 1396）

【校注】

［1］**楝皮** 即苦楝皮。为楝科植物川楝或楝的树皮及根皮。《本经》首载楝实，《别录》首载楝根，《日华子本草》首载楝皮。《本草图经》云："以蜀川（今四川）者为佳。木高丈余，叶密如槐而长，三四月开花，红紫色，芬香满庭间。实如弹丸，生青熟黄，十二月采实。"

［2］**风疹恶疮疥癞** 《斗门方》治瘾疹方：楝皮浓煎浴之。《千金方》治小儿秃疮及诸恶疮方：苦楝皮研末，猪脂调涂，亦可煎汤洗浴。

又，苦楝皮能杀肠虫。《本草图经》云："韦宙《独行方》：主蛲虫……取根剉，水煮令浓赤黑色，以汁合米煮作糜，隔宿勿食，来旦从一匕为始，少时复食一匕半糜，便下蛲，验。”《斗门方》云：“治蛔虫咬心，用苦楝皮煎一大盏服下。又方：治五种虫，以楝皮去其苍者，焙干为末，米饮下二钱匕。”驱蛲虫，用苦楝皮配乌梅、百部，煎浓汁，临卧时灌肠。

另，《小儿卫生总微论方》治蛔虫，用苦楝皮、芜荑为末，水煎服。

[3] **无子雄树能吐泻杀人**　《唐本草》云：“此有两种，有雄，有雌。雄者根赤无子，有毒，服之多使人吐不能止，时有至死者。雌者根白有子，微毒。用当取雌者。”

按，苦楝的实、根、皮均能杀肠虫。苦楝实又名金铃子，驱肠虫之力不及皮，煎膏亦可涂疥癣。苦楝实配木香、茴香、吴茱萸、延胡索，可治寒疝痛。

363　柳叶[1]

治天行热病[2]，丁疮，传尸，骨蒸劳，汤火疮，毒入腹，热闷，服金石药人发大热闷，并下水气。煎膏，续筋骨，长肉，止痛。牙痛煎含[3]。

枝，煎汁，可消食也。（《大观》卷14页10；《政和》页343；《纲目》页1412）

【校注】

[1] **柳叶**　为杨柳科植物垂柳的叶。《本经》首载此药，以“柳华”为正名，云：“生琅琊（今山东诸城）川泽。”《本草图经》云：“今河北沙地多生此，又生水旁。叶粗而白，木理微赤，曰杞柳。”

[2] **治天行热病**　《子母秘录》治小儿丹烦方：柳叶一斤，水一斗，煮取三升，去滓，搨洗赤处，日七八度。

[3] **牙痛煎含**　孙真人治牙齿疼方：柳枝一握，细剉，入少盐，浆水煎含之。

364　桐油[1]

冷，微毒。傅恶疮疥[2]，及宣水肿，涂鼠咬处，能辟鼠。（《大观》卷14页26；《政和》页349；《纲目》页1395）

【校注】

[1] **桐油**　为大戟科植物油桐种子榨出的油。《嘉祐本草》在“桐叶”条下引《日华子本草》“桐油”条作注文，但《本经》桐叶为梧桐科植物梧桐的叶。梧桐科植物梧桐与大戟科植物油桐不是同一种植物。《本草图经》云：“今南人作油者乃岗桐也，此桐亦有子，颇大于梧子耳。”《纲目》云：“油桐……类冈桐而小，树长亦迟，花亦微红。但其实大而圆，每实中有二子或四子，大如大风子。其肉白色，味甘而吐人……人多种莳收子，货之为油。”

[2] **傅恶疮疥**　杨起《简便方》治臁疮方：胡粉煅过，研，桐油调作隔纸膏，贴之；或以陈久石灰、血余炭等分为末，桐油调，涂纸上，刺孔贴之。

365 梓白皮[1]

煎汤，洗小儿壮热[2]，一切疮疥，皮肤瘙痒。梓树皮，有数般，惟楸梓佳[3]，余即不堪。（《大观》卷14页29；《政和》页351；《纲目》页1392）

【校注】

[1] **梓白皮** 为紫葳科植物梓树的树皮或根皮。《本经》首载此药。《本草图经》云："梓白皮生河内（今河南武陟）山谷……木似桐而叶小，花紫。……陆机云：梓者，楸之疏理白色而生子者为梓。"

[2] **洗小儿壮热** 《肘后方》治时行头痛壮热，用生梓木削去黑皮，取白者切一升，水二升五合煎汁，每服八分。

[3] **惟楸梓佳** 《本草图经》曰："梓之入药，当用有子者为使。……崔元亮《集验方》：疗毒肿不问硬软，取楸叶十重，薄肿上，即以旧帛裹之，日三易，当重重有毒气为水，流在叶中。如冬月取干叶，盐水浸良久用之。"

366 苏方木[1]

治妇人血气心腹痛，月候不调[2]，及蓐劳，排脓，止痛，消痈肿，扑损瘀血[3]，女人失音血噤[4]，赤白痢，并后分急痛。（《大观》卷14页24；《政和》页348；《纲目》页1419）

【校注】

[1] **苏方木** 即苏木，为豆科植物苏木的心材。《唐本草》首载此药，云："树似菴罗，叶若榆叶而无涩，抽条长丈许，花黄，子生青熟黑。"

[2] **治妇人血气心腹痛，月候不调** 苏木能活血化瘀，配当归、川芎、牛膝、红花，治血滞经闭、经痛。《肘后方》治血晕方：苏木三两，细剉，水五升，煮取二升，分服。

[3] **消痈肿，扑损瘀血** 苏木能活血消肿止痛，配红花、血竭、乳香，治跌打损伤、血瘀肿痛。

[4] **女人失音血噤** 《海药本草》云："主虚劳……男女中风，口噤不语。宜此法，细研乳头香，细末方寸匕，酒煎苏方，去滓，调服，立吐恶物，差。"

367 乌臼根皮[1]

凉。治头风，通大小便[2]。以慢火炙，令脂汁尽，黄干后用。（《大观》卷14页37；《政和》页354；《纲目》页1422）

【校注】

［1］**乌白根皮** 为大戟科植物乌桕的根皮。《唐本草》首载此药，并云："树高数仞，叶似梨杏，花黄白，子黑色。"

［2］**通大小便** 《唐本草》云："乌臼木根皮……主暴水癥结积聚。"《圣惠方》治水肿尿少，用乌臼根皮配槟榔、木通。

按，乌臼木亦能泻下逐水。《斗门方》治大便不通，用乌臼木一寸劈破，以水煎取小半盏，服之立通。

又，乌臼根皮止痒。《摘玄方》治脚气湿疮极痒方：乌臼根皮为末傅之，少时有涎出，良。

368 乌臼子[1]

凉，无毒。压汁梳头，可染发[2]。炒，作汤，下水气[3]。（《大观》卷14页37；《政和》页354；《纲目》页1422）

【校注】

［1］**乌臼子** 为大戟科植物乌桕的种子。余详见"乌白根皮"条注［1］。

［2］**压汁梳头，可染发** 《本草拾遗》云："子多取压为油，涂头令黑变白。"《本草衍义》云："子出油，燃灯及染发。"

［3］**炒，作汤，下水气** 《本草拾遗》云："子多取压为油……服一合，令人下痢，去阴下水。"

又，唐瑶《经验方》治脓疱疥疮方：乌臼油四钱，樟脑、硫黄各一钱，先研硫黄万遍，再入乌臼油、樟脑研为膏，以温汤洗净疮，再用油膏涂之。

369 诃梨勒[1]

消痰下气[2]，除烦，治水，调中，止泻痢[3]，霍乱[4]，贲豘[5]，肾气，肺气喘急[6]，消食开胃[7]，肠风泻血，崩中带下[8]，五膈气。怀孕未足月人漏胎，及胎动欲生，胀闷气喘，并患痢人后分急痛，并产后阴痛，和蜡烧熏，及热煎汤熏，通手后洗。（《大观》卷14页8；《政和》页342；《纲目》页1409）

【校注】

［1］**诃梨勒** 即诃子，为使君子科植物诃子的果实。《唐本草》首载此药，并云："树似木梡，花白，子形似栀子，青黄色，皮肉相着。"萧炳云："波斯（今伊朗）舶上来者，六路黑色肉厚者，良。"

［2］**消痰下气** 诃子能敛肺下气、开音。《宣明论方》治久咳失音不能言，用诃子配甘草、桔梗。诃子配通草、杏仁、煨姜亦治之。

［3］**止泻痢** 诃子有收涩作用。治痢疾偏热腹痛，用诃子配木香、黄连、甘草。治久痢偏寒，用

诃子配陈皮、干姜、罂粟壳。《集验方》治水痢方：诃子三枚，面裹炮赤，去面，取诃子皮，捣为末，饭和为丸，米饮三七丸。

[4] **霍乱** 《子母秘录》治小儿霍乱方：诃子一枚，末，沸汤研一半顿服，未差，再服。

[5] **贲独** 即奔豚。气从少腹上冲胸咽、腹痛、往来寒热为奔豚。诃子能下气，降奔豚气冲。

[6] **肺气喘急** 诃子能下气，降肺气喘急，止久咳止嗽。诃子配甘草、桔梗、旋覆花、枇杷叶，治肺气喘急。

[7] **消食开胃** 诃子能下气消食。《食医心镜》以诃子一枚打碎，水煎三五沸，候如曲尘色，着少盐，下气消食。

又，《广济方》治呕逆不能食方：诃子皮二两，去核，熬干为末，蜜和丸如梧子，空心服二十丸，日二服。

[8] **肠风泻血，崩中带下** 诃子性固涩，故能止肠风泻血、崩中带下，亦可治尿频、遗溺、遗精。

按，诃子以下气、固涩为主。肺气上逆之喘咳失音、胃气上逆之呕吐不消食、肾气上逆之奔豚气，均可以诃子治之。各种泻痢、出血、肠风泻血、崩中下血、带下、胎漏等，均可以诃子治之。

370 紫真檀[1]

无毒。(《大观》卷14页37；《政和》页354；《纲目》页1366)

【校注】

[1] **紫真檀** 为豆科植物紫檀的心材。《别录》首载此药。《唐本草》云："此物出昆仑(按，在《唐书·南蛮列传》中泛指今南洋诸岛)盘盘国(今泰国南部沿海处)也。"《本草拾遗》云："檀树如檀，出海南。本功外，心腹痛，霍乱，中恶，鬼气，杀虫。"

陶弘景云："俗人摩以涂风毒诸肿，亦效，然不及青木香。又主金疮止血。"《外台秘要》止血止痛，用紫真檀以故布帛裹之。《千金方》治一切肿方：紫檀细末，醋和傅肿上。《梅师方》治金疮出血方：急刮紫真檀末傅之。

371 樗皮[1]

温，无毒。止泻[2]及肠风[3]，能缩小便[4]，入药蜜炙用。(《大观》卷14页15；《政和》页344；《纲目》页1388)

【校注】

[1] **樗皮** 为苦木科植物臭椿的根皮。《唐本草》首载此药，但将之与"椿木"并条叙述。椿木即香椿，为楝科植物香椿。《本草图经》云："二木形干大抵相类，但椿木实而叶香可啖。樗木疏而气臭……北人呼樗为山椿，江东人呼为鬼目，叶脱处有痕如樗蒱子，又如眼目。"樗皮、椿皮商品统称"椿根皮"，或称"椿白皮"。椿皮、樗皮皆能固涩，均可治带下、泄泻、出血。

[2] **止泻** 《杨氏产乳》治久泻痢痢方：樗皮捣末和面作馄饨如小枣，勿令破，熟煮，吞七枚。《脾胃论》治休息痢，用樗皮配诃子、丁香。《本草衍义》治久下脓血痢方：樗白皮、人参等分为末，每用二钱匕，空心米饮下。

[3] **肠风** 《丹溪心法》治肠风大便血，用樗皮配滑石。《医学入门》治月经过多或崩漏，用樗皮配黄芩、黄柏、白芍、香附、煅牡蛎。樗皮配槐花、槐角、地榆为丸，治痔漏下血。

[4] **缩小便** 樗皮性固涩，能缩小便，多与乌药、山药、益智仁合用。

按，樗皮亦能固涩止带下。樗皮配乌贼骨、芡实，止白带；配黄柏，治带下黄赤。

又，《肘后方》治小儿头生白秃，发不生出方：椿、樗、桃叶心捣汁，涂之，效。

372 胡椒[1]

调五脏，止霍乱[2]，心腹冷痛[3]，壮肾气，及主冷痢，杀一切鱼、肉、鳖、蕈毒。(《大观》卷14页27；《政和》页349；《纲目》页1320)

【校注】

[1] **胡椒** 为胡椒科植物胡椒的果实。《唐本草》首载此药，云："生西戎（今我国古代西北少数民族居处），形如鼠李子。"《酉阳杂俎》云："胡椒……其苗蔓生，茎极柔弱，叶长寸半，有细条与叶齐。条上结子，两两相对，其叶晨开暮合，合则裹其子于叶中。子形似汉椒，至辛辣，六月采。"

[2] **止霍乱** 胡椒辛温散寒，止霍乱吐泻。孙真人治霍乱方：胡椒三十粒，以饮吞之。《海药本草》云："去胃口气虚冷，宿食不消，霍乱气逆。"胡椒可配生姜、高良姜治霍乱。《本草衍义》云："胡椒，去胃中寒痰吐水，食已即吐，甚验。"

[3] **心腹冷痛** 胡椒能散寒止痛。《食疗本草》云："治五脏风冷，冷气心腹痛，吐清水，酒服之佳，亦宜汤服。若冷气吞三七枚。"胡椒配吴茱萸、乌药、荜澄茄，治寒疝少腹痛。

按，胡椒亦止牙痛。胡椒、荜茇等分为末，蜡丸麻子大，每用一丸塞牙蛀孔中。

又，胡椒辛温助火，阴虚火旺及热证者忌用之。

373 栎树皮[1]

平，无毒。治水痢，消瘰疬，除恶疮。(《大观》卷14页30；《政和》页351；《纲目》页1294)

【校注】

[1] **栎树皮** 为壳斗科植物麻栎的树皮。《唐本草》首载此药。《本草图经》云："木高二三丈，三四月开黄花，八九月结实……不拘时采其皮并实用。"《本草衍义》云："叶如栗叶，在处有，但坚而不堪充材……木善为炭，他木皆不及。"

374 橡斗子[1]

涩肠止泻[2]。煮食，可止饥，御歉岁[3]。壳止肠风[4]，崩中带下，冷热泻痢，并染须发[5]。入药并捣，炒焦用。(《大观》卷14页30；《政和》页351；《纲目》页1294)

【校注】

[1] **橡斗子** 即橡实。为壳斗科植物麻栎的果实。《唐本草》首载此药，以"橡实"为正名。余详见"栎树皮"条注[1]。

[2] **涩肠止泻** 《唐本草》云："主下痢，厚肠胃。"《食疗本草》云："主止痢，不宜多食。"孙真人云："橡子消食止痢，令人强健不极。"

[3] **煮食，可止饥，御歉岁** 《本草衍义》云："橡实，栎木子也。……山中以椿仁为粮，然涩肠。"大便干结者不可食之。

[4] **壳止肠风** 壳，即橡斗壳，性涩，能止血、止痢、染发。《选奇方》治肠风泻血方：取橡斗壳，填满乌梅肉，两个合定，铁丝扎住，煅存性，研末，每服二钱。

[5] **冷热泻痢，并染须发** 《唐本草》云："其壳为散，及煮汁服，亦主痢，并堪染。"陆机《诗疏》云："其壳为汁，可以染皂。"

375 槲皮[1]

味涩。能吐蛊毒[2]，涩五脏[3]。(《大观》卷14页22；《政和》页347；《纲目》页1296)

【校注】

[1] **槲皮** 为壳斗科植物槲树的树皮。《唐本草》首载此药，以"槲若"为正名。《本草图经》云："山林多有之。木高丈余，若即叶也。与栎相类，亦有斗（壳斗），但小，不中用耳。不拘时采，其叶并皮用。"

[2] **能吐蛊毒** 《政和》作"能吐瘰疬"。《大观》作"能吐蛊毒"。

[3] **涩五脏** 槲皮性涩，止痢。《子母秘录》治小儿、大人赤白痢方：新槲皮一斤，去黑皮，细切，水一斗，煎取五升，去滓，更煎如膏，和酒服。

又，《简要济众方》治鼻中外查瘤脓血方：先以泔清煮榆叶取汁洗，拭干，取槲叶灰内疮中良。《简要济众方》又以槲叶捣末，取二钱煎服，治吐血。

376 椰子皮[1]

入药炙用。(《大观》卷14页35；《政和》页353；《纲目》页1308)

【校注】

[1] **椰子皮** 为棕榈科植物椰子的根皮。《本草拾遗》首载此药。《海药本草》云："谨按，《交州记》云：生南海，状若海棕，实名椰子，大如椀许大，外有粗皮……内有浆似酒，饮之不醉。"《本草图经》云："出安南（今泰国）……木似桄榔，无枝条，高数丈，叶在木末如束蒲，实大如瓠，垂于枝间如挂物。实外有粗皮如棕包，次有壳圆而且坚，里有肤，至白如猪肪，厚半寸许，味亦似胡桃，肤里有浆四五合。"

《开宝本草》云："椰子皮……止血，疗鼻衄、吐逆、霍乱，煮汁服之。壳中肉益气去风。浆服之主消渴，涂头益发令黑……壳可为器。"

377 无患子皮[1]

平。（《大观》卷 14 页 29；《政和》页 350；《纲目》页 1408）

【校注】

[1] **无患子皮** 为无患子科植物无患子的果皮。《本草拾遗》首载此药。《酉阳杂俎》云："昔有神巫，能符劾百鬼，擒魑魅，以无患木击杀之，世人竞取此木为器用却鬼，因曰无患木。"

《本草拾遗》云："无患子皮，有小毒，主澣垢（洗去污垢），去面皯、喉闭、飞尸，研内喉中立开。"

《本草衍义》云："无患子，今释子（佛教徒）取以为念珠，出佛经。"

378 盐麸叶上毬子[1]

治中蛊毒、毒药，消酒毒[2]。根用并同。（《大观》卷 14 页 38；《政和》页 355；《纲目》页 1511）

【校注】

[1] **盐麸叶上毬子** 即五倍子，为倍蚜科昆虫倍蛋蚜或角倍蚜寄生于盐肤木树上形成的虫瘿。《本草拾遗》首载此药，以"盐麸子"为正名。《开宝本草》云："叶如椿，生吴（今江苏）、蜀（今四川）山谷，子秋熟为穗粒如小豆，上有盐似雪。"

[2] **治中蛊毒、毒药，消酒毒** 《开宝本草》云："止渴，解酒毒、黄疸、飞尸、蛊毒。"

按，五倍子性收涩，能止泻，止血，止汗，止久咳，缩尿，止遗精、带下。

《景岳全书》治久泻便血，用五倍子配诃子。又，妇女崩漏带下亦可用之。

《集灵方》止盗汗方：五倍子末、荞麦面等分，水和作饼，煨熟，夜卧时食二三个。

治肺虚久咳，用五倍子配五味子、罂粟壳。

《太平惠民和剂局方》治遗尿、遗精，用五倍子配龙骨、茯苓。

379 木鳖子[1]

醋摩，消肿毒[2]。（《大观》卷 14 页 43；《政和》页 357；《纲目》页 1008）

【校注】

[1] **木鳖子** 为葫芦科植物木鳖的种子。《日华子本草》首载此药。《开宝本草》云："其核似鳖，故以为名。出朗州（今湖南常德）及南中（今四川大渡河以南地区）。"《本草图经》云："今湖（今浙江湖州）、岭（今大庾岭）诸州及杭（今浙江杭州）、越（今浙江绍兴）、全（今广西全州）、岳（今湖南岳阳）州亦有之。春生苗作蔓，叶有五花，状如山芋，青色面光，四月生黄花，六月结实似栝楼而极大，生青熟红，肉上有刺。其核似鳖，故以为名。每一实其核三四十枚。八月、九月采。"

[2] **醋摩，消肿毒** 《开宝本草》云："主折伤，消结肿恶疮，生肌，止腰痛，除粉刺䵟黯，妇人乳痈，肛门肿痛。"孙用和治痔方：木鳖子三枚，去皮，杵如泥，入百沸汤一大椀，坐上熏之，至通，手即洗，一日不过三二次。

另有马钱科植物马钱的种子，名番木鳖，功效同木鳖子，但毒性极大，止痛亦佳。番木鳖配川乌、羌活、乳香、没药，治肌肤麻木；配乳香、自然铜、骨碎补、土鳖虫，治外伤瘀血肿痛；配白僵蚕、炮穿山甲，治痈疽肿痛。番木鳖极毒，不可生用，必须经过砂烫或油炸等炮制方可用。

380 榼藤子[1]

治飞尸[2]，入药炙用。（《大观》卷 14 页 41；《政和》页 356；《纲目》页 1011）

【校注】

[1] **榼藤子** 为豆科植物榼藤的种子。《日华子本草》首载此药。《开宝本草》云："按，《广州记》云：生广南（今广东、广西以南地区）山林间。树如通草藤也，三年方始熟，紫黑色。一名象豆。"

[2] **治飞尸** 《肘后方》云："飞尸者，游走皮肤。"飞尸病，病发突然，见胸胁胀满、喘急。又，《开宝本草》云："主蛊毒，五痔，喉痹，小儿脱肛，血痢，并烧灰服。"

381 黄药[1]

凉。治马一切疾[2]。（《大观》卷 14 页 21；《政和》页 346；《纲目》页 1036）

【校注】

[1] **黄药** 为薯蓣科植物黄独的块茎。《日华子本草》首载此药。《开宝本草》以"黄药根"为正名，并云："藤生，高三四尺，根及茎似小桑，生岭南（今大庾岭以南）。"

［2］**治马一切疾**　《纲目》"黄药子"条引"大明"（即《日华子本草》）作"治马心肺热疾"。按，此文原出《本草衍义》，《纲目》误注"大明"。

又，《开宝本草》云："主诸恶肿疮瘘喉痹，蛇犬咬毒，取根研服之。"黄药亦治瘿瘤。《政和》引《斗门方》云："治瘿气，用黄药子一斤，洗净，酒一斗浸之，每日早晚常服一盏。忌一切毒物及不得喜怒。但以线子逐日度瘿，知其效。"

又，《简要济众方》治疮方：黄药子四两为末，以冷水调傅疮上，干即旋傅之。

382　黑饭草[1]

益肠胃，捣汁浸粳米[2]，蒸，晒干服。又名南烛也。（《大观》卷14页28；《政和》页350；《纲目》页1450）

【校注】

［1］**黑饭草**　即南烛。为杜鹃花科植物乌饭树的枝叶。《日华子本草》首载此药。《本草图经》云："今惟江东（今苏南、皖南）州郡有之。株高三五尺，叶类苦楝而小，陵冬不凋。冬生红子作穗……俗谓之南天烛。不拘时采其枝叶用，亦谓之南烛草木。"

［2］**粳米**　原脱，据《开宝本草》"南烛枝叶"条补。

又，《开宝本草》云："南烛枝叶……变白去老。取茎叶捣碎，渍汁浸粳米，九浸、九蒸、九曝，米粒紧小正黑……日进一合。"

383　紫荆木[1]

通小肠。皮、梗同用[2]，花功用亦同。（《大观》卷14页37；《政和》页354；《纲目》页1459）

【校注】

［1］**紫荆木**　为豆科植物紫荆的木部。《本草拾遗》首载此药，并云："紫珠，寒……一名紫荆树，似黄荆，叶小无桠……至秋子熟正紫，圆如小珠，生江东（今苏南、皖南）林泽间。"《本草衍义》云："紫荆木春开紫花，甚细碎，共作朵生。"《开宝本草》云："人多于庭院间种者，花艳可爱。"

又，《本草拾遗》云："主解诸毒物，痈疽，喉痹，飞尸，蛊毒肿，下瘘，蛇、虺、虫、蚕、狂犬等毒，并煮汁服，亦煮汁洗疮肿。"

［2］**皮、梗同用**　紫荆皮能消痈肿。紫荆皮研末，酒调作箍药，敷痈肿周围。痈疽未成，用紫荆皮配白芷为末，酒调服。

384　赤柽木[1]

温。（《大观》卷14页46；《政和》页358；《纲目》页1413）

【校注】

[1] **赤柽木** 即柽柳。为柽柳科植物柽柳或华北柽柳的木部。《日华子本草》首载此药。《本草衍义》云："赤柽木，又谓之三春柳，以其一年三秀也。花，肉红色，成细穗。河西（今陕西、甘肃）者，戎人取滑枝为鞭。"其皮赤，枝叶似松。赤柽木嫩枝、叶能透麻疹，配升麻、蝉蜕、薄荷、白芍、甘草，治麻疹透发不畅。

《开宝本草》云："赤柽木，主剥驴马血入肉毒，取以火炙用熨之，亦可煮汁浸之。"

385 木槿[1]

平，无毒。止肠风泻血，又主痢后热渴。作饮服之，令人得睡。入药炒用，取汁度丝，使得易络。(《大观》卷 14 页 49;《政和》页 359;《纲目》页 1460)

【校注】

[1] **木槿** 为锦葵科植物木槿，其皮并根入药。《本草拾遗》首载此药，《日华子本草》亦载之。《嘉祐本草》糅合两家文字为一体，将之收为正品。

木槿皮能止痒，除癣疮。《简便方》以木槿皮浸汁磨雄黄，频频擦癣疮。木槿皮配大风子、蛇床子、白鲜皮、苦参等，煎汤洗疥癣瘙痒。

386 木槿花[1]

凉，无毒。治肠风泻血并赤白痢[2]，炒用。作汤代茶吃，治风。(《大观》卷 14 页 49;《政和》页 359;《纲目》页 1460)

【校注】

[1] **木槿花** 为锦葵科植物木槿的花。余详见"木槿"条注[1]。

《本草衍义》云："木槿，如小葵，花淡红色，五叶成一花，朝开暮敛。花与枝两用。湖南北（今湖南、湖北）人家多种植为篱障。"

[2] **赤白痢** 赵宜真《济急方》治下痢方：木槿花去蒂，阴干为末，先煎面饼两个，蘸末食之。

387 柞木皮[1]

味苦，平，无毒。治黄疸病。皮烧末，服方寸匕。生南方。叶细，今之作梳者是。(《大观》卷 14 页 48;《政和》页 359;《纲目》页 1463)

【校注】

[1] **柞木皮** 为大风子科植物柞木的树皮。《本草拾遗》首载此药，《日华子本草》亦载之。《嘉

祐本草》糅合两家文字为一体，将之收为正品。

又，《纲目》谓柞木皮能“治鼠瘘、难产，催生利窍”。

388　柘木[1]

味甘，温，无毒。主补虚损，妇人崩中血结，及主疟疾，兼堪染黄。

柘木白皮及东行根白皮，煮汁酿酒，主风虚耳聋，劳损，虚羸瘦，腰肾冷，梦与人交接泄精者，取汁服之。无刺者良。(《大观》卷14页48；《政和》页359；《纲目》页1433)

【校注】

[1] **柘木**　为桑科植物柘树的木部。《本草拾遗》首载此药，《日华子本草》亦载之。《嘉祐本草》糅合两家文字为一体，将之收为正品。《本草衍义》云：“柘木，里有纹，亦可旋为器。叶饲蚕，曰柘蚕。叶梗，然不及桑叶。东行根及皮煮汁酿酒，治风虚耳聋有验。”

389　黄栌[1]

味苦，寒，无毒。除烦热，解酒疸目黄，煮服之。亦洗汤火漆疮[2]及赤眼，堪染黄。生商洛山谷。叶圆，木黄，川界甚有之。(《大观》卷14页48；《政和》页359；《纲目》页1386)

【校注】

[1] **黄栌**　《本草拾遗》首载此药，《日华子本草》亦载之。《嘉祐本草》糅合两家文字为一体，将之收为正品。

[2] **洗汤火漆疮**　《证类本草》引《杨氏产乳》云：“治漆疮，煎黄栌水汁洗之最良。”

390　棕榈子[1]

平，无毒。涩肠，止泻痢肠风[2]，崩中带下，及养血。(《大观》卷14页49；《政和》页359；《纲目》页1421)

【校注】

[1] **棕榈子**　为棕榈科植物棕榈的果实。《本草拾遗》首载此药，《日华子本草》亦载之。《嘉祐本草》糅合两家文字为一体，将之收为正品。《本草图经》云：“出岭南（今大庾岭以南）及西川，江南亦有之。木高一二丈，旁无枝条，叶大而圆，歧生枝端，有皮相重，被于四旁，每皮一匝为一

节，二旬一采，转复生上。六七月生黄白花，八九月结实，作房如鱼子黑色。”

[2] **止泻痢肠风** 《集简方》治肠风下血方：取棕榈木端茎中长的黄苞（内有细子成列），切片晒干为末，蜜汤或酒服一二钱。

391 棕榈皮[1]

平，无毒。止鼻洪吐血[2]，破癥，治崩中带下[3]，肠风赤白痢。入药烧灰用，不可绝过[4]。(《大观》卷14页49；《政和》页359；《纲目》页1421)

【校注】

[1] **棕榈皮** 为棕榈科植物棕榈的叶柄及叶鞘纤维。余详见“棕榈子”条注[1]。《本草衍义》云：“棕榈木……每岁剐取棕皮，不尔束死。”

[2] **止鼻洪吐血** 棕榈性收敛，佐以他药，止各种出血。如棕榈皮配血余炭、莲房炭，止鼻洪(鼻出血不止)、崩漏、吐血；配丹皮、白茅根、大蓟、小蓟、侧柏叶，治血热妄行出血。

[3] **治崩中带下** 《本草衍义》云：“皮烧为黑灰（棕炭），治妇人血露。”棕榈皮配茜草、乌贼骨、苎根、黄芪、白术，治崩中带下。

[4] **入药烧灰用，不可绝过** 《纲目》引“大明”（即《日华子本草》）作“烧存性用”。按，棕榈皮以陈久者为佳，入药炒炭用。暴病出血而有瘀滞者忌用之。

392 婆罗得[1]

味辛，温，无毒。主冷气块，温中，补腰肾，破痃癖，可染髭发令黑[2]。树如柳，子如萆麻。生西国。(《大观》卷14页47；《政和》页358；《纲目》页1411)

【校注】

[1] **婆罗得** 本条与下文“甘露藤”条末有小字注云“已上二种新补见陈藏器、《日华子》”。这说明本条是《嘉祐本草》糅合两家文字而成。《本草拾遗》首载此药。

[2] **可染髭发令黑** 《纲目》引孟诜《近效方》云：“拔白生黑。婆罗勒十颗去皮取汁，熊脂二两，白马鬐膏炼过一两，生姜炒一两、母丁香半两，二味为末，和匀。每拔白点之，揩令入肉，即生黑者。”

393 甘露藤[1]

味甘，温，无毒。主风血气诸病。久服调中温补，令人肥健，好颜色，止消渴，润五脏，除腹内诸冷。生岭南[2]。藤蔓如筋。一名肥藤，人服之得肥也。(《大观》卷14页47；《政和》页358；《纲目》页1053)

【校注】

[1] **甘露藤** 本条末有小字注云“已上二种新补见陈藏器、《日华子》”。这说明本条是《嘉祐本草》糅合两家文字而成。

[2] **岭南** 今大庾岭以南，即广东、广西一带。

394 感藤[1]

味甘，平，无毒。调中益气，主五脏，通血气，解诸热，止渴，除烦闷，治肾钓气如木防己。生江南山谷。如鸡卵大，斫藤断，吹，气出一头。其汁甘美如蜜。叶，生研傅蛇虫咬疮。一名甘藤，甘、感声近，又名甜藤也。(《大观》卷14页47；《政和》页358；《纲目》页1053)

【校注】

[1] **感藤** 《大观》《政和》“感藤”条末有小字注云“新补见陈藏器、《日华子》”。这说明本条是《嘉祐本草》糅合两家文字而成。

兽部　卷第十四

395　龙骨[1]

健脾，涩肠胃，止泻痢渴疾[2]，怀孕漏胎，肠风下血，崩中带下，鼻洪吐血[3]，止汗[4]。（《大观》卷16页1；《政和》页368；《纲目》页1574）

【校注】

［1］**龙骨**　为古代哺乳动物（如东方剑齿象、犀牛、三趾马、高氏羚羊）的骨骼化石。《本经》首载此药。《别录》云："生晋地（今山西）川谷及太山（今山东泰安）岩水岸土穴中。"陶弘景云："今多出梁（今陕西及四川北部）、益（今四川）间，巴中（今重庆巴南）亦有。骨欲得脊脑作白地锦文，舐之着舌者，良。"

［2］**涩肠胃，止泻痢渴疾**　龙骨火煅后，性固涩，能止泻，止汗，止血，止遗尿、遗精、带下。《梅师方》治下痢脓血不止，不能食方：白龙骨末，米饮调方寸匕服。《证治准绳》治泻痢不止，用煅龙骨配诃子、赤石脂、罂粟壳、没食子。

［3］**肠风下血，崩中带下，鼻洪吐血**　煅龙骨性收涩，能止各种出血。《广利方》治鼻衄及咯吐血方：龙骨作细末，吹一江豆许于鼻中，立止。煅龙骨配茜草、乌贼骨、煅牡蛎、黄芪、白芍、生地黄、山药，治妇女崩漏、月经过多、赤白带下。

［4］**止汗**　煅龙骨性收涩，能止自汗、盗汗，止遗精、遗尿，止湿疮流水。煅龙骨配五味子、煅牡蛎，能止汗；自汗，加黄芪、防风、白术；盗汗，加白芍、生地黄、麦门冬。煅龙骨配韭菜籽，止遗精；配桑螵蛸，止遗尿；配枯矾等分研细末，外掺湿疮流水。

又，生龙骨能安神镇惊，配远志、枣仁、朱砂、茯神、生牡蛎，治心悸不寐；配生牡蛎、代赭石、牛膝、白芍、龟板，治高血压所致头痛头晕。

396　龙齿[1]

涩，凉。治烦闷、癫痫、热狂[2]，辟鬼魅。（《大观》卷16页1；《政和》页368；《纲目》页1574）

【校注】

[1] **龙齿** 为古代哺乳动物（如犀牛类、象类、三趾马等）的牙齿化石。《本经》首载此药。《别录》云："生晋地（今山西）川谷及太山（今山东泰安）岩水岸土穴中。"

[2] **治烦闷、癫痫、热狂** 《药性论》云："龙齿，君，镇心，安魂魄。"

按，龙齿以镇心安神为主，收涩之力不及龙骨，多用于癫痫、热狂、烦闷、心悸不寐、多梦。

397 牛黄[1]

凉。疗中风失音[2]、口噤，妇人血噤，惊悸[3]，天行时疾，健忘虚乏。（《大观》卷16页6；《政和》页370；《纲目》页1754）

【校注】

[1] **牛黄** 为牛科动物牛的胆结石。《本经》首载此药。《别录》云："生晋地（今山西）平泽，于牛得之。"陶弘景云："多出梁（今陕西及四川北部）、益（今四川），一子如鸡子黄大相重叠。药中之贵，莫复过此。"《唐本草》云："今出莱州（今山东莱州）、密州（今山东诸城）、淄州（今山东淄川）、青州（今山东青州）、嶲州（今四川西昌）、戎州（今四川兴文）……黄有三种：散黄……慢黄……圆黄。"

[2] **疗中风失音** 牛黄能豁痰开窍，治中风窍闭、热病神昏。多用牛黄配朱砂、黄连、黄芩、栀子、郁金。

[3] **口噤，妇人血噤，惊悸** 牛黄能镇惊熄风。《圣惠方》治小儿口噤方：牛黄少许，细研，淡竹沥调下一字灌之。《广利方》治孩子惊痫，嚼舌仰目方：牛黄一大豆，研，和蜜水服之。治小儿高热抽搐，用牛黄配钩藤、全蝎、天竺黄、朱砂、雄黄、陈胆星。一般可制丸服，如《明医杂著》牛黄抱龙丸。

又，牛黄能清热解毒，消痈肿疮毒，配珍珠、冰片、麝香，外吹口舌疮、咽喉肿痛、溃烂；配草河车、金银花、甘草，能消痈肿疮毒；配乳香、没药、麝香，治瘰疬、乳痈、乳癌。

按，牛黄既能开窍，又能镇惊，这是两种相反的作用。当高热患者出现神昏谵语、惊厥抽搐时，很难同时消除以上症状，如用催醒剂消除神昏则对惊厥不利，如用抗惊厥药则对神昏不利，但用含牛黄的丸剂（安宫牛黄丸、牛黄抱龙丸）能同时解除神昏与惊厥。

398 麝香[1]

辟邪气，杀鬼毒蛊气，疟疾[2]，催生，堕胎[3]，杀脏腑虫，制蛇蚕咬[4]，沙虱溪瘴毒，吐风痰[5]，内子宫，暖水脏，止冷带疾。（《大观》卷16页4；《政和》页369；《纲目》页1785）

【校注】

[1] **麝香** 为鹿科动物雄麝脐下香囊中的分泌物。《本经》首载此药。《别录》云："生中台（今

江西大余）川谷及益州（今四川）、雍州（今陕西凤翔）山中。春分取之，生者益良。”陶弘景云：“今出随郡、义阳（今河南桐柏）、晋熙（今安徽潜山）。”《本草图经》收载了文州（今甘肃文县）麝香药图，并云：“形似獐而小，其香正在阴前皮内，别有膜裹之。”

[2] **辟邪气，杀鬼毒蛊气，疟疾** 《本经》云：“主辟恶气，杀鬼精物，温疟，蛊毒。”

[3] **催生，堕胎** 《别录》云：“疗……妇人产难，堕胎。”按，麝香能活血通络，能催生、堕胎、通经。用麝香五厘、肉桂五分，为末服，能下死胎，治胞衣不出。麝香配川芎、赤芍、桃仁、红花，治经闭。

[4] **杀脏腑虫，制蛇蚕咬** 《本经》云：“去三虫。”《食疗本草》云：“作末服之……煞蛇毒。”

[5] **吐风痰** 麝香能开窍，治中风痰厥、高热神昏。《温病条辨》安宫牛黄丸，以麝香、牛黄、犀角、黄连、朱砂等为丸，治温热病神昏谵语、突然昏厥。

按，麝香能消肿止痛，可配成各种丸剂用。如六神丸，由麝香、牛黄、冰片、珍珠、雄黄、蟾酥制成，治咽喉肿痛、痈肿疮毒。玉枢丹（紫金锭），由麝香、朱砂、雄黄、山慈姑、千金子、五倍子、大戟制成，通治痈肿、疮疖，有消肿止痛之功。以麝香、冰片、血竭、红花、朱砂、乳香、没药、儿茶制成的七厘散，可治外伤瘀血肿痛。麝香少许掺入膏药中，外贴治筋骨痛极佳。妊娠者忌用。

399 人乳[1]

冷。益气，治瘦悴，悦皮肤，润毛发[2]。点眼止泪，并疗赤目[3]，使之明润也。（《大观》卷15页2；《政和》页364；《纲目》页1822）

【校注】

[1] **人乳** 《别录》首载此药。

[2] **治瘦悴，悦皮肤，润毛发** 《别录》云：“令人肥白悦泽。”

[3] **点眼止泪，并疗赤目** 《唐本草》引《别录》云：“首生男乳，疗目赤痛多泪。”《本草衍义》云：“人乳汁，治目之功多，何也？……老人患口疮，不能食，饮人热乳良。”

400 发[1]

温。止血闷，血运，金疮，伤风，血痢。入药烧灰，勿令绝过[2]。煎膏长肉[3]，消瘀血也。（《大观》卷15页1；《政和》页363；《纲目》页1812）

【校注】

[1] **发** 《本经》首载此药，以“发髲”为正名。

[2] **血痢。入药烧灰，勿令绝过** 头发烧灰名血余炭。血余炭能止血化瘀，通治各种出血，如尿血、便血、血痢、吐血、咯血、鼻衄、崩漏下血。治吐血、崩漏，用血余炭配侧柏炭、鲜藕汁、煅花蕊石。

又，《别录》云："合鸡子黄煎之，消为水，疗小儿惊热下痢。"

《梅师方》治鼻衄方：烧发细研，水服方寸匕，须臾更吹鼻中。

《圣惠方》治齿衄，外伤出血方：血余炭配陈棕炭、莲房炭为末服。

[3] **煎膏长肉** 血余炭能生肌敛疮，治疮疡溃后久不收口。《苏沈良方》记载，乱发、露蜂房、蛇蜕皮，各烧灰，每味取一钱匕酒调服，治疮口久不合，神验。

401 头垢[1]

温。治中蛊毒及蕈毒，米饮或酒化下，并得以吐为度。(《大观》卷15页2；《政和》页364；《纲目》页1814)

【校注】

[1] **头垢** 《别录》首载此药，并云："主淋闭不通。"陶弘景云："今当用悦泽人者，其垢可丸，又主噎，亦疗劳。"

又，《药性论》云："头垢治噎，酸浆水煎膏用之，立愈。"

402 粪清[1]

冷。腊月截淡竹，去青皮，浸渗取汁。治天行热狂，热疾[2]，中毒，并恶疮蕈毒，取汁服。浸皂荚、甘蔗，治天行热疾[3]。(《大观》卷15页3；《政和》页364；《纲目》页1816)

【校注】

[1] **粪清** 即人粪汁。《日华子本草》首载此名。后世又名之金汁。其善解毒热。

[2] **治天行热狂，热疾** 陶弘景云："时行大热，饮粪汁亦愈。今近城寺，别塞空罂口，内(纳)粪仓中，积年得汁甚黑而苦，名为黄龙汤，疗温病垂死皆差。"

[3] **疾** 其后，《纲目》引"大明"(即《日华子本草》)有"名人中黄"，《政和》引《日华子本草》无此4字。按，"人中黄"，出自朱震亨。以甘草末入竹筒内，两端塞紧，冬月浸粪池深处，立春取出，悬风处阴干，破竹取草，晒干，名人中黄。人中黄大解热毒，治恶疮、瘟疫、天行热疾，或痘疮因热毒盛黑陷。

403 人牙齿[1]

平。除劳，治疟，蛊毒气。入药烧用。(《大观》卷15页3；《政和》页364；《纲目》页1816)

【校注】

[1] **人牙齿** 《日华子本草》首载此药。《嘉祐本草》将之录为正品。《证类本草》引《肘后方》云："治乳痈，取人牙齿烧灰，细研，酥调，贴痈上。"

本条，《纲目》注出处为"藏器"，《大观》《政和》俱作《日华子本草》文。

404 耳塞[1]

温。治癫狂鬼神及嗜酒。又名脑膏、泥丸脂。（《大观》卷15页3；《政和》页364；《纲目》页1815）

【校注】

[1] **耳塞** 《日华子本草》首载此药。《嘉祐本草》将之录为正品。

《儒门事亲》治破伤风方：用病人耳中膜，并刮爪甲上末，唾调，涂疮口。

405 手爪甲[1]

平。催生。（《大观》卷15页5；《政和》页365；《纲目》页1815）

【校注】

[1] **手爪甲** 《本草拾遗》首载此药，《日华子本草》亦载之。《嘉祐本草》将之录为正品。《普济方》治破伤风方：手足指甲烧存性六钱，姜制天南星、独活、丹砂各二钱，为末，分作二服，酒下。

按，治咽口疮溃烂的锡类散，即由人爪甲、青黛、壁钱、象牙末、牛黄、珍珠、冰片制成。

406 天灵盖[1]

治肺痿，乏力羸瘦，骨蒸劳及盗汗等。入药酥炙用。（《大观》卷15页5；《政和》页365；《纲目》页1827）

【校注】

[1] **天灵盖** 《本草拾遗》首载此药，《日华子本草》亦载之。《开宝本草》将之收为正品。陈承云："以年深尘泥所渍朽者为良，以其绝尸气也。"

407 小便[1]

凉。止劳渴嗽，润心肺，疗血闷，热狂[2]，扑损瘀血运绝[3]，及困乏。揩洒皮肤，治皲裂，能润泽人。蛇犬等咬，以热尿淋患处。难产及胞衣不下[4]，即取一升，用姜、葱各一分，煎三两沸，乘热饮，便下。吐血鼻洪，和生姜一分，绞汁，并壮健丈夫小便一升，乘热顿饮差。(《大观》卷15页3；《政和》页365；《纲目》页1818)

【校注】

[1] **小便** 用男童小便，弃头尾，取中间一段。《别录》首载此药，以“人溺”为正名。

[2] **热狂** 《别录》云：“人溺疗寒热头疼，温气。童男者尤良。”

[3] **扑损瘀血运绝** 《唐本草》云：“尿主卒血攻心，被打，内有瘀血，煎服之，一服一升。”

[4] **难产及胞衣不下** 《本草衍义》云：“人溺，须童男者。产后温一杯饮，压下败血恶物。……无热者，尤不宜多服。”

408 人中白[1]

凉。治传尸，热劳，肺痿，心膈热，鼻洪吐血[2]，羸瘦渴疾。是积尿垽入药。(《大观》卷15页3；《政和》页365；《纲目》页1819)

【校注】

[1] **人中白** 《日华子本草》首用此名。《别录》首载此药，以“溺白垽”为正名。

[2] **鼻洪吐血** 《别录》云：“疗鼻衄，汤火灼疮。”《经验方》治鼻衄方：人中白刮在新瓦上，火逼干，研末，酒下。

又，《唐本草》云：“溺白垽，烧研末，主紧唇疮。”《纲目》云：“走马牙疳……用妇人尿桶中白垢火煅一钱，铜绿三分，麝香一分，和匀贴之，尤有神效。”

409 黄牛乳[1]、髓

冷。润皮肤[2]，养心肺，解热毒。(《大观》卷16页12；《政和》页373；《纲目》页1734)

【校注】

[1] **黄牛乳** 为牛科动物黄牛的乳。《别录》首载此药，并云：“微寒，补虚羸，止渴。”

[2] **润皮肤** 《本草拾遗》云：“润肤止渴。”

410 羊乳[1]

利大肠，含疗口疮[2]，小儿惊痫疾。(《大观》卷16页12；《政和》页372；《纲目》

页 1724）

【校注】

［1］**羊乳**　为牛科动物山羊的乳汁。《别录》首载此药，并云："羊乳，温，补寒冷虚乏。"

［2］**含疗口疮**　《本草拾遗》云："小儿含之，主口疮。"《食疗本草》云："主小儿口中烂疮，取羖羊生乳含五六日，差。"《千金翼方》治漆疮，用羊乳傅之。

411　牛酥[1]

凉。益心肺，止渴嗽，润毛发，除肺痿，心热[2]，并吐血。（《大观》卷 16 页 12；《政和》页 373；《纲目》页 1750）

【校注】

［1］**牛酥**　为牛科动物黄牛乳制的酥油。《别录》首载此药。陶弘景云："酥……牛羊乳所为作之。……乳成酪，酪成酥。"《唐本草》云："酥，搯酪作之。"《别录》云："酥，微寒，补五脏，利大肠，主口疮。"

［2］**心热**　《食疗本草》云："寒，除胸中热。"

又，《圣惠方》治蜂螫人或恶虫咬，以酥和盐傅之。

412　熊白[1]

凉，无毒。治风，补虚损，杀劳虫[2]。

脂，强心。

脑髓，去白秃风屑[3]，疗头旋并发落。

掌，食可御风寒[4]，此是八珍之数。

胆，治疳疮，耳鼻疮及诸疳疾[5]。（《大观》卷 16 页 7；《政和》页 370；《纲目》页 1771）

【校注】

［1］**熊白**　即熊脂，为熊科动物黑熊或棕熊的脂肪。《本经》首载此药。《别录》云："生雍州（今陕西凤翔）山谷。"《本草图经》云："今雍（今陕西凤翔）、洛（今河南洛阳）、河东（今山西）及怀（今河南沁阳）、卫（今河南卫辉）山中皆有之。熊形类犬、豕而性轻捷，好攀缘上高木……冬多入穴而藏蛰，始春而出。脂谓之熊白，十一月取之，须其背上者。"

［2］**补虚损，杀劳虫**　《本经》云："熊脂，主……羸瘦，头疡白秃。"《药性论》云："主小儿五疳，杀虫，治恶疮。"

［3］**去白秃风屑**　《杨氏产乳》疗白秃疮及发中生癣，取熊白傅之。

［4］**掌，食可御风寒**　《政和》引《圣惠方》云："熊掌，得酒、醋、水三件煮熟，即瞋大如皮球，食之耐风寒。"

［5］**治疳疮，耳鼻疮及诸疳疾**　熊胆善清热解毒、明目、止痉、杀虫。

《圣惠方》治小儿疳疮、虫蚀鼻，用熊胆半分，汤化调涂鼻中。

《外台秘要》治痔，涂熊胆取差，一切方不及此。

《寿域方》以熊胆汁，入冰片少许，调匀，涂痔疮、火毒疮肿。

熊胆能明目，配决明子、黄连、野菊花为丸服，治目赤肿痛及障翳。

熊胆能镇痉。《食疗本草》云："小儿惊痫、瘈疭，熊胆两大豆许，和乳汁及竹沥服，并得去心中涎，良。"

熊胆能杀虫。《政和》引《斗门方》云："治水弩射人，用熊胆涂之。更以雄黄同用酒磨服之，即愈。"又引《外台秘要》云："疗蚘虫心痛，熊胆如大豆和水服，大效。"

413　醍醐[1]

止惊悸、心热[2]、头疼，明目，傅脑顶心。（《大观》卷16页13；《政和》页373；《纲目》页1751）

【校注】

［1］**醍醐**　为牛乳制成的食用脂肪。陶弘景引佛经云："乳成酪，酪成酥（酥油），酥成醍醐。"《唐本草》首载此药，并云："此酥之精液也。好酥一石，有三四升醍醐，熟抨炼，贮器中待凝。"

［2］**心热**　《政和》引《圣惠方》云："治中风烦热，皮肤瘙痒，用醍醐四两，每服酒调下半匙。"

又，《食医心镜》云："治一切肺病咳嗽脓血不止，好酥五斤，熔三遍，停，取凝，当出醍醐，服一合，差。"

414　牛酪[1]

冷。止烦渴，热闷[2]，心膈热痛。（《大观》卷16页13；《政和》页373；《纲目》页1750）

【校注】

［1］**牛酪**　由牛乳炼制而成的食品。此名出《日华子本草》。《别录》原作"酪酥"，宋代本草将之析为"酥""酪"两条。

［2］**止烦渴，热闷**　《食疗本草》云："寒，主热毒，止渴，除胃中热。"

又，《政和》引《千金翼方》云："疗丹瘾疹方：酪和盐热煮以摩之，手下消。"

415 犀角[1]

味甘、辛。治心烦，止惊[2]，安五脏，补虚劳，退热，消痰，解山瘴溪毒，镇肝明目，治中风失音，热毒风，时气发狂[3]。(《大观》卷 17 页 17；《政和》页 383；《纲目》页 1768)

【校注】

[1] **犀角** 为犀科动物犀牛的角。《本经》首载此药。《别录》云："生永昌（今云南保山）山谷及益州（今四川）。"《本草图经》云："今出南海（今广东、广西）者为上，黔（今贵州）、蜀（今四川）者次之。犀似牛，猪首，大腹，痹脚，脚有三蹄色黑，好食棘。其皮每一孔皆生三毛，顶一角。"

[2] **治心烦，止惊** 犀角能镇惊。《广利方》治孩子惊痫不知人方：犀角末半钱匕，水二大合，服之立效。治高热惊厥抽搐，用犀角配羚羊角、麝香、石膏、磁石，或配黄连、生地黄、丹参。

[3] **热毒风，时气发狂** 犀角配丹皮、赤芍、生地黄，能凉血清热解毒。治时气发狂，用犀角配石膏、知母、玄参、大青叶、栀子，清热止狂。一般成药紫雪丹、至宝丹、安宫牛黄丸均用犀角。这些药对高热、昏迷、抽搐确有效。

416 牯羊角[1]

退热，治山瘴溪毒，烧之去蛇。

心，有孔者杀人。

肾，补虚，耳聋，阴弱，壮阳[2]，益胃，止小便，治虚损盗汗。

羊肉，治脑风并大风，开胃，肥健[3]。

头，凉。治骨蒸，脑热，头眩，明目，小儿惊痫[4]。

脂，治游风并黑䵟。

牯羊粪，烧灰，理聤耳并罯刺。(《大观》卷 17 页 9；《政和》页 379；《纲目》页 1724)

【校注】

[1] **牯羊角** 为牛科动物山羊的角。《本经》首载此药。《别录》云："生河西（今陕西）川谷，取无时，勿使中湿，湿即有毒。"《唐本草》云："以青羝为佳，余不入药用也。"《药性论》云："羖羊角，使，治产后恶血烦闷，烧灰酒服之，又主轻身，治小儿惊痫。"

[2] **肾，补虚，耳聋，阴弱，壮阳** 《经验后方》以羊肾合肉苁蓉作羹食，治劳伤、阳气衰弱、腰脚无力。《食医心镜》治肾虚精竭方：炮羊肾一双，作羹食之，治阳事不行。

[3] **羊肉……开胃，肥健** 《饮膳正要》以羊肉三斤切，粱米二升同煮，下五味，作粥食，壮

胃健脾。张仲景当归羊肉汤方：羊肉一斤，水一斗，煮汁八升，入当归五两、黄芪八两、生姜六两，煮取二升，分四服，能壮胃健脾、补虚劳及治产后心腹疝痛。

[4] **头，凉……头眩，明目，小儿惊痫** 《唐本草》云：“羊头，疗风眩瘦疾，小儿惊痫。”《食医心镜》云：“主风眩羸瘦，小儿惊痫……羊头一枚燖洗如法，蒸令熟，切，以五味调和食。”

417 水牛肉[1]

冷，微毒。

黄牛肉[2]，温，微毒。益腰脚，大都食之发药毒动病，不如水牛也。惟酥乳佳。

水牛角[3]，煎，治热毒风并壮热[4]。

牛角鰓，烧焦，治肠风泻血痢，崩中带下，水泻[5]。

牛涎，止反胃呕吐，治噎[6]。要取，即以水洗口后，盐涂之，则重吐出。

牛骨髓，温，无毒。治吐血，鼻洪，崩中，带下，肠风泻血并水泻，烧灰用。(《大观》卷17页7;《政和》页377;《纲目》页1735)

【校注】

[1] **水牛肉** 为牛科动物水牛的肉。余详见“牛黄”条注[1]。

《政和》引《肘后方》云：“伤寒时气，毒攻手足肿疼痛欲断，牛肉裹肿处，止。”

[2] **黄牛肉** 为牛科动物黄牛的肉。余详见“牛黄”条注[1]。

[3] **水牛角** 为牛科动物水牛的角。《别录》首载此药。余详“牛黄”条注[1]。

[4] **水牛角，煎，治热毒风并壮热** 《别录》云：“水牛角疗时气寒热。”按，犀角能治壮热，水牛角与犀角同功，则水牛角似可代替犀角用，但量需加大。

[5] **牛角鰓，烧焦，治肠风泻血痢，崩中带下，水泻** 《药性论》云：“黄牛角鰓灰……性涩，能止妇人血崩不止，赤白带下，止冷痢泻血。”

又，《政和》引《经验后方》云：“治冷痢，沙角胎烧灰，粥饮调下两钱。”

[6] **牛涎，止反胃呕吐，治噎** 牛涎治噎膈反胃，《纲目》引《世医得效方》云：“香牛饮：用牛涎一盏，入麝香少许，银盏炖热。先以帛紧束胃脘，令气喘，解开，乘热饮之。仍丁香汁入粥食。”

418 马肉[1]

只堪煮，余食难消，不可多食，食后以酒投之[2]，皆须好清水搦洗三五遍，即可煮食之。怀娠人及患痢人并不可食[3]。忌苍耳、生姜。

又，鬃烧灰，止血并傅恶疮[4]。

马齿，水磨[5]，治惊痫。

马头骨，治多睡，作枕枕之[6]。烧灰，傅头、耳疮，佳。

马尿，洗头疮、白秃[7]。（《大观》卷17页1；《政和》页374；《纲目》页1742）

【校注】

[1] **马肉** 为马科动物马的肉。《别录》首载此药。陶弘景云：“马色类甚多，以纯白者为良。”

[2] **食后以酒投之** 《本草拾遗》云：“马肉及血有小毒，食之当饮美酒即解。”

[3] **怀娠人及患痢人并不可食** 《本草拾遗》云：“马肉及血有小毒……妇人怀妊不得食马、驴、骡。”

[4] **鬃烧灰，止血并傅恶疮** 按，马鬃烧灰止血，与头发烧灰（血余炭）止血同。一般动物毛烧炭均能止血、敛疮。

[5] **水磨** 《纲目》作“水磨服”，并注此文为《别录》文。《大观》《政和》注此文为《日华子本草》文。

[6] **作枕枕之** 《纲目》注此文为《别录》文。《大观》《政和》注此文为《日华子本草》文。

[7] **马尿，洗头疮、白秃** 《纲目》注此文为“孟诜”文。《大观》《政和》注此文为《日华子本草》文。

419 犬[1]

黄者大补益，余色微补。古言薯蓣凉而能补，犬肉暖而不补。虽有此言，服终有益。然奈秽甚，不食者众。

犬肉，暖，无毒。补胃气，壮阳[2]，暖腰膝，补虚劳，益气力。

犬心，治狂犬咬，除邪气[3]风痹，疗鼻衄及下部疮。

犬血[4]，补安五脏。

犬胆[5]，主扑损瘀血，刀箭疮。

犬阴[6]，治绝阳，及妇人阴痿。

犬头骨[7]，烧灰用，亦壮阳，黄者佳。

犬齿[8]，理小儿客忤，烧入用。（《大观》卷17页13；《政和》页381；《纲目》页1720）

【校注】

[1] **犬** 为犬科动物狗。《本经》首载此药，以“牡狗阴茎”为正名。

[2] **补胃气，壮阳** 孟诜云：“犬肉，益阳事，补血脉，厚肠胃，实下焦，填精髓……和五味煮，空腹食之。”

[3] **除邪气** 《别录》云：“心，主忧恚气，除邪。”

[4] **犬血** 《证类本草》引《百一方》云：“卒得瘑疮，常对在两脚，涂白犬血，立愈。”

[5] **犬胆** 《本经》云："胆主明目。"《别录》云："主痂疡恶疮。"《药性论》云："主鼻齆，鼻中息肉。"《食疗本草》云："胆以酒调服之明目，去眼中脓水。"《证类本草》引《圣惠方》云："治眼痒急赤涩，用犬胆汁注目中。"

[6] **犬阴** 《本经》云："主伤中阴痿不起……除女子带下十二疾。"

[7] **犬头骨** 《别录》云："头骨主金疮止血。"《药性论》云："狗头骨，使，烧灰为末，治久痢劳痢，和干姜、莨菪炒焦见烟为丸，白饮空心下十丸，极效。"

[8] **犬齿** 《别录》云："齿主癫痫，寒热卒风痱。"

420 鹿茸[1]

补虚羸[2]，壮筋骨[3]，破瘀血，杀鬼精，安胎，下气，酥炙入用。

鹿角，疗患疮、痈肿、热毒等[4]，醋摩傅。脱精、尿血、夜梦鬼交，并治之，水摩服。小儿重舌[5]，鹅口疮，炙熨之。

鹿肾，补中，安五脏，壮阳气，作酒及煮粥服。

鹿髓，治筋骨弱，呕吐，地黄汁煎作膏，填骨髓。蜜煮，壮阳，令有子。

鹿肉，无毒，补益气，助五脏；生肉，贴偏风，左患右贴，右患左贴；头肉，治烦满多梦。

鹿蹄，治脚膝酸。

又，血，治肺痿吐血，及崩中带下，和酒服之，良。（《大观》卷17页4；《政和》页376；《纲目》页1775）

【校注】

[1] **鹿茸** 为鹿科动物雄鹿头上的幼角。《本经》首载此药。《别录》云："四月、五月解角时取，阴干，使时燥。"《唐本草》云："鹿茸，夏收阴干，百不收一，纵得一干，臭不任用。"《本草图经》云："四月角欲生时，取其茸（带毛茸的幼角）阴干，以形如小紫茄子者为上。"

[2] **补虚羸** 鹿茸能补精血、助肾阳，治精血亏、虚羸、畏寒肢冷、阳痿早泄、宫冷不孕、腰膝痛、尿频数，多制成丸服。《验方》参茸固本丸，由鹿茸、人参、黄芪、白术、山药、甘草、当归、白芍、熟地黄、巴戟天、肉苁蓉、菟丝子、枸杞子、桂心、牛膝等制成，统治诸虚百病。

[3] **壮筋骨** 鹿茸能强筋骨，治筋骨无力、小儿骨软行迟、颅囟过期不合。多与六味地黄丸合用。

又，鹿茸能止崩漏带下。《千金方》治崩漏，用鹿茸配阿胶、蒲黄炭、乌贼骨、当归。《济生方》治白带过多，用鹿茸配白蔹、狗脊。

鹿茸亦治疮疡久溃不敛、脓水清稀。鹿茸配黄芪、当归，能温补内托，促进溃疡愈合。

[4] **鹿角，疗患疮、痈肿、热毒等** 鹿角制用助阳，功同鹿茸，但力小。鹿角生用，能活血化瘀消肿。《证类本草》引《兵部手集》云："疗妬乳（乳痈）硬欲结脓令消，取鹿角于石上磨，取白汁

涂，干又涂，不得手近，并以人嗍却黄水一日许即散。”

［5］**小儿重舌**　重舌，症见舌下血脉胀起，形如小舌，发热。《证类本草》引《姚和众方》云：“治小儿重舌，鹿角末细筛，涂舌下，日三度。”

又，鹿角经煮汁熬成胶名鹿角胶，剩下的鹿角渣名鹿角霜。鹿角胶力小于鹿茸，强于鹿角，能温补肾、益精血，并能止血，治寒性吐衄、崩漏下血及阴疽内陷等。鹿角霜，微有助阳功能，治妇女虚寒白带、带下清稀。

421　獐骨[1]

补虚损，益精髓[2]，悦颜色。脐下有香，治一切虚损[3]。獐肉，无毒。（《大观》卷17页24；《政和》页386；《纲目》页1784）

【校注】

［1］**獐骨**　为鹿科动物獐的骨骼。《别录》首载此药。《本草图经》云：“獐之类甚多，麕其总名也。有有牙者，有无牙者，用之皆同，然其牙不能噬啮。”

［2］**补虚损，益精髓**　《千金方》治产后虚损，用獐骨汤煮汁煎药。《本草图经》云：“唐方有獐骨酒……补下（补下焦，益精髓）。”

［3］**脐下有香，治一切虚损**　孟诜云：“往往得香栗子大，不能全香，亦治恶病。”

422　虎肉[1]

味酸，平，无毒。治疟[2]。又睛，镇心，及小儿惊啼[3]，疳气客忤。（《大观》卷17页19；《政和》页384；《纲目》页1761）

【校注】

［1］**虎肉**　为猫科动物虎的肉。《别录》首载此药，以“虎骨”为正名。

［2］**治疟**　《本草拾遗》云：“肉及皮主疟。”

［3］**又睛，镇心，及小儿惊啼**　孟诜云：“又，眼睛主疟病，辟恶，小儿热惊悸。”《证类本草》引《经验后方》云：“治小儿惊痫掣疭，以虎睛细研，水调灌之，良。”

又，《证类本草》引《杨氏产乳》云：“疗小儿惊痫，以虎睛一豆许，火炙为末，水和服之。”

按，虎骨亦镇惊。《永类钤方》治惊悸健忘，以虎骨、龙骨、远志等分为末服。

虎骨亦治筋骨痛。虎骨、木瓜、制川乌、制草乌、当归、川芎、牛膝、海风藤、寻骨风、威灵仙，浸酒服，治风寒湿痹痛。

虎骨亦能强筋骨。虎骨配当归、白芍、熟地黄、锁阳、龟板、知母、黄柏为丸，治腰膝痿软无力。

423 豹肉[1]

微毒。壮筋骨，强志气[2]，令人猛健。(《大观》卷17页25；《政和》页386；《纲目》页1764)

【校注】

[1] **豹肉** 为猫科动物豹的肉。《别录》首载此药。《本草图经》云：“今河洛（今黄河、洛水之间）、唐、郢间或有之……豹有数种，有赤豹……有玄豹……有白豹……古今医方鲜有用者。”《本草衍义》云：“毛赤黄，其纹黑如钱而中空，比比相次，此兽猛捷过虎。”

[2] **壮筋骨，强志气** 《嘉祐本草》引孟诜文云：“肉，食之令人志性粗，多时消即定。久食令人耐寒暑。脂，可合生发膏，朝涂暮生。头骨，烧灰淋汁，去白屑。”《食疗本草》云：“食之，令人强筋骨，志性粗疏……久食之终令人意气粗豪，唯令筋健，能耐寒暑。”

424 狸骨[1]

治游风，恶疮，头骨最妙[2]。

狸肉，治游风等病[3]。

又，狸头，烧灰，酒服治一切风。

狸粪，烧灰，主寒热疟疾[4]。(《大观》卷17页23；《政和》页386；《纲目》页1788)

【校注】

[1] **狸骨** 为猫科动物豹猫的骨。《别录》首载此药。《本草图经》云：“其类甚多，以虎斑文者堪用，猫斑者不佳。皆当用头骨。”

[2] **恶疮，头骨最妙** 《证类本草》引《淮南方》云：“狸头治鼠瘘，鼠啮人疮。狸愈之。”《圣惠方》治瘰疬肿硬痛，用狸头、蹄骨涂酥炙令黄，捣罗为散，粥饮调下一钱匕。

《别录》云：“狸骨……主……鼠瘘、恶疮。头骨尤良。”

[3] **狸肉，治游风等病** 《蜀本草》云：“肉疗鼠瘘”。《外台秘要》治痔发疼痛方：狸肉作羹食之，良。

[4] **狸粪，烧灰，主寒热疟疾** 《唐本草》云：“狸屎灰，主寒热鬼疟，发无期度者，极验。家狸亦好，一名猫也。”

425 兔头骨[1]和毛、髓

烧为丸，催生，落胎，并产后余血不下[2]。

兔骨，治疮疥[3]，刺风，鬼疰。

兔肉，治渴[4]，健脾，生吃压丹毒。

兔肝，明目[5]，补劳，治头旋眼疼。(《大观》卷 17 页 21;《政和》页 385;《纲目》页 1793)

【校注】

[1] **兔头骨** 为兔科动物兔的头骨。《别录》首载此药。《证类本草》引《梦溪笔谈》云:“契丹北境有跳兔，形皆兔，但前足寸余，后足几尺，行即用后足跳，一跃数尺，止则蹶然仆地。生于契丹庆州（今内蒙古兴安岭）……《尔雅》所谓蹶兔，亦曰蛩;蛩，巨驉也。”

[2] **烧为丸，催生，落胎，并产后余血不下** 《博济方》治产前滑胎方：腊月兔脑髓摊匀纸上候干，临用时烧灰，煎丁香酒调下。

[3] **兔骨，治疮疥** 《本草拾遗》云:“骨主久疥，醋摩傅之。”又，《别录》云:“骨，主热中消渴。”《本草图经》云:“崔元亮《海上方》：疗消渴……兔骨和大麦苗煮汁服，极效。”

[4] **兔肉，治渴** 《本草图经》云:“崔元亮《海上方》：疗消渴……又一方用兔一只，剥去皮、爪、五脏等，以水一斗半，煎……澄滤，令冷，渴即服之。极重者不过三兔。”

[5] **兔肝，明目** 对于风热目暗，《纲目》引《普济方》云:“肝肾气虚，风热上攻，目肿暗，用兔肝一具，米三合，和豉汁，如常煮粥食。”

426 麋角[1]

添精，补髓[2]，益血脉，暖腰膝[3]，悦色[4]，壮阳[5]，疗风气[6]，偏治丈夫，胜鹿角。按，《月令》：麋角属阴，夏至角解，盖一阴生也。治腰膝不仁，补一切血病也。(《大观》卷 18 页 5;《政和》页 390;《纲目》页 1781)

【校注】

[1] **麋角** 为鹿科动物麋鹿的角。《别录》首载麋角。麋鹿在《本经》早有记载，其以“麋脂”为正名。《别录》云:“麋生南山（今终南山）山谷及淮海边（今淮河及黄海之边）。”陶弘景云:“今海陵（今江苏姜堰）间最多，千百为群，多牝少牡。”

[2] **添精，补髓** 孟诜云:“其角补虚劳，填髓。”

[3] **益血脉，暖腰膝** 陶弘景云:“其角刮取屑熬香，酒服之，大益人。”《杨氏家藏方》用麋角四两镑细酥炙，黄芪、山药、白茯苓各四两，当归五两，人参、肉苁蓉各二两，研末，米糊为丸如梧子，每服三十丸，治精血不足、爪枯发落。

[4] **悦色** 麋角配当归、川芎、熟地黄、人参、黄芪，能益精血、美容。单独外用麋角亦行。孟诜云:“又于浆水中研为泥涂面，令不皱，光华可爱。”

[5] **壮阳** 《梦溪笔谈》以麋茸、麋角壮骨血、坚阳道。麋角配肉苁蓉、人参为丸服，治阳痿。

[6] **疗风气** 孟诜云:“又丈夫冷气，及风筋骨疼痛，作粉长服。”

427 猪[1]

凉，微毒。

肉，疗水银风[2]，并掘土土坑内恶气。久食令人虚肥，动风气。又，不可同牛肉煮食，令人生寸白虫。

猪脂，治皮肤风，杀虫，傅恶疮[3]。

猪肠，止小便，补下焦[4]。

猪生血，疗贲豘气，及海外瘴气。

猪乳，治小儿惊痫，天吊，大人猪、鸡痫病。

猪粪，治天行热病，黄疸，蛊毒。东行牝猪者为良。

猪窠内草，治小儿夜啼。安席下，勿令母知。

大凡野猪肉，食胜圈豢者。

猪齿，治小儿惊痫[5]，烧灰服，并治蛇咬。

猪肚，补虚损，杀劳虫，止痢[6]。酿黄糯米蒸，捣为丸，甚治劳气，并小儿疳蛔黄瘦病。

猪心，治惊痫[7]，血癖邪气[8]。

猪肾，补水脏，暖腰膝[9]，补膀胱，治耳聋。虽补肾，又令人少子。（《大观》卷18页1；《政和》页388；《纲目》页1709）

【校注】

[1] **猪** 为猪科动物猪。《本经》首载此药，以“豚卵”为正名。《别录》名之猪。《本草图经》云：“谨按，杨雄《方言》云：猪，燕（今河北）、朝鲜之间谓之豭；关东西（今函谷关以东为关东，以西为关西）谓之彘，或谓之豕；南楚（今湖南）谓之狶，其子谓之豯；吴扬（今苏南、皖南东部）之间谓之猪子，其实一种也。今云豚卵，当是猪子也。”

[2] **肉，疗水银风** 古代镀金工人，以水银（汞）溶解黄金，并将之涂在镀物上，待水银挥发，黄金即被镀在物品上。工人因长期同水银蒸气接触，患慢性水银中毒，名水银风。食猪肉即加强营养、提高抗病能力。

[3] **猪脂，治皮肤风，杀虫，傅恶疮** 《肘后方》治疥疮有虫，用猪脂煎芫花涂之。《千金方》治鼠瘘瘰疬，用猪膏淹生地黄，煎六七沸，涂之。

[4] **猪肠，止小便，补下焦** 孟诜云：“肠主虚渴，小便数，补下焦虚竭。”

[5] **猪齿，治小儿惊痫** 《别录》云：“齿，主小儿惊痫，五月五日取。”

[6] **猪肚，补虚损，杀劳虫，止痢** 《别录》云：“肚，主补中益气，止渴利。”孟诜云：“肚，主暴痢虚弱。”

[7] **猪心，治惊痫** 《别录》云："心，主惊邪忧恚。"

[8] **血癖邪气** 《奇效方》治心病邪热，用猪心一个取血，靛花末一匙，朱砂末一两，同研，丸梧子大，每服十丸。对汞有过敏者忌服之。

[9] **猪肾，补水脏，暖腰膝** 治肾虚腰痛，《纲目》引《本草权度》云："用猪腰子一枚切片，以椒、盐淹去腥水，入杜仲末三钱在内，荷叶包，煨食之，酒下。"一方用猪肾一枚，切开去膜，入制附子末一钱，湿纸裹，煨熟食之，饮酒一杯。

428 獭肝[1]

治虚劳，并传尸劳疾[2]。獭肉，平，无毒，治水气胀满，热毒风[3]。(《大观》卷18页8；《政和》页392；《纲目》页1796)

【校注】

[1] **獭肝** 为鼬科动物水獭的肝。《别录》首载此药。《本草图经》云："《广雅》：一名水狗。……獭形大，头如马，身似蝙蝠。《淮南子》云：养池鱼者，不畜猵獭。"

[2] **并传尸劳疾** 《证类本草》引《肘后方》云："尸疰（传尸）……死后传以旁人乃至灭门……獭肝一具，阴干，杵末，水服方寸匕，日三。"

[3] **治水气胀满，热毒风** 《食疗本草》云："又，若患寒热毒风，水虚胀，即取水獭一头，剥去皮和五脏、骨、头、尾等，炙令干，杵末，水下方寸匕，日二，服十日，差。"

429 狐[1]

暖，无毒。补虚劳，治恶疮疥[2]。随脏而补。头、尾灰，治牛疫，以水饮。心、肝生服，治狐魅。雄狐尾，烧，辟恶。(《大观》卷18页7；《政和》页391；《纲目》页1790)

【校注】

[1] **狐** 为犬科动物狐。《别录》首载此药，以"狐阴茎"为正名。陶弘景云："江东（今苏南、皖南）无狐，皆出北方及益州（今四川）间。形似狸而黄，亦善能为魅也。"《本草图经》云："今江南亦时有，京（今河南开封）、洛（今河南洛阳）尤多。形似黄狗，鼻尖尾大。"

[2] **补虚劳，治恶疮疥** 《唐本草》云："狐肉及肠作臛食之，主疮疥久不差。"《食疗本草》云："肉，温，有小毒。主疮疥，补虚损，及女子阴痒绝产，小儿㿗卵肿，煮、炙，任食之良。"

430 野猪[1]

主肠风泻血[2]，炙，食不过十顿。

胆中黄，治鬼疰、痫疾[3]，及恶毒风[4]，小儿疳气、客忤，天吊。

脂，悦色，并除风肿毒、疮疥、癣，腊月陈者佳。

外肾和皮，烧作灰，不用绝过，为末饮下，治崩中带下，并肠风泻血及血痢[5]。（《大观》卷 18 页 11；《政和》页 393；《纲目》页 1770）

【校注】

［1］**野猪**　为猪科动物野猪。《唐本草》首载此药，以“野猪黄”为正名。《本草衍义》云：“京西（今河南开封以西）界野猪甚多，形如家猪，但腹小脚长，毛色褐，作群行。猎人惟敢射最后者，射中前奔者，则群猪散走伤人。肉色赤如马肉。”

［2］**主肠风泻血**　《食医心镜》云：“主久痔野鸡下血不止，肛边痛，猪肉二斤，切……作羹亦得。”

［3］**痫疾**　《本草衍义》云：“野猪黄在胆中，治小儿诸痫疾。”

［4］**及恶毒风**　《食疗本草》云：“又，胆，治恶热毒邪气。”

［5］**外肾和皮，烧作灰，不用绝过，为末饮下，治崩中带下，并肠风泻血及血痢**　“烧作灰，不用绝过”，义为烧存性，此与血余炭功用同。凡动物皮毛烧炭，均有固涩作用，能治崩中带下、肠风泻血、血痢、疮疡不敛。治疮疡久不收口，用野猪皮炭配等量露蜂房炭、蛇蜕皮炭，研细末，油调外傅。内服之亦能生肌敛疮。

431　驴肉[1]

凉，无毒。解心烦，止风狂[2]，酿酒，治一切风。

脂，傅恶疮疥及风肿[3]。头汁洗头风风屑。

皮，煎胶食，治一切风[4]，并鼻洪、吐血、肠风、血痢及崩中带下[5]。

驴乳，治小儿痫，客忤，天吊，风疾。（《大观》卷 18 页 6；《政和》页 390；《纲目》页 1746）

【校注】

［1］**驴肉**　为马科动物驴的肉。《唐本草》首载此药，以“驴屎”为正名。

［2］**止风狂**　《本草衍义》云：“驴肉，食之动风，脂肥尤甚，屡试屡验。《日华子》以谓止风狂，治一切风，未可凭也。”

［3］**脂，傅恶疮疥及风肿**　《千金方》治身体手足肿，以驴脂和盐傅之。

［4］**皮，煎胶食，治一切风**　《食医心镜》云：“又主中风手足不遂，骨节烦疼，心躁，口面㖞斜。取乌驴皮一领，焊洗如法，蒸令极熟，切，于豉汁中煮，五味和，再煮，空心食之。”

［5］**并鼻洪、吐血、肠风、血痢及崩中带下**　按，驴皮煎胶，《本经》名阿胶，阿胶不仅能止血，亦能滋阴补血、清肺润燥。《金匮要略》治吐血、衄血、便血、血崩，以阿胶、灶心土、生地黄、黄

苓、附子、白术、甘草合用。又以阿胶合艾叶、四物汤，治崩漏、月经过多、妊娠下血、小产后下血不止。

又，《伤寒论方》治热病伤阴，心烦不寐，以阿胶配黄连、黄芩、白芍、鸡子黄。阿胶补血，治血虚心悸、头晕、两眼发黑，可配黄芪、当归、白芍、熟地黄、党参。阿胶润肺止咳，配杏仁、麦门冬、胡麻、桑叶、生石膏，治肺燥干咳。

432 豺皮[1]

有毒。炙，裹软脚骨。食之能瘦人[2]。(《大观》卷18页12；《政和》页394；《纲目》页1792)

【校注】

[1] **豺皮** 为犬科动物豺的皮。《唐本草》首载此药。《纲目》云："其形似狗而颇白，前矮后高而长尾，其体细瘦而健猛，其毛黄褐而鬇鬡（乱貌），其牙如锥而噬物，群行虎亦畏之。又喜食羊，其声如犬，人恶之。"

[2] **食之能瘦人** 孟诜云："肉酸，不可食，消人脂肉，损人神情。"

433 腽肭脐[1]

热，补中益气。肾，暖腰膝，助阳气[2]，破癥结，疗惊狂痫疾及心腹疼，破宿血。(《大观》卷18页12；《政和》页394；《纲目》页1798)

【校注】

[1] **腽肭脐** 为海狗科动物海狗或海豹科动物海豹的阴茎和睾丸。《药性论》首载此药，并云："是新罗国（今朝鲜）海内狗外肾也。"

[2] **肾，暖腰膝，助阳气** 《济生方》腽肭脐丸，以腽肭脐、鹿茸、阳起石、钟乳石、制附子、制乌头、人参为丸，治肾阳虚所致形寒肢冷、手足不温、阳痿精冷、不育、腰膝痿弱。《海药本草》云："主五劳七伤，阴痿少力，肾气衰弱……面黑精冷，最良。"

434 麂[1]

凉，有毒。能堕胎，及发疮疖疥。(《大观》卷18页13；《政和》页394；《纲目》页1783)

【校注】

[1] **麂** 为鹿科动物小麂。《本草拾遗》首载此药。山林处皆有之。

《本草拾遗》云："鹿主五痔病，煤出，以姜、醋进之。大有效。"又云："多食能动人痼疾。头骨为灰饮下之，主飞尸。"

435 骆驼[1]

温。治风，下气，壮筋力，润皮肤。脂，疗一切风疾顽痹[2]，皮肤急及恶疮肿毒，漏烂，并和药傅之。野者弥良。(《大观》卷18页14；《政和》页395；《纲目》页1749)

【校注】

[1] **骆驼** 为驼科动物双峰驼。《日华子本草》首载此药。《开宝本草》云："生塞北（今长城以北)、河西（今黄河以西)。家驼为用亦可。"

[2] **脂，疗一切风疾顽痹** 《开宝本草》云："野驼脂，无毒。主顽痹，风瘙，恶疮毒肿，死肌，筋皮挛缩，踠损筋骨，火炙摩之，取热气入肉。"

436 象牙[1]

平。治小便不通，生煎服之[2]。小便多，烧灰饮下[3]。胆，明目[4]及治疳。蹄底似犀，可作带。(《大观》卷16页8；《政和》页371；《纲目》页1765)

【校注】

[1] **象牙** 为象科动物亚洲象的牙。《本草拾遗》首载此药。

[2] **治小便不通，生煎服之** 《救急方》治小便不通胀急者，以象牙生煎服之。

[3] **小便多，烧灰饮下** 《圣济总录》治小便过多，用象牙烧灰饮服之。

[4] **胆，明目** 《本草拾遗》云："胆，主目疾，和乳滴目中。"《纲目》引《圣济总录》云："治内障目翳如偃月，或如枣花。用象胆半两，鲤鱼胆七枚，熊胆一分，牛胆半两，麝香一钱，石决明末一两，为末，糊丸绿豆大，每茶下十丸，日二。"

又，《金匮翼》治口、舌、咽糜烂及牙疳，以象牙、珍珠、青黛、冰片、壁钱、人指甲、牛黄为极细末，外吹少许于患处。又，象皮可配制止血、收口药。

437 猬皮[1]

开胃气[2]，止血[3]、汗，肚胀痛，疝气。脂，治肠风泻血。作猪蹄者妙，鼠脚者次。(《大观》卷21页1；《政和》页423；《纲目》页1805)

【校注】

[1] **猬皮** 为刺猬科动物刺猬的皮。《本经》首载此药。《别录》云："生楚山（今湖北襄阳西

南）川谷田野。”《本草图经》云：“今在处山林中皆有之。状类猯㹠，脚短多刺，尾长寸余，人触近，便藏头、足，外皆刺。”

［2］**开胃气**　《本草衍义》云：“此物兼治胃逆，开胃气有功。”《食疗本草》云：“理胃气，令人能食。其皮可烧灰和酒服，及炙令黄煮汁饮之，主胃逆。”

［3］**止血**　《肘后方》治肠痔大便血方：烧猬皮傅之。《千金翼方》治下血方：猬皮烧末，水服方寸匕。又，《圣惠方》治鼻衄方：猬皮烧末，绵裹塞。《药性论》云：“猬皮……主肠风泻血痔病……炙末，白饮下方寸匕。烧末吹主鼻衄。”

又，《证类本草》引《简要济众方》云：“治肠痔下部如虫啮，猬皮烧末，生油和傅之，佳。”

又，《本草图经》云：“惟骨不可食，误食之则令人瘦劣。”若属实，可将之试用于减肥。

438　鼠[1]

凉，无毒。治小儿惊痫疾[2]，以油煎，令消入蜡，傅汤火疮[3]。生捣罯折伤筋骨。雄鼠粪，头尖硬者是，治痫疾，明目。葱豉煎服，治劳复[4]。足，烧食，催生[5]。（《大观》卷22页2；《政和》页440；《纲目》页1799）

【校注】

［1］**鼠**　为鼠科动物褐家鼠、黑家鼠或黄胸鼠。《别录》首载此药，以“牡鼠”为正名。陶弘景云：“牡鼠，父鼠也，其屎两头尖。”

［2］**治小儿惊痫疾**　《肘后方》治项强身中急，取活鼠破其腹，去五脏，就热傅之。孟诜云：“牡鼠主小儿痫疾……取肉和五味汁作羹与食之。”

［3］**以油煎，令消入蜡，傅汤火疮**　《政和》引《梅师方》云：“治汤火烧疮痛不可忍，取鼠一头，油中浸煎之，候鼠焦烂尽成膏，研之，仍以绵裹，绞去滓，待冷傅之。日三度，止痛。”

又，鼠皮烧灰能敛疮。《千金方》治痈疮中冷，疮口不合，用鼠皮烧为灰，细研封疮口上。《外台秘要》治鼻中外查瘤，脓血出，于正月取鼠头烧作灰，以腊月猪膏和傅疮上。

［4］**雄鼠粪……劳复**　《别录》云：“粪微寒，无毒。主小儿痫疾，大腹时行劳复。”陶弘景云：“其屎……专疗劳复。”《外台秘要》治劳复，用鼠屎头尖者二十枚，豉五合，水二升，煮取一升，顿服。

［5］**足，烧食，催生**　《子母秘录》云：“令子易产，取鼠烧末，以井花水服方寸匕，日三服。”

439　蝙蝠[1]

久服解愁[2]。粪名夜明砂[3]，炒服治瘰疬。（《大观》卷19页11；《政和》页402；《纲目》页1687）

【校注】

［1］**蝙蝠**　为蝙蝠科动物蝙蝠。《本经》首载此药，以“伏翼”为正名。并云：“生太山（今山

东泰安）川谷。”《别录》云：“生人家屋间，立夏后采，阴干。”《唐本草》云：“伏翼，以其昼伏有翼。”

［2］**久服解愁**　《本经》云：“久服令人喜乐，媚好无忧。”但《纲目》评曰：“蝙蝠性能泻人……适足以增忧益愁而已。治病可也，服食不可也。”

又，《百一方》治久咳上气，诸药不差方：蝙蝠除翅、足烧令焦，末，饮服之。

又，《鬼遗方》治金疮出血内瘘方：蝙蝠二枚，烧烟尽，末，以水调服方寸匕。此与血余炭义同，故能止血。

［3］**夜明砂**　《本经》以“天鼠屎”为正名。《别录》云：“生合浦（今广西廉州）山谷。”《本经》云：“伏翼……主目瞑，明目夜视。”但其不言天鼠屎（夜明砂）明目。后世多用天鼠屎明目。治肝热目赤，白睛现血丝，用蝙蝠粪炒微焦服，或用夜明砂配丹皮、赤芍、白茅根、黄芩。

又，《圣惠方》治小儿雀目方：夜明砂一两，微炒细研，猪胆汁和，丸如绿豆大，每米饮下五丸。亦可用夜明砂合猪肝、石决明为丸服。

又，《直指方》治内外障翳方：夜明砂研末，化入猪肝内，煮食饮汁。

禽部　卷第十五

440　白雄鸡[1]

调中，除邪，利小便，去丹毒。

黄雌鸡，温，无毒。止劳劣，添髓补精，助阳气，暖小肠，止泄精，补水气。

乌雄鸡肉，温，无毒。止肚痛，除风湿麻痹，补虚羸，安胎，治折伤，并痈疽，生罯竹木刺不出者。

乌雌鸡，温，无毒。安心定志，除邪，辟恶气，治血邪，破心中宿血，及治痈疽，排脓，补新血，补产后虚羸，益色，助气。

胆，治疣目，耳痛疮，日三傅[2]。

肠，治遗尿，并小便多[3]。

粪，治中风失音，痰逆，消渴，破石淋[4]，利小肠余沥，傅疮痍，灭瘢痕[5]。炒服，治小儿客忤，蛊毒。

翼，治小儿夜啼，安席下，勿令母知。

窠中草，治头疮白秃，和白头翁草烧灰，猪脂傅。

朱雄鸡冠血，疗白癜风。

朱雄鸡粪，治白虎风，并傅风痛。

诸鸡肶胵[6]，平，无毒。止泄精并尿血，崩中带下，肠风泻痢。此即是肫内黄皮。

鸡子黄[7]，炒取油，和粉，傅头疮。

鸡子，镇心，安五脏，止惊，安胎，治怀妊天行热疾狂走，男子阴囊湿痒，及开声喉。卵，醋煮，治久痢，和光粉炒干，止小儿疳痢及妇人阴疮。和豆淋酒服，治贼风麻痹。醋浸令坏，傅疵皯[8]。作酒，止产后血运并暖水脏，缩小便，止耳鸣。和蜡炒治疳痢、耳鸣及耳聋。

卵壳，研，磨障翳。（《大观》卷19页1；《政和》页397；《纲目》页1667）

【校注】

[1] **白雄鸡** 为雉科动物家鸡。《本经》首载此药，以“丹雄鸡”为正名。

[2] **胆，治疣目，耳瘑疮，日三傅** 《圣惠方》治耳瘑疣目方：黑雌鸡胆汁涂之，日三。有人以鸡苦胆治百日咳，有一定效果。

[3] **肠，治遗尿，并小便多** 《食医心镜》云：“主小便数，虚冷，鸡肠一具，治如常，炒作臛，暖酒和饮之。”鸡肠焙干和鸡内金等分为末，每服半钱，日三服，治小儿疳疾，连用3个月见效。

[4] **破石淋** 《十便良方》治沙石淋沥方：鸡粪一两炒，雄鸡胆干者半两，研匀，温酒服半钱，以利为度。

[5] **灭瘢痕** 《外台秘要》灭瘢痕方：鸡粪、白芷、当归各一两，煎十沸，去滓，入鹰矢白二分，调傅。

鸡粪亦消腹内癥块。《集验方》治心腹癥块方：鸡粪同小便于瓦器中熬黄为末，每服方寸匕，温酒服，日四五度，以块消为度。

[6] **鸡肶胵** 一名鸡内金。为雉科动物家鸡的肫内黄皮。《本经》首载此药。

鸡内金能消食。《千金方》治消化不良及呕吐，单用鸡内金。鸡内金配山楂、麦芽、神曲、槟榔，治食积不消；同鸡肠等分研末服，治小儿疳疾、腹大消瘦；配茯苓、白术、干姜、大枣，治腹泻。

鸡内金炒存性有收敛作用，能止遗尿；研末傅疮口，能敛疮。

《集验方》治小便遗失方：鸡内金并鸡肠烧存性，酒服之。

又，《活幼新书》治一切口疮，用鸡内金烧灰傅之。

又，《子母秘录》治鹅口白疮，烧鸡肶黄皮为末，乳服半钱。

又，《经验方》治走马牙疳方：鸡肶黄皮五枚，烧存性，枯矾五钱，为细末搽。一方：鸡肶黄皮烧存性，入枯矾、黄柏末等分，麝香少许，先以米泔水洗后傅之。

[7] **鸡子黄** 为雉科动物家鸡的鸡蛋中卵黄。

鸡子黄有滋阴养血之功。《伤寒论》治热病余热未净，阴血已伤，心烦不寐，用鸡子黄配阿胶、白芍、黄连、黄芩。

鸡子黄火熬出油。刘禹锡《传信方》治孩子热疮方：鸡子五枚去白取黄，乱发如鸡子许大，二味入铁铫火熬，初甚干，少顷发焦，遂有液出，旋取置一瓷碗中，以液尽为度，取涂热疮上，以苦参末粉之。

又，《别录》云：“发髲，小寒，无毒。合鸡子黄煎之，消为水，治小儿惊热下痢。”

[8] **醋浸令坏，傅疵䵟** 《普济方》治雀卵面䵟方：鸡卵醋浸令坏，取出傅之。

441 苍鹅[1]

冷，有毒。发疮脓[2]。粪，可傅蛇虫咬毒。舍中养，能辟虫蛇[3]。

白鹅，凉，无毒。解五脏热，止渴。脂，润皮肤。尾罂[4]，治聤耳及聋，内之，亦疗手足皴。子，补中益气，不可多食。尾，烧灰，酒服下治噎。(《大观》卷19页6；《政和》页399；《纲目》页1657)

【校注】

[1] **苍鹅** 为鸭科动物鹅。《别录》首载此药，以“白鹅膏”为正名。《纲目》云：“江淮（今苏北、皖北）以南多畜之，有苍、白二色……并绿眼、黄喙、红掌，善斗，其夜鸣应更。”

[2] **发疮脓** 《纲目》云：“鹅……发风发疮，莫此为甚。”患痈疽疮肿者，当慎食之。尤其是患发背痈肿者，更不可食之。

[3] **舍中养，能辟虫蛇** 《本草拾遗》云：“苍鹅食虫，白鹅不食虫。主射工，当以苍者良。”陶弘景云：“东川多溪毒，养鹅以辟之。”

[4] **尾罂** 即鹅尾端皮脂腺，能分泌油脂，有润羽、防湿作用。鹅下水，水不湿羽毛即因为此。

442 野鸭[1]

凉，无毒。补虚，助力，和胃气，消食[2]，治热毒风，及恶疮疖，杀腹脏一切虫。九月后、立春前采，大补益病人。不可与木耳、胡桃、豉同食。

家鸭，冷，微毒。补虚，消热毒，利小肠，止惊痫，解丹毒，止痢。绿头者佳。头，治水肿[3]，煮服。粪，治热毒疮并肿毒，以鸡子调傅内消[4]。卵，治心腹胸膈热，多食发冷疾。(《大观》卷19页6；《政和》页400；《纲目》页1660)

【校注】

[1] **野鸭** 为鸭科动物鸭。《别录》首载此药，以“鹜肪”为正名。陶弘景云：“鹜即鸭，鸭有家有野。”《本草拾遗》云：“尸子云，野鸭为凫，家鸭为鹜。不能飞翔，如庶人守耕稼而已。”

[2] **和胃气，消食** 孟诜云：“野鸭，主补中益气，消食。”

[3] **绿头者佳。头，治水肿** 《百一方》治卒大腹水病方：青雄鸭，水五升，煮取一升，饮尽，厚盖之取汗。

又，裴河东以鸭头丸治阳水暴肿。鸭头丸方：甜葶苈二两炒，汉防已末二两，以绿头鸭血同头全捣三千杵，丸梧子大，每木通汤五十丸至七十丸，日三。

[4] **粪，治热毒疮并肿毒，以鸡子调傅内消** 孟诜云：“又，粪主热毒毒痢。又，取和鸡子白封热肿毒上，消。”

443 雁肪[1]

凉，无毒。治风麻痹[2]，久服助气，壮筋骨。脂，和豆黄作丸，补劳瘦，肥白人。其毛自落者，小儿带之，疗惊痫。(《大观》卷19页8；《政和》页400；《纲目》页1658)

【校注】

[1] **雁肪** 为鸭科动物白额雁或鸿雁的脂肪。《本经》首载此药。《别录》云："生江南池泽，取无时。"陶弘景云："夫雁乃住江湖，夏应产伏，皆往北。恐雁门（今山西代县）北人不食此鸟故也，中原亦重之。"

[2] **治风麻痹** 《本经》云："雁肪味甘，平。主风挛拘急，偏枯，气不通利。"《食医心镜》云："主风挛拘急偏枯，血气不通利，雁肪四两炼，滤过，每日空心暖酒一杯，肪一匙，饮之。"

444 鹧鸪[1]

微毒。疗蛊气、瘴疾欲死者[2]，酒服之。（《大观》卷19页7；《政和》页400；《纲目》页1681）

【校注】

[1] **鹧鸪** 为雉科动物鹧鸪。《唐本草》首载此药，并云："生江南，形似母鸡，鸣云钩辀格磔者是。"

[2] **瘴疾欲死者** 《唐本草》云："主岭南野葛菌毒、生金毒，及温瘴久欲死不可差者。"《本草衍义》云："治瘴及菌毒甚效。"

445 雉鸡[1]

平，微毒。有痼疾人不宜食[2]。秋冬益，春夏毒。（《大观》卷19页12；《政和》页403；《纲目》页1678）

【校注】

[1] **雉鸡** 为雉科动物雉，即野鸡。《别录》首载此药。《本草衍义》云："雉，其飞若矢，一往而堕，故今人取其尾置船车上，意欲如此快速也。汉吕太后名雉，高祖字之曰野鸡。"

《别录》云："雉肉……止泄痢，除蚁瘘。"《唐本草》云："雉，温，主诸瘘疮。"

[2] **有痼疾人不宜食** 孟诜云："野鸡，久食令人瘦……他月即发五痔及诸疮疥。"《食疗本草》云："不与胡桃同食，即令人发头风，如在船车内。"

446 石燕[1]

暖，无毒。壮阳，暖腰膝，添精，补髓，益气，润皮肤，缩小便，御风寒、岚瘴，温疫气。（《大观》卷19页10；《政和》页401；《纲目》页1687）

【校注】

[1] **石燕** 按，名石燕者有二：本书卷4“玉石部下品”的石燕是化石，本条石燕乃另一物。萧炳《四声本草》云：“别有乳洞中食乳有命者，亦名石燕，似蝙蝠，口方，生气物也。”《食疗本草》云：“石燕，在乳穴石洞中者，冬月采之……取石燕二七枚，和五味，炒令熟，以酒一斗浸三日，即每夜卧时饮一两盏。”文中“和五味，炒令熟”者，当非化石石燕，而是有生命的石燕。

447 雀[1]

暖，无毒。壮阳益气[2]，暖腰膝，缩小便，治血崩带下。粪头尖及成梃者雄[3]，右掩左者亦是。(《大观》卷19页9；《政和》页401；《纲目》页1684)

【校注】

[1] **雀** 为文鸟科动物麻雀。《别录》首载此药，以“雀卵”为正名。

[2] **壮阳益气** 陶弘景云：“雀性利阴阳。”《本草拾遗》云：“雀肉起阳道，食之令人有子。”《本草图经》云：“今人亦取雀肉，以蛇床子熬膏，和合众药，丸服，补下有效。谓之驿马丸。”

[3] **粪头尖及成梃者雄** 《别录》云：“雄雀屎，疗目痛，决痈疖。”又云：“雀屎和男首子乳如薄泥，点目中，胬肉赤脉贯瞳子上者即消，神效。以蜜和为丸，酒饮服，主癥癖久痼冷病。”《本草拾遗》云：“雀屎俗呼为青丹，主痃癖诸块、伏梁，和干姜、桂心、艾等为丸，入腹能烂痃癖（岩肿）。患痈若不溃，以一枚傅之，立决。”由此可见，雀屎有腐蚀作用。

448 雄鹊[1]

凉。主消渴疾。巢多年者，疗癫狂，鬼魅及蛊毒等。烧之，仍呼祟物名号。亦傅瘘疮，良。(《大观》卷19页15；《政和》页404；《纲目》页1699)

【校注】

[1] **雄鹊** 为鸦科动物喜鹊。《别录》首载此药，并云：“主石淋，消结热。”《本草拾遗》云：“雄鹊子，下石淋，烧作灰，淋取汁，饮之，石即下。”

449 鸲鹆肉[1]

治嗽，及吃噫[2]下气，炙食之。作妖，可通灵。眼睛，和乳点眼甚明[3]。(《大观》卷19页14；《政和》页404；《纲目》页1696)

【校注】

[1] **鸲鹆肉** 为椋鸟科动物八哥的肉。《唐本草》首载此药。《本草拾遗》云：“五月五日取子，

去舌端，能效人言。”《纲目》云：“巢于鹊巢、树穴及人家屋脊中，身首俱黑……嫩则口黄，老则口白。”

［2］**治嗽，及吃噫**　《本草拾遗》云：“鸲鹆主吃，取炙食之，小儿不过一枚差也。”《食疗本草》云：“治老嗽，或作羹食之。”

［3］**眼睛，和乳点眼甚明**　《本草拾遗》云：“目睛和乳汁研，滴目，瞳子能见云外之物。”

450　孔雀[1]

凉，微毒。解药毒、蛊毒。血，治毒药，生饮良。粪，治崩中带下[2]，及可傅恶疮。（《大观》卷19页13；《政和》页403；《纲目》页1701）

【校注】

［1］**孔雀**　为雉科动物孔雀。《别录》首载此药。《唐本草》云：“孔雀交（今越南北部）、广（今广东、广西）有。”《纲目》云：“《南方异物志》云：孔雀……生高山乔木之上。大如雁，高三四尺……细颈隆背，头戴三毛长寸许……雌者尾短无金翠。雄者三年尾尚小，五年乃长二三尺。……自背至尾有圆文，五色金翠，相绕如钱。……雨则尾重不能高飞，南人因往捕之。”

［2］**粪，治崩中带下**　《别录》云：“孔雀屎，微寒，主女子带下，小便不利。”

451　鸬鹚屎[1]

冷，微毒，疗面瘢疵[2]，及汤火疮痕。和脂油调，傅丁疮。（《大观》卷19页16；《政和》页404；《纲目》页1664）

【校注】

［1］**鸬鹚屎**　为鸬科动物鸬鹚的屎。《别录》首载此药。陶弘景云：“此鸟不卵生，口吐其雏。”《本草衍义》云：“尝官于澧州（今湖南澧县），公宇后有大木一株，其上有三四十巢，日夕观之，既能交合，兼有卵壳布地，其色碧。岂得雏吐口中？是全未考寻，可见当日听人之误言也。”

［2］**疗面瘢疵**　《别录》云：“鸬鹚屎，一名蜀水花，去面黑皯。”《药性论》云：“鸬鹚鸟粪，是有毒，能去面上皯皰。”

又，《圣惠方》治鼻面酒齄皰，用鸬鹚粪一合研，以腊月猪脂和，每夜傅之。

鱼部　卷第十六

452 鲤鱼[1]

凉，有毒。肉，治咳嗽[2]，疗脚气[3]，破冷气痃癖[4]，怀妊人胎不安。用绢裹鳞和鱼煮羹，熟后去鳞食之，验。脂，治小儿痫疾惊忤[5]。胆，治障翳等[6]。脑髓，治暴聋，煮粥服良。诸溪涧中者，头内有毒。不计大小，并三十六鳞也。（《大观》卷20页20；《政和》页419；《纲目》页1596）

【校注】

[1] **鲤鱼** 为鲤科动物鲤鱼。《本经》首载此药。《别录》云："生九江（今江西九江）池泽，取无时。"《本草图经》云："其脊中鳞一道，每鳞上皆有小黑点，从头数至尾，无论大小，皆三十六鳞。"

[2] **肉，治咳嗽** 《食医心镜》云："主肺咳嗽，气喘促。鲤鱼一头重四两，去鳞，纸裹火炮，去刺研，煮粥，空腹吃之。"又云："主上气咳嗽……鲤鱼一头切作脍，以姜、醋食之。"

[3] **疗脚气** 《食疗本草》云："肉，白煮食之，疗水肿脚满，下气。"《外台秘要》治水病肿方：鲤鱼肉和赤小豆煮，食之。

[4] **痃癖** 《日华子本草》谓鲤鱼治痃癖，但《食疗本草》云"腹中有宿瘕不可食，害人"，二者正相反。

[5] **脂，治小儿痫疾惊忤** 《食疗本草》云："脂，主诸痫，食之良。"

[6] **胆，治障翳等** 《食疗本草》云："胆，主除目中赤及热毒痛，点之良。"又，鲤鱼能下乳。《政和》引《子母秘录》云："兼治乳无汁。"又引《产书》云："下乳汁。烧鲤鱼一头研为末，酒调下一钱匕。"

453 鳢鱼[1]

肠，以五味炙，贴痔瘘及蚛骭[2]，良久虫出，即去之。诸鱼中，惟此胆甘，

可食。(《大观》卷20页20;《政和》页417;《纲目》页1607)

【校注】

[1] **鳢鱼** 为鳢科动物乌鳢。《本经》首载此药，一名鲖鱼。《别录》云:“生九江(今江西九江)池泽，取无时。”《本草图经》云:“今俗间所谓黑鳢鱼者亦至难死，形近蛇类，浙(今浙江)中人多食之。”

[2] **肠，以五味炙，贴痔瘘及蚛骭** 骭是小腿骨，此指小腿。《唐本草》引《别录》云:“肠及肝，主久败疮中虫。”《证类本草》引《外台秘要》云:“疗痔，鳢鱼肠三具，炙令香，以绵裹内谷道中，一食顷，虫当出。鱼肠数易之，尽三枚差。”

又，鳢鱼胆治喉闭。《证类本草》引《灵苑方》云“治急喉闭，逡巡不救者。鳢鱼胆，腊月收，阴干为末，每服少许点患处，药至即差。病深则水调灌之。”

454 鲫鱼[1]

平，无毒。温中下气，补不足[2]。作鲙，疗肠澼[3]，水谷不调，及赤白痢[4]。烧灰，以傅恶疮良[5]。又，酿白矾烧灰，治肠风血痢[6]。头，烧灰疗嗽。又云，子不宜与猪肉同食。(《大观》卷20页18;《政和》页418;《纲目》页1602)

【校注】

[1] **鲫鱼** 为鲤科动物鲫鱼。《唐本草》首载此药。《本草图经》云:“似鲤鱼，色黑而体促，肚大而脊隆。”

[2] **温中下气，补不足** 《食疗本草》云:“食之平胃气，调中，益五脏，和莼作羹良。”

[3] **作鲙，疗肠澼** 《食疗本草》云:“作鲙食之，断暴下痢。”

[4] **及赤白痢** 《本草拾遗》云:“鲙，主赤白痢及五野鸡病(痔疾)。”

[5] **烧灰，以傅恶疮良** 《子母秘录》治小儿面生疮，黄水出方:鲫鱼头烧末，和酱清汁傅，日易之。

[6] **酿白矾烧灰，治肠风血痢** 按，鲫鱼烧灰即成炭，类似血余炭，有固涩功能。白矾烧灰成枯矾，亦有收敛作用。二者合用能止肠风血痢。

455 海鳗[1]

平，有毒。治皮肤恶疮疥，疳䘌，痔瘘[2]。又名慈鳗、猲狗鱼。又云:鳗鱼，平，微毒，治劳，补不足，杀传尸疰气，杀虫毒恶疮，暖腰膝，起阳，疗妇人产户疮虫痒。(《大观》卷21页13;《政和》页431;《纲目》页1608)

【校注】

[1] **海鳗** 即鳗鲡鱼。为鳗鲡鱼科动物鳗鲡。《别录》首载此药。《本草图经》云："似鳝而腹大，青黄色……歙州（今安徽歙县）出一种，背有五色文，其功最胜。出海中者名海鳗，相类而大，功用亦同。"

[2] **治皮肤恶疮疥，疳䘌，痔瘘** 《别录》云："鳗鲡鱼……主五痔疮瘘，杀诸虫。"孟诜云："又，熏下部痔虫尽死，患诸疮瘘，及疬疡风，长食之甚验。"

又，《政和》引《集验方》云："治颈项及面上白驳浸淫渐长有似癣，但无疮可治。鳗鲡鱼脂傅之。先拭剥上刮使燥痛，后以鱼脂傅之一度便愈，甚者不过三度。"

又，《本草衍义》云："鳗鲡鱼生剖，晒干，取少许，火上微炙，俟油出，涂白剥风，以指擦之即时色转。凡如此五七次用，即愈。仍先于白处微微擦动。"

456 鲛鱼[1]

平，微毒。（《大观》卷21页23；《政和》页434；《纲目》页1615）

【校注】

[1] **鲛鱼** 为皱唇鲨科动物白斑星鲨或其他鲨鱼。《别录》首载此药，《唐本草》将之录为正品。《本草图经》云："今南人但谓之沙鱼，然有二种：其最大而长喙如锯者，谓之胡沙，性善而肉美；小而皮粗者，曰白沙，肉强而有小毒。"《本草拾遗》云："鳆鱼皮是装刀靶者，正是沙鱼也。石决明又名鳆鱼甲……乃是同名耳。沙鱼一名鲛鱼……皮上有沙，堪揩木，如木贼也。"

《食疗本草》云："患喉闭，取胆汁和白矾灰丸之如豆颗，绵裹内喉中，良久，吐恶涎沫，即喉咙开。"

457 石首鱼[1]

取脑中枕，烧为末，饮下，治淋也[2]。（《大观》卷21页25；《政和》页435；《纲目》页1600）

【校注】

[1] **石首鱼** 为石首鱼科动物大黄鱼和小黄鱼。《食疗本草》首载此药。

[2] **取脑中枕，烧为末，饮下，治淋也** 《开宝本草》云："石首鱼……头中有石如棋子（脑中枕），主下石淋，磨石服之，亦烧为灰末服。"

《食疗本草》云："作干鲞，消宿食。"

《开宝本草》云："炙食之……主卒腹胀，食不消，暴下痢。"

458 青鱼[1]

作鲭字，平，微毒。治脚软，烦懑，益气力[2]。枕，用醋摩，治水气、血气

心痛[3]。不可同葵、蒜食之。服术人亦勿啖也。(《大观》卷 21 页 24;《政和》页 435;《纲目》页 1598)

【校注】

[1] **青鱼** 为鲤鱼科动物青鱼。《食疗本草》首载此药。《本草图经》云:“青鱼,生江湖间……似鲤鲩而背正青色……头中枕蒸令气通,暴干,状如琥珀。”

[2] **治脚软,烦懑,益气力** 《食疗本草》云:“青鱼,主脚气烦闷……治脚气脚弱,烦闷,益心力也。”萧炳《四声本草》云:“可白煮吃,治脚气脚弱。”

[3] **枕,用醋摩,治水气、血气心痛** 《食疗本草》云:“此物疗卒心痛,平水气,以水研服之,良。又,胆、眼睛,益人眼。取汁注目中,主目暗,亦涂热疮,良。”

459 白鱼[1]

助血脉,补肝,明目[2]。患疮疖人不可食,甚发脓。灸疮不发,作鲙食之,良。(《大观》卷 21 页 23;《政和》页 434;《纲目》页 1599)

【校注】

[1] **白鱼** 为鲤鱼科动物翘嘴红鲌。《食疗本草》首载此药。《开宝本草》云:“大者六七尺,色白,头昂。生江湖中。”

[2] **补肝,明目** 孟诜云:“白鱼,主肝家不足气。”

又,《开宝本草》云:“白鱼……主胃气,开胃下食,去水气。”《食疗本草》云:“新鲜者好食,若经宿者不堪食,令人腹冷,生诸疾。或腌或糟藏犹可食。……煮食之,调五脏,助脾气,能消食。”

460 鳜鱼[1]

微毒。益气,治肠风泻血。又名鳜豚、水豚。(《大观》卷 21 页 23;《政和》页 434;《纲目》页 1605)

【校注】

[1] **鳜鱼** 为鮨科动物鳜鱼。《食疗本草》首载此药。《开宝本草》将之收为正品,并云:“鳜鱼……主腹内恶血,益气力,令人肥健,去腹内小虫。”

461 鲈鱼[1]

平。暴干甚香美,虽有小毒,不至发病。一云多食发痃癖及疮肿,不可与乳酪同食。(《大观》卷 21 页 26;《政和》页 436;《纲目》页 1604)

【校注】

［1］**鲈鱼** 为鮨科动物鲈鱼。孟诜《补养方》及《食疗本草》首载此药，《日华子本草》亦载之。《嘉祐本草》糅合孟诜、《日华子本草》两家文字为一体，并将之收为正品。

《食疗本草》云："鲈鱼，平。主安胎，补中，作鲙尤佳。"

462 鲎[1]

平，微毒。治痔，杀虫，多食发嗽并疮癣。壳，入香，发众香气。尾，烧焦，治肠风泻血，并崩中带下，及产后痢。脂，烧，集鼠。（《大观》卷21页26；《政和》页436；《纲目》页1636）

【校注】

［1］**鲎** 为鲎科动物东方鲎。孟诜《补养方》及《食疗本草》首载此药，《日华子本草》亦载之。《嘉祐本草》糅合孟诜、《日华子本草》两家文字为一体，将之收为正品。《本草拾遗》云："鲎……生南海（今广东、广西沿海地区），大小皆牝牡相随，牝无目，得牡始行，牡去牝死。以骨及尾，尾长二尺，烧为黑灰，米饮下，大主产后痢。先服生地黄、蜜等煎讫，然后服尾，无不断也。"

463 河豚[1]

有毒[2]。又云：胡夷鱼，凉，有毒。煮和秃菜食，良。毒以芦根及橄榄等解之。肝有大毒[3]。又名鯸鱼、规鱼、吹肚鱼也。（《大观》卷21页24；《政和》页435；《纲目》页1613）

【校注】

［1］**河豚** 为鲀科动物弓斑东方鲀、虫蚊东方鲀、暗纹东方鲀及同属多种动物。《本草拾遗》首载此药，云："如鲶鱼，口尖，一名鯸鱼。"《本草衍义》云："然此物多怒，触之则怒气满腹，翻浮水上，渔人就以物撩之，遂为人获。"

［2］**有毒** 《开宝本草》云："无毒。"《本草衍义》云："经（指《开宝本草》）言无毒，此鱼实有大毒，味虽珍，然修治不如法，食之杀人。"陶宗仪《南村辍耕录》云："凡食河豚者，一日内不可服汤药，恐内有荆芥，盖与此物大相反，亦恶乌头、附子之属。余在江阴（今江苏江阴）时，亲见一儒者因此丧命。其子尤不可食。"

［3］**肝有大毒** 王充《论衡》云："鲑（河豚）肝死人。"陶宗仪《南村辍耕录》云："世传中其毒者，以龙脑浸水，或至宝丹，或橄榄皆可解。后得一方，用槐花微炒过，与干燕支各等分，同捣粉，水调灌，大妙。"

464 乌贼鱼[1]

通月经，骨疗血崩[2]，杀虫。心痛甚者[3]，炒其墨，醋调服也。又名缆鱼，须脚悉在眼前，风波稍急，即以须粘石为缆。(《大观》卷21页11；《政和》页428；《纲目》页1615)

【校注】

[1] **乌贼鱼** 为乌贼科动物金乌贼或无针乌贼。《本经》首载此药，以“乌贼鱼骨”为正名。《别录》云：“生东海（今苏、浙、闽沿海）池泽。”《本草图经》云：“乌贼鱼……形若革囊，口在腹下，八足聚生口旁，只一骨，厚三四分，似小舟，轻虚而白，又有两须如带，可以自缆。”

[2] **骨疗血崩** 乌贼骨性固涩，能止血，止遗精及带下，止湿疮。

乌贼骨，配黄芪、陈棕炭、地榆炭、苎麻根，止妇女崩漏下血；配白及、槐花，治吐血、便血、痔血；配地榆炭、蒲黄炭研细末，外敷包扎止血，治外伤出血；配山萸肉、菟丝子、金樱子、潼蒺藜为丸服之，治遗精；配白芷、血余炭研末服，治妇女带下；配枯矾、煅龙骨、煅石膏、白芷、黄柏、苍术、冰片为末，撒布湿疮处，可收湿排脓；或配黄连、黄柏、青黛、蒲黄炭，研细面，粉扑阴囊湿痒。

[3] **心痛甚者** 心痛即指胃痛，多因胃酸或溃疡所致。乌贼骨配鸡蛋壳、延胡索、浙贝母、瓦楞子、甘草研极细面服之，可止胃酸过多，止胃痛、愈溃疡。

又，孟诜云：“乌贼骨，主目中一切浮翳，细研和蜜点之。又，骨末治眼中热泪。”

465 鼍[1]

治齿疳䘌，宣露。甲用同功，入药炙。

鼋甲[2]，臣，平，无毒。主五脏邪气，杀百虫毒，消百药毒，续人筋骨。又，脂涂铁烧之便明。淮南王方术内用之[3]。(《大观》卷21页14；《政和》页431；《纲目》页1577)

【校注】

[1] **鼍** 即鲍鱼，为鼍科动物扬子鳄。《本经》首载此药，以“鲍鱼”为正名。《别录》云：“生南海（今广东、广西沿海）池泽。”《蜀本草·图经》云：“生湖畔土窟中，形似守宫而大，长丈余，背尾俱有鳞甲。”《本草拾遗》云：“力至猛，能攻陷江岸，性嗜睡，恒目闭……极难死，声甚可畏，人于穴中掘之。”《诗经·灵台》“鼍逢逢”，陆机疏云：“鼍，形似水蜥蜴，四足，长丈余，生卵大如鹅卵……其皮坚，可以冒鼓。”

[2] **鼋甲** 鼋为鳖科动物鼋。《正字通》云：“鼋……鳖类，青黄色……卵大如鸭子，一产一二百枚。”

[3] **淮南王方术内用之** 《淮南子》云：“烧鼋脂以致鳖，以其类求之也。”

466 鲮鲤甲[1]

凉，有毒。治小儿惊邪，妇人鬼魅悲泣，及痔漏，恶疮[2]，疥癣。(《大观》卷22页28；《政和》页454；《纲目》页1578)

【校注】

[1] **鲮鲤甲** 即穿山甲，为鲮鲤科动物穿山甲。《别录》首载此药。陶弘景云："其形似鼍而短小，又似鲤鱼，有四足，能陆能水，出岸开鳞甲，伏如死，令蚁入中，忽闭而入水，开甲，蚁皆浮出，于是食之。"

[2] **痔漏，恶疮** 《别录》云："鲮鲤甲……烧之作灰，以酒或水和方寸匕，疗蚁瘘。"《药性论》云："鲮鲤甲，使，有大毒。治山瘴疟，恶疮，烧傅之。"

又，《本草图经》云："鲮鲤甲……今人谓之穿山甲，近医亦用烧灰，与少肉豆蔻末，米饮调服，疗肠痔疾。又，治吹奶（乳痈）疼痛不可忍，用穿山甲炙黄、木通各一两，自然铜半两生用，三味捣罗为散，每服二钱，温酒调下，不计时候。"

按，穿山甲能活血消肿，溃痈，下乳，通络，破癥瘕。穿山甲配浙贝母、金银花、皂刺、乳香、没药、天花粉，能消痈肿初起，治痈肿；配皂刺、黄芪、当归，可以溃痈、托毒排脓，治痈肿成脓不溃；配当归、通草、王不留行、猪蹄，煨服，治乳汁不通；配蜈蚣、地龙、白花蛇、乌梢蛇、羌活、苏木、防风，治关节痛不能屈伸；配大黄、䗪虫、鳖甲、川芎、赤芍、桂心，治癥瘕痞块；配玄参、贝母、牡蛎、夏枯草，亦能散皮下瘰疬结块。

467 鳖[1]

益气调中，妇人带下，治血瘕腰痛。

鳖甲，去血气，破癥结，恶血[2]，堕胎，消疮肿，并扑损瘀血，疟疾[3]，肠痈。

头，烧灰，疗脱肛[4]。(《大观》卷21页4；《政和》页425；《纲目》页1630)

【校注】

[1] **鳖** 为鳖科动物鳖。《本经》首载此药。《别录》云："生丹阳（今安徽宣城）池泽，取无时。"《本草图经》载有江陵府（今湖北江陵）鳖药图，并云："以岳州（今湖南岳阳）、沅江（今湖南沅江）其甲有九肋者为胜。"

[2] **鳖甲，去血气，破癥结，恶血** 鳖甲能破癥散结。《圣惠方》鳖甲丸，由鳖甲、大黄、琥珀制成，治癥瘕包块和经闭。据此，妊娠者忌用鳖甲。

[3] **疟疾** 鳖甲能软坚散结，治久疟肝脾肿大（疟母）。《肘后方》治老疟方：炙鳖甲，杵末，服方寸匕，至时令三服尽。《金匮要略》鳖甲煎丸，由鳖甲、䗪虫、大黄、黄芩、柴胡、桃仁、丹皮

制成，治久疟肝脾肿大。

[4] **头，烧灰，疗脱肛** 姚和众治小儿因痢脱肛方：鳖头甲烧灰，末，取粉扑之。《本草衍义》云："头血涂脱肛。又，烧头灰亦治。"

又，鳖甲能滋阴，除骨蒸劳热。《药性论》云："鳖甲……除骨热，骨节间劳热……烧甲令黄色，末，清酒服之方寸匕，日二服。"《证治准绳》清骨散，由鳖甲、青蒿、知母、银柴胡、胡黄连、地骨皮、秦艽制成，治骨蒸劳热。

又，《温病条辨》治热病伤阴，夜热早凉，以鳖甲配青蒿、知母、丹皮、生地黄。如热病后期，虚风内动，手指颤动，以鳖甲配生地黄、麦门冬、阿胶、白芍、甘草、牡蛎等治之。

468 龟甲[1]

堪卜为卜龟，小者腹不可卜。钻遍者名败龟，治血麻痹[2]。入药酥炙用，又名败将。

蠵蠵[3]（音兹夷），平，微毒。治中刀箭闷绝，刺血饮便差[4]。皮甲，名鼊皮[5]，治血疾，若无生血，煎汁代之。亦可宝装饰物。

夹蛇龟[6]，小黑，中心折者无用，不可食。肉，可生捣，罯傅蛇毒[7]。(《大观》卷20页7;《政和》页413;《纲目》页1627)

【校注】

[1] **龟甲** 为龟科动物乌龟之甲。《本经》首载此药。《别录》云："生南海（今广东、广西沿海）池泽及湖水中。"《本草图经》云："今江湖间并皆有之。山中龟……食草根、竹萌，冬月藏土中，至春而出，游山谷中。今市肆间人或畜养为玩，至冬而埋土穴中。"习惯上以龟板入药，不用龟甲。其实龟板、龟甲功用同。

[2] **治血麻痹** 《本经》云："主漏下……湿痹。"《食疗本草》云："主除温瘴气，风痹。"《唐本草》云："龟，取以酿酒，主大风缓急，四肢拘挛，或久瘫缓不收摄，皆差。"萧炳云："壳，主风脚弱，炙之，末，酒服。"

按，龟甲、龟板功用相同，均能滋阴养血，补心，益肾，平肝潜阳，退虚热。

治心气虚所致惊悸、不寐，用龟甲配远志、菖蒲、酸枣仁、柏子仁、龙骨。

治肾气虚所致筋骨痿软，用《丹溪心法》虎潜丸，虎潜丸由龟甲、龟板、虎骨、锁阳、熟地黄、白芍、知母、黄柏、陈皮、干姜组成。

治肝阳上亢所致头晕，用龟甲配牡蛎、石决明、白芍、菊花、枸杞子、生地黄。

治虚热劳热，用龟甲配熟地黄、知母、黄柏、青蒿、秦艽、银柴胡、胡黄连。

[3] **蠵蠵** 为海龟科动物蠵龟。《本草经集注》首载此药。陶弘景注秦龟云："广州（今广东广州）有蠵蠵。"《唐本草》云："秦龟即蠵蠵。"《本草拾遗》否定之，云："按蠵蠵生海水中……今秦龟是山中大龟……深山谷有之。"《本草图经》引《岭表录异》云："蠵蠵，俗谓之兹夷……人立背上，可负而行，潮（今广东潮州）、循（今广东惠州）间甚多。"

［4］**治中刀箭闷绝，刺血饮便差** 陶弘景云："其血，甚疗俚人毒箭伤。"

［5］**鼊皮** 《纲目》引《临海水土记》云："其形如龟鳖身，其甲黄点有光。广七八寸，长二三尺。彼人以乱瑇瑁。"

［6］**夹蛇龟** 陶弘景称之为鼄龟。《唐本草》云："鼄龟腹折，见蛇则呷而食之，荆楚（今湖北、湖南）之间谓之呷蛇龟也。"陈士良《食性本草》云："鼄龟，腹下横折，秦人呼蟕蠵山龟是也。肉，寒，有毒，主筋脉。凡扑损，便取血作酒食。"

［7］**肉，可生捣，署傅蛇毒** 《本草图经》云："又一种鼄龟（夹蛇龟）……能疗蛇毒。"

469 瑇瑁[1]

破癥结，消痈毒[2]，止惊痫等疾[3]。(《大观》卷20页10；《政和》页415；《纲目》页1628)

【校注】

［1］**瑇瑁** 即玳瑁。为海龟科动物玳瑁。《本草拾遗》首载此药。《本草图经》云："生岭南（今大庾岭以南）山水间……盖龟类也。惟腹、背甲皆有红点斑文，其大者有如盘。"《本草拾遗》云："大如扇，似龟甲有文。"陈士良云："瑇瑁，身似龟，首觜如鹦鹉。"

［2］**消痈毒** 玳瑁能清热解毒。《痘疹论》治痘疮黑陷方：生玳瑁、生犀角同磨汁一合，入猪心血少许，紫草汤五匙，和匀，温服。

［3］**止惊痫等疾** 玳瑁能平肝镇惊。治肝阳上亢所致头晕头昏（高血压），用玳瑁配羚羊角、石决明、龟板、生牡蛎、牛膝、白芍为丸服之。治高热抽搐，用玳瑁配犀角、羚羊角、钩藤、石决明、生地黄、黄连。成药如《太平惠民和剂局方》至宝丹，即由玳瑁等制成，能治热病惊狂谵语、小儿惊风抽搐。

470 蛇蜕[1]

治蛊毒，辟恶，止呕逆，治小儿惊悸[2]、客忤，催生[3]。疬疡[4]，白癜风[5]，煎汁傅。入药并炙用。(《大观》卷22页9；《政和》页443；《纲目》页1582)

【校注】

［1］**蛇蜕** 为游蛇科动物多种蛇蜕下的皮膜。《本经》首载此药。

［2］**治小儿惊悸** 《本经》云："蛇蜕，味咸，平。主小儿百二十种惊痫，瘈疭，癫疾。"

［3］**催生** 《证类本草》引《十全博救方》云："治横生难产方：蛇皮一条……存性烧为黑灰，每服二钱，用榆白皮汤调服立下。"

［4］**疬疡** 《证类本草》引《肘后方》云："小儿初生月蚀疮及恶疮，烧末，和猪脂傅上。"《千金方》治恶疮似癞方：烧蛇蜕为末，猪脂和傅上。

［5］**白癜风** 《圣惠方》治白驳方：蛇蜕烧末，醋调傅上，佳。

471　蛇黄[1]

冷，无毒。镇心[2]，如入药烧赤三四次，醋淬，飞研用之。(《大观》卷5页35；《政和》页137；《纲目》页682)

【校注】

[1] **蛇黄**　为氧化矿物褐铁矿。《唐本草》首载此药，并云："出岭南（今大庾岭以南）。蛇腹中得之，圆重如锡，黄黑青杂色。"《本草图经》云："今越州（今浙江绍兴）、信州（今江西上饶）亦有之……今医家用者，大如弹丸，坚如石，外黄内黑色。二月采。云是蛇冬蛰时所含土，到春发蛰，吐之而去。"

[2] **镇心**　《唐本草》云："蛇黄，主心痛，疰忤（中恶）……小儿惊痫。"《纲目》引《世医得效方》云："暗风痫疾，忽然仆地不知人事，良久方醒。蛇黄，火煅醋淬七次，为末。每调酒服二钱，数服愈，年深者亦效。"

又，《纲目》云："世人因其难得，遂以蛇含石代之。"《普济方》治血痢不止方：蛇含石二枚火煅醋淬，研末，每服三钱，米饮下。《摘玄方》治疟方：蛇含石、信石（砒矿）研末，入水火鼎，上以盏盖，盐泥封口边缝，火煅，药升在盖，刮下为末，米糕糊丸绿豆大，雄黄为衣，每服一丸。按，此丸含有砒霜升华物，有剧毒，不可轻服。

按，《本经》别有蛇含，其是蔷薇科植物蛇含，与此矿物蛇含石非同一物也。

472　青蛙[1]

性冷。治小儿热疮。背有黄路者名金线。杀尸疰病虫，去劳劣[2]，解热毒[3]。身青绿者是。(《大观》卷22页30；《政和》页453；《纲目》页1560)

【校注】

[1] **青蛙**　为蛙科动物黑斑蛙或金线蛙。《别录》首载此药。《本草图经》云："似虾蟆而背青绿色，俗谓之青蛙。亦有背作黄文者，人谓之金线蛙。"

[2] **去劳劣**　《本草图经》云："大腹而脊青者……食之补虚损，尤宜产妇，即此也。"

[3] **解热毒**　《别录》云："主小儿赤气，肌疮，脐伤。"《本草衍义》云："解劳热。"《直指方》治癌疮方：蛙并皮炒存性，为末，掺，或蜜水调傅之。

473　蟾[1]

凉，微毒。破癥结。治疳气，小儿面黄癖气[2]，烧灰油调，傅恶疮[3]。入药并炙用。又名蟾蜍。眉酥[4]，治蚛牙[5]。和牛酥摩傅腰眼并阴囊，治腰肾冷，并助阳气。以吴茱萸苗汁调妙。粪，傅恶疮丁肿，杂虫咬。油调傅瘰疬，痔瘘疮。

(《大观》卷22页1；《政和》页440；《纲目》页1557)

【校注】

［1］**蟾** 为蟾蜍科动物黑眶蟾蜍或中华大蟾蜍。《本经》首载此药，以“虾蟆”为正名。《别录》云：“一名蟾蜍。”《本草拾遗》云：“虾蟆、蟾蜍二物各别……虾蟆背有黑点，身小能跳接百虫，解作呷呷声……蟾蜍身大，背黑无点，多痱磊……不解作声，行动迟缓，在人家湿处。”蟾蜍又名癞蛤蟆。

［2］**治疳气，小儿面黄癖气** 《本草图经》云：“主小儿劳瘦及疳疾等，最良。”《全婴方》云：“治小儿疳疾腹大，黄瘦骨立……癞蛤蟆去首、足、肠，以清油涂之，阴阳瓦炙熟食之……连服五六枚，一月之后形容改变。”

［3］**烧灰油调，傅恶疮** 《外台秘要》治小儿初得月蚀疮方：虾蟆烧灰杵末，猪膏和傅。《梅师方》治疳䘌，以虾蟆烧灰，好醋和傅，日三五度。《子母秘录》治小儿口疮方：虾蟆烧，杵末，傅疮上。按，虾蟆烧炭，性收敛，有血余炭样功用，可以敛疮，亦能止下痢。《子母秘录》治小儿洞泄下痢方：烧虾蟆末，饮调方寸匕服。

又，蟾蜍能清热解毒。陶弘景云：“人得温病斑出困者，生食一两枚无不差者。”治痈肿，内服、外敷，均有确效。《别录》云：“主……恶疮，猘犬伤疮。”《证类本草》引《南北史》云：“张畅弟牧尝为猘犬所伤。医云：宜食虾蟆脍。”

［4］**眉酥** 即蟾酥。《本草衍义》云：“眉间有白汁，谓之蟾酥，以油单裹眉裂之，酥出单上，入药用。”一般拌以适量面粉晒干贮存。

按，蟾酥清热解毒消肿之力，强于蟾蜍，治痈疽疔疮、咽喉肿痛。

《外科正宗》治疔毒、恶疮，以蟾酥、朱砂、雄黄、麝香、乳香、枯矾、胆矾、铜绿、寒水石为丸，内服、外敷均能解毒消肿。《喉科心法》六神丸，由蟾酥、雄黄、麝香、冰片、珍珠、牛黄制成，治咽喉肿痛。

《验方》蟾酥丸，由蟾酥、麝香、丁香、牙皂制成，有开窍催醒之功，用于神志昏迷。

［5］**治蚛牙** 蚛牙即龋齿。《本草图经》云：“眉酥，主蚛牙，及小儿疳瘦药所须。”《本草衍义》云：“有人病齿缝中血出，以纸纴子蘸干蟾酥少许，于血出处按之，立止。”

按，蟾酥能止痒止痛；配花椒、冰片，浸于一百倍酒中，外涂止痒止痛。

又，《普济方》治破伤风，以蟾酥一份，天麻、全蝎各五份，为末，合捣为丸绿豆大，每服一至二丸。

474 蛤蚧[1]

无毒。治肺气，止嗽[2]，并通月经，下石淋，及治血[3]，又名蛤蟹。合药去头、足，洗去鳞鬣内不净，以酥炙用，良。(《大观》卷22页15；《政和》页447；《纲目》页1581)

【校注】

［1］**蛤蚧** 为壁虎科动物蛤蚧。《雷公炮炙论》首载此药。《嘉祐本草》引《岭表录异》云：

"蛤蚧，首如虾蟆，背有细鳞如蚕子，土黄色，身短尾长。多巢于榕树中……有巢于斤署城楼间者，旦暮则鸣，自呼蛤蚧……医人云：药力在尾，尾不具者无功。"

[2] **治肺气，止嗽** 《本草衍义》云："蛤蚧，补肺虚劳嗽，有功，治久嗽不愈……嗽出脓血……蛤蚧、阿胶、鹿角胶、羚羊角一两。"蛤蚧配人参、茯苓、甘草、杏仁、贝母、知母、桑白皮，治肾虚劳嗽久不愈。治肾不纳气虚喘，蛤蚧、紫河车等分为末，每服二钱，日三服。

[3] **治血** 蛤蚧能补精血，助肾阳。蛤蚧配人参、鹿茸、肉苁蓉、巴戟天、淫羊藿，治精血不足、肾虚阳痿。

475 蛤蜊[1]

冷，无毒。润五脏，止消渴，开胃，解酒毒[2]。主老癖能为寒热者及妇人血块，煮食之。此物性虽冷，乃与丹石相反，服丹石人食之，令腹结痛。(《大观》卷22页4；《政和》页441；《纲目》页1645)

【校注】

[1] **蛤蜊** 为蛤蜊科动物四角蛤蜊，或其他种蛤蜊。《本草拾遗》首载此药，其后《日华子本草》亦载之。《嘉祐本草》糅合《本草拾遗》《日华子本草》两家文字为一体，将之收为正品。

[2] **解酒毒** 陶弘景云："惟蛤蜊煮之醒酒。"《证类本草》云引初虞世文云："疗汤火伤，神妙。蛤蜊壳灰火烧研为末，油调涂之。"

476 海蛤[1]

治呕逆[2]，阴痿，胸胁胀急，腰痛，五痔，妇人崩中带下病[3]。此即鲜蛤子。雁食后，粪中出有文彩者，为文蛤[4]；无文彩者为海蛤[5]。乡人又多将海岸边烂蛤壳，被风涛打磨莹滑者伪作之。(《大观》卷20页13；《政和》页416；《纲目》页1642)

【校注】

[1] **海蛤** 为帘蛤科动物青蛤。《本经》首载此药，云："一名魁蛤。"《别录》云："生东海(今江苏、浙江、福建沿海)。"《本草图经》云："今登(今山东蓬莱)、莱(今山东莱州)、沧州(今河北沧县)皆有之。"《唐本草》云："此物以细如巨胜，润泽光净者好，有粗如半杏仁者，不入药用。"

[2] **治呕逆** 《本经》云："主咳逆上气。"《药性论》云："治嗽逆上气。"

按，海蛤能清肺化痰，配青黛、栝楼、黄芩，治痰热咳嗽、咳痰不爽。治痰稠咳喘，以海蛤配海浮石、桑白皮、白前。

海蛤能利水消肿。《药性论》云："海蚧，亦曰海蛤，臣，亦名紫薇……能治水气浮肿。"《本草拾遗》云："海蛤，主水癊，取二两，先研三日，汉防已、枣肉、杏仁二两，葶苈子六两，熬，研成脂为丸，一服十丸，利下水。"（此方未言丸的大小，一般如梧子大。）《圣济总录》治腹水方：煅海蛤粉、防己各七钱半，葶苈、赤茯苓、桑白皮各一两，陈皮、郁李仁各半两，为末，蜜丸如梧子，米饮下五十丸，日二服。

海蛤亦能消痰软坚，治瘿瘤、瘰疬。《药性论》云："主治项下瘤瘿。"《证治准绳》以海蛤、海藻、昆布、猪靥为丸，每服三钱，治瘿瘤。

［3］**五痔，妇人崩中带下病**　《杨氏家藏方》以蛤粉一两细研，炒槐花半两研匀，每服一钱，治各种出血、痔血、妇人崩中带下。

又，煅蛤粉治吞酸嘈杂、胃脘痛。蛤粉配苍术、黄柏油，调涂湿疮；配血余炭，敛疮，治汤火伤。

［4］**文蛤**　为帘蛤科动物文蛤。《本经》首载此药。《别录》云："生东海（今江苏、浙江、福建沿海），表有文。"

［5］**无文彩者为海蛤**　《本草拾遗》云："海蛤是海中烂壳，久在泥沙、风波淘洒，自然圆净，有大有小，以小者久远为佳，亦非一一从雁腹中出也。文蛤是未烂时壳，犹有文者。此乃新旧为名，二物原同一类。假如雁食蛤壳，岂择文与不文?"《本草衍义》云："海蛤、文蛤，陈藏器所说是。今海中无雁，岂有食蛤粪出者。"按，文蛤与海蛤主治、功用大体相同，能清肺止咳、消痰软坚、利水消肿。《别录》云文蛤"主咳逆"。文蛤配青黛，治热痰咳嗽、面浮；配海藻、昆布、猪靥为丸，治项下瘿瘤；配防己、葶苈子、大枣、桑白皮、郁李仁，行水，消水肿、腹水。文蛤火煅，研细末，治吞酸嘈杂、胃脘隐痛。

477　蚌[1]

冷，无毒。明目，止消渴，除烦，解热毒，补妇人虚劳下血并痔瘘，血崩带下，压丹石药毒。以黄连末内之，取汁，点赤眼并暗，良。烂壳粉，饮下，治反胃、痰饮。此即是宝装大者。

蚌粉，冷，无毒。治疳，止痢，并呕逆。痈肿，醋调傅，兼能制石亭脂。（《大观》卷22页5；《政和》页442；《纲目》页1639）

【校注】

［1］**蚌**　为蚌科动物多种蚌。《本草拾遗》首载此药，并云："生江溪渠渎间。"其后《日华子本草》亦载之。《嘉祐本草》录《日华子本草》文为正品之文。

又，《本草拾遗》"蚌"条文字与《日华子本草》"蚌"条文字，文异义同。《本草拾遗》云："按，蚌，寒。煮之，主妇人劳损下血，明目，除湿，止消渴。老蚌含珠，壳堪为粉。烂壳为粉，饮下，主反胃，心胸间痰饮。"

478　车螯[1]

冷，无毒。治酒毒、消渴、酒渴，并痈肿。壳，治疮疖肿毒[2]。烧二度，各以醋煅，捣为末，又甘草等分，酒服，以醋调傅肿上，妙。车螯是大蛤，一名蜄，能吐气为楼台，海中春夏间依约岛溆，常有此气。（《大观》卷22页6；《政和》页442；《纲目》页1464）

【校注】

［1］**车螯** 为砗磲科动物砗礴。《本草拾遗》首载此药，其后《日华子本草》亦载之。《嘉祐本草》糅合《本草拾遗》《日华子本草》两家文字为一体，将之收为正品。

［2］**壳，治疮疖肿毒** 《外科精要》治痈疽发背方：车螯火煅赤一两，生甘草末一钱半，轻粉五分，为末，每服三钱，用栝楼一个，酒一碗，煎一盏调服；五更转下恶物为度，未下再服。按，此方中轻粉是汞化物，有毒，能泻下，对汞过敏者忌服之。

479 蚶[1]

温。主心腹冷气，腰脊冷风，利五脏，健胃[2]，令人能食。每食了，以饭压之，不尔令人口干。又云：温中，消食，起阳，味最重，出海中。壳如瓦屋。又云：无毒，益血色。壳，烧，以米醋三度淬后埋令坏，醋膏丸，治一切血气、冷气、癥癖[3]。（《大观》卷22页6；《政和》页442；《纲目》页1647）

【校注】

［1］**蚶** 为蚶科动物泥蚶、毛蚶或魁蚶。孟诜首载此药，其后陈藏器、萧炳、日华子均载此药，《嘉祐本草》糅合四家文字为一体，将之录为正品。

按，蚶的壳如瓦屋，蚶又名瓦楞子、瓦垄子。其中魁蚶，《别录》名魁蛤。

［2］**健胃** 煅瓦楞子能治胃痛、吐酸、嗳气，配乌贼骨、陈皮，研末服。

［3］**癥癖** 瓦楞子能化瘀、软坚、散结。以火煅醋淬为丸服。治妇女经闭经痛，用煅瓦楞子配当归、川芎、桃仁、红花、大黄、香附、丹皮。

又，瓦楞子亦能化痰，治痰黏稠难咳，配海浮石、海蛤壳、贝母、栝楼、黄芩。瓦楞子用于化痰止咳时宜生用，用于软坚散结、制酸时宜煅用。

又，魁蛤，为蚶科动物魁蚶，和瓦楞子是同科动物。《别录》首载此药，并云："生东海，正圆，两头空，表有文。取无时。"魁蛤，主痿痹，治泄痢、便脓血。

480 蚬[1]

冷，无毒。治时气，开胃，压丹石药及丁疮，下湿气，下乳。糟煮服，良。生浸取汁，洗丁疮。多食发嗽并冷气，消肾。陈壳，治阴疮，止痢[2]。蚬肉，寒，去暴热，明目，利小便，下热气、脚气、湿毒，解酒毒、目黄。浸取汁服，主消渴。烂壳，温，烧为白灰，饮下，主反胃吐食[3]，除心胸痰水[4]。壳陈久，疗胃反及失精。（《大观》卷22页5；《政和》页441；《纲目》页1641）

【校注】

[1] **蚬** 为蚬科动物河蚬。《本草拾遗》首载此药，其后《日华子本草》亦载之。《嘉祐本草》糅合两家文字为一体，将之收为正品。《本草拾遗》云："蚬，小于蛤，黑色，生水泥中，候风雨能以壳为翅飞也。"

[2] **陈壳，治阴疮，止痢** 《本草图经》云："蚬壳，陈久者止痢。"

[3] **烧为白灰，饮下，主反胃吐食** 蚬壳同瓦楞子一样，能制酸，止胃痛。当胃吞酸嘈杂，嗳气，甚则反胃吐食时，烧蚬壳为灰，饮下可止。

[4] **除心胸痰水** 蚬壳能清肺化痰。《圣惠方》治卒咳嗽不止方：白蚬壳不计多少，捣研极细，每服米饮调下一钱匕，日三四服，妙。

481 淡菜[1]

温。补五脏，理腰脚气，益阳事[2]，能消食，除腹中冷气，消痃癖气，亦可烧令汁沸出食之。多食令头闷目暗，可微利即止。北人多不识，虽形状不典，而甚益人。又云：温，无毒。补虚劳损，产后血结，腹内冷痛。治癥瘕，腰痛，润毛发，崩中带下[3]。烧一顿令饱，大效。又名壳菜。常时频烧食即苦，不宜人。与少米先煮熟，后除肉内两边锁及毛了，再入萝卜，或紫苏，或冬瓜皮同煮，即更妙。（《大观》卷22页6；《政和》页442；《纲目》页1649）

【校注】

[1] **淡菜** 为贻贝科动物厚壳贻贝。孟诜首载此药，其后《本草拾遗》《日华子本草》亦载之。《嘉祐本草》糅合孟诜、日华子两家文字为一体，将之收为正品。

[2] **补五脏，理腰脚气，益阳事** 《本草图经》云："淡菜，补五脏，益阳。浙江谓之壳菜。"

[3] **补虚劳损，产后血结，腹内冷痛。治癥瘕，腰痛，润毛发，崩中带下** 《本草拾遗》云："东海夫人（即淡菜）……主虚羸劳损，因产瘦瘠，血气结积，腹冷，肠鸣下痢，腰疼，带下疝瘕……取肉作臛宜人……妇人带下漏下。"

482 石决明[1]

凉。明目。壳，磨障翳[2]，亦名九孔螺也。（《大观》卷20页12；《政和》页415；《纲目》页1642）

【校注】

[1] **石决明** 为鲍科动物多种鲍。《别录》首载此药，并云："生南海（今广东、广西沿海）。"《本草图经》云："今岭南（今大庾岭以南）州郡及莱州（今山东莱州）皆有之……决明壳，大者如手，小者三两指……七孔、九孔者良，十孔者不佳。"《本草衍义》云："登（今山东蓬莱）、莱（今山东莱州）州甚多。"

[2] **明目。壳，磨障翳** 《别录》云："主目障翳痛，青盲。"《本草图经》云："其壳渍水洗眼。"《本草衍义》云："壳研，水飞，点磨外障翳。"《证治准绳》以石决明配谷精草、蛇蜕、桑叶、菊花、枸杞子为丸，治障翳。石决明配苍术、猪肝煮，食肝饮汁，治青盲、雀目。

又，石决明亦止咳。《蜀本草》注云："鳆鱼（石决明）主咳嗽。"

《海药本草》云："石决明，主……肺风热，骨蒸劳极。"石决明配青蒿、知母、地骨皮、桑白皮、生地黄，除骨蒸劳热。

《海药本草》云："石决明，主……肝肺风热……磨去其外黑处并粗皮了，烂捣之，细罗，于乳钵中再研如面，方堪用也。"石决明配龙胆草、钩藤、生地黄、白芍，治肝热惊风抽搐；配生牡蛎、枸杞子、白芍、生地黄、菊花，治肝阳上亢所致头目眩晕。

483 贝齿[1]

凉。治翳障[2]，并鬼毒鬼气，下血。又名白贝。（《大观》卷22页20；《政和》页449；《纲目》页1647）

【校注】

[1] **贝齿** 为宝贝科动物货贝。《本经》首载此药，以"贝子"为正名。《别录》云："一名贝齿。生东海（今江苏、浙江、福建沿海）池泽。"《本草图经》云："今南海（今广东、广西沿海）亦有之，贝类之最小者，又若蜗状……洁白如鱼齿，故一名贝齿，古人用以饰军容服物。"

[2] **治翳障** 《政和》引《千金方》云："点小儿黑花眼翳涩痛，用贝齿一两烧作灰，研如面，入少龙脑点之，妙。又方：去目翳，贝子十枚烧灰，细筛，取一胡豆大着翳上，卧如炊一石米久乃灭。息肉者，加珍珠与贝子等分。"

按，《本草衍义》云："贝子，今谓之贝齿，亦如紫贝，但长寸余。"又云："紫贝，大二三寸，背上深紫有点，但黑。"

又，紫贝与贝齿是同科动物多种贝的贝壳。《唐本草》首载此药，并云："紫贝，明目，去热毒。"紫贝配黄连、决明子，治目赤肿痛。

紫贝能清热平肝，镇惊安神。紫贝配生牡蛎、石决明、龟板、白芍、菊花，治肝阳头痛、头目眩晕；配枣仁、远志、朱茯神、生龙骨、生牡蛎、麦门冬、紫石英，治惊惕不寐。

484 田螺[1]

冷，无毒。治手足肿[2]，及热疮，生研汁傅之[3]。（《大观》卷22页19；《政和》

页 449；《纲目》页 1650）

【校注】

[1] **田螺** 为田螺科动物中国圆田螺。《别录》首载此药。《蜀本草·图经》云："生水田中，大如桃李，状类蜗牛而尖长，青黄色，夏秋采之。"

[2] **治手足肿** 《本草拾遗》云："田中螺煮食之……脚气冲上，小腹急硬，小便赤涩，脚手浮肿。"

[3] **热疮，生研汁傅之** 《本草拾遗》云："田中螺……碎其肉，傅热疮。"《圣惠方》治咽喉烂、舌上生疮方：水中螺、蚌煮汁，饮三两盏，差。

又，《别录》云："田中螺汁，大寒，主目热赤痛，止渴。"

又，《药性论》云："田螺汁，亦可单用，主治肝热目赤肿痛。取大者七枚洗净，新汲水洗去秽泥，重换水一升浸洗……着少盐花于口上，承取自出者用，点目。"方中盐花以黄连代更佳。

又，《本草拾遗》云："生浸取汁饮之，止消渴。"《食医心镜》云："主消渴，饮水日夜不止，口干，小便数。田中螺五升，水一斗，浸经宿，渴即饮之。每日一度，易水换生螺为妙。"

按，田螺壳火煅为白粉，其功用与海蛤粉、蚌粉、瓦楞子同。

485 蜗牛[1]

冷，有毒。治惊痫等[2]。入药炒用，此即负壳蜒蚰[3]也。（《大观》卷 21 页 18；《政和》页 432；《纲目》页 1567）

【校注】

[1] **蜗牛** 为蜗牛科动物蜗牛。《别录》首载此药。《本草图经》云："蜗牛以形圆而大者为胜，久雨晴竹林、池沼间多有出者。"

[2] **治惊痫等** 《别录》云："蜗牛……主贼风、㖞僻……惊痫。"《纲目》引《圣惠方》云："撮口脐风……用蜗牛十枚，去壳研烂，入莳萝末半分研匀，涂之，取效甚良。"

又，蜗牛能清热解毒，除疳疾，缩大肠，治脱肛，止消渴，解蜈蚣咬伤。

《集验方》治发背方：取蜗牛入真蛤粉少许，烂捣为糊傅疮上，干则易。《世医得效方》治瘰疬已溃方：蜗牛烧研，轻粉少许，研细面，猪脊髓调傅之。

《小儿宫气方》治小儿疳疾方：蜗牛七枚，纳酥于壳内，蒸熟，细研服。

《别录》云："蜗牛，主……大肠下，脱肛。"

《药性论》云："蜗牛……生研取服，止消渴。"

《圣惠方》治蜈蚣咬方：蜗牛挎取汁，滴入咬处。

[3] **蜒蚰** 为蛞蝓科动物蛞蝓。《本经》首载此药。《本草衍义》云："蛞蝓，其身肉止一段。蜗牛，背上别有肉，以负壳行，显然异也……其治疗亦大同小异……蛞蝓有二角，蜗牛四角兼背有附壳肉，岂得为一物也。"《本经》云："蛞蝓，味咸，寒。主贼风㖞僻，轶筋及脱肛，惊痫。"

486 真珠子[1]

安心[2]，明目[3]，驻颜色也[4]。(《大观》卷20页9；《政和》页414；《纲目》页1641)

【校注】

[1] **真珠子** 为珍珠贝科动物马氏珍珠贝，及蚌科动物多种蚌形成的珍珠。《药性论》首载此药。《本草图经》云："今出廉州（今广西合浦），北海（今广西北海）亦有之。生于珠牡，蚌类也。谨按，《岭表录异》：廉州边海中有洲岛，岛上有大池谓之珠池，每岁刺史亲监珠户入池，采老蚌，割取珠以充贡……池水乃淡，此不可测也。"

[2] **安心** 珍珠能安心宁神定惊。《肘后方》治卒忤不能言方：珍珠末以鸡冠血和丸小豆大，以三四粒纳口中。《圣惠方》治小儿惊风抽搐方：珍珠粉配生石膏细末和匀服。珍珠粉配牛黄、天竺黄、胆南星、朱砂、雄黄、琥珀、麝香为丸，金箔为衣，治惊风抽搐。《本草衍义》云："真珠，小儿惊热药中多用。"

[3] **明目** 《药性论》云："真珠，君，治眼中翳障白膜，七宝散用磨翳障，亦能坠痰。"《邓苑方》治目赤翳障方：珍珠、琥珀、石决明、龙齿、熊胆、冰片各等分，研极细面，点眼。

[4] **驻颜色也** 《开宝本草》云："真珠……傅面，令人润泽，好颜色。"

按，珍珠能解毒，消肿敛疮，治痈肿疮毒、咽喉肿痛、口舌生疮溃烂。

《雷氏方》六神丸，由珍珠、牛黄、蟾酥、麝香、冰片、雄黄制成，能消痈肿疮毒，治咽喉肿痛。又如锡类散，由珍珠、牛黄、冰片、象牙粉、指甲、青黛、壁钱制成，外吹口舌咽溃烂。

《张氏医通》珍珠散，由珍珠、琥珀、龙骨、朱砂、赤石脂、象皮、血竭、炉甘石、冰片、钟乳石制成，撒布疮口，治溃疡久不收口。

《千金方》治儿胞衣不出方：苦酒（醋）服珍珠末一两。据此，妊娠者不宜服之。

产生珍珠的河蚌贝壳，其珍珠层有珍珠样功用，名珍珠母。珍珠母能安心、明目、平肝潜阳，治肝阳头痛、头晕、心悸不寐、目翳障，且能止血，但须配止血药方有效。

虫部　卷第十七

487 蜻蜓[1]

凉，无毒。壮阳，暖水脏[2]。入药去翼、足，炒用良。(《大观》卷22页31；《政和》页455；《纲目》页1525)

【校注】

[1] **蜻蜓** 为蜓科昆虫蜻蜓。《别录》首载此药，名蜻蛉。陶弘景云："此有五六种，今用青色大眼者，一名诸乘……其余黄细及黑者，不入药用。一名蜻蜓。"《蜀本草》注云："蜻蜓六足四翼，好飞溪渠侧。"

[2] **壮阳，暖水脏** 《别录》云："蜻蛉，微寒，强阴止精。"

488 蠮螉[1]

有毒。治呕逆[2]。生研，罯竹木刺[3]。入药炒用。(《大观》卷22页14；《政和》页446；《纲目》页1509)

【校注】

[1] **蠮螉** 为蜾蠃科昆虫果蠃。《本经》首载此药。陶弘景云："今一种黑色腰甚细，衔泥于人室及器物边作房如并竹管者是也。其生子如粟米大，置中，乃捕取草上青蜘蛛十余枚，满中，仍塞口，以拟其子大为粮也。"

[2] **治呕逆** 《证类本草》引《圣惠方》云："治小儿霍乱吐泻方，用蠮螉窠微炙为末，以乳汁调下一字，止。"

[3] **生研，罯竹木刺** 《本经》云："主久聋……出刺出汗。"

489 树蜂、土蜂、蜜蜂[1]

凉，有毒。利大小便，治妇人带下病等。又有食之者，须以冬瓜及苦荬、生

姜、紫苏，以制其毒也。(《大观》卷20页4;《政和》页411;《纲目》页1505)

【校注】

[1] **树蜂、土蜂、蜜蜂**　树蜂为胡蜂科昆虫大黄蜂；土蜂为土蜂科昆虫土蜂；蜜蜂为蜜蜂科昆虫中华蜜蜂。三者的幼虫统名蜂子。《本经》首载蜂子、大黄蜂子、土蜂子。《别录》云："生武都（今甘肃武都）山谷。"《本草图经》云："蜂子即蜜蜂子也……如蛹而白色。大黄蜂子即人家屋上作房及大木间瓠瓤蜂子也……蜂并黄色，比蜜蜂更大。土蜂子即穴土居者。"

《纲目》引《圣济总录》云："大风疠疾，须眉堕落，皮肉已烂成疮者，用蜜蜂子、胡蜂子、黄蜂子并炒各一分，白花蛇、乌蛇并酒浸去皮骨炙干、全蝎去土炒、白僵蚕炒各一两，地龙去土炒半两，蝎虎全者炒、赤足蜈蚣全者炒各十五枚，丹砂一两，雄黄醋熬一分，龙脑半钱，右为末，每服一钱匕，温蜜汤调下，日三五服。"

490　露蜂房[1]

微毒，治牙齿疼[2]，痢疾[3]，乳痈[4]，蜂叮，恶疮[5]，即煎洗。入药并炙用。(《大观》卷21页2;《政和》页424;《纲目》页1506)

【校注】

[1] **露蜂房**　为胡蜂科昆虫大黄蜂，或同属蜂所造的巢。《本经》首载此药。《别录》云："生牂牱（今贵州德江、思南一带）山谷。"《唐本草》云："此蜂房用树上悬得风露者，其蜂黄黑色，长寸许，蛪马、牛、人，乃至欲死者，用此皆有效，非人家屋下小小蜂房也。"

[2] **治牙齿疼**　《袖珍方》治风虫牙痛方：露蜂房醋煎，热漱之。

[3] **痢疾**　《政和》引《子母秘录》云："小儿赤白痢，蜂房烧末，饮服。"

[4] **乳痈**　《政和》引《简要济众方》云："治妇人乳痈，汁不出，内结成脓肿，名妬乳方：蜂房烧灰，研，每服二钱，水一中盏，煎至六分，去滓温服。"

[5] **恶疮**　《别录》云："又合乱发、蛇皮，三味合烧灰，酒服方寸匕，日二，治诸恶疽、附骨痈……丁肿恶脉诸毒皆差。"

又，蜂房止痒。《集验方》治皮肤瘙痒不已方：蜂房炙过、蝉蜕等分为末，酒服调一钱匕，日三二服。

又，蜂房治瘤肿。《肘后方》治苦鼻中外查瘤，脓水血出方：蜂房火炙焦，末，酒服方寸匕，日三。

491　雀瓮[1]

一名蛓毛虫窠，有毒。(《大观》卷22页21;《政和》页450;《纲目》页1516)

【校注】

[1] **雀瓮**　为刺蛾科昆虫黄刺蛾。《本经》首载此药。《别录》云："生汉中（今陕西汉中），采蒸之，生树枝间，蛄蜥房也。"《本草图经》云："好在石榴木上，似蚕而短，背上有五色斑，刺螫人有毒。欲老者，口吐白汁，凝聚渐坚硬，正如雀卵，故名之……其子在瓮中作蛹，如蚕之在茧也。久而作蛾出，枝间叶上放子，如蚕子复为虫。"

按，雀瓮镇惊息风。《本草图经》云："治小儿慢惊方，以天浆子（雀瓮）有虫者、白僵蚕、干蝎三物微炒各三枚，捣筛为末，煎麻黄汤调服一字，日三，随儿大小加减之。"

492　蜚虻[1]

破癥结[2]，消积脓，堕胎[3]。入丸、散，除去翅、足，炒用。（《大观》卷21页20；《政和》页433；《纲目》页1554）

【校注】

[1] **蜚虻**　即虻虫，为虻科昆虫双斑黄虻。《本经》首载此药。《别录》云："生江夏（今湖北云梦）川谷。五月取，腹有血者良。"《本草图经》云："蜚虻，状如蜜蜂，黄色，医方所用虻虫即此也。……《淮南子》曰：虻散积血。"

[2] **破癥结**　《本经》云："蜚虻……主逐瘀血，破下血积坚痞癥瘕。"《伤寒论》抵挡汤，由虻虫、水蛭、大黄、桃仁组成，治伤寒蓄血发狂、少腹满痛。

[3] **堕胎**　《杨氏产乳》疗母病笃去胎方：虻虫十枚，炙，捣为末，酒服，胎即下。

又，《别录》云："虻虫，有毒。主女子月水不通。"治月水不通，以虻虫、大黄、䗪虫、桃仁、水蛭为丸服之。《妇人良方》治月经不利或产后恶露不尽、脐腹痛，以虻虫、水蛭、桃仁、熟地黄合用。

《别录》云："虻虫……除贼血在胸腹。"《备急方》治扑坠瘀血方：虻虫二十枚，丹皮一两，为末，酒服方寸匕，血化为水也；若久宿血在骨节中者，二味等分。《本草衍义》云："以其惟食牛、马等血，故治瘀血、血闭。"

493　晚蚕蛾[1]

壮阳事，止泄精[2]、尿血，暖水脏。

又，蚕蛾，平。治暴风金疮[3]、冻疮、汤火疮，并灭疮瘢，入药炒用。

蚕沙[4]，治风痹顽疾不仁[5]，肠鸣[6]。

蚕布纸[7]，平。治吐血、鼻洪、肠风、泻血、崩中带下[8]、赤白痢，傅丁肿疮[9]。入药烧用。（《大观》卷21页16；《政和》页429）

【校注】

[1] **晚蚕蛾** 为蚕蛾科昆虫家蚕蛾。《别录》首载此药，以“原蚕蛾”为正名。《本草图经》云：“原蚕蛾……此是重养者，俗呼为晚蚕。北人不甚复养，恶其损桑。……《淮南子》曰：原蚕一岁再登（重养），非不利也……市中货者亦多早蛾，不可用。至于用蚕沙、蚕退，亦须用晚出者。惟白僵蚕不著早晚，但用白而条直者。凡用蚕并须食桑蚕，不用食柘者。”

[2] **壮阳事，止泄精** 《别录》云：“原蚕蛾……主益精气，强阴道，交接不倦，亦止精。”《本草图经》云：“蚕蛾，益阳方中多用之。”

《千金方》治丈夫阴痿方：蚕蛾二升，去头、翅、足，炒为末，蜜丸梧子大，每夜服一丸，可御十室，以菖蒲酒止之。

《纲目》引《唐氏方》云：“遗精白浊：晚蚕蛾焙干，去翅、足，为末，饭丸绿豆大。每服四十丸，淡盐汤下。此丸常以火烘，否则易糜湿也。”

[3] **治暴风金疮** 《证类本草》引《胜金方》云：“治刀斧伤，止血生肌，天蛾散：晚蚕蛾为末，掺匀，绢裹之，随手疮合血止。一切金疮亦治。”

又引《小儿宫气方》云：“治小儿口疮及风疳疮等，晚蚕蛾细研，贴疮上，妙。”

又引《简要济众方》云：“治小儿撮口及发噤方：晚蚕蛾二枚，炙令黄，为末，蜜和傅儿口唇内。”

[4] **蚕沙** 为蚕蛾科昆虫家蚕的屎。《别录》首载此药。陶弘景云，原蚕蛾“屎名蚕沙”。《本草图经》云：“至于用蚕沙、蚕退，亦须用晚出者。”

[5] **治风痹顽疾不仁** 《别录》云：“屎……主……风痹。”《本草拾遗》云：“蚕屎，一名蚕沙，净收晒干，炒令黄，袋盛浸酒，去风缓，诸节不随，皮肤顽痹……炒令热，袋盛，热熨之，主偏风，筋骨瘫缓，手足不随，及腰脚软，皮肤顽痹。”《温病条辨》宣痹汤，以蚕沙、防己、薏苡仁、滑石、赤小豆、半夏、连翘、山栀合用，治湿热痹痛。

[6] **肠鸣** 《别录》云：“屎……主肠鸣。”按，蚕沙能除湿，配薏苡仁、通草、大豆卷、吴茱萸、黄连、黄芩、山栀、木瓜，治暑湿肠鸣，甚或吐泻转筋，亦治脚气肿满。

又，蚕沙亦治风瘙痒疹。《别录》云：“屎……主……瘾疹。”《圣惠方》治风瘙瘾疹，遍身痒成疮方：蚕沙一升，水二斗，煮取一斗二升，去滓，温热得所洗之，宜避风。

[7] **蚕布纸** 为蚕蛾科家蚕蛾在布或纸上产下的卵，卵孵出幼虫遗留的卵壳连在布或纸上，名蚕布纸，又名蚕退纸、蚕退。《日华子本草》首载此药。《嘉祐本草》将之收为正品，以“蚕退”为正名，并云：“近世医家多用蚕退纸，而东方诸医用蚕欲老眠起所蜕皮。”《本草图经》云：“蚕退，医家多用初出蚕壳在纸上者。”

[8] **治吐血、鼻洪、肠风、泻血、崩中带下** 《嘉祐本草》云：“蚕退主血风病。”《本草图经》云，蚕退“入治风及妇人药中用”。《本草衍义》云：“蚕蜕，治妇人血风，此则眠起时所蜕皮是也。其蚕蜕纸谓之蚕连，亦烧灰用之，治妇人血露。”

[9] **傅丁肿疮** 《集验方》治牙宣、牙痈口疮、走马牙疳方：蚕退纸烧灰存性，炼蜜和丸如鸡头大，含化咽津；牙宣、牙痈揩龈上；口疮干傅患处；走马牙疳入麝香少许贴患处。

494　白僵蚕[1]

治中风失音，并一切风疾[2]，小儿客忤，男子阴痒痛，女子带下[3]。入药除绵丝并子尽，匀炒用。又云：蚕蛹子，食，治风及劳瘦。又，研傅蚕病、恶疮等。（《大观》卷21页14；《政和》页430；《纲目》页1517）

【校注】

［1］**白僵蚕** 为感染白僵菌而死的蚕蛾科昆虫家蚕蛾的幼虫。《本经》首载此药。《别录》云："生颍川（今河南禹州）平泽。四月取自死者，勿令中湿，湿有毒，不可用。"《本草图经》云："用自僵死白色而条直者为佳……用时仍去绵丝及子，炒过。"

［2］**治中风失音，并一切风疾** 白僵蚕能祛风解痉。治中风口眼㖞斜，以白僵蚕、白附子、全蝎合用。治小儿惊风抽搐，以白僵蚕、全蝎、胆南星、天麻、牛黄、黄连、朱砂、冰片合用。《本草图经》云："治中风急喉痹欲死者，捣筛细末，生姜自然汁调灌之，下喉立愈。"《咽喉秘集》治外感风热咽肿痛，以白僵蚕、桔梗、薄荷、荆芥、防风合用。

又，白僵蚕亦治风疹瘙痒。《政和》引《圣惠方》云："治风遍身瘾疹疼痛成疮，用白僵蚕焙令黄色，细研为末，用酒服之，立差。又方：主偏正头疼，并夹脑风连两太阳穴疼痛，以白僵蚕细研为末，用葱、茶调服方寸匕。"

又，白僵蚕能灭黑皯及诸疮瘢痕。《药性论》云："白僵蚕……与衣中白鱼、雁屎白等分，治疮灭瘢。"《斗门方》治黑皯，令人面色好，用白僵蚕并黑牵牛、细辛等分为末，如澡豆用之。

［3］**小儿客忤，男子阴痒痛，女子带下** 《证类本草》引《千金方》云："主中风失音，并一切风疾及小儿客忤，男子阴痒痛，女子带下，以白僵蚕七枚为末，用酒调方寸匕，立效。"

495 蛴螬虫[1]

治胸下坚满，障翳瘀膜[2]。治风疹[3]，桑柳树内收者佳，余处即不中。粪土中者可傅恶疮。（《大观》卷21页10；《政和》页428；《纲目》页1540）

【校注】

［1］**蛴螬虫** 为金龟子科昆虫朝鲜黑金龟子。《本经》首载此药。《别录》云："生河内（今河南）平泽及人家积粪草中。取无时。反行者良。"《唐本草》云："此虫有在粪聚或在腐木中。其在腐柳树中者，内外洁白；土粪中者，皮黄内黑黯。"

［2］**障翳瘀膜** 《药性论》云："蛴螬，臣，汁，主滴目中，去翳障。"

［3］**治风疹** 《本草拾遗》云："蛴螬主赤白游疹，以物发疹，破碎蛴螬取汁涂之。"

又，《子母秘录》治痈疽、痔漏、恶疮及小儿丹，末蛴螬傅上。

496 鼠妇虫[1]

有毒。通小便[2]，能堕胎[3]。（《大观》卷22页31；《政和》页455；《纲目》页1551）

【校注】

［1］**鼠妇虫** 为卷甲虫科动物普通卷甲虫或潮虫科动物鼠妇。《本经》首载此药。《别录》云："生魏郡（今河北临漳）平谷及人家地上。"《本草图经》云："多在下湿处瓮器底及土坎中，常惹着鼠背，故名鼠负，今作妇字，谬耳。"

［2］**通小便** 《本经》云："鼠妇……主气癃，不得小便。"《千金方》治产后小便不利方：鼠妇七枚，熬为屑作一服，酒调下。

［3］**能堕胎** 按，鼠妇能活血化瘀，故能堕胎。《本经》云："鼠妇……主……妇人月闭血瘕。"《金匮要略》治癥瘕疟母，宜鳖甲煎丸。鳖甲煎丸由鳖甲、鼠妇、大黄、䗪虫、蜂房、蜣螂、桃仁、桂枝、柴胡、丹皮、凌霄花等制成，丸如梧子，服七丸，日三服。

497 蝼蛄[1]

冷，有毒。治恶疮[2]，水肿，头面肿[3]。入药炒用。（《大观》卷22页27；《政和》页453；《纲目》页1548）

【校注】

［1］**蝼蛄** 为蝼蛄科昆虫蝼蛄。《本经》首载此药。《别录》云："生东城（今安徽定远）平泽。夏至取，暴干。"《本草图经》云："穴地粪壤中而生，夜则出求食……以夜出者良。"

［2］**治恶疮** 《本经》云："蝼蛄……溃痈肿……除恶疮。"

又，《救急方》治颈项瘰疬疮方：带壳蝼蛄七枚，生取肉，入丁香七枚于壳内，烧过，与肉同研，用纸花贴之。陶弘景云："若出拔刺，多用其脑。"

又，孙真人治针刺入肉不出方：蝼蛄脑捣取汁滴上，三五度自出。

［3］**水肿，头面肿** 陶弘景云："以自出者，其自腰以前甚涩，主止大小便；从腰以后甚利，主下大小便。"《本草图经》云："今方家治石淋导水，用蝼蛄七枚，盐二两，同于新瓦上铺盖，焙干研末，温酒调一钱匕，服之即愈。"《圣惠方》治十种水病肿满喘促不得卧方：蝼蛄五枚，干，为末，食前汤调半钱匕至一钱，小便通，效。

498 蜣螂[1]

能堕胎，治疰忤。和干姜，傅恶疮[2]，出箭头[3]。其粪窒痔瘘，出虫。入药去足，炒用。（《大观》卷22页24；《政和》页451；《纲目》页1546）

【校注】

［1］**蜣螂** 为金龟子科昆虫屎壳螂。《本经》首载此药。《别录》云："生长沙（今湖南长沙）池泽。五月五日取，蒸藏之，临用当炙，勿置水中，令人吐。"《本草图经》云："其类极多，取其大者。又，鼻高目深者名胡蜣螂，用之最佳。"

［2］**和干姜，傅恶疮**　《圣惠方》治一切恶疮、恶疽方：蜣螂十枚，杵末，油调傅之。《子母秘录》治小儿、大人忽得恶疮方：蜣螂杵，绞取汁傅其上。刘涓子治附骨痈方：蜣螂七枚和大麦烂捣封之。《本草图经》云："唐·刘禹锡《纂柳州救三死方》云：元和十一年（816）得丁疮，凡十四日，日益笃善，药傅之皆莫能知。长乐贾方伯教用蜣螂心，一夕而百苦皆已。"

又，蜣螂除瘘疮。《本草拾遗》云："治蜂瘘，烧死蜣螂，末，和醋傅之。"刘涓子治鼠瘘方：干蜣螂烧作末，苦酒（醋）和傅之，数过即愈。

［3］**出箭头**　《本草图经》云："又主箭镞入骨不可拔者，微熬巴豆与蜣螂，并研匀，涂所伤处……待极痒不可忍，便撼动箭镞，拔之立出。"

499　斑猫[1]

恶豆花。疗淋疾[2]，傅恶疮[3]，瘘烂。入药除翼、足，熟炒用，生即吐泻人。（《大观》卷22页19；《政和》页448；《纲目》页1527）

【校注】

［1］**斑猫**　为芫青科南方大斑蝥或黄黑小斑蝥。《本经》首载此药。《别录》云："生河东（今山西）川谷。"《蜀本草·图经》云："七月、八月大豆叶上甲虫，长五六分，黄斑文，乌腹者，今所在有之。"

［2］**疗淋疾**　《本经》云："斑猫……破石癃。"《本草衍义》云："斑猫，须糯米中炒，米黄为度……治淋药多用，极苦人，尤宜斟酌。"

又，斑猫能破石淋，亦能下胎。《别录》云："斑猫……堕胎。"《广利方》治妊娠或已不活，欲下胎方：烧斑猫，末服一枚，即下。

［3］**傅恶疮**　《本经》云："斑猫……主……恶疮疽蚀。"《外台秘要》治疔肿方：斑猫一枚捻破，以针划疮上作米字，封之，根乃出。

又，《药性论》云："斑猫……能治瘰疬。"《经验方》治瘰疬方：斑猫一两去翅、足，用粟米一升同炒，令米焦黄，去米，取斑猫，入干薄荷末四两，研令匀，以鸡子清丸如绿豆大，每日一丸。按，斑猫有剧毒，能破坏肾脏，不可多服，更不能久服，一般作外用。斑猫配青黛、麝香为散，散布疮口，治瘰疬恶疮，亦治瘘疮。

又，《别录》云："斑猫……主疥癣。"《外台秘要》治干癣积年生痂，搔之黄水出方：斑猫半两，微炒为末，蜜调傅之。《外科全生集》以斑猫、樟脑、木槿皮泡酒，涂癣。

500　斑蜘蛛[1]

冷，无毒。治疟疾[2]，丁肿[3]。网，七夕朝取食，令人巧，去健忘[4]。（《大观》卷22页12；《政和》页444；《纲目》页1530）

【校注】

[1] **斑蜘蛛** 陶弘景云："蜘蛛类数十种。"《雷公炮炙论》云："凡使勿用五色者，兼大身上有刺毛生者，并薄小者……凡欲用，要在屋西面有网，身小尻大，腹内有苍黄脓者真也。"《别录》首载此药，仅名蜘蛛，未指定品种。常见的蜘蛛为圆网科动物大腹圆网蛛。《日华子本草》所言斑蜘蛛疑是同科近缘属动物。《本草衍义》云："今人多用……作圆网、大腹深灰色者。"

[2] **治疟疾** 《肘后方》治疟疾，用蜘蛛一枚，同饭捣丸，吞之。

[3] **丁肿** 《千金方》治背疮方：取户边蜘蛛杵烂，醋和；先用火针挑四畔令血出，傅之，干即易，一日夜根拔出。《千金方》治鼠瘘肿核痛，已有疮口出脓水者方：烧蜘蛛二七枚，傅之，良。

又，《别录》云："蜘蛛疗小儿大腹、丁奚三年不能行者。又主蛇毒、温疟。"

《圣惠方》治瘰疬，无问有头无头方：大蜘蛛五枚，日干，细研，酥调如面脂，日两度贴之。《医林集要》治颈下结核方：大蜘蛛不计多少，好酒浸过，同研烂，澄去滓，临卧时服之。

《千金方》治中风口㖞方：取蜘蛛子摩其偏急颊车上，候视正即止；亦可向火摩之。

[4] **令人巧，去健忘** 陶弘景云："术家取其网着衣领中，辟忘。"《别录》云："七月七日取其网疗喜忘。"《唐本草》云："其网缠赘疣，七日消烂，有验矣。"

501 壁钱虫[1]

平，微毒。治小儿吐逆，止鼻洪[2]并疮。滴汁、傅鼻中及疮上，并傅瘘疮[3]。是壁上作茧蜘蛛也。(《大观》卷22页12；《政和》页444、457；《纲目》页1532)

【校注】

[1] **壁钱虫** 为壁钱科动物壁钱。《本草拾遗》首载此药，并云："虫似蜘蛛，作白幕如钱，在闇壁间，此土人呼为壁茧。"

[2] **治小儿吐逆，止鼻洪** 《本草拾遗》云："壁钱，无毒。主鼻衄及金疮、下血不止，捺取虫汁点疮上及鼻中……其虫上钱幕，主小儿呕吐逆，取二七煮汁饮之。"

[3] **并傅瘘疮** 壁钱亦治口疮。《金匮翼》治咽肿痛、口舌糜烂、牙疳方：壁钱二十枚，牛黄、人指甲各五厘，冰片三厘，青黛六分，珍珠、象牙屑各三分，研细末，外吹用。

502 蜈蚣[1]

治癥癖，邪魅，蛇毒[2]。入药炙用。(《大观》卷22页16；《政和》页446；《纲目》页1562)

【校注】

[1] **蜈蚣** 为大蜈蚣科动物少棘巨蜈蚣。《本经》首载此药。《别录》云："生大吴（今江苏吴中、相城）川谷、江南（今长江以南）。赤头、足者良。"《本草图经》云："今江浙（今江苏、浙

江)、山南、唐（今河南泌阳）、邓（今河南南阳）间皆有之。多在土石及人家屋壁间，以头、足赤者为胜。”《本草衍义》云：“又畏蛞蝓（蜒蚰），不敢过所行之路，触其身，则蜈蚣死。”

［2］**蛇毒** 蜈蚣研末服治蛇咬伤。《抱朴子》以蜈蚣末治蛇疮。

又，蜈蚣能解痉。《本草图经》云：“今医治初生儿口噤不开，不收乳者，用赤足蜈蚣去足炙，末，以猪乳二合调半钱，分三四服，温灌之。”

治惊痫抽搐，蜈蚣、全蝎合用；治破伤风，蜈蚣、防风、制南星、鱼鳔合用；治口眼㖞斜，蜈蚣、僵蚕、防风合用。

蜈蚣亦治瘰疬。《验方》治瘰疬方：蜈蚣、全蝎、䗪虫等分研末，入鸡蛋内搅匀蒸熟食，每次一至二钱，日三服。

503 蝎[1]

平。(《大观》卷22页26；《政和》页452；《纲目》页1533)

【校注】

［1］**蝎** 钳蝎科动物钳蝎。《蜀本草》首载此药，并云：“紧小者名蛜蝌。”《政和》引《酉阳杂俎》云：“陈州（今河南周口一带）古仓有蝎，形如钱，螫人必死。江南旧无蝎，开元（713—741）初有主簿竹筒盛过江，至今江南往往有之……蝎常为蜗所食，先以迹规之，不复去。蝎前谓之螫，蝎后谓之虿。”

又，蝎能解痉。《本草衍义》云：“蝎，大人、小儿通用。治小儿惊风不可缺也。有用全者，有只用稍者，稍力尤功。”《经验方》治小儿惊风方：蝎一个不去头、尾，薄荷四叶裹合，火上炙，令薄荷焦，同碾为末，作四服，汤下；大人风涎只一服。《杨氏家藏方》治口眼㖞斜，以全蝎、僵蚕、白附子合用。

又，蝎能消疮毒、瘰疬。《澹寮方》治疮疖肿毒方：全蝎七枚，栀子七个，麻油煎黑，去滓，入黄蜡，化成膏，傅之。

又，蝎能除风寒湿痹痛。全蝎、制川乌、制草乌、地龙、乌梢蛇合用，治风寒湿痹痛。

504 蚯蚓[1]

治中风，并痫疾[2]，去三虫，治传尸、天行热疾[3]、喉痹[4]、蛇虫伤[5]。又名千人踏，即是路行人踏杀者。入药烧用。其屎，治蛇犬咬[6]，并热疮[7]，并盐研傅。小儿阴囊忽虚热肿痛，以生甘草汁调，轻轻涂之。(《大观》卷22页10；《政和》页445；《纲目》页581，又1564)

【校注】

［1］**蚯蚓** 为巨蚓科动物参环毛蚓或缟蚯蚓。《本经》首载此药，并以“白颈蚯蚓”为正名。陶

弘景云："白颈是其老者尔。"《本草图经》云："方家谓之地龙。"

[2] **治中风，并痫疾** 蚯蚓能解痉痫、抽搐。《肘后方》单用蚯蚓捣，绞汁服。治高热狂躁，以蚯蚓、全蝎、钩藤、金银花、连翘、生石膏合用。

[3] **天行热疾** 蚯蚓能清热。《别录》云："蚯蚓，大寒，无毒。疗伤寒伏热，狂谬，大腹，黄疸。"陶弘景云："温病大热狂言，饮其汁皆差，与黄龙汤疗同也。"此外，蚯蚓与麻黄、杏仁、白果合用治肺热喘咳。

[4] **喉痹** 《圣惠方》治咽喉肿痛方：地龙十四条，捣涂喉外；又一条着盐化水，入蜜少许服之。又，《圣惠方》治风赤眼方：地龙十条，炙干为末，夜卧，茶调下二钱匕。

蚯蚓亦能通经络。蚯蚓、制南星、乳香、没药、制川乌、制草乌为丸，治风湿筋骨痛、手足不遂。《医林改错》以蚯蚓、桃仁、红花、川芎、赤芍、当归、黄芪，治有瘀血偏瘫或半身不遂。此方对脑栓塞有确效，且需重用黄芪。但脑出血患者禁用此方。

[5] **蛇虫伤** 《药性论》云："蚯蚓……干者熬末用之，主蛇伤毒。"

[6] **其屎，治蛇犬咬** 《别录》云："其屎封狂犬伤毒。"《药性论》云："干者熬末用之，主蛇伤毒。"

[7] **并热疮** 《圣惠方》治一切丹毒流肿方：蚯蚓屎，水和傅之。《外台秘要》治火丹方：蚯蚓屎，水和泥傅之。《子母秘录》治小儿耳后月蚀疮方：烧蚯蚓屎，合猪脂傅之。

505 水蛭[1]

畏石灰。破癥结[2]。然极难修制，须细剉后，微火炒，令色黄乃熟，不尔入腹生子为害。(《大观》卷22页17；《政和》页448；《纲目》页1535)

【校注】

[1] **水蛭** 为水蛭科动物水蛭或柳叶蚂蟥。《本经》首载此药。《本草图经》云："此有数种，生水中者名水蛭，亦名马蟥；生山中者名石蛭；生草中者名草蛭；生泥中者名泥蛭。并皆着人及牛马股胫间，啮咂其血。"

[2] **破癥结** 《药性论》云："水蛭，使，主破女子月候不通，欲成血劳癥块。"《金匮要略》大黄䗪虫丸，由水蛭、虻虫、桃仁、干漆、䗪虫、蛴螬、大黄制成，治经闭、干血劳、面目黯黑、肌肤甲错。水蛭配当归、桃仁、三棱、莪术，破腹内癥块。水蛭亦治跌打损伤、瘀血肿痛。水蛭、大黄、牵牛子研末，醋调外敷，能消痈肿。《经验方》治折伤痛方：水蛭焙干，研细末，热酒调下一钱，食顷，痛可更一服。

506 螃蟹[1]

凉，微毒。治产后肚痛，血不下[2]，并酒服。筋骨折伤，生捣，炒罯[3]，良。脚爪，破宿血，止产后血闭肚痛[4]，酒及醋汤煎服，良。

又云：蛸蛑[5]，冷，无毒。解热气，治小儿痞气[6]。(《大观》卷21页7；《政和》

页 426；《纲目》页 1634）

【校注】

[1] **螃蟹** 为方蟹科动物中华绒螯蟹。《本经》首载此药。《别录》云："生伊洛（今河南伊河、洛河）池泽诸水中。"《本草图经》云："今淮海（今淮河、海河）、京东（今河南开封以东）、河北（今河北省）陂泽中多有之，伊洛乃反难得也。八足二螯，大者箱角两出，足节屈曲，行则旁横。"

[2] **治产后肚痛，血不下** 蟹能破血化瘀。《纲目》云，蟹壳"烧存性……治妇人儿枕痛"。

[3] **筋骨折伤，生捣，炒署** 《本草图经》云："黄并肉熬末，以内金疮中，筋断亦可续。"《百一方》续筋，多取蟹黄及脑并足中肉，熬末内疮中。

又，《百一方》治疥疮方：杵蟹傅之，亦效。

[4] **脚爪，破宿血，止产后血闭肚痛** 《纲目》云，蟹爪"堕生胎，下死胎"。《千金方》治妊妇有病欲去胎方：蟹爪二合，桂心、瞿麦各一两，牛膝二两，为末，空心温酒服一钱。

[5] **蝤蛑** 《本草图经》云："扁而最大，后足阔者为蝤蛑，岭南人谓拨棹子，以后脚形如棹（指划船的桨）也。一名蟳，随潮退壳，一退一长。其大者如升，小者如盏楪，两螯（蟹的第一对脚，状如钳，能开合，可取食、自卫）无毛……主小儿闪癖。"

[6] **小儿痞气** 即小儿痞积的一种，表现为胃脘部有肿块，状如覆盘，肌肉消瘦，四肢无力。

507 虾蟆[1]

冷，无毒。治犬咬，及热狂，贴恶疮[2]，解烦热。色斑者是。（《大观》卷 22 页 1；《政和》页 440；《纲目》页 1557）

【校注】

[1] **虾蟆** 为蛙科动物泽蛙。本药与本书第 473 条的"蟾"，被《本经》《别录》视为一物。《药性论》分虾蟆、蟾蜍为二物。《本草拾遗》亦分为二物，并云："虾蟆、蟾蜍二物各别，陶将蟾蜍功状注虾蟆条中，遂使混然采取无别……且虾蟆背有黑点，身小，能跳接百虫，解作呷呷声，在陂泽间，举动极急。《本经》书功即是此也。蟾蜍身大背黑，无点，多痱磊，不能跳，不解作声，行动迟缓，在人家湿处。"

《药性论》云："虾蟆亦可单用，主辟百邪鬼魅，涂痈肿及治热结肿。"

[2] **贴恶疮** 《活幼全书》治头上软疖方：虾蟆剥皮贴之。又，《活幼全书》治瘰疬溃烂方：黑色虾蟆一枚去肠，焙研，油调傅之。

又，《本经》云："虾蟆……破癥坚血、痈肿、阴疮。"《别录》云："虾蟆……疗阴蚀疽疠恶疮，猘犬伤疮。……脑，主明目，疗青盲。"

果部　卷第十八

508　豆蔻花[1]

热，无毒。下气，止呕逆[2]，除霍乱，调中，补胃气，消酒毒。

又云：山姜花[3]，暖，无毒。调中下气，消食，杀酒毒。（《大观》卷23页1；《政和》页460；《纲目》页811）

【校注】

[1] **豆蔻花**　为姜科植物白豆蔻的花。《别录》首载此药，并云："生南海（今广东、广西以南）。"《开宝本草》云："此草豆蔻也。"《本草图经》云："今岭南（今大庾岭以南）皆有之。苗似芦，叶似山姜、杜若辈，根似高良姜，花作穗，嫩叶卷之而生，初如芙蓉，穗头深红色，叶渐展，花渐出，而色渐淡，亦有黄白色者，南人多采以当果实。"

[2] **下气，止呕逆**　豆蔻能燥湿，散寒止呕。豆蔻配吴茱萸、生姜、半夏，除寒湿阻胃、气逆呕吐；配陈皮、白术、砂仁，治寒湿阻胃、不思饮食，若兼胃脘痛，加香附、木香、延胡索。

又，《千金方》治心腹胀满短气方：草豆蔻一两，去皮为末，以木瓜、生姜汤下半钱。

[3] **山姜花**　为姜科植物山姜。《本草图经》云："山姜花，茎叶皆姜也，但根不堪食，足与豆蔻花相乱，而微小耳。花生叶间，作穗如麦粒，嫩红色。南人取其未大开者，谓之含胎花……以盐杀治曝干者，煎汤，服之极能除冷气，止霍乱，消酒食毒，甚佳。"

509　莓子[1]

安五脏，益颜色[2]，养精气[3]，长发[4]，强志，疗中风身热及惊。又有树莓，即是覆盆子[5]。（《大观》卷23页13；《政和》页465；《纲目》页1006）

【校注】

[1] **莓子**　《博雅》云，蒛葐，莓也。蒛葐即覆盆子。今日用的覆盆子为蔷薇科植物掌叶覆盆

子的果实。《别录》首载此药。各家所注互异。陶弘景云："蓬蘽是根名……覆盆是实名，李（当之）云是莓子。"《唐本草》注云："覆盆，蓬蘽，一物异名。"《开宝本草》云："蓬蘽乃覆盆之苗也，覆盆乃蓬蘽之子也，陶注、唐注皆非。"《蜀本草》云："蓬蘽即莓也……其子覆盆也。"《本草图经》云："蓬蘽，覆盆苗茎也……苗短不过尺，茎、叶皆有刺。花白，子赤黄如半弹丸大……江南人谓之莓。"

[2] **安五脏，益颜色** 《别录》云："覆盆子……主益气轻身。"《开宝本草》云："今用覆盆子补虚续绝，强阴健阳，悦泽肌肤，安和脏腑……补肝明目。"

[3] **养精气** 《药性论》云："覆盆子……主男子肾精虚竭，女子食之有子，主阴痿，能令坚长。"

[4] **长发** 《本草拾遗》云："笮取汁合成膏，涂发不白。"

[5] **又有树莓，即是覆盆子** 《纲目》云："陶弘景以蓬蘽为根，覆盆为子；马志、苏颂以蓬蘽为苗，覆盆为子；苏恭以为一物；大明（即《日华子本草》）以树生者为覆盆。皆臆说，不可据。"又云："此类凡五种……一种蔓小于蓬蘽，亦有钩刺，一枝五叶，叶小而面背皆青，光薄而无毛，开白花，四五月实成，子亦小于蓬蘽而稀疏，生则青黄，熟则乌赤，冬月苗凋者，俗名插田藨，即本草所谓覆盆子。《尔雅》所谓堇，缺盆也。"

510 干枣[1]

润心肺[2]，止嗽[3]，补五脏[4]，治虚劳损，除肠胃癖气。和光粉烧，治疳痢。牙齿有病人切忌啖之。凡枣亦不宜合生葱食。（《大观》卷23页7；《政和》页462；《纲目》页1264）

【校注】

[1] **干枣** 为鼠李科植物枣树的果实。《本经》首载此药。《别录》云："生河东（今山西）平泽。"陶弘景云："旧云河东（今山西）猗氏县（今山西安泽）枣特异。今青州（今山东青州）出者，形大核细，多膏甚甜……而郁州（今江苏灌云）者亦好。"《本草图经》云："青（今山东青州）、晋（今河北晋州）、绛（今山西新绛）州者特佳。江南出者坚燥少脂。"

[2] **润心肺** 大枣能养心血安神，合四物汤能补心血。大枣配甘草、小麦，能安神，治血虚脏躁、心烦不安。

[3] **止嗽** 大枣、葶苈子合用，能泻肺中水饮、平喘止嗽，治肺有痰饮喘咳、尿少。

[4] **补五脏** 大枣能补中益气，合四君子汤、陈皮、生姜，治脾胃虚弱所致食少便溏。

按，大枣能缓和药物刺激。十枣汤中大戟、芫花、甘遂刺激性很大，最能伤脾胃，配大枣，泻水饮而不伤脾胃。大枣同发汗药合用，可以缓和发汗之力。由于大枣有缓和作用，食积胀满者不宜用之。

511 枣叶[1]

温，无毒。治小儿壮热，煎汤浴。和葛粉裛痱子佳[2]，及治热瘤也。（《大观》

卷 23 页 5；《政和》页 462；《纲目》页 1264）

【校注】

［1］**枣叶**　为鼠李科植物枣树的叶。《本经》首载此药。余详“干枣”条。

［2］**和葛粉裛痱子佳**　《别录》云：“枣叶……揩热痱疮良”。

按，《本经》云：“叶，覆麻黄，能令出汗。”《别录》云：“枣叶散服，使人瘦，久即呕吐。”

512　藕[1]

温。止霍乱，开胃消食，除烦止闷，口干渴疾[2]，止怒，令人喜。破产后血闷[3]，生研服，亦不妨。捣罯金疮，并伤折，止暴痛。蒸煮食，大开胃。（《大观》卷 23 页 2；《政和》页 460；《纲目》页 1340）

【校注】

［1］**藕**　为睡莲科植物莲的肥大根茎。《本经》首载此药，以“藕实茎”为正名。《别录》云：“一名莲。生汝南（今河南汝南）池泽。”《蜀本草·图经》云：“此生水中，叶名荷，圆径尺余。”《本草图经》云：“谨按，《尔雅》及陆机疏：谓荷为芙蕖，江东（今苏南、皖南）呼荷。其茎茄，其叶蕸，其本蔤，茎下白蒻在泥中者。其花未发为菡萏，已发为芙蓉。其实莲，莲谓房也。其根藕，幽州（今河北涿州）人谓之光旁，至深益大，如人臂。其中药，莲中子，谓青皮白子也。中有青长二分为薏（莲子心），中心苦者是也。”

［2］**止霍乱，开胃消食，除烦止闷，口干渴疾**　《本草图经》云：“藕生食，其茎主霍乱后虚渴烦闷不能食，及解酒食毒。”《圣惠方》治时气烦渴方：生藕汁一中盏，入生蜜一合，令匀，分为二服。《温病条辨》治温病口渴，用鲜藕汁、鲜芦根汁、荸荠汁、梨汁、麦门冬汁。

［3］**破产后血闷**　陶弘景云：“宋帝时，太官作血衉，庖人削藕皮，误落血中，遂皆散不凝。医乃用藕疗血多效也。”《梅师方》治产后余血不尽，奔上冲心，烦闷腹痛，以生藕汁二升饮之。庞安时治产后闷乱，用藕汁、生地黄汁、童子小便等分煎服。

513　藕节[1]

冷。解热毒，消瘀血，产后血闷[2]，合地黄生研汁，热酒并小便服并得。（《大观》卷 23 页 2；《政和》页 460；《纲目》页 1339）

【校注】

［1］**藕节**　为睡莲科植物莲地下茎的节。余详见“藕”条注［1］。

［2］**消瘀血，产后血闷**　藕节能化瘀，亦能收敛止血，故藕节止血无留瘀之弊。《千金方》治坠马积血心腹，唾血无数方：干藕根，末，酒服方寸匕，日三。

按，藕节能止各种出血。治吐血、咳血、便血、血淋均可用之。

又，《圣惠方》治暴吐血，以藕节、荷鼻蒸服。藕节配白及、旱莲草、侧柏炭，治咳血。《全幼心鉴》以藕节为末，人参煎汤加白蜜调服，治大便下血。藕节配小蓟、生地黄、栀子、蒲黄炭、木通、淡竹叶，治血淋涩痛。

按，《药性论》云："藕节捣汁，主吐血不止，口鼻并皆治之。"

514　莲子[1]

温。并石莲[2]益气[3]，止渴，助心[4]，止痢[5]，治腰痛，治泄精，安心。多食令人喜，又名莲药。莲子心[6]，止霍乱。（《大观》卷23页2；《政和》页460；《纲目》页1339）

【校注】

[1] **莲子**　为睡莲科植物莲的种子。余详见"藕"条注[1]。

[2] **石莲**　《本草拾遗》云："经秋正黑者名石莲，入水必沉，惟煎盐卤能浮之。石莲，山海间经百年不坏，取得食之，令发黑不老。"

[3] **益气**　孟诜云："莲子，性寒，主五脏不足，伤中气绝，利益十二经脉血气。"《本草图经》云："陆机云：可磨为豉，如米饭，轻身益气，令人强健。"

[4] **助心**　《本草衍义》云："藕实，就蓬中干者为石莲子，取其肉于砂盆中干，擦去浮上赤色，留青心，为末，少入龙脑为汤点，宁心志，清神。"

[5] **止痢**　《丹溪心法》治久痢噤口方：石莲肉炒，为末，每服二钱，陈仓米汤调下。此方亦治脾泄肠滑。

[6] **莲子心**　即莲子中青心，又名莲薏。能清心去热，止泄精。《医林集要》以莲子心一撮，为末，入辰砂一分，每服一钱，白汤下，日二，治小便遗精。

又，陈士良《食性本草》云："莲子心，生取为末，以米饮调下三钱，疗血、渴疾，产后渴疾，服之立愈。"

515　莲花[1]

暖，无毒。镇心，轻身，益色驻颜。入香甚妙[2]。忌地黄、蒜。（《大观》卷23页2；《政和》页461；《纲目》页1341）

【校注】

[1] **莲花**　为睡莲科植物莲的花。余详见"藕"条注[1]。

[2] **镇心，轻身，益色驻颜。入香甚妙**　《本草图经》云："花，镇心，益颜色，入香尤佳。"《证类本草》引《太清诸草木方》云："七月七日采莲花七分，八月八日采根八分，九月九日采实九

分，阴干，捣筛，服方寸匕，令人不老。”

516 荷叶[1]

止渴，落胞，杀蕈毒[2]，并产后口干，心肺燥，烦闷，入药炙用之。（《大观》卷23页2；《政和》页460；《纲目》页1338）

【校注】

[1] **荷叶** 为睡莲科植物莲的叶。余详见“藕”条注[1]。

[2] **止渴，落胞，杀蕈毒** 《本草图经》云：“荷叶，止渴，杀蕈毒。今妇入药多有用荷叶者。”庞安时治产后血晕，用荷叶、红花、姜黄等，炒研末，童子小便调服二钱。

又，《圣惠方》治扑打坠损，恶血攻心，闷乱疼痛方：火干荷叶五片，烧令烟尽，细研，食前以童子热小便一小盏，调服三钱匕，日三服。

《济生方》治咯血衄血方：生荷叶、生艾叶、生柏叶、生地黄等分，捣烂，丸鸡子大，每取一丸，水三盏煎一盏，去滓服。

《集验方》治漆疮方：莲叶干者一斤，水一斗，煮取五升，洗疮上，日再，差。

又，《本草图经》云：“叶中蒂谓之荷鼻，主安胎，去恶血，留好血。”

又，《本事方》治诸般痈肿方：荷叶中心蒂如钱者，不拘多少，煎汤淋洗，拭干，以飞过寒水石，同腊猪脂涂之。

又，《唐氏经验方》治妊娠胎动方：干荷叶蒂一枚炙，研为末，糯米淘汁一盅，调服即安。

517 鸡头实[1]

开胃助气[2]。根可作蔬菜食[3]。（《大观》卷23页1；《政和》页466；《纲目》页1344）

【校注】

[1] **鸡头实** 为睡莲科植物芡实的种子。《本经》首载此药。《别录》云：“一名芡。生雷泽池泽。八月采。”《蜀本草·图经》云：“此生水中，叶大如荷，皱而有刺，花子若拳大，形似鸡头，实若石榴，皮青黑，肉白如菱米也。”

[2] **开胃助气** 《唐本草》云：“此实去皮作粉，与菱粉相似，益人胜菱。”

又，《本草图经》云：“取其实并中子捣烂，曝干，再捣下筛，熬金樱子煎和丸服之。云补下益人，谓之水陆丹。”

[3] **根可作蔬菜食** 陈士良云：“此种虽生于水而有软根名蔆菜，主小腹结气痛，宜食。”《本草图经》云：“其茎菆之嫩者名蔿菆，人采以为菜茹。”

518　栗楇[1]

生食，破冷痃癖[2]，日生吃七个。又生嚼，罯可出箭头，亦罯恶刺，并傅瘰疬肿毒痛。树皮煎汁，治沙虱、溪毒[3]。壳煮治泻血。（《大观》卷23页9；《政和》页464；《纲目》页1262）

【校注】

[1] **栗楇**　为壳斗科植物栗的果实，一球三颗，其中扁者为栗楔。《别录》首载此药，并云："生山阴（今浙江绍兴）。九月采。"陶弘景云："今会稽（今浙江绍兴）最丰，诸暨（今浙江诸暨）栗形大，皮厚，不美。"《本草图经》云："今处处有之，而兖州（今山东兖州）、宣州（今安徽宣城）者最胜。木极类栎，花青黄色，似胡桃花。实有房，汇若拳，中子三五，小者若桃李，中子惟一二，将熟则罅（裂开）拆子出……栗房当心一子，谓之栗楔。"

[2] **痃癖**　是脐腹或胁肋处积聚的癖块，由气血凝滞、寒痰结聚所致，伴有食少、消瘦、疲乏。治宜消积散寒，涤痰理气，活血化瘀。

《本草图经》云："治血尤效。今衡山（今湖南衡山）合活血丹用之。"陈士良云："其中者，栗楔也，理筋骨风痛。"《唐本草》云："栗……嚼生者涂疮上，疗筋骨断碎，疼痛肿，瘀血，有效。"

[3] **树皮煎汁，治沙虱、溪毒**　《唐本草》云："树白皮水煮汁，主溪毒。"孟诜云："树皮，主瘅疮毒。"《本草图经》云："木皮主疮毒，医家多用。"

《唐本草》云："其皮名扶，捣为散，蜜和涂肉，令急缩。"《纲目》作"涂面令光急，去皱文"。

《唐本草》云："毛壳，疗火丹，疗毒肿。"《政和》引《肘后方》云："丹者恶毒之疮，五色无常治之。煮栗皮有刺者（即栗壳）洗之，佳。"《本草图经》云："壳煮汁饮，止反胃及消渴。"

519　樱桃[1]

微毒。多食令人吐[2]。（《大观》卷23页14；《政和》页466；《纲目》页1289）

【校注】

[1] **樱桃**　为蔷薇科植物樱桃的果实。《别录》首载此药。《本草图经》云："今处处有之……其实熟时深红色者谓之朱樱，正黄明者谓之蜡樱，极大者有若弹丸，核细而肉厚，尤难得也……其木多阴，最先百果而熟，故古多贵之。"

又，《唐本草》云："叶，捣傅蛇毒，绞叶汁服，防蛇毒内攻。"

[2] **多食令人吐**　《政和》引《食疗本草》云："多食有所损。令人好颜色，美志……补中益气。主水谷痢，止泄精。东引根治蚘虫。"孟诜云："东行根疗寸白、蚘虫。"

520　梅子[1]

暖。止渴[2]，多啖伤骨[3]，蚀脾胃，令人发热。根叶煎浓汤，治休息痢并霍乱。

白梅，暖，无毒。治刀箭，止血[4]，研傅之。

乌梅，暖，无毒。除劳，治骨蒸，去烦闷，涩肠，止痢[5]，消酒毒，治偏枯，皮肤麻痹，去黑点[6]，令人得睡。又入建茶、干姜为丸，止休息痢，大验也。(《大观》卷 23 页 16;《政和》页 466;《纲目》页 1254)

【校注】

[1] **梅子** 为蔷薇科植物梅的果实。《本经》首载此药，以“梅实”为正名。《别录》云：“生汉中（今陕西汉中）川谷。五月采，火干。”《本草图经》收有郢州（今湖北钟祥）梅实药图，并云：“今襄（今湖北襄阳）、汉（今汉水）、川蜀（今四川）、江湖淮、岭（今大庾岭）皆有之。……五月采其黄实，火熏干作乌梅……以盐杀为白梅。”萧炳云：“今人多用烟熏为乌梅。”《本草衍义》云：“曝干，藏密器中为白梅。”

[2] **止渴** 乌梅能生津止渴。《本草图经》云：“火熏干作乌梅，主伤寒烦热及霍乱躁渴。”《沈氏尊生书》玉泉丸，由乌梅、天花粉、葛根、麦门冬、人参、黄芪、甘草制成，治虚热烦渴。

[3] **多啖伤骨** 齿为骨之余，多食亦伤齿。孟诜云：“乌梅，多食损齿。”

[4] **止血** 乌梅性收涩，炒炭止下血崩漏。《济生方》治大便下血方：乌梅炭，研末，醋糊丸服。《妇人良方》治崩漏不止，以乌梅炭、血余炭、陈棕炭、地榆炭服之。

[5] **涩肠，止痢** 乌梅性收涩，能治久泻久痢。《本草拾遗》云：“乌梅……除冷热痢。”《圣惠方》治痢下积久不差方：乌梅二十个，水一盏，煎取六分，去滓，食前分为二服。《葛氏方》治赤白痢，下部疼重方：乌梅二十个打碎，水二升，煮取一升，顿服之。《证治准绳》治久痢滑泻，以乌梅、诃子、肉豆蔻、罂粟壳、党参、苍术、茯苓、木香为丸服之。

乌梅性收涩，亦能敛肺止久咳。《世医得效方》以乌梅、罂粟壳、半夏、杏仁为散，治肺虚久咳。

[6] **去黑点** 乌梅有腐蚀作用，能除黑点、蚀恶肉。《证类本草》引《鬼遗方》云：“治一切疮肉出，以乌梅烧为灰，杵末傅上，恶肉立尽，极妙。”又引《圣惠方》云：“治疮中新胬肉出，杵肉，以蜜和，捻作饼子如钱许大厚，以贴疮差为度。”

又，乌梅能驱蛔虫。张仲景乌梅丸，由乌梅、蜀椒、细辛、肉桂、附子、干姜、黄连制成，治蛔虫腹痛。

按，乌梅肉擦牙龈，开口噤、牙关紧闭。

古代以梅作调味品用，《证类本草》引《毛诗疏》云：“梅，曝干为腊羹臛齑中，又含可以香口。”

又，《本草求真》云：“乌梅入肺则收，入肠则涩，入筋与骨则软，入虫则伏，入于死肌、恶肉、恶痣则除，刺入肉中则拔……中风牙关紧闭可开……口渴可止，宁不为酸涩收敛之一验乎？”

521 枇杷子[1]

平，无毒。治肺气，润五脏，下气，止吐逆[2]，并渴疾[3]。又云：叶疗妇人

产后口干。(《大观》卷23页21;《政和》页469;《纲目》页1287)

【校注】

[1] **枇杷子** 为蔷薇科植物枇杷的果实。《别录》首载此药,以“枇杷叶”为正名。《本草图经》云:“今襄(今湖北襄阳)、汉(今汉水)、吴(今江苏)、蜀(今四川)、闽(今福建)、岭(今大庾岭)皆有之。木高丈余,叶作驴耳形,皆有毛……四时不凋,盛冬开白花,至三四月而成实……四月采叶,曝干……用时须火炙,布拭去上黄毛。”

[2] **治肺气,润五脏,下气,止吐逆** 按,枇杷子及叶均能降肺气止咳,和胃止呕。叶子易于保存,临床上一般多用枇杷叶。

又,《唐本草》云:“又主咳逆,不下食。”《圣惠方》治咳逆吐血方:枇杷叶研末,服一二钱。孙真人治咳嗽,以叶去毛,煎汤服之。

《本草衍义》云:“枇杷叶……治肺热嗽有功……以枇杷叶、木通、款冬花、紫菀、杏仁、桑白皮各等分,大黄减半……同为末,蜜丸如樱桃大,食后、夜卧各含化一丸。”

《医宗金鉴》治痰黄而稠,口燥咽干喘咳,用枇杷叶、桑白皮、沙参、山栀。

按,枇杷叶能降逆止呕。《别录》云:“枇杷叶……主卒啘不止,下气。”《药性论》云:“枇杷叶……主胃气冷,呕哕不止。”

又,《本事方》治胃气上逆,恶心呕吐,用枇杷叶、半夏、生姜、茯苓。治胃热呕吐,用枇杷子配竹茹、陈皮、生姜、芦根。

[3] **并渴疾** 《本草图经》云:“枇杷叶……主渴疾。”《食疗本草》云:“又,煮汁饮之,止渴。偏理肺及肺风疮,胸面上疮。”

522 柿[1]

冷。润心肺,止渴,涩肠,疗肺痿心热嗽[2],消痰,开胃,亦治吐血。

干柿[3],平。润声喉,杀虫。

火柿[4],性暖。功用同前。(《大观》卷23页18;《政和》页468;《纲目》页1279)

【校注】

[1] **柿** 为柿树科植物柿树的果实。《别录》首载此药。《本草图经》云:“今南北皆有之。柿之种亦多。黄柿生近京(今河南开封)州郡。红柿南北通有。朱柿出华山(今陕西华山),似红柿而皮薄,更甘珍。椑柿出宣(今安徽宣城)、歙(今安徽歙县)、荆(今湖北)、襄(今湖北襄阳)、闽(今福建)、广(今广东、广西)诸州。”

[2] **润心肺,止渴,涩肠,疗肺痿心热嗽** 柿,甘凉清润,除心肺热、生津止渴。治肺热咳嗽,用柿配黄芩、栝楼、海浮石。一般多用柿霜。柿霜即柿去皮曝干生霜,功效强于柿,配天门冬、麦门冬、硼砂,治口舌疮及咽肿痛。

[3] **干柿** 陶弘景云,日干者为干柿。孟诜云:“干柿,厚肠胃,涩中,健脾胃气,消宿血。”

《政和》引《圣惠方》云："治耳聋、鼻塞，以干柿三枚细切，粳米三合，豉少许，煮粥，空心食之。"《本草图经》云："又以酥蜜煎干柿食之，主脾虚薄食。"

[4] **火柿** 陶弘景云，柿，火熇者亦好；乌柿，火熏者性热。《本草图经》云："其干柿火干者，谓之乌柿。……人服药口苦欲逆，食少许当止。"

又，柿蒂亦入药。《本草拾遗》云："蒂，煮服之，止哕气。"《本草图经》云："柿蒂煮饮，亦止哕。"按，柿蒂为止呃逆要药。治不同原因所致呃逆，应做不同配伍：治寒证呃逆，用柿蒂配生姜、丁香；治热证呃逆，用柿蒂配黄连、竹茹；治痰饮呃逆，用柿蒂配陈皮、半夏、茯苓；治虚证呃逆，用柿蒂配人参、旋覆花、代赭石、生姜、半夏；治肾阳衰微呃逆，用柿蒂配人参、附子、丁香。

以上各方，对各种咳逆不止同样有效。

又，柿木皮可以止血。《本草图经》云："木皮主下血不止，暴干更焙，筛末，米饮服二钱匕。"《纲目》云："汤火疮，烧灰，油调傅。"

523 木瓜[1]

止吐泻[2]、贲豘及脚气[3]水肿、冷热痢、心腹痛，疗渴[4]、呕逆、痰唾等[5]。根治脚气。(《大观》卷23页17；《政和》页467；《纲目》页1271)

【校注】

[1] **木瓜** 为蔷薇科植物皱皮木瓜的果实。《别录》首载此药。陶弘景云："山阴（今浙江绍兴）兰亭尤多。"《蜀本草·图经》云："其树枝状如柰，花作房生，子形似栝楼，火干甚香。"《本草图经》收有蜀州（今重庆）木瓜药图，并云："宣城（今安徽宣城）者为佳……其实大者如瓜，小者如拳……宣州人种莳尤谨，遍满山谷，始实成，则镞纸花薄其上，夜露日暴，渐而变红，花文如生。本州以充上贡焉。"

[2] **止吐泻** 《食疗本草》云："主呕啘风气。又吐后转筋，煮汁饮之甚良。"《三因方》木瓜汤，由木瓜、吴茱萸、生姜、苏叶、甘草、小茴香组成，治吐泻转筋。

[3] **脚气** 木瓜能除湿。《食疗本草》云："脚膝筋急痛，煮木瓜令烂，研作浆粥样，用裹痛处。冷即易，一宿三五度，热裹便差。"

又，《奇效良方》治脚气，足膝肿痛，以木瓜、羌活、紫苏、木香、陈皮、茯苓、大腹皮合用。《千金方》治脚气入腹，困闷腹胀痛，以木瓜、吴茱萸合用。

《本草衍义》云："此物入肝，益筋与血、病腰肾脚膝无力，此物不可缺也。"治筋骨痛，以木瓜、虎骨、当归、川芎、海风藤、威灵仙、牛膝为丸服之。

[4] **疗渴** 木瓜能生津止渴。以木瓜、乌梅、沙参、石斛、谷芽、麦芽、山楂合用，治舌干口渴、食欲不振。《本草拾遗》云："木瓜……止水痢后渴不止，作饮服之。"

[5] **呕逆、痰唾等** 《本草拾遗》云："又止呕逆、心膈痰唾。"

524 榠樝[1]

平，无毒。消痰，解酒毒[2]，及治咽酸。煨食，止痢[3]。浸油梳头，治发赤

并白。(《大观》卷23页17;《政和》页467;《纲目》页1273)

【校注】

[1] **榠楂** 为蔷薇科植物榠楂的果实。《本草经集注》首载此药,并云:"大而黄者,可进酒。"《本草图经》云:"又有一种榠楂,木、叶、花、实酷似木瓜……欲辨之,看蒂间,别有重蒂如乳者为木瓜,无此者为榠楂。"

[2] **消痰,解酒毒** 《本草拾遗》云:"止酒痰黄水。"

[3] **治咽酸。煨食,止痢** 《本草拾遗》云:"食之,止心中酸水,水痢。"孟诜云:"主霍乱转筋,煮汁食之,与木瓜功稍等。"

又,陶弘景云:"楂子涩,断痢。"

525 甘蔗[1]

冷。利大小肠,下气痢,补脾[2],消痰,止渴,除心烦热[3]。作沙糖,润心肺,杀虫,解酒毒[4]。腊月窖粪坑中,患天行热狂人,绞汁服,甚良也。(《大观》卷23页24;《政和》页471;《纲目》页1336)

【校注】

[1] **甘蔗** 为禾本科植物甘蔗的茎秆。《别录》首载此药。陶弘景云:"今出江东(今苏南、皖南)为胜,庐陵(今江西吉安)亦有好者。广州(今广东)一种数年生,皆如大竹,长丈余,取汁以为沙糖,甚益人。又有荻蔗,节疏而细,亦可啖也。"

[2] **利大小肠,下气痢,补脾** 《别录》云:"甘蔗……主下气和中,助脾气,利大肠。"

[3] **止渴,除心烦热** 《开宝本草》云:"去烦,止渴。"《外台秘要》治发热口干,小便涩,取甘蔗捣汁服。《食医心镜》用甘蔗止烦渴。《政和》引张协《都蔗赋》云:"挫斯蔗而疗渴。"

[4] **解酒毒** 《开宝本草》云:"煎为沙糖……解酒毒。"

526 芋[1]

冷。破宿血[2],去死肌。其中有数种。有芽芋、紫芋[3]。园圃中种者可食,余者有大毒,不可容易食。

姜芋,辛辣,以生姜煮,又换水煮,方可食。和鱼煮,甚下气,调中补虚。叶裹开了痈疮毒,止痛。(《大观》卷23页19;《政和》页468;《纲目》页1222)

【校注】

[1] **芋** 为天南星科植物芋的块茎。《别录》首载此药。陶弘景云:"钱塘最多,生则有毒莶,

不可食。”《本草图经》云：“蜀川（今四川）出者形圆而大，状若蹲鸱，谓之芋魁。彼人莳之最盛，可以当粮食而度饥年。……江西、闽（今福建）中出者，形长而大，叶皆相类。其细者如卵……凡食芋并须园圃莳者，其野芋有大毒，不可辄食，食则杀人。”

［2］**破宿血**　《本草拾遗》云：“产后煮食之，破血。”

［3］**紫芋**　孟诜云：“紫色者，破气。煮汁饮之止渴。”

按，《蜀本草》云：“多食动宿冷。其叶如荷叶而长，根类于薯蓣而圆。《图经》云：其类虽多，叶盖相似，叶大如扇，广尺余。白芋毒微，青芋多子，真芋、连禅芋、紫芋并毒少，而根俱不堪生啖。蒸、煮冷啖，大治烦热，止渴。”

又，芋梗、芋叶柄解蜂毒。《政和》引《梦溪笔谈》云：“处士刘汤隐居王屋山（在今山西阳城、垣曲间），尝于斋中见一大蜂罥于蛛网，蛛缚之，为蜂所螫，坠地。俄顷，蛛鼓腹欲裂，徐徐行入草，啮芋梗微破，以疮就啮处磨之，良久腹渐消，轻躁如故。自后，人有为蜂螫者，挼芋梗傅之则愈。”

按，野芋，陶弘景云：“又别有野芋，名老芋，形叶相似如一根，并杀人。”《唐本草》云：“野芋大毒，不堪啖也。”《本草拾遗》云：“野芋生溪涧，非人所种者，根叶相类耳。取根，醋磨，傅虫疮疥癣。入口毒人。”

527　芋叶[1]

冷，无毒。除烦止泻，疗妊孕心烦迷闷，胎动不安。又，盐研，傅蛇虫咬，并痈肿毒[2]，及罯傅毒箭。（《大观》卷23页19；《政和》页468；《纲目》页1222）

【校注】

［1］**芋叶**　为天南星科植物芋的叶。《日华子本草》首载此药，余详见“芋”条注[1]。

［2］**并痈肿毒**　《日华子本草》云：“叶裹开了痈疮毒，止痛。”

又，邵真人《经验方》治黄水疮方：芋苗晒干，烧存性，研搽。

《本草衍义》云：“以芋梗（芋叶柄）擦蜂螫处，愈。”

《纲目》云：“汁，涂蜘蛛伤。”

528　凫茨[1]

无毒。消风毒，除胸胃热，治黄疸[2]，开胃下食。服金石药人食之[3]，良。（《大观》卷23页21；《政和》页469；《纲目》页1345）

【校注】

［1］**凫茨**　为莎草科植物荸荠。陶弘景首用此名。《别录》首载此药，以“乌芋”为正名。《本草图经》云：“苗似龙须而细，正青色，根黑如指大，皮厚有毛，又有一种皮薄无毛者，亦同。”又，乌芋别名藉姑，陶弘景云：“今藉姑生水田中，叶有桠，状如泽泻，不正似芋，其根黄似芋子而小。”据此可知，陶弘景所言乌芋，与《本草图经》所言之物，恐非同一物也。

[2] **消风毒，除胸胃热，治黄疸** 孟诜云："凫茨……消风毒，除胸中实热气，可作粉食……消黄疸。"

[3] **开胃下食。服金石药人食之** 《本草图经》云："作粉食之，厚人肠胃，不饥。服丹石人尤宜，盖其能解毒耳。"

按，凫茨即荸荠。荸荠能清热生津，化痰通便，明目退翳。《温病条辨》五汁饮，以荸荠汁、麦门冬汁、鲜藕汁、鲜芦根汁、梨汁合用，治热病伤津所致口渴、便秘。《温热经纬》雪羹汤，以荸荠、海蜇皮合用，治阴虚肺燥所致痰热咳嗽。此方亦治痰核瘰疬所致低热。荸荠研极细粉，点眼，治目赤翳障；炒炭，止痔疮便血、血崩、血痢。《神秘方》治大便下血方：荸荠捣汁大半盅，好酒半盅，空心温服，三日见效。

按，《别录》中的乌芋，在《政和》中被注释为两种植物。陶弘景、《唐本草》将乌芋释为茨菰。陶弘景云："今藉姑生水田中，叶有桠，状如泽泻，不正似芋，其根黄似芋子而小。"《本草图经》《本草衍义》将乌芋释为凫茨（荸荠）。《本草图经》云："乌芋，今凫茨也……苗似龙须而细，正青色，根黑如指大，皮厚有毛。"《衍义》云："乌芋，今人谓之葧脐，皮厚色黑，肉硬白。"《食疗本草》《日华子本草》在"乌芋"条下，既论凫茨，又论茨菰。《纲目》认为《别录》中的乌芋即凫茨（荸荠）。但《别录》"乌芋"条文中有"叶如芋"。据此可知，《别录》的乌芋应是茨菰，不是凫茨。

529 茨菰[1]

冷，有毒。叶研傅蛇虫咬。多食发虚热及肠风痔瘘，崩中带下，疮疖[2]。煮以生姜御之，佳。怀孕人不可食[3]。又名燕尾草及乌芋矣。（《大观》卷23页21；《政和》页469；《纲目》页1346）

【校注】

[1] **茨菰** 为泽泻科植物慈姑。孟诜首用此名，《别录》首载此药，以"乌芋"为正名。《本草图经》《本草衍义》均视乌芋为荸荠。陶弘景、《唐本草》以乌芋为茨菰（慈姑）。孟诜、《日华子本草》在"乌芋"条下兼论凫茨、茨菰二药，凫茨（荸荠）叶如龙须，茨菰叶如芋。

按，《别录》所载乌芋应是慈姑，《别录》云："二月生，叶如芋。"

陶弘景所言藉姑（乌芋别名）也是慈姑。陶弘景云："生水田中，叶有桠，状如泽泻，不正似芋，其根黄似芋子而小。"

《唐本草》所述亦是慈姑。《唐本草》云："生水中，叶似钾箭镞，泽泻之类也。"

[2] **多食发虚热及肠风痔瘘，崩中带下，疮疖** 孟诜云："茨菰，不可多食。吴（今江苏）人常食之，令人患脚气。又发脚气，瘫缓风，损齿，令人失颜色，皮肉干燥。卒食之，令人呕水。"

《唐本草》云："一名茨菰，主百毒……《千金方》云：下石淋。"

[3] **怀孕人不可食** 茨菰能滑胎，下胞衣。《唐本草》云："茨菰，主百毒，产后血闷攻心欲死，产难，衣不出，捣汁服一升。"

按，另有山慈姑与此不同，山慈姑是兰科植物杜鹃兰、独蒜兰或云南独蒜兰的假鳞茎，能清热解毒、消痈肿。山慈姑与红大戟、千金子霜、五倍子、麝香、朱砂、雄黄等制成的紫金锭，可涂痈肿疮疖。山慈姑配夏枯草、莪术、半枝莲、千金子，治癌肿。

530 杏核仁[1]

热，有毒。不可多食，伤神。(《大观》卷23页30；《政和》页473；《纲目》页1250)

【校注】

[1] **杏核仁** 为蔷薇科植物杏或山杏或辽杏的种仁。《本经》首载此药。《别录》云："生晋山(今山西太行山)川谷。"《本草图经》云："其实亦数种，黄而圆者名金杏……今近都多种之，熟最早。其扁而青黄者名木杏……今以东来者为胜。仍用家园种者，山杏不堪入药，五月采，破核去双仁者。"

《本经》云："主咳逆上气。"杏仁配半夏、茯苓、苏叶，治感冒咳嗽痰多；配麻黄、甘草，可以平喘；配麻黄、生石膏、甘草，治肺热喘咳。

《本草拾遗》云："杏仁……杀虫，烧令烟未尽，细研如脂，物裹内䘌齿孔中，亦主产门中虫疮痒不可忍者。"

《政和》引《千金方》云："治痔谷道痛，取杏仁熬熏杵膏，傅之。"又引《千金方》云："治喉痹，杏仁熬熟杵丸如弹子，含咽其汁。"又，杏仁能润大便，配桃仁、火麻仁、当归、生地黄，治便秘。

531 桃核仁[1]

热，微毒。益色，多食令人生热。树上自干者，治肺气腰痛，除鬼精邪气，破血[2]，治心痛，酒摩暖服之。

桃叶[3]，暖。治恶气，小儿寒热、客忤。

桃毛，疗崩中，破癖气。

桃蠹，食之肥，悦人颜色也。(《大观》卷23页25；《政和》页471；《纲目》页1256)

【校注】

[1] **桃核仁** 为蔷薇科植物桃或山桃的种子。《本经》首载此药。《别录》云："生太山(今山东泰安)川谷。"《本草图经》云："京东(今河南开封以东)、陕西出者尤大而美。大都佳果，多是圃人以他木接根上栽之，遂至肥美，殊失本性。此等药中不可用之，当以一生者为佳。七月采核，破之取仁，阴干。"

[2] **破血** 桃仁能活血化瘀破血，治血瘀经闭、经痛，跌打损伤血瘀痛及痈肿。治血瘀经闭、经痛，用桃仁配当归、赤芍、红花；治产后血瘀腹痛(儿枕痛)，以桃仁、当归、川芎、炮姜合用；治外伤血瘀痛，以桃仁、红花、当归、穿山甲合用；治肺痈吐脓血，以桃仁、薏苡仁、冬瓜仁、苇茎合用。

《金匮要略》治肠痈初起之右下腹痛拒按，以桃仁、冬瓜仁、大黄、丹皮、芒硝合用。

桃仁亦能润大便。《世医得效方》治津枯便秘，以桃仁、杏仁、郁李仁、松子仁、柏子仁为丸服。

[3] **桃叶** 《政和》引《葛氏方》云："卒中瘑疮，瘑疮常对在两脚，杵桃叶，以苦酒（醋）和傅皮亦得。"又引《葛氏方》云："治肠痔，大肠常血，杵桃叶一斛，蒸之，内小口器中，以下部搨上坐，虫自出。"

532 李[1]

温，无毒。益气。多食令人虚热。

李树根，凉，无毒。主赤白痢[2]，浓煎服。

叶，平，无毒。治小儿壮热、痁疾[3]、惊痫，作浴汤。（《大观》卷23页36；《政和》页477；《纲目》页1249）

【校注】

[1] **李** 为蔷薇科植物李树的果实。《别录》首载此药，以"李核仁"为正名。《本草衍义》云："李核仁，其窠大者高及丈……又有御李子，如樱桃许大，红黄色，先诸李熟。此李品甚多，然天下皆有之。所以比贤士大夫盛德及天下者，如桃李无处不芬芳也。"

《别录》云："李核仁……主……瘀血骨痛"。《药性论》云："李核仁，臣，治女子小腹肿满，主踒折骨疼肉伤，利小肠，下水气，除肿满。"

[2] **主赤白痢** 孟诜云："主女人卒赤白下，取李树东面皮，去皱皮，炙令黄香，以水三升煮汁，去滓服之，日再验。"

又，《药性论》云："李根皮……治脚下气，主热毒烦躁。根煮汁止消渴。"

[3] **痁疾** 段玉裁《说文解字注》释"痁"云："有热无寒之疟也。"

533 梨[1]

冷，无毒。消风[2]，疗咳嗽气喘[3]、热狂[4]，又除贼风、胸中热结[5]。作浆，吐风痰。（《大观》卷23页24；《政和》页476；《纲目》页1269）

【校注】

[1] **梨** 为蔷薇科植物白梨，或秋沙梨，或秋子梨的果实。《别录》首载此药。《本草图经》云："梨……种类殊别，医家相承用乳梨、鹅梨。乳梨出宣城（今安徽宣城），皮厚而肉实，其味极长；鹅梨出近京（今河南开封）州郡及北都，皮薄而浆多，味差短于乳梨，其香则过之。"

[2] **消风** 《开宝本草》云："主客热中风不语。"《政和》引《北梦锁言》云："有一朝士……曰风疾已深……鄜州（今陕西富县）马医赵鄂……请官人试吃消梨，不限多少，咀龁不及，绞汁而饮，到家旬日，唯吃消梨顿爽矣。"孟诜云："卒闇风，失音不语者，生捣汁一合顿服之。"

[3] **疗咳嗽气喘** 孟诜云："又卒咳嗽，以一颗刺作五十孔，每孔内以椒一粒，以面裹于热火灰中煨令熟，出，停冷，去椒食之……又捣汁一升，酥一两，蜜一两，地黄汁一升，缓火煎，细细

含咽。”

[4] **热狂** 《开宝本草》云：“又疗伤寒热发，解石热气。”

[5] **胸中热结** 孟诜云：“又胸中痞塞热结者，可多食好生梨即通。”《温病条辨》治热证口渴，以梨汁、鲜藕汁、荸荠汁、鲜芦根汁、麦门冬汁合用。

又，鹿梨为蔷薇科植物豆梨。鹿梨皮治疮癣疥癞。《本草图经》云：“江宁府（今江苏南京）、信州（今江西上饶）出一种小梨名鹿梨，叶如茶，根如小拇指，彼处人取其皮治疮癣及疥癞。”《仁存方》治一切疮，用鹿梨根、蛇床子各半斤，真剪草四两，硫黄三钱，轻粉一钱，研极细末，麻油调傅之。

唐瑶《经验方》治一切癣方：鹿梨根刮皮捣烂，醋和，麻布包擦之。

534 柰[1]

冷，无毒。治饱食多肺壅气胀。（《大观》卷23页40；《政和》页478；《纲目》页1276）

【校注】

[1] **柰** 为蔷薇科林檎的近缘植物。《别录》首载此药。陶弘景云：“江南乃有，而北国最丰……有林檎相似而小。”《本草图经》云：“林檎……木似柰，实比柰差圆。”《纲目》云：“柰与林檎，一类二种也。树、实皆似林檎而大……可栽可压。有白、赤、青三色，白者为素柰，赤者为丹柰，亦曰朱柰，青者为绿柰，皆夏熟。”《别录》云：“柰……多食令人胪胀，病人尤甚。”

孟诜云：“卒患食后气不通，生捣汁服之。”

《食医心镜》云：“柰子……主忍饥，益心气，多食虚胀。”

535 胡桃[1]

润肌肉，益发[2]，食酸齿𪘨[3]，细嚼解之。（《大观》卷23页39；《政和》页478；《纲目》页1291）

【校注】

[1] **胡桃** 为胡桃科植物胡桃的果实。孟诜首载此药。《本草图经》云：“胡桃，生北土……大株厚叶多阴。实亦有房，秋冬熟时采之。”《本草衍义》云：“胡桃……外有青皮包之，胡桃乃核也。核中穰为胡桃肉。”

[2] **润肌肉，益发** 孟诜云：“胡桃……通经脉，润血脉，黑鬓发。又服法：初日一颗，五日加一颗，至二十颗止之。常服骨肉细腻光润。”《开宝本草》云：“胡桃……食之令人肥健，润肌黑发……和胡粉为泥，拔白须发，以内（纳）孔中，其毛皆黑……外青皮染髭及帛皆黑。”

[3] **齿𪘨** 牙齿为酸所伤，不能咬食物。又，《政和》引《梅师方》云：“治火烧疮，取胡桃穰烧令黑，杵如脂，傅疮上。”《开宝本草》云：“取穰烧令黑，末，断烟，和松脂研，傅瘰疬疮。”《疡

医大全》治瘰疬未溃方：胡桃肉四两，全蝎五钱，杵匀，每日二次，每次一羹匙。

536 椑柹[1]

止渴，润心肺，除腹脏冷热。作漆甚妙。不宜与蟹同食，令人腹疼，并大泻矣[2]。(《大观》卷23页25；《政和》页471；《纲目》页1279)

【校注】

[1] **椑柹** 《日华子本草》首载此药，《开宝本草》将之录为正品，并云："主压石药发热，利水，解酒热，久食令人寒中，去胃中热。生江淮南，似柹而青黑。"

[2] **不宜与蟹同食，令人腹疼，并大泻矣** 《本草图经》云："椑柹更压丹石毒耳……凡食柹，不可与蟹同，令人腹痛大泻。"

537 杨梅[1]

热，微毒。疗呕逆吐酒[2]。皮、根煎汤，洗恶疮疥癞[3]。忌生葱。(《大观》卷23页36；《政和》页477；《纲目》页1288)

【校注】

[1] **杨梅** 为杨梅科植物杨梅的果实。《食疗本草》首载此药。《开宝本草》云："其树若荔枝树而叶细阴青，其形似水杨。子而生青熟红，肉在核上，无皮壳，今江南（今长江以南）、岭南（今大庾岭以南）山谷。四月、五月采。"《纲目》云："杨梅树叶如龙眼及紫瑞香，冬月不凋，二月开花结实，形如楮实子。"

[2] **疗呕逆吐酒** 《开宝本草》云："杨梅……主去痰，止呕哕，消食，下酒。干作屑，临饮酒时，服方寸匕，止吐酒。"

按，《食疗本草》云："亦不可久食，损齿及筋也，甚能断下痢。又烧为灰，亦断下痢。"

[3] **皮、根煎汤，洗恶疮疥癞** 《政和》引《经验后方》云："主一切伤损不可者疮，止血生肌，无瘢痕，绝妙。"

538 林檎[1]

无毒。下气，治霍乱肚痛，消痰。(《大观》卷23页38；《政和》页476；《纲目》页1276)

【校注】

[1] **林檎** 为蔷薇科植物林檎的果实。《食疗本草》首载此药。《开宝本草》云："其树似柰树，

其形圆如柰，六月、七月熟。”又云：“多食发热，涩气……脉闭不行。”

按，陈士良云：“林檎……味涩。”涩可以止痢、止泄精。《食疗本草》云：“主谷痢泄精。”《食医心镜》云：“治水痢，以十枚半熟者，以水二升煎取一升，和林檎空心食。”

539 橄榄[1]

开胃，下气，止泻。(《大观》卷23页37；《政和》页479；《纲目》页1301)

【校注】

[1] **橄榄** 为橄榄科植物橄榄的果实。孟诜《食疗本草》首载此药。《开宝本草》云：“其树似木槵子树而高端直，其形似生诃子，无棱瓣。生岭南（今大庾岭以南）。八月、九月采。”《海药本草》云：“橄榄……木高大难采，以盐擦木身，则其实自落。”

《开宝本草》云：“橄榄……主消酒。疗鯸鲐（河豚）毒。人误食此鱼肝迷闷者，可煮汁服之，必解。”

《本草衍义》云：“橄榄，味涩，食久则甘。嚼汁咽，治鱼鲠。”

540 榅桲[1]

除烦渴，治气[2]。(《大观》卷23页41；《政和》页479；《纲目》页1274)

【校注】

[1] 榅桲 为蔷薇科植物榅桲的果实。《本草拾遗》首载此药，并云：“树如林檎，花白绿色。”《开宝本草》云：“生北土，似樝子而小。”《本草图经》云：“今关陕（今山西、陕西一带）有之，沙苑（今陕西大荔）出者更佳。其实大抵类樝。”《本草衍义》云：“榅桲，食之须净去上浮毛，不尔，损人肺。花亦香，白色。诸果中惟此多生虫。”

[2] **除烦渴，治气** 《开宝本草》云：“榅桲……主温中下气，消食，除心间醋水，去臭，辟衣鱼。”《本草图经》云：“榅桲……治胸膈中积食，去醋水，下气，止渴。”

541 乳柑子[1]

冷，无毒。皮炙作汤，可解酒毒及酒渴[2]。多食发阴汗[3]。(《大观》卷23页23；《政和》页470；《纲目》页1284)

【校注】

[1] **乳柑子** 是多种柑的一种，为芸香科植物茶枝柑等多种柑类的果实。《本草拾遗》首载此药，并云：“其类有朱柑、乳柑、黄柑、石柑、沙柑……此辈皮皆去气调中，实总堪食。就中以乳柑

为上。”《开宝本草》云：“乳柑子……又有沙柑、青柑、山柑，体性相类……其树若橘树，其形似橘而圆大，皮色生青熟黄赤。未经霜时尤酸，霜后甚甜，故名柑子。生岭南及江南。”

［2］**皮炙作汤，可解酒毒及酒渴**　《政和》引《圣惠方》云：“治酒毒或醉昏闷烦渴，要易醒方：取柑皮二两，焙干为末，以三钱匕，水一中盏，煎三五沸，入盐，如茶法服，妙。”

［3］**多食发阴汗**　《食疗本草》云：“食多令人肺燥，冷中，发痃癖。”《开宝本草》云：“多食令人脾冷，发痼癖，大肠泄。”

按，柑皮能利小便。《开宝本草》云：“乳柑子……止暴渴，利小便。”《本草拾遗》云：“产后肌浮，柑皮为末酒下。”《雷公炮炙论序》云：“产后肌浮，柑皮酒服。”注云：“产后肌浮，酒服柑皮立愈。”

《本草衍义》云：“乳柑子，今人多作橘皮售于人，不可不择也。柑皮不甚苦，橘皮极苦，至熟亦苦。”

542　新罗榛子[1]

肥白人，止饥，调中，开胃[2]，甚验。（《大观》卷23页41；《政和》页479；《纲目》页1293）

【校注】

［1］**新罗榛子**　即产于新罗（今朝鲜）榛树的果实。榛为桦木科植物榛树。《日华子本草》首载此药。《开宝本草》云：“生辽东（今辽宁）山谷。树高丈许，子如小栗，军行食之当粮。中土亦有。郑注《礼》云：榛似栗而小，关中鄜（今陕西富县）、坊（今陕西黄陵）甚多。”

［2］**止饥，调中，开胃**　《开宝本草》云：“榛子……主益气力，宽肠胃，令人不饥健行。”

543　松子[1]

逐风痹寒气[2]、虚羸少气，补不足，润皮肤，肥五脏[3]。东人以代麻腐食用。（《大观》卷23页40；《政和》页478；《纲目》页1304）

【校注】

［1］**松子**　此处指海松子，为松科植物红松的种子。《海药本草》首载此药。《开宝本草》云：“海松子……生新罗（朝鲜），如小栗三角，其中仁香美，东夷食之当果。”

［2］**逐风痹寒气**　《开宝本草》云：“海松子……主骨节风，头眩，去死肌，变白，散水气。”《海药本草》云：“松子味甘美，大温，无毒，主诸风。”

［3］**润皮肤，肥五脏**　《开宝本草》云：“海松子……润五脏，不饥。”《海药本草》云：“松子……温肠胃，久服轻身延年不老。”

菜部　卷第十九

544 冬瓜[1]

冷，无毒。除烦，治胸膈热[2]，消热毒痈肿[3]。切，摩痱子，甚良。

叶，杀蜂；可修事蜂儿，并焮肿毒[4]，及蜂丁。

藤，烧灰，可出绣点黯[5]，洗黑䵟，并洗疮疥。

湿瓤，亦可漱练白缣。(《大观》卷27页7；《政和》页503；《纲目》页1234)

【校注】

[1] **冬瓜** 为葫芦科植物冬瓜的果实。《别录》首载此药，以“白冬瓜”为正名。《别录》云：“白瓜子……生嵩高（今河南登封）。冬瓜仁也。八月采之。”《本草图经》云：“皆园圃所莳，其实生苗蔓下，大者如斗而更长，皮厚而有毛。初生正青绿，经霜则白如涂粉，其中肉及子亦白，故谓之白瓜。”

[2] **除烦，治胸膈热** 孟诜云：“冬瓜……除胸心满，去头面热，热者食之佳。”

[3] **消热毒痈肿** 《本草衍义》云：“患发背及一切痈疽，削一大块置疮上，热则易之，分散热毒气甚良。”

《政和》引《肘后方》云：“发背欲死方：取冬瓜截去头，合疮上，瓜当烂，截去更合之，瓜未尽，疮已敛小矣，即用膏养之。”

按，冬瓜利水。《政和》引《兵部手集》云：“治水病初得危急，冬瓜不限多少，任吃，神效无比。”以冬瓜合赤小豆煨食之，亦可利水。今多用冬瓜皮利水消肿，治尿少、水肿胀满。

[4] **焮肿毒** 《纲目》云：“叶……又焙研，傅多年恶疮。”

[5] **可出绣点黯** 绣点黯即在人身上刺绣花纹或字。用冬瓜藤烧灰，可以去掉人身上所绣的花纹或字。

545 冬瓜仁[1]

去皮肤风，剥黑䵟，润肌肤[2]。(《大观》卷27页8；《政和》页504；《纲目》页1234)

【校注】

[1] **冬瓜仁** 为葫芦科植物冬瓜的种仁。《本经》首载此药，以“白瓜子”为正名。《别录》云：“生嵩高（今河南登封）平泽。”余详见“冬瓜”条注[1]。

[2] **去皮肤风，剥黑䵟，润肌肤** 《本经》云：“白瓜子（即冬瓜仁）……令人悦泽，好颜色。”《别录》云：“可作面脂，令面悦泽。”《千金方》面药方用冬瓜仁。《本草图经》云：“白瓜子，即冬瓜仁也……作面药，并令人颜色光泽。”

又，孟诜云：“又取子三五升，退去皮，捣为丸，空腹服三十丸，令人白净如玉。”

按，冬瓜仁能除湿浊、排痈脓，治男子白浊、女子白带、肠痈、肺痈。

《救急易方》治男子白浊、女子白带，用陈冬瓜仁炒为末，空心米饮服五钱。以冬瓜仁配黄柏、萆薢，亦可治男子白浊、女子白带。

《金匮要略》治肠痈初起之右下腹疼痛拒按，以冬瓜仁、桃仁、丹皮、大黄、芒硝合用。

《千金方》治肺痈咳吐脓痰，以冬瓜仁、桃仁、薏苡仁、苇茎合用。

孙真人治多年损伤不差方：熬冬瓜子，末，温酒服之。

546 甜瓜[1]

无毒[2]。（《大观》卷 27 页 17；《政和》页 504；《纲目》页 1331）

【校注】

[1] **甜瓜** 为葫芦科植物甜瓜的果实。《本草拾遗》首载此药，以“甘瓜”为正名。《纲目》云：“甜瓜，北土、中州种莳甚多，二三月下种，延蔓而生，叶大数寸，五六月花开黄色，六七月瓜熟。其类甚繁。”

[2] **无毒** 《嘉祐本草》作“有毒”，并云：“甜瓜……止渴，除烦热……利小便，通三焦间壅塞气，兼主口鼻疮。”

又，《政和》引《千金方》云：“治口臭，杵干甜瓜子，作末，蜜和丸，每旦洗净，漱含一丸如枣核大。亦用傅齿。”

又，《本草拾遗序》云：“甘瓜子（甜瓜子）止月经太过，为末，去油，水调服。”《雷公炮炙论序》云：“血泛经过，饮调瓜子”。注云：“甜瓜子内仁，捣作末，去油，饮调服之，立绝。”

又，《圣惠方》治肠痈已成，小腹肿痛，小便似淋，或大便艰涩下脓方：甜瓜子一合，当归炒一两，蛇蜕皮一条，㕮咀，捣为粗末，每取四钱，水一盏半，煎一盏，食前服，利下恶物为妙。《唐本草》云：“《别录》云：甘瓜子主腹内结聚，破溃脓血，最为肠胃脾内痈要药。”

按，甜瓜叶生发。《嘉祐本草》云：“叶治人无发，捣汁涂之即生。”

547 瓜蒂[1]

无毒[2]。治脑塞，热齆[3]，眼昏，吐痰[4]。（《大观》卷 27 页 6；《政和》页 503；《纲目》页 1332）

【校注】

［1］**瓜蒂**　为葫芦科植物甜瓜的果柄。《本经》首载此药。《别录》云："生嵩高（今河南登封）平泽。七月七日采，阴干。"陶弘景云："瓜蒂多用早青蒂。此云七月采，便是甜瓜蒂也。人亦有用熟瓜蒂者，取吐乃无异。"

［2］**无毒**　《别录》作"有毒"。

［3］**治脑塞，热齆**　《别录》云："去鼻中息肉，疗黄疸。"《药性论》云："瓜蒂，使，茎主鼻中息肉、齆鼻。"《食疗本草》云："瓜蒂……去鼻中息肉。"《圣惠方》治鼻中息肉方：陈瓜蒂一分为末，羊脂和少许，傅息肉上，日三。

又，瓜蒂末吹鼻治黄疸。《伤寒类要》治急黄方：瓜蒂、赤小豆为末，吹鼻中两三黑豆许，黄水出，歇。《经验方》治遍身如金色方：瓜蒂、丁香等分，烧烟尽为度，细研为末，用一字吹鼻内，小儿减半。《食疗本草》云："阴黄黄疸及暴急黄，取瓜蒂、丁香各七枚，小豆七粒，为末，吹黑豆许于鼻中，少时，黄水出，差。"此方亦治身面四肢浮肿。

［4］**吐痰**　瓜蒂能催吐，吐风痰、宿食、毒物。瓜蒂研末纳谷道中，能通便。

又，《本草衍义》治风涎暴作，气塞倒卧方：瓜蒂、腻粉各一钱匕，研细末，以水半合同调匀灌之，良久涎自出。

又，《圣惠方》治发狂欲走方：瓜蒂末，井水服一钱，取吐即愈。

又，《活法机要》治诸风膈痰及诸痫方：瓜蒂炒黄为末，量人以酸齑水一盏调下，取吐。

又，《伤寒论》治胸中痞鞕，气上冲咽喉，用瓜蒂散。瓜蒂散方：瓜蒂一分熬黄，赤小豆一分，捣筛为末，取一钱匕。以香豉一合，热汤七合，煮取汁，合散温服，取吐。

又，《必效方》治大便不通方：瓜蒂七枚，研末，绵裹，塞入下部即通。

548　胡瓜[1]

叶，味苦，平，小毒。主小儿闪癖，一岁服一叶已上，斟酌与之。生挼绞汁服，得吐下。

根，捣傅胡刺毒肿。

其实，味甘，寒，有毒。不可多食，动寒热，多疟病，积瘀热，发疰气，令人虚热、上逆少气，发百病及疮疥，损阴血脉气，发脚气。天行后不可食。小儿切忌，滑中，生疳虫。不与醋同食。北人亦呼为黄瓜，为石勒讳，因而不改。（《大观》卷27页17；《政和》页504；《纲目》页1236）

【校注】

［1］**胡瓜**　即黄瓜，因避石勒讳，改胡瓜为黄瓜。黄瓜为葫芦科植物黄瓜的果实。孟诜《食疗本草》收载此药，其后《本草拾遗》《日华子本草》亦收载之，《嘉祐本草》糅合诸家文字为一体。《本草图经》云："胡瓜黄色，亦谓之黄瓜，别无功用，食之亦不益人，故可略之。"

又，胡瓜下水。《纲目》引《千金髓》云："水病肚胀至四肢肿，胡瓜一个破作两片，不出子，以醋煮一半，水煮一半，俱烂，空心顿服，须臾下水。”

549　冬葵[1]

久服坚筋骨。秋葵，即是种早者，俗呼为葵菜。（《大观》卷27页1；《政和》页499；《纲目》页902）

【校注】

[1] **冬葵**　为锦葵科植物冬葵。《本经》首载此药。《别录》云：“生少室（今河南登封）山。十二月采之。”陶弘景云：“以秋种葵覆养，经冬至春作子，谓之冬葵。”《本草图经》云：“苗叶作菜茹，更甘美，大抵性滑利，能宣导积壅……利小肠。孕妇临产煮叶食之，则胎滑易产。”

《政和》引《外台秘要》云：“天行斑疮（天花），须臾遍身皆戴白浆，此恶毒气。永徽四年，此疮自西域东流于海内，但煮葵菜叶，以蒜齑啖之，则止。”

又，冬葵子能利水，通便，下乳。《药性论》云：“冬葵子……能治五淋，主奶肿，能下乳。”《妇人良方》治乳汁不行，乳房肿痛方：冬葵子、砂仁等分为末，热酒调服之。

又，《政和》引《肘后方》云：“治卒关格大小便不通，支满欲死，葵子二升，水四升，煮取一升，顿服。内猪脂如鸡子一丸，则弥佳。”

又，《金匮要略》治妊娠有水气，小便不利方：冬葵子、茯苓为散服之。此方加车前子、海金沙，亦治小便淋沥涩痛。

又，《肘后方》治大便不通十日方：冬葵子三升，水四升，煮取一升，去滓服，不差更作。《圣惠方》治大便干燥方：冬葵子杵末，入乳汁等分和服之。

550　苋菜[1]

通九窍。

子，益精。（《大观》卷27页10；《政和》页500；《纲目》页1211）

【校注】

[1] **苋菜**　为苋科植物苋的茎、叶。《本经》首载此药，以“苋实”为正名。《别录》云：“生淮阳（今河南淮阳）川泽及田中，叶如蓝。十一月采。”《蜀本草》云：“《图经》说，有赤苋、白苋、人苋、马苋、紫苋、五色苋凡六种。惟人、白二苋实入药用。”

又，孟诜云：“苋，补气除热，其子明目。”《本草图经》云：“但人苋小，而白苋大耳。其子霜后方熟，实细而黑，主翳目黑花，肝风客热等。”

《纲目》云：“苋实与青葙子同类异种，故其治目之功亦仿佛也。”

按，苋实、青葙子能清肝明目，治肝热目赤翳障、视物不明。苋实、青葙子配决明子、菊花、密蒙花，有明目除翳之功。

551 荠菜[1]

利五脏[2]。

根，疗目疼[3]。(《大观》卷27页20；《政和》页508；《纲目》页1208)

【校注】

[1] **荠菜** 为十字花科植物荠菜。《别录》首载此药。陶弘景云："荠类又多，此是今人可食者，叶作葅羹亦佳。"

[2] **利五脏** 《别录》云："荠……主利肝气，和中。"《药性论》云："补五脏不足。"

[3] **根，疗目疼** 《圣惠方》治暴赤眼疼痛碜涩方：荠菜根汁点目中。

又，荠根亦止痢。《药性论》云："其根、叶，烧灰，能治赤白痢，极效。"

又，荠子亦明目。《别录》云："其实，主明目目痛。"《药性论》云："荠子……主青盲病不见物。"陈士良云："实……明目，去障翳，解热毒。久食视物鲜明。"

552 蔓菁[1]

梗短，叶大，连地上生，阔叶红色者是蔓菁。(《大观》卷27页3；《政和》页501；《纲目》页1189)

【校注】

[1] **蔓菁** 即芜菁，为十字花科植物芜菁的块根及叶。《别录》首载此药，以"芜菁"为正名，并云："芜菁及芦菔……主利五脏，轻身益气，可长食之。"《唐本草》云："芜菁，北人又名蔓菁，根、叶及子乃是菘类，与芦菔全别，至于体用亦殊。"

又，《别录》云："芜菁子，主明目。"

又，蔓菁子利黄疸。《唐本草》云："蔓菁子，疗黄疸，利小便，水煮三升，取浓汁服。"《本草拾遗》云："芜菁子，主急黄、黄疸，及内黄腹结不通，捣为末，水绞汁服，当得嚏，鼻中出黄水。"孟诜云："又捣子，水和服，治热黄结实不通，少顷，当泻一切恶物。"

又，孟诜云："又研子入面脂，极去皱。"《本草拾遗》云："和油傅蜘蛛咬，恐毒入肉，亦捣为末酒服……为油入面膏，令人去黑皯。"《千金方》治血皯面皱方：芜菁子烂研，入面脂中，良。《千金方》治头秃方：芜菁子，烂研，醋和傅，日三。

553 萝卜[1]

平。能消痰，止咳[2]，治肺痿、吐血，温中，补不足，治劳瘦咳嗽，和羊肉、鲫鱼煮食之。

子，水研服，吐风痰[3]。醋研消肿毒。不可以地黄同食。（《大观》卷27页15；《政和》页506；《纲目》页1192、1194）

【校注】

[1] **萝卜** 即莱菔，为十字花科植物莱菔的根。《别录》首载此药，以“芦菔”为正名，并将其与“芜菁”并为一条。《唐本草》将之拨出，改名“莱菔”，收为正品。《政和》云：“《尔雅》云：葖，芦葩。释曰：紫花菘也……似芜菁，大根，一名葖，俗呼雹葖，一名芦菔，今谓之萝卜是也。”

[2] **消痰，止咳** 萝卜能化痰止咳，消食下气。《唐本草》云：“莱菔……散服及炮煮服食，大下气，消谷，去痰癖，肥健人。生捣汁服，主消渴。”

又，《政和》引萧炳文云：“萝卜根，消食，利关节……凡人饮食过度，生嚼咽之便消……亦主肺嗽吐血，酥煎食下气。”

[3] **子，水研服，吐风痰** 《政和》引《胜金方》云：“治风痰，以萝卜子为末，温水调一匙头，良久吐出涎沫。”

又，莱菔子能化痰，下气止咳。《食医心镜》云：“主积年上气，咳嗽多痰，喘促，唾脓血，以子一合，研，煎汤，食上服之。”《胜金方》治肺疾咳嗽方：莱菔子半升炒令黄熟为末，以沙糖丸如弹，绵裹含之。

又，《韩氏医通》治咳嗽气逆，痰多胸痞，饮食不振，舌苔黏腻，以莱菔子、白芥子、苏子合用。

又，莱菔子亦能顺气开郁、消食除胀。治食积气滞、脘胀嗳气，用莱菔子配山楂、麦芽、神曲、陈皮、半夏。若有热，加黄连、连翘；若便溏、大便稀，加白术、茯苓。

554 菘菜[1]

凉，微毒。多食发皮肤风瘙痒。梗长叶瘦，高者为菘。叶阔厚短肥而痹[2]及梗细者，为芜菁菜也。（《大观》卷27页13；《政和》页506；《纲目》页1186）

【校注】

[1] **菘菜** 为十字花科植物青菜。《别录》首载此药。《本草图经》云：“今南北皆有之，与芜菁相类。梗长叶不光者为芜菁；梗短叶阔厚而肥痹者为菘。”

又，《别录》云：“菘……主通利肠胃，除胸中烦，解酒渴。”

又，《政和》引萧炳文云：“消食下气，治瘴气，止热气嗽，冬汁尤佳。”

又，《政和》引《圣惠方》云：“治酒醉不醒，用菘菜子二合，细研，井华水一盏，调为二服。”

[2] **痹** 《大观》作“厚”。

555 芥[1]

除邪气，止咳嗽上气[2]、冷气疾。

子，治风毒肿及麻痹，醋研傅之。扑损瘀血，腰痛肾冷，和生姜研，微暖涂贴。心痛，酒醋服之。(《大观》卷27页15；《政和》页505；《纲目》页1187)

【校注】

[1] **芥** 为十字花科植物芥菜。《本草图经》云："似菘而有毛，味极辛辣，此所谓青芥也。芥之种亦多，有紫芥，茎叶纯紫，多作齑者，食之最美；有白芥，子粗大，色白，如粱米，此入药者最佳。"《本草衍义》云："芥，似芜菁，叶上纹皱起，色尤深绿为异。子与苗皆辛，子尤甚。多食动风。一品紫芥与此无异，紫色可爱，人多食之，然亦动风。又，白芥子比诸芥稍大，其色白，入药用。"

[2] **止咳嗽上气** 《食疗本草》云："主咳逆，下气，明目，去头面风，大叶者良。"《千金方》治反胃吐食，上气方：芥子为末，酒服方寸匕。

556 苜蓿[1]

凉。去腹脏邪气、脾胃间热气，通小肠[2]。(《大观》卷27页20；《政和》页508；《纲目》页1210)

【校注】

[1] **苜蓿** 为豆科植物紫苜蓿或南苜蓿的全草。《别录》首载此药。陶弘景云："长安中乃有苜蓿园，北人甚重此，江南人不甚食之。"

[2] **去腹脏邪气、脾胃间热气，通小肠** 《唐本草》云："根，寒，主热病烦满，目黄赤，小便黄，黄疸，捣取汁服一升，令人吐利即愈。"

又，孟诜云："患疸黄人，取根，生捣绞汁服之良。又，利五脏，轻身，洗去脾胃间邪气，诸恶热毒。少食好，多食当冷气入筋中即瘦人。"

557 荏[1]

调气，润心肺，长肌肤，益颜色，消宿食，止上气咳嗽[2]，去狐臭，傅蛇咬[3]。

子，下气，止嗽，补中，填精髓[4]。(《大观》卷27页16；《政和》页507；《纲目》页842)

【校注】

[1] **荏** 为唇形科植物白苏。《别录》首载此药。陶弘景云："荏，状如苏，高大，白色，不甚香。"

[2] **止上气咳嗽** 《别录》云："荏子……主咳逆，下气。"《食疗本草》云："主咳逆，下气。"

[3] **傅蛇咬** 《本草拾遗》云："荏叶，捣傅虫咬及男子阴肿。"《政和》引《梅师方》云："治虺中人，以荏叶烂杵，猪脂和薄傅上。"

[4] **子，下气，止嗽，补中，填精髓** 《食疗本草》云："补中益气，通血脉，填精髓，可蒸令熟，烈日干之，当口开，舂取米食之。亦可休粮生食，止渴润肺。"

558 水蓼[1]

性冷，无毒。蛇咬，捣傅[2]，根、茎并用。

赤蓼，暖。暴脚软人，烧灰淋汁浸，持以蒸桑叶署，立愈。(《大观》卷28页1；《政和》页509；《纲目》页929)

【校注】

[1] **水蓼** 为蓼科植物水蓼。《唐本草》注文首载此名。《本经》首载此药，以"蓼实"为正名。《蜀本草·图经》云："蓼类甚多，有紫蓼、赤蓼、青蓼、马蓼、水蓼、香蓼、木蓼等，其类有七种。紫、赤二蓼，叶小狭而厚；青、香二蓼，叶亦相似而俱薄；马、水二蓼，叶俱阔大，上有黑点；木蓼一名天蓼，蔓生，叶似柘叶。诸蓼花皆红白，子皆赤黑。木蓼花黄白，子、皮青滑。"《唐本草》云："又有水蓼，叶大似马蓼……生下湿水旁。"

[2] **蛇咬，捣傅** 《唐本草》云："又有水蓼，叶……主被蛇伤，捣傅之。绞取汁服，止蛇毒入腹心闷者。又，水煮渍脚捋之，消脚气肿。"

又，《本草拾遗》云："蓼，主痃癖，每日取一握煮服之。"

又，《政和》引《经验方》云："治脚痛成疮，先剉水蓼煮汤，令温热得所，频频淋洗，候疮干自安。"

又，《本草衍义》云："又一种水红，与此相类，但苗茎高及丈。取子微炒，碾为细末，薄酒调二三钱服，治瘰疬。久则效，效则已。"

559 葱[1]

治天行时疾，头痛热狂[2]，通大小肠[3]，霍乱转筋[4]，及贲豚气，脚气，心腹痛，目眩，及止心迷闷。取其茎叶，用盐研署蛇虫伤并金疮[5]。水入皲肿，煨研署傅。中射工溪毒，盐研署傅。

子，温中，补不足，益精，明目。

根，杀一切鱼、肉毒。不可以蜜同食[6]。(《大观》卷28页3；《政和》页510；《纲目》页1175)

【校注】

[1] **葱** 为百合科植物葱。其近根部的鳞茎名葱白。《本经》首载此药，以"葱实"为正名。《本草图经》云："葱有数种，入药用山葱、胡葱，食品用冻葱、汉葱。山葱生山中，细茎大叶……一名茖葱（百合科植物茖葱）……胡葱类食葱，而根茎皆细白。又云：茎叶微短如金灯者是也。"

[2] **治天行时疾，头痛热狂** 《食疗本草》云："主伤寒壮热出汗，中风，面目浮肿，骨节头疼。"按，葱白能发汗解表，治外感风寒轻证。治头痛、微热、流鼻涕，以葱白、淡豆豉合用（出《肘后方》葱豉汤）。

[3] **通大小肠** 《外台秘要》治大小肠不通方：捣葱白，以酢（醋）和封小腹上。

[4] **霍乱转筋** 《梅师方》治霍乱后烦躁，卧不安稳方：葱白二十茎，大枣二十枚，以水三升，煎取二升分服。

又，《伤寒论》白通汤，以葱白、干姜、生附子合用，治少阴病下痢、脉微厥逆。此方取葱白以通阳散寒。

[5] **金疮** 《梅师方》治金疮出血不止方：葱炙令热，挼取汁傅疮上，即血止。《食疗本草》云："又治疮中有风水肿疼，取青叶、干姜、黄檗相和，煮作汤，浸洗之，立愈。"

[6] **不可以蜜同食** 《食疗本草》云："切不得与蜜相和食之，促人气杀人。"《政和》引《孙真人食忌》云："烧葱和蜜食杀人。"《纲目》引"张仲景"云："生葱合枣食，令人病。"《纲目》云："服地黄、常山人，忌食葱。"

560 薤[1]

轻身，耐寒，调中，补不足。食之能止久痢、冷泻[2]，肥健人。生食引涕唾。不可与牛肉同食，令人作癥瘕，四月不可食也。（《大观》卷28页6；《政和》页512；《纲目》页1179）

【校注】

[1] **薤** 为百合科植物薤，其鳞茎名薤白。《本经》首载此药。《别录》云："生鲁山平泽。"《本草图经》云："似韭而叶阔，多白无实。人家种者，有赤、白二种，赤者疗疮生肌，白者冷补，皆春分莳之，至冬而叶枯……凡用葱、薤，皆去青留白。云白冷而青热也。"

[2] **调中，补不足。食之能止久痢、冷泻** 《本草拾遗》云："薤，调中，主久痢不差，腹内常恶者，但多煮食之。赤痢，取薤致黄檗煮服之，差。"

又，《食医心镜》云："治赤白痢下，薤白一握，切，煮作粥食之。"

又，《政和》引《杨氏产乳》云："疗疳痢，薤白二握，生捣如泥，以粳米粉二物蜜调相和，捏作饼，炙取熟与吃，不过三两服。"薤白配柴胡、枳实、白芍、甘草，亦可治胃肠气滞所致下痢后重。

按，薤白亦能通阳散结，除胸痹痛（心绞痛）。《本草图经》云："唐·韦宙《独行方》：主霍乱干呕不息……又卒得胸痛，差而复发者，取薤根五斤，捣绞汁饮之，立差。"

《金匮要略》治胸痹痛，喘息咳唾，胸背痛，短气方：栝楼实一枚，薤白半斤，白酒七升，煮取二升，分温再服。

《金匮要略》治胸痹不得卧，心痛彻背方：栝楼实一枚，薤三两，半夏半斤，白酒，煮取四升，温服一升，日三服。

按，薤白是治胸痹痛主药，常与半夏、栝楼、桂枝、枳实合用。若胸痹痛伴有瘀血（舌质有紫斑瘀点），可用薤白配丹参、桃仁、红花。

561　韭[1]

热。下气，补虚，和腑脏，益阳，止泄精[2]、尿血，暖腰膝，除心腹痼冷、胸中痹冷、痃癖气，及腹痛等食之。肥白人，中风失音，研汁服。心脾骨痛甚，生研服。蛇犬咬并恶疮，捣傅[3]。多食昏神暗目，酒后尤忌，不可与蜜同食。

子，暖腰膝，治鬼交甚效[4]。入药炒用。（《大观》卷28页5；《政和》页511；《纲目》页1172）

【校注】

[1] **韭**　为百合科植物韭。《别录》首载此药。《本草图经》云："圃人种莳，一岁而三四割之，其根不伤，至冬壅培之，先春而复生，信乎一种而久者也。"许慎《说文解字》云："菜名。一种而久者，故谓之韭。"

[2] **下气，补虚，和腑脏，益阳，止泄精**　《本草拾遗》云："韭，温中下气，补虚，调和脏腑，令人能食，益阳，止泄白脓、腹冷痛，并煮食之。"

[3] **蛇犬咬并恶疮，捣傅**　《本草拾遗》云："叶及根，生捣绞汁服，解药毒，疗狂狗咬人欲发者，亦杀诸蛇、虺、蝎、恶虫毒。"

[4] **暖腰膝，治鬼交甚效**　《别录》云："子，主梦泄精溺白。"陶弘景云："韭子……主漏精。"《本草拾遗》云："取子生吞三十粒，空心盐汤下，止梦泄精及溺白，大效。"《外台秘要》治虚劳尿精方：新韭子二升，十月霜后采，好酒八合渍一宿，捣万杵为末，平旦温酒服方寸匕，日再服。《圣惠方》治梦中泄精方：韭子二两，微炒为散，食前，酒下二钱匕。《千金方》以韭子治遗精、白浊。《魏氏家藏方》治肾虚小便频数，以韭子、鹿角胶、鹿角霜、补骨脂、益智仁、煅龙骨、小茴香合用。

又，韭根亦入药。《别录》云："根，主养发。"陶弘景云："根，入生发膏用。"《本草拾遗》云："捣根汁多服，主胸痹骨痛不可触者。"此方与薤白功效同。《经验方》治五般疮癣方：韭根炒存性，旋捣末，以猪脂油调傅之，三度，差。

562　甜菜[1]

冷，无毒。炙作熟水饮，开胃，通心膈。（《大观》卷28页6；《政和》页513；《纲目》页1207）

【校注】

[1] **甜菜** 为藜科植物莙荙菜的根。《别录》首载此药，以"莙荙"为正名。《唐本草》云："此菜似升麻苗，南人蒸炰食之。"陈士良云："莙荙，叶似紫菊而大，花白。"《蜀本草·图经》云："高三四尺，茎若蒴藋，有细棱，夏盛冬枯。"

甜菜能清热止痢。《别录》云："莙荙……主时行壮热，解风热毒。"陶弘景云："时行热病初得，便捣汁皆饮，得除差。"《本草拾遗》云："莙荙，捣绞汁服之，主冷热痢，又止血生肌。人及禽兽有伤折，傅之立愈。"《开宝本草》云："夏月以其菜研作粥解热，又止热毒痢。捣傅灸疮，止痛，易差。"孟诜云："子，煮半生，捣取汁，含，治小儿热。"

甜菜子令面润泽。《本草拾遗》云："又收取子，以醋浸之，揩面，令润泽有光。"

563 紫苏[1]

补中益气，治心腹胀满[2]，止霍乱转筋，开胃下食，并一切冷气[3]，止脚气，通大小肠[4]。

子[5]，主调中，益五脏，下气，止霍乱、呕吐、反胃[6]，补虚劳，肥健人[7]，利大小便[8]，破癥结，消五膈，止嗽，润心肺，消痰气[9]。(《大观》卷28页12；《政和》页514；《纲目》页840)

【校注】

[1] **紫苏** 为唇形科植物紫苏。《别录》首载此药，以"苏"为正名。陶弘景云："叶下紫色而气甚香。其无紫色不香似荏者多野苏，不堪用。"《开宝本草》云："苏，今俗呼为紫苏。"苏叶偏于散风寒解表，苏梗偏于理气解郁、安胎。

[2] **治心腹胀满** 《别录》云："苏……主下气，除寒中。"紫苏善于行气宽中，配藿香、陈皮、半夏、苍术，或配香附、陈皮，治脾胃气滞所致心腹胀满不舒或恶心呕吐。

[3] **并一切冷气** 孟诜云："紫苏，除寒热，治冷气。"以苏叶、杏仁、桔梗、前胡合用，能解表，散风寒冷气。

[4] **止脚气，通大小肠** 《圣惠方》治脚气方：紫苏二两杵碎，水二升，研取汁，煮粳米二合作粥食。

又，《金匮要略》治食蟹中毒方：紫苏煮汁饮之。紫苏能解鱼蟹中毒所致腹痛吐泻。

又，苏梗行气安胎，配陈皮、砂仁、木香，治妊娠恶阻、胎动不安。

又，苏梗治梅核气，多配厚朴、半夏、生姜、茯苓。

[5] **子** 为唇形科植物紫苏的种子。《别录》首载此药。余详见本条注[1]。

[6] **下气，止霍乱、呕吐、反胃** 《别录》云："苏……主下气，除寒中，其子尤良。"治由寒中引起的霍乱呕吐反胃，用苏子效果强于用紫苏。习惯上治寒中吐泻，多用紫苏配藿香、白芷、陈皮、苍术、厚朴、半夏、茯苓。

[7] **补虚劳，肥健人** 《药性论》云："紫苏子……研汁煮粥良，长服令人肥白身香。"

[8] **利大小便** 苏子能宽肠，利大便。《济生方》以紫苏麻仁粥治便秘难解。紫苏麻仁粥：以紫苏子、麻仁共捣烂，加水绞取汁，煮粥食之。

又，《圣惠方》治风顺气利肠方：紫苏子一升，微炒，杵，以生绢袋盛，纳于三斗清酒中，浸三宿，少少饮之。

[9] **止嗽，润心肺，消痰气** 苏子能消痰下气，止喘嗽。《韩氏医通》三子养亲汤，由紫苏子、白芥子、莱菔子组成，治老人痰多喘咳。

又，《太平惠民和剂局方》苏子降气汤，由苏子、厚朴、陈皮、半夏、前胡组成，治痰多喘咳。

564 鸡苏[1]

暖。治肺痿，崩中带下，血痢[2]，头风目眩，产后中风[3]，及血不止。又名臭苏、青白苏。(《大观》卷28页13；《政和》页514；《纲目》页842)

【校注】

[1] **鸡苏** 为唇形科植物水苏。《本经》首载此药。《别录》云："生九真（今越南顺化以北地区）池泽，七月采。"《唐本草》云："此苏生下湿地水侧，苗似旋覆，两叶相当，大香馥。青（今山东青州）、齐（今山东历城）、河间（今河北保定）人名为水苏。江左（今苏南一带）名为荠苧，吴（今浙江吴兴）、会（今浙江会稽）谓之鸡苏。"《蜀本草·图经》云："叶似白薇，两叶相当，花生节间，紫白色，味辛而香。六月采茎、叶，日干。"《本草衍义》云："水苏……面不紫，及周围槎牙如雁齿，香少。"

[2] **崩中带下，血痢** 《别录》云："水苏……主吐血、衄血、血崩。"

又，《政和》引《梅师方》云："治吐血及下血并妇人漏下，鸡苏茎、叶煎取汁服。"又引《梅师方》云："治鼻衄血不止，生鸡苏五合，香豉二合，合杵研，搓如枣核大，纳鼻中，止。"又引《梅师方》云："卒漏血欲死，煮一升服之。"

[3] **头风目眩，产后中风** 孟诜云："又头风目眩者，以清酒煮汁一升服，产后中风服之弥佳。"又云："煮汁洗头，令发香，白屑不生。"

又，《唐本草》云："江左名为荠苧（唇形科植物荠苧）。"《本草拾遗》云："荠苧，叶上有毛稍长，气臭。除蚁瘘（痔瘘），接碎傅之。亦主冷气泄痢。可为生菜，除胃间酸水。"

565 荆芥[1]

利五脏，消食下气，醒酒。作菜生熟食，并煎茶，治头风[2]并出汗[3]。豉汁煎，治暴伤寒。(《大观》卷28页8；《政和》页513；《纲目》页836)

【校注】

［1］**荆芥** 为唇形科植物荆芥。《吴普本草》首用此名，《本经》首载此药。《别录》云："生汉中（今陕西汉中）川泽。"《本草图经》云："假苏，荆芥也……叶似落藜而细，初生辛香可啖，人取作生菜。"又云："医官陈巽处，江左（今苏南地区）人，谓假苏、荆芥实两物。假苏叶锐圆，多野生，以香气似苏，故名之。苏恭以《本经》一名姜芥，姜、荆声近，便为荆芥，非也。"

［2］**治头风** 荆芥祛风，治头风痛。《本草衍义》云："又治头目风，荆芥穗、细辛、川芎等为末，饭后汤点二钱。"

又，荆芥止痒。《本草衍义》云："风搔遍身，浓煎汤淋渫，或坐汤中。"止痒，亦可以荆芥配防风、牛蒡子、蝉蜕、薄荷、金银花煎汤服。此方亦可透发麻疹。

又，荆芥祛风止痉。《经验方》治产后中风，眼反折，四肢搐搦方：荆芥穗为末，酒服二钱，必效。此方一名如圣散、华佗愈风散。《经验后方》治一切风，口眼偏斜方：青荆芥、青薄荷各一斤，共杵取汁熬成膏，另取滓三分二，日干为末，以膏和为丸，如梧子大，每服二十丸，日三服。

荆芥祛风解表。治风寒外感所致头身痛、发热恶寒无汗，用荆芥配防风、羌活；治风热外感所致发热恶风、目赤咽痛，用荆芥配金银花、连翘、菊花、薄荷。

治疮疡初起有恶寒发热表证，用荆芥配金银花、连翘、赤芍、防风。

《食疗本草》云："又杵为末，醋和封风毒肿上。"又云："患丁肿，荆芥一把，水五升，煮取二升，冷，分二服。"

《圣惠方》治吐血不止方：荆芥穗为末，生地黄汁调服二钱。

《妇人良方》治产后鼻衄方：荆芥焙研末，童子小便服二钱。《妇人良方》治崩中不止方：荆芥穗烧焦，为末，每服二钱。

《简易方》治痔漏肿痛方：荆芥煮汤，日日洗之。

《经验方》治大便下血方：荆芥炒为末，每米饮服二钱。

《集简方》治小便尿血方：荆芥、缩砂等分为末，糯米饮下三钱，日三服。

［3］**出汗** 荆芥药力在穗，荆芥穗发汗力强于荆芥。荆芥，治表实无汗宜生用，治表虚有汗宜炒用，止血宜炒炭用。

566 香薷[1]

无毒。下气，除烦热[2]，疗呕逆冷气[3]。（《大观》卷28页14；《政和》页515；《纲目》页834）

【校注】

［1］**香薷** 为唇形科植物石香薷或江香薷。《别录》首载此药。《本草图经》云："北土差少，似白苏，而叶更细。十月中采，干之。一作香菜。"

［2］**除烦热** 《食医心镜》云："主心烦去热，取煎汤作羹煮粥及生食并得。"

又，香薷亦除胃热口臭。《千金方》治口臭方：香薷一把，以水一斗，煮取三升，稍稍含之。

［3］**疗呕逆冷气** 《太平惠民和剂局方》治夏月伤暑，外感于寒，内伤暑湿所致恶寒发热无汗、

头痛身痛、吐泻，以香薷、扁豆、厚朴合用。

陶弘景云："香薷……十月中取，干之。霍乱，煮饮，无不差。"《本草衍义》云："治霍乱不可缺也，用之无不效。"

又，香薷利湿，除水肿。陶弘景云："作煎，除水肿，尤良。"《外台秘要》治水病洪肿，气胀不消食方：香薷五十斤，煎取汁，微火熬令可丸如梧子，每服五丸，日三，稍加之，以小便利为度。此方出自《胡洽百病方》。

若水肿因脾虚湿盛致，可以香薷合白术为丸服之。

567 薄荷[1]

治中风失音，吐痰[2]，除贼风[3]，疗心腹胀[4]，下气，消宿食，及头风等[5]。(《大观》卷28页15；《政和》页515；《纲目》页838)

【校注】

[1] **薄荷** 为唇形科植物薄荷。《唐本草》首载此药。《本草图经》云："薄荷……茎、叶似荏而尖长，经冬根不死，夏秋采茎、叶，暴干。"

[2] **治中风失音，吐痰** 《本草图经》云："薄荷……近世医家治……及小儿风涎为要切之药。"《本草衍义》云："小儿惊风壮热，须此引药。"

[3] **除贼风** 《唐本草》云："薄荷……主贼风，伤寒发汗。"《药性论》："薄荷……发毒汗……新病差人勿食，令人虚汗不止。"《本草图经》云："凡新大病差人，不可食薄荷，以其能发汗，恐虚人耳。"按，薄荷能除贼风、发汗解表，治外感风寒、风热均可用之。治外感风寒之恶寒无汗，用薄荷配羌活、防风、苏叶；治外感风热之发热、头痛、无汗，用薄荷配桑叶、菊花、牛蒡子、桔梗、荆芥。

治风热上攻头目所致头痛、目赤、咽痛，用薄荷配甘草、桔梗、菊花、牛蒡子、荆芥。

治风热束表，妨碍麻疹透发，或风疹瘙痒，用薄荷配蝉蜕、牛蒡子、连翘、荆芥。

[4] **疗心腹胀** 《唐本草》云："薄荷……主……恶气，心腹胀满。"按，薄荷能辟邪恶秽气。治由暑邪引起的痧胀、腹痛吐泻，以薄荷、藿香、连翘、香附合用。若胸胁胀满，由肝郁不舒所致，以薄荷配柴胡、当归、白芍治之。

[5] **头风等** 薄荷能散头风。薄荷配川芎、荆芥、防风、白芷、细辛、羌活，治头痛。

薄荷，味辛，性凉，不耐久煮，入煎剂宜后下。其叶善发汗，梗长于理气。薄荷炒后发汗力降低，适用于表虚有汗。

568 瓠[1]

无毒。又云：微毒。除烦止渴，治心热[2]，利小肠[3]，润心肺，治石淋[4]，吐蛔虫。(《大观》卷29页1；《政和》页516；《纲目》页1232)

【校注】

[1] **瓠**　为葫芦科植物苦葫芦。《本经》首载此药，以“苦瓠”为正名。《别录》云：“生晋地（今山西）川泽。”《蜀本草》云：“陶云：瓠小者名瓢。按，《切韵》瓢注云：瓠也……瓠可为饮器，有甘、苦二种。甘者大，苦者小，则陶云小者名瓢是也。今人以苦瓠疗水肿甚效，亦能令人吐。”

[2] **除烦止渴，治心热**　《唐本草》云：“瓠……止渴，消热。”孟诜云：“瓠，冷，主消渴、恶疮。”

[3] **利小肠**　《本经》云：“苦瓠……主大水，面目四肢浮肿。”《唐本草》云：“瓠……通利水道。”《药性论》云：“苦瓠瓤，使，治水浮肿，面目肢节肿胀，下大水气疾。”《外台秘要》治脚肿渐上至膝，足不可践地方：苦瓠白瓤实，捻如大豆粒，以面裹煮一沸，空心服七枚，至午当出水一斗，二日水自出不止，大瘦乃差。

[4] **润心肺，治石淋**　《唐本草》云：“苦瓠瓤……主水肿石淋，吐……痰饮。”

又，瓠治黄疸。《本草拾遗》云：“又取一枚开口，以水煮，中搅取汁滴鼻中，主急黄。”《政和》引《伤寒类要》云：“治黄疸，以瓠子白瓤子，熬令黄，捣为末，每服半钱匕，日一服，十日愈。”

569　水斳[1]

治烦渴，疗崩中带下[2]。（《大观》卷 29 页 7；《政和》页 519；《纲目》页 1200）

【校注】

[1] **水斳**　为伞形科植物水芹。《本经》首载此药。《别录》云：“生南海（今广东、广西沿海）池泽。”《蜀本草·图经》云：“生水中，叶似芎䓖，花白色而无实，根亦白色。”《开宝本草》云：“即芹菜也。芹有两种：荻芹取根白色，赤芹取茎、叶，并堪作菹及生菜。”

[2] **疗崩中带下**　《本经》云：“水斳，主女子赤沃，止血。”《本草拾遗》云：“渣芹，平。主女子赤白沃，止血。”

570　马芹[1]

嫩时可食。

子，治卒心痛[2]。炒食，令人得睡。（《大观》卷 29 页 12；《政和》页 522；《纲目》页 1202）

【校注】

[1] **马芹**　《唐本草》首载此药，并注云：“生水泽旁，苗似鬼针、菾菜等，花青白色，子黄黑色，似防风子。”又云：“香似橘皮而无苦味。”

[2] **子，治卒心痛**　《唐本草》云：“马芹子……主心腹胀满。”孟诜云：“卒心痛，子作末，醋服。”

571 丝莼[1]

治热疸，厚肠胃[2]，安下焦，补大小肠虚气[3]，逐水，解百药毒，并蛊气。（《大观》卷29页6；《政和》页519；《纲目》页1072）

【校注】

[1] **丝莼** 为睡莲科植物莼菜。《别录》首载此药。《蜀本草·图经》云："生水中，叶似凫葵，浮水上，采茎堪啖，花黄白，子紫色。三月至八月，茎细如钗股，黄赤色。短长随水深浅而名为丝莼。九月、十月渐粗硬，十一月萌在泥中，粗短名瑰莼。"

[2] **厚肠胃** 孟诜云："蓴菜和鲫鱼作羹下气，止呕。"又云："热食之亦拥气不下，甚损人胃及齿，不可多食。"

[3] **补大小肠虚气** 孟诜云："少食，补大小肠虚气。"又云："多食令人颜色恶。又不宜和醋食之，令人骨痿。……久食损毛发。"

572 蕺菜[1]

有毒。淡竹筒内煨，傅恶疮[2]、白秃。（《大观》卷29页12；《政和》页521；《纲目》页1218）

【校注】

[1] **蕺菜** 即鱼腥草。为三白草科植物蕺菜。《唐本草》云："此物叶似荞麦，肥地亦能蔓生，茎紫赤色，多生湿地山谷阴处。……关中（今陕西）谓之菹菜。"

[2] **傅恶疮** 蕺菜清热解毒消痈。《政和》引《经验方》云："主背疮热肿，取汁盖之，至疮上开孔，以歇热毒，冷即易之，差。"蕺菜配蒲公英、黄连、赤芍内服，消热毒痈肿；配冬瓜仁、苇茎、桃仁、浙贝母、金银花、甘草、桔梗，治肺痈咳吐脓血。

又，《别录》云："蕺菜……主蠼螋溺疮。多食令人气喘。"

蕺菜不耐久煮，入药宜后下。新鲜蕺菜捣烂醋调外傅痈肿，干即易。治鼻渊流黄浊涕，以蕺菜配苍耳子、辛夷、薄荷、川芎、白芷、当归、白芍、熟地黄。

573 蒜[1]

健脾[2]，治肾气，止霍乱转筋[3]、腹痛[4]，除邪，辟温，去蛊毒，疗劳疟[5]、冷风、痃癖，温疫气，傅风拍冷痛、蛇虫伤[6]、恶疮疥[7]、溪毒、沙虱，并捣贴之[8]。熟醋浸之，经年者良。（《大观》卷29页5；《政和》页517；《纲目》页1182）

【校注】

［1］**蒜** 为百合科植物大蒜。《别录》首载此药，以“葫”为正名。陶弘景云：“今人谓葫为大蒜，谓蒜为小蒜。”《本草图经》云：“今处处有之，人家园圃所莳也。每头六七瓣。初种一瓣，当年便成独子葫，至明年则复其本矣。然其花中有实，亦葫瓣状而极小，亦可种之。五月五日采。”

［2］**健脾** 《食医心镜》云：“蒜齑着盐酱，捣食之。蒜苗作羹，煮食并得。主下气，温中，消谷。”

［3］**止霍乱转筋** 《纲目》引《摄生方》云：“脚肚转筋，大蒜擦足心令热，即安。仍以冷水食一瓣。”

［4］**腹痛** 《纲目》引《永类钤方》云：“鬼疰腹痛不可忍者，独头蒜一枚，香墨如枣大，捣和酱汁一合，顿服。”又引《濒湖集简方》云：“心腹冷痛，法醋浸至二三年蒜，食至数颗，其效如神。”

［5］**疗劳疟** 《纲目》云：“疟疾寒热。《肘后》：用独头蒜炭上烧之，酒服方寸匕。《简便》：用桃仁半片，放内关穴上，将独蒜捣烂罨之，缚住（男左女右）即止。……《普济方》：端午日，取独头蒜煨熟，入红矾等分，捣，丸芡子大，每白汤嚼下一丸。”

［6］**蛇虫伤** 《梅师方》治蛇虺螫人方：独头蒜、酸草，捣绞傅所咬处。《梅师方》治蜈蚣咬人，痛不止方：独头蒜磨螫处，痛止。

［7］**恶疮疥** 《政和》引《葛氏方》云：“丹者恶毒之疮，五色无常，又发足踝者，捣蒜，厚傅之，干即易之。”又引《子母秘录》云：“小儿白秃疮，凡头上团团然白色，以蒜揩白处，早朝使之。”《本草图经》引李绛《兵部手集》云：“疔毒疮肿，号叫卧不得，人不别者，取独头蒜两颗，细捣，以油麻和，厚傅疮上，干即易之。”

［8］**溪毒、沙虱，并捣贴之** 《食疗本草》云：“除风杀虫。”《政和》引《梅师方》云：“治射工毒，以独头蒜切之厚三分已来，贴疮上，灸之蒜上，令热气射入，差。”又引《千金方》云：“治暴痢，捣蒜，两足下贴之。”今之医者用2%大蒜液灌肠，日二次，亦效。

574　小蒜[1]

热，有毒。下气，止霍乱吐泻，消宿食[2]，治蛊毒，傅蛇虫、沙虱疮[3]。三月不可食。（《大观》卷29页5；《政和》页518；《纲目》页1180）

【校注】

［1］**小蒜** 为百合科植物小蒜。《别录》首载此药，以“蒜”为正名。《本草图经》云：“今处处有之。生田野中，根苗皆如葫而极细小者是也。五月五日采。”

［2］**下气，止霍乱吐泻，消宿食** 《别录》云：“蒜……主霍乱、腹中不安，消谷，理胃温中。”《食疗本草》《食医心镜》亦言此。

［3］**治蛊毒，傅蛇虫、沙虱疮** 孟诜云：“小蒜，亦主诸虫毒，丁肿甚良。”《食疗本草》云：“又去诸虫毒，丁肿毒疮甚良。”《政和》引《肘后方》云：“毒蛇螫人，杵小蒜饮汁，以滓傅疮上。”又引《兵部手集》云：“治心痛不可忍十年、五年者，随手效，以小蒜、酽醋煮，顿服之，取饱，不

用着盐。”按，薤亦有此效。薤是小根蒜，与小蒜功用相近。

575 芸薹[1]

凉。治产后血风[2]，及瘀血[3]。胡臭人不可食。(《大观》卷29页13；《政和》页522；《纲目》页1185)

【校注】

[1] **芸薹** 为十字花科植物油菜。《别录》首载此药（见《唐本草》引《别录》文）。《唐本草》将之录为正品。《本草衍义》云：“芸薹，不甚香，经冬根不死。”《纲目》云：“此菜易起薹，须采其薹食，则分枝必多，故名芸薹……即今油菜，为其子可榨油也。羌、陇、氐、胡（我国古代西北少数民族地区），其地苦寒，冬月多种此菜，能历霜雪……胡洽居士《百病方》谓之寒菜。”

[2] **治产后血风** 《本草拾遗》云：“芸薹，破血，产妇煮食之。”

[3] **及瘀血** 《唐本草》云：“芸薹……主风游丹肿，乳痈。”《开宝本草》云：“芸薹，破癥瘕结血。今俗方病人得吃芸薹，是宜血病也。”

《本草拾遗》云：“子压取油傅头，令头发长黑。又，煮食主腰脚痹。捣叶傅赤游疹。”

576 茄子[1]

治温疾，传尸劳气。(《大观》卷29页8；《政和》页520；《纲目》页1230)

【校注】

[1] **茄子** 为茄科植物茄的果实。《食疗本草》首载此药。《本草图经》云：“茄之类有数种：紫茄、黄茄，南北通有之；青水茄、白茄，惟北土多有。入药多用黄茄，其余惟可作菜茹耳。又有一种苦茄，小株有刺，亦入药。”

又，《本草拾遗》云：“醋磨傅痈肿。茎、叶枯者，煮洗冻疮。”

《食疗本草》云：“又，根主冻脚疮，煮汤浸之。”

《政和》引《胜金方》云：“治搕扑损，肌肤青肿方：茄子留花种通黄极大者，切作片如一指厚，新瓦上焙干为末。欲卧，酒调二钱匕，一夜消尽无痕迹也。”又引《灵苑方》云：“治肠风下血久不止，茄蒂烧存性为末，每服食前米饮调三钱匕。”

577 白芥[1]

能安五脏，功用与芥颇同。

子，烧，及服，可辟邪魅。(《大观》卷27页18；《政和》页505；《纲目》页1188)

【校注】

[1] **白芥** 为十字花科植物白芥。《本草拾遗》首载此药，并云："白芥，生太原（今山西太原），如芥而叶白，为茹食之甚美。"《开宝本草》云："生河东（今山西）。"《纲目》云："以八九月下种，冬生可食……三月开黄花，香郁。结角如芥角，其子大如粱米，黄白色……此菜虽是芥类，迥然别种也，然入药胜于芥子。"

按，白芥子可除痰，止呕，消痈肿。

《本草拾遗》云："主上气，发汗，除胸膈痰。"

《纲目》引《摘玄方》云："胸胁痰饮，白芥子五钱，白术一两，为末，枣肉和捣，丸梧子大，每白汤服五十丸。"白芥子配甘遂、大戟，或配苏子、莱菔子，亦可治胸胁痰饮。

《千金方》治反胃吐食，上气方：小芥子日干为末，酒服方寸匕。《千金方》治游肿诸痈方：芥子末、猪胆和如泥，傅上，日三易。

《妇人良方》治痰注关节所致臂痛引肩胛，以白芥子、木鳖子、木香、桂心、没药合用（有豁痰、通络止痛之功）。

《外科全生集》治阴疽痰核流注，以白芥子、炮姜、麻黄、肉桂、鹿角胶、熟地黄合用（有散结、消肿止痛之功）。

578 蜀葵[1]

味甘，寒，无毒。久食钝人性灵[2]。

根及茎，并主客热，利小便，散脓血恶汁[3]。

叶，烧为末，傅金疮。煮食，主丹石发热结。捣碎，傅火疮。又，叶炙煮，与小儿食，治热毒下痢，及大人丹痢。捣汁服亦可；恐腹痛，即暖饮之。

花，冷，无毒。治小儿风疹。

子，冷，无毒。治淋涩[4]，通小肠，催生落胎，疗水肿，治一切疮疥，并瘢疵土靥。

花，有五色，白者疗痎疟[5]，去邪气，阴干，末，食之。小花者，名锦葵，一名荍葵，功用更强。（《大观》卷27页17；《政和》页507；《纲目》页904）

【校注】

[1] **蜀葵** 为锦葵科植物蜀葵。《本草拾遗》首载此药，其后《日华子本草》亦载之。《嘉祐本草》糅合两家文字为一体。《嘉祐本草》云："《尔雅》云：菺，戎葵。释曰：菺，一名戎葵。郭曰：蜀葵也，似葵，花如槿花。戎、蜀盖其所自也，因以名之。"

[2] **久食钝人性灵** 孙真人云，食蜀葵，可治狗咬疮不差，又能钝人情性。

[3] **利小便，散脓血恶汁** 《本草衍义》云："根，阴干，治带下，排脓血恶物，极验。"《经验后方》治痈毒无头方：杵蜀葵末傅之。

[4] **治淋涩** 《圣惠方》治石淋方：葵子炒研，食前温酒下一钱，当下石出。

[5] **花，有五色，白者疗痎疟** 《本草图经》云："花有五色，白者主痎疟及邪热，阴干，末服之。午日取花，挼手，亦去疟。黄者主疮痈，干，末，水调涂之，立愈。"

579 胡荽[1]

味辛、温（一云微寒），微毒。消谷[2]，治五脏，补不足，利大小肠，通小腹气，拔四肢热，止头痛，疗沙疹、豌豆疮不出[3]，作酒喷之，立出，通心窍。久食令人多忘，发腋臭、脚气。

根，发痼疾。

子，主小儿秃疮，油煎傅之。亦主蛊、五痔及食肉中毒下血[4]。煮，冷，取汁服。并州人呼为香荽[5]，入药炒用。（《大观》卷27页11；《政和》页501；《纲目》页1199）

【校注】

[1] **胡荽** 为伞形科植物芫荽。孟诜《食疗本草》首载此药，其后陈藏器、萧炳、陈士良、日华子所著本草皆记载之。《嘉祐本草》糅合五家本草文字为一体，将之录为正品。

[2] **消谷** 胡荽有开胃消食之功。《食疗本草》云："主消谷能食。"一般供调味用。

[3] **疗沙疹、豌豆疮不出** 胡荽善散风寒，发表透疹。对于麻疹初起透发不畅，或因风寒出而复隐，可用胡荽煎汤熏洗。《政和》引《经验后方》云："治小儿疹豆欲令速出，宜用胡荽三二两，切，以酒二大盏煎令沸，沃胡荽便以物合定，不令泄气，候冷，去滓，微微从项已下喷一身令遍，除面不喷。"

[4] **子，主小儿秃疮，油煎傅之。亦主蛊、五痔及食肉中毒下血** 《本草拾遗》云："子，主小儿秃疮，油煎傅之，亦主虫毒、五野鸡病及食肉中毒下血，煮令子拆（即胀破），服汁。"《食疗本草》云："又食着诸毒肉，吐下血不止，顿痞黄者，取净胡荽子一升，煮食，腹破（子胀开），取汁停冷，服半升，一日一夜二服即止。"

[5] **并州人呼为香荽** 《本草拾遗》云："胡荽……石勒讳胡，并、汾（今山西汾阳）人呼为香荽也。"

《子母秘录》治肛脱出方：胡荽切一升，烧以烟熏，肛即入。

《外台秘要》治齿疼方：胡荽子以水五升，煮取一升，含之。

580 石胡荽[1]

寒，无毒。通鼻气，利九窍，吐风痰[2]。不任食，亦去翳，熟挼内鼻中[3]，翳自落。俗名鹅不食草。（《大观》卷27页12；《政和》页501；《纲目》页1080）

【校注】

[1] **石胡荽** 为菊科植物石胡荽。孟诜《食疗本草》首载此药，其后陈藏器、萧炳、陈士良、日华子所著本草皆著录之。《嘉祐本草》糅合诸家本草文字为一体，并将之收为正品。

[2] **吐风痰** 《集简方》治寒痰齁喘方：野园荽研汁，和酒服即住。

[3] **亦去翳，熟挼内鼻中** 《原机启微》嗅鼻去翳方：鹅不食草晒干二钱，青黛、川芎各一钱，为细末，噙水一口，每以米许嗅入鼻内，泪出为度。

581 邪蒿[1]

味辛，温、平，无毒。似青蒿细软。主胸膈中臭烂恶邪气，利肠胃[2]，通血脉，续不足气。生食微动风气，作羹食良，不与胡荽同食，令人汗臭气。（《大观》卷27页11；《政和》页501；《纲目》页1198）

【校注】

[1] **邪蒿** 《纲目》云："此蒿叶纹皆邪（斜），故名。……三四月生苗，叶似青蒿，色浅不臭。"孟诜《食疗本草》首载此药，其后陈藏器、萧炳、陈士良、日华子所著本草均著录之。《嘉祐本草》糅合诸家本草文字为一体，并将之收为正品。

[2] **主胸膈中臭烂恶邪气，利肠胃** 《食医心镜》云："治五脏邪气、厌谷者，治脾胃肠澼、大渴热中、暴疾恶疮，以煮令熟，和酱醋食之。"

582 同蒿[1]

平。主安心气，养脾胃，消水饮。又动风气，熏人心，令人气满，不可多食。（《大观》卷27页12；《政和》页501；《纲目》页1204）

【校注】

[1] **同蒿** 为菊科植物南茼蒿。孟诜《食疗本草》首载此药，其后陈藏器、萧炳、陈士良、日华子所著本草皆著录之。《嘉祐本草》糅合诸家文字为一体。《纲目》云："同蒿八九月下种，冬春采食肥茎。花、叶微似白蒿，其味辛甘，作蒿气。四月起薹，高二尺余。开深黄色花，状如单瓣菊花。一花结子近百成球，如地菘及苦荬子，最易繁茂。"

583 罗勒[1]

味辛，温，微毒。调中，消食，去恶气，消水气，宜生食。又疗齿根烂疮[2]，为灰用甚良。不可过多食，壅关节，涩荣卫，令血脉不行。又动风，发脚气。患啘，取汁服半合定。冬月用干者煮之。

子，主目翳[3]及物入目，三五颗致目中，少顷当湿胀，与物俱出。又疗风赤眵泪。

根，主小儿黄烂疮，烧灰傅之，佳。北人呼为兰香，为石勒讳也[4]。（《大观》卷27页12；《政和》页501；《纲目》页1204）

【校注】

[1] **罗勒** 为唇形科植物罗勒。陶弘景在“冬葵子”条下作注时首记此名。孟诜《食疗本草》首载此药，其后陈藏器、萧炳、陈士良、日华子所著本草皆著录之。《嘉祐本草》糅合诸家文字为一体，并将之收为正品。《嘉祐本草》云：“此有三种：一种堪作生菜；一种叶大，二十步内闻香；一种似紫苏叶。”

[2] **疗齿根烂疮** 《纲目》引《活幼口议》云：“用兰香子末、轻粉各一钱，蜜陀僧醋淬研末半两，和匀。每以少许傅齿及龈上，立效。内服甘露饮（滑石、木通、连翘、黄芩、川贝、薄荷、藿香、茵陈、石菖蒲）。”

[3] **主目翳** 《纲目》引《海上名方》云：“目昏浮翳，兰香子每用七个，睡时水煎服之，久久有效也。”

[4] **北人呼为兰香，为石勒讳也** 石勒是羯族、上党武乡（今山西榆社北）人，328年灭前赵，自立为后赵（后赵是东晋时北方十六国之一），建都襄国（今河北邢台），取得中国北方大部分地区。北方人为避石勒讳，称罗勒为兰香。

584 蕹菜[1]

味甘，平，无毒。主解野葛毒，煮食之，亦生捣服之。岭南种之，蔓生，花白，堪为菜。云南人先食蕹菜，后食野葛，二物相伏，自然无苦。又，取汁滴野葛苗，当时菸死[2]，其相杀如此。张司空云：魏武帝啖野葛至一尺，应是先食此菜也。（《大观》卷29页13；《政和》页522；《纲目》页1207）

【校注】

[1] **蕹菜** 为旋花科植物蕹菜。孟诜《食疗本草》首载此药，其后陈藏器、陈士良、日华子所著本草皆著录之。《嘉祐本草》糅合诸家文字为一体，将之收为正品。

《南方草木状》云：“蕹，叶如落葵而小……南人编苇为筏，作小孔，浮于水上。种子于水中，则如萍根浮水面。及长，茎、叶皆出于苇筏孔中，随水上下。”

《纲目》云：“蕹菜，今金陵（今江苏南京）及江夏（今湖北汉口、武昌）人多莳之……九月藏入土窖中，三四月取出，壅以粪土，即节节生芽，一本（同一条根）可成一畦也。干柔如蔓而中空，叶似菠薐及錾头（石凿的头）形。味短（味淡），须同猪肉煮，令肉色紫乃佳。”

[2] **菸死** 即萎死。

585　菠薐[1]

冷，微毒。利五脏，通肠胃热，解酒毒。服丹石人食之，佳。北人食肉面即平，南人食鱼鳖水米即冷。不可多食，冷大小肠，久食令人脚弱不能行，发腰痛。不与䱉鱼同食，发霍乱吐泻。(《大观》卷29页13；《政和》页522；《纲目》页1207)

【校注】

[1] **菠薐**　为藜科植物菠菜。孟诜《食疗本草》首载此药，其后陈藏器、陈士良、日华子所著本草均著录之。《嘉祐本草》糅合诸家文字为一体，并将之收为正品。

《嘉祐本草》引刘禹锡《嘉话录》云："菠薐，本西国中有，自彼将其子来，如苜蓿、葡萄因张骞而至也。本是颇陵国将来，语讹，尔时多不知也。"

《经验方》治消渴方：菠薐根、鸡内金为末，米饮服一钱，日三。

586　苦荬[1]

冷，无毒。治面目黄[2]，强力，止困，傅蛇虫咬。又，汁傅丁肿[3]，即根出。蚕蛾出时，切不可取拗[4]，令蛾子青烂。蚕妇亦忌食。野苦荬五六回拗后，味甘、滑于家苦荬，甚佳。(《大观》卷29页13；《政和》页522；《纲目》页1216)

【校注】

[1] **苦荬**　为菊科植物苦荬菜。《纲目》将苦荬并入"苦菜"条中，视苦菜、苦荬为一物。《政和》视苦菜、苦荬为二物。苦菜是《本经》药，"苦荬"条文字是《嘉祐本草》糅合孟诜、陈藏器、陈士良、日华子四家文字而成。最早记载苦荬的为孟诜《食疗本草》。

《纲目》云："苦荬……春初生苗，有赤茎、白茎二种。其茎中空而脆，折之有白汁，胼叶（并列的叶）似花萝卜菜叶而色绿带碧，上叶抱茎，梢叶似鹳嘴，每叶分叉，撺挺如穿叶状。开黄花，如初绽野菊。一花结子一丛，如同蒿子及鹤虱子。花罢则收敛，子上有白毛茸茸，随风飘扬，落处即生。"

[2] **治面目黄**　汪颖治黄疸疾方：苦荬花、子研细二钱，水煎服，日二次。

[3] **汁傅丁肿**　《纲目》引唐瑶《经验方》云："对口恶疮，野苦荬擂汁一钟，入姜汁一匙，和酒服，以渣傅，一二次即愈。"

[4] **不可取拗**　即不可折取。

587　鹿角菜[1]

大寒，无毒、微毒。下热风气，疗小儿骨蒸热劳。丈夫不可久食，发痼疾，损经络血气，令人脚冷痹，损腰肾，少颜色，服丹石人食之，下石力也。出海州，登、莱、沂、密州并有[2]，生海中。又能解面热。(《大观》卷29页13；《政和》页522；《纲目》页1240)

【校注】

[1] **鹿角菜** 为海萝科植物海萝。孟诜《食疗本草》首载此药，其后陈藏器、陈士良、日华子所著本草均著录之。《嘉祐本草》糅合诸家文字为一体，将之收为正品。

《纲目》云："鹿角菜，生东南海中石崖间。长三四寸，大如铁线，分丫如鹿角状，紫黄色。土人采曝，货为海错。以水洗醋拌，则胀起如新，味极滑美。久浸则化如胶状，女人用以梳发，粘而不乱。"

[2] **出海州，登、莱、沂、密州并有** 海州，即今江苏连云港；登，即今山东蓬莱；莱，即今山东莱州；沂，即今山东临沂；密，即今山东诸城。

588 莙荙[1]

平，微毒。补中下气，理脾气，去头风，利五脏冷气。不可多食，动气；先患腹冷，食必破腹。

茎灰淋汁，洗衣白如玉色。(《大观》卷29页13；《政和》页522；《纲目》页1207)

【校注】

[1] **莙荙** 为藜科植物莙荙菜。孟诜《食疗本草》首载此药，其后陈藏器、陈士良、日华子所著本草均收载之。《嘉祐本草》糅合诸家文字为一体，将之录为正品。《纲目》将莙荙并在"莕菜"条中，并云："痔瘘下血，莙荙子、芸薹子、荆芥子、芫荽子、莴苣子、蔓菁子、萝卜子、葱子等分，以大鲫鱼一个去鳞、肠，装药在内，缝合，入银、石器内，上下用火炼熟，放冷为末，每服二钱，米饮下，日二服。"

米谷部　卷第二十

589 胡麻[1]

补中益气，养五脏，治劳气[2]、产后羸困，耐寒暑，止心惊。

子，利大小肠[3]，催生落胞，逐风温气、游风、头风，补肺气，润五脏，填精髓[4]。细研，涂发长头。白蜜蒸为丸服，治百病。

叶，作汤沐，润毛发，滑皮肤，益血色。（《大观》卷24页1；《政和》页481；《纲目》页1102）

【校注】

［1］**胡麻** 即黑脂麻，为胡麻科植物脂麻。《本经》首载此药。陶弘景云："淳黑者名巨胜……本生大宛（在中亚费尔干纳盆地，古名大宛），故名胡麻。"《纲目》云："按，沈存中《笔谈》云：胡麻即今油麻，更无他说。古者中国只有大麻，其实为蕡。汉使张骞始自大宛得油麻种来，故名胡麻，以别中国大麻也。"《别录》云："生上党（今山西长子）川泽。"《本草图经》云："生中原（以河南为主，含邻近的山东、河北、山西、陕西）川谷，今并处处有之……或云本生胡中，形体类麻，故名胡麻。又，八谷之中最为大胜，故名巨胜。"

［2］**补中益气，养五脏，治劳气** 《政和》引《圣惠方》云："治五脏虚损羸瘦，益气力，坚筋骨。巨胜蒸、暴各九遍，每取二合，用汤浸布裹，挼去皮，再研，水滤取汁煎饮，和粳米煮粥食之。"

［3］**利大小肠** 《经验方》治大便燥结难解方：胡麻炒香杵为末，每服三钱，日三服。《千金方》治尿血方：胡麻三升杵末，以东流水二升浸一宿，绞汁，炖热服。

［4］**润五脏，填精髓** 《食疗本草》云："胡麻，润五脏，主火灼。山田种为四棱。土地有异，功力同。休粮人重之。填骨髓，补虚气。"

又，《药性论》云："白蜜一升，子一升，合之名曰静神丸，常服之，治肺气，润五脏，其功至多。亦能休粮，填人骨髓，甚有益于男子。"

《千金方》治白发还黑方：乌麻（胡麻）九蒸九暴，末之，以枣膏丸服之。又，乌麻同霜桑叶为丸，治肝阴虚眼目昏花。《千金方》云，胡麻久蒸，杵末，常以酒服之，明目洞视。

《外台秘要》治沸汤所淋，火烧烂疮方：杵生胡麻如泥，厚封之。

590 白油麻[1]

大寒，无毒。治虚劳，滑肠胃，行风气，通血脉，去头浮风，润肌。食后生啖一合，终身不辍。与乳母食，其孩子永不病生。若客热，可作饮汁服之。停久者，发霍乱。又，生嚼，傅小儿头上诸疮[2]，良。久食，抽人肌肉。生则寒，炒则热。

又，叶，捣和浆水，绞去滓，沐发，去风，润发。

其油，冷，常食所用也，无毒。发冷疾，滑骨髓，发脏腑渴，困脾脏，杀五黄，下三焦热毒气，通大小肠，治蛔心痛，傅一切疮疥癣，杀一切虫。取油一合，鸡子两颗，芒消一两，搅服之，少时即泻，治热毒甚良。治饮食物，须逐日熬熟用，经宿即动气。有牙齿并脾胃疾人，切不可吃。陈者煎膏，生肌长肉，止痛，消痈肿，补皮裂。（《大观》卷24页6；《政和》页484；《纲目》页1103）

【校注】

[1] **白油麻** 《本草衍义》云："白油麻与胡麻一等……今人止谓之脂麻（芝麻）。"孟诜《食疗本草》首载此药，其后陈藏器、陈士良、日华子所著本草皆著录之。《嘉祐本草》糅合诸家文字为一体，将之收为正品。

[2] **生嚼，傅小儿头上诸疮** 《普济方》治头面诸疮方：脂麻生嚼，傅之。《谭氏小儿方》治小儿软疖方：油麻炒焦，乘热嚼烂，傅之。

591 大麻[1]

补虚劳，逐一切风气，长肌肉，益毛发，去皮肤顽痹[2]，下水气[3]及下乳，止消渴[4]，催生，治横逆产[5]。（《大观》卷24页3；《政和》页482；《纲目》页1107）

【校注】

[1] **大麻** 为桑科植物大麻。《本经》首载此药，以"麻蕡"为正名，并云"一名麻勃"，又云"麻子，味甘，平"。《纲目》据《吴普本草》认为，麻蕡是实，麻勃是花，麻子是实中仁。

《本经》云："麻蕡……多食令见鬼（幻觉）狂走。"《食疗本草》云："要见鬼者，取生麻子、菖蒲、鬼臼等分杵为丸，弹子大，每朝向日服一丸，服满百日，即见鬼也。"

[2] **逐一切风气，长肌肉，益毛发，去皮肤顽痹** 《食疗本草》云："去五脏风，润肺，治关节不通、发落。"《千金方》治发落不生方：麻子熬黑压油以傅头，长发妙。

[3] **下水气** 《食医心镜》云："治风水腹大，脐腰重痛不可转动，冬麻子半升，碎，水研滤取汁，米二合，以麻子汁煮作稀粥，着葱、椒、姜、豉，空心食之。"

《药性论》云："大麻人，使，治大肠风热结涩。"《肘后方》治大便不通方：研麻子相和为粥食。《伤寒论》治大便鞭，用麻子仁丸。麻子仁丸方：麻子仁、芍药、枳实、大黄、厚朴、杏仁为丸，如梧桐子大，饮服十丸，日三服，渐加，以知为度。

［4］**止消渴** 葛洪治消渴方：秋麻子一升，水三升，煮三四沸，饮汁，不过五升，便差。

［5］**催生，治横逆产** 《唐本草》注云："根，主产难，胞衣不出，破血壅胀，带下，崩中不止者，以水煮服之效。"《政和》引《新续十全方》云："令易产，大麻根三茎，水一升，煎取半升，顿服立产。衣不下，服之亦下。"

《本草图经》引唐·韦宙《独行方》云："主踠折骨痛不可忍。用大麻根及叶捣取汁一升饮之。非时即煮干麻汁服亦同。亦主挝打瘀血，心腹满，气短，皆效。"

592 饴糖[1]

益气力[2]，消痰，止嗽[3]，并润五脏。（《大观》卷24页7；《政和》页484；《纲目》页1158）

【校注】

［1］**饴糖** 为谷类（米、玉米、粟、大麦、小麦）经谷芽糖化制成的糖。《别录》首载此药。陶弘景云："饴糖乃云胶饴，皆是湿糖，如厚蜜者。"

［2］**益气力** 《别录》云："饴糖……主补虚乏，止渴。"孟诜云："饴糖，补虚止渴，健脾胃气。"饴糖，可治劳倦伤脾、中气虚乏、食少。

又，《金匮要略》小建中汤，以饴糖合桂枝汤（桂枝、芍药、甘草、大枣、生姜），治虚劳里急、口燥咽干。

［3］**消痰，止嗽** 饴糖，能润肺止咳，配杏仁、百部，治肺虚所致气短喘咳。

按，饴糖能缓急止痛。如小建中汤加黄芪，治虚寒腹痛。若寒痛甚，加干姜、蜀椒、人参。又，饴糖能缓和川乌、草乌、附子毒。

593 黑豆[1]

调中下气，通关脉，制金石药毒，治牛马温毒。（《大观》卷25页1；《政和》页486；《纲目》页1134）

【校注】

［1］**黑豆** 为豆科植物大豆。《本经》首载此药。《别录》云："生太山（今山东泰安）平泽。九月采。"《本草图经》云："大豆有黑、白二种，黑者入药，白者不用。其紧小者为雄豆，入药尤佳。"

《本草拾遗》云："大豆炒令黑烟未断，及热投酒中，主风痹瘫缓，口噤，产后诸风。"《本草图经》云："乌豆五升，选择令净，清酒一斗半，炒豆令烟向绝，投于酒中，看酒赤紫色，乃去豆。量性服之，可日夜三盏。如中风口噤，即加鸡屎白二升和熬，投酒中，神验。"《肘后方》治卒风不语方：浓煮黑豆饮之，佳。

《本经》云："生大豆，涂痈肿。"孟诜云："大豆寒，和饭捣，涂一切毒肿。"

《别录》云："大豆……逐水胀……杀乌头毒。"《千金方》治身肿浮方：乌豆一升，水五升，煮取三升汁，去滓，分温三服，不差，再合服之。《蜀本草》云："生大豆，煮食之，主温毒水肿。"

594 豉[1]

治中毒药、蛊气，疟疾，骨蒸，并治犬咬。（《大观》卷25页16；《政和》页493；《纲目》页1147）

【校注】

[1] **豉** 为豆科植物大豆的种子经发酵加工而成。将黑豆蒸熟、摊平，盖以鲜青蒿、桑叶，使发酵成黄色后取出，去桑叶、青蒿，拌以清水置瓮内，封，置露天晒21天，取出晒干用。《别录》首载此药。

按，豉能发汗解表。《别录》云："豉……主伤寒头痛寒热。"《本草拾遗》云："主解烦热，热毒寒热，虚劳，调中，发汗。"豉配葱白，治外感风寒感冒；配金银花、连翘、薄荷，治外感风热感冒；配栀子，治胸中烦闷。

《千金方》治酒病方：豉、葱白各半升，水二升，煮取一升，顿服之。

按，豉炒焦，止痢，傅湿疮。葛洪治赤白痢方：熬豉令小焦，捣服一合，日三。

姚和众治小儿丹毒破作疮，黄水出方：焦炒豉令烟绝，为末，油调傅之。

《杨氏产乳》治恶疮方：熬豉为末，傅之，不过三四次。

595 赤豆粉[1]

治烦，解热毒，排脓[2]，补血脉。解油衣粘缀甚妙。

叶，食之，明目。（《大观》卷25页3；《政和》页487；《纲目》页1138）

【校注】

[1] **赤豆粉** 为豆科植物赤豆或赤小豆种子加工而成的粉。《本经》首载此药。《本草图经》云："今江淮间尤多种莳。"

按，赤豆粉利水。《本经》云："赤小豆，主下水。"《别录》云："赤小豆……利小便。"陶弘景云："小豆性逐津液，久服令人枯燥矣。"《本草图经》云："赤小豆……主水气，脚气方最急用。其法用此豆五合，葫一头，生姜一分，并碎破，商陆根一条切，同水煮豆烂汤成……空腹食之，旋旋啜汁令尽。"

《食疗本草》云："和鲤鱼烂煮食之，甚治脚气及大腹水肿。"

《伤寒论》治瘀热在里身必黄，以赤小豆与麻黄、连翘、杏仁、梓白皮、生姜、大枣、甘草合用。

[2] **解热毒，排脓** 《本经》云："赤小豆，主下水，排痈肿脓血。"《药性论》云："赤小豆……捣，薄涂痈肿上，主小儿急黄烂疮。"《小品方》治疽初作方：以小豆末，醋调傅之。《疡科捷径》治痈肿初起，红肿热痛方：赤豆粉醋调傅之。赤小豆、薏苡仁、防己、甘草合用，内服，可消肠痈。

又，《梅师方》治妇人乳肿不得消方：赤小豆、莽草等分为末，苦酒（醋）和傅之，佳。

596 麦蘖[1]

温中下气，开胃[2]，止霍乱，除烦，消痰，破癥结[3]，能催生落胎[4]。（《大观》卷 25 页 13；《政和》页 492；《纲目》页 1157）

【校注】

[1] **麦蘖** 即大麦芽。为禾本科植物大麦种子发的芽。《药性论》首载此药。

[2] **下气，开胃** 《药性论》云："大麦蘖……能消化宿食，破冷气，去心腹胀满。"麦蘖配神曲、山楂，治食积不化；配神曲、白术、陈皮，能开胃进食。

[3] **破癥结** 《纲目》引《妇人良方》云："产后秘结，五七日不通，不宜妄服药丸。宜用大麦芽炒黄为末，每服三钱，沸汤调下，与粥间服。"

[4] **能催生落胎** 《圣惠方》治妊娠欲去胎方：麦蘖二两，水一盏半，煎至一盏，分温三服。《小品方》治妊娠欲去胎方：大麦芽一升，水三升，煮取二分，分三服。

又，麦蘖消乳。《纲目》引《丹溪纂要方》云："产后回乳，产妇无子食乳，乳不消，令人发热恶寒，用大麦蘖二两，炒为末，每服五钱，白汤下，甚良。"

按，《纲目》云，麦蘖、谷芽、粟蘖，皆能消导米、面、诸果食积。但有积者，服之能消化；无积而久服之，则消人元气，同白术诸药合用，则无害也。

597 曲[1]

味甘，大暖。疗脏腑中风气，调中下气，开胃，消宿食[2]，主霍乱、心膈气、痰逆，除烦，破癥结，及补虚，去冷气，除肠胃中塞，不下食，令人有颜色，六月作者良。陈久者入药用之，当炒令香。六畜食米胀欲死者，煮曲汁灌之，立消。落胎并下鬼胎。

又，神曲，使，无毒。能化水谷宿食癥气，健脾暖胃。（《大观》卷 25 页 14；《政和》页 492；《纲目》页 1155）

【校注】

[1] **曲** 为禾本科植物小麦的面粉经发酵加工而成。用面粉、麸皮、杏仁泥、赤豆粉，以及鲜青蒿、鲜苍耳、鲜辣蓼自然汁，混合拌匀，使不干不湿，制成小块，摊平，盖以麻叶，保温发酵 1 周，长出菌丝后，取出晒干即成。孟诜《食疗本草》首载此药，陈藏器、萧炳、陈士良、日华子所著本草

亦载之。《嘉祐本草》糅合诸家文字为一体，将之收为正品。

[2] **调中下气，开胃，消宿食** 曲配山楂、麦芽、槟榔，治食积、脘腹胀闷。

《肘后方》治赤白痢下，谷食不消方：曲熬粟米粥，服方寸匕，日四五止。

《千金方》治妊娠卒胎动不安，或腰痛胎转抢心、下血不止方：生曲半饼，碎末，水和，绞取汁服。(《子母秘录》《杨氏产乳》同) 但《日华子本草》所说曲“落胎并下鬼胎”，与此方治妊娠胎动不安似有矛盾。

598 穬麦[1]

作饼食，不动气；若暴食时间似动气，多食即益人[2]。(《大观》卷25页14；《政和》页492；《纲目》页1112)

【校注】

[1] **穬麦** 为禾本科植物裸麦。《别录》首载此药。萧炳《四声本草》云：“穬麦……大麦之类，西川（今四川西部）人种食之。山东、河北人正月种之，名春穬，形状与大麦相似。”

[2] **多食即益人** 《别录》云：“穬麦……久服令人多力健行。”陶弘景云：“大、穬二麦，令人轻健。”孟诜云：“穬麦，主轻身补中，不动疾。”

《别录》云：“穬麦……以作蘖，温，消食和中。”此与大麦为蘖，化宿食、破冷气、止心腹胀满功效同。

599 荞麦[1]

味甘，平，寒，无毒。实肠胃，益气力。久食动风，令人头眩。和猪肉食之，患热风，脱人眉须。虽动诸病，犹挫丹石，能炼五脏滓秽，续精神。作饭与丹石人食之，良。其饭法可蒸，使气馏，于烈日中暴令口开，使舂取人作饭。叶作茹，食之下气，利耳目，多食即微泄。烧其穰作灰，淋洗六畜疮，并驴马躁蹄。(《大观》卷25页15；《政和》页493；《纲目》页1113)

【校注】

[1] **荞麦** 为蓼科植物荞麦的种子。孟诜《食疗本草》首载此药，其后陈藏器、萧炳、陈士良、日华子所著本草皆著录之。《嘉祐本草》糅合诸家文字为一体，将之收为正品。《纲目》云：“荞麦南北皆有。立秋前后下种，八九月收刈，性最畏霜。苗高一二尺，赤茎绿叶，如乌柏树叶。开小白花繁密粲粲然。结实累累如羊蹄，实有三棱，老则乌黑色。”

按，荞麦面治赤丹。《政和》引《兵部手集》云：“孩子赤丹不止，荞麦面醋和傅之，差。”“治小儿油丹赤肿，荞麦面醋和傅之，良。”又引《杨氏产乳》云：“疮热油赤肿，取荞麦面醋和涂之。”

又，《纲目》引《奇效方》云："汤火伤灼，用荞麦面炒黄研末，水和傅之。"

600 小麦面[1]

养气，补不足，助五脏，久食实人。

麸，凉。治时疾，热疮，汤火疮烂[2]，扑损、伤折瘀血[3]，醋炒贴署。（《大观》卷25页12；《政和》页491；《纲目》页1110）

【校注】

［1］**小麦面**　为禾本科植物小麦的面粉。《别录》首载小麦。

［2］**汤火疮烂**　《政和》引《千金方》云："治火疮，熬面，入栀子仁，末，和油傅。"又引《圣惠方》云："主妇人乳痈不消。右用白面半斤炒令黄色，用醋煮为糊，涂于乳上，即消。"

［3］**扑损、伤折瘀血**　《本草拾遗》云："和醋蒸，抱所伤折处，止痛散血。"《政和》引《肘后方》云："一切伤折，寒食蒸饼不限多少，末，酒服之验。"

又，《金匮要略》甘麦大枣汤：小麦一升，甘草三两，大枣十枚，水煎分三服。该方治脏躁症。脏躁症表现为精神恍惚、悲伤欲哭、不能自主。因小麦能养心除烦。

按，小麦不实，水淘则浮者，名浮小麦。浮小麦能敛汗。《卫生宝鉴》治盗汗、虚汗方：将浮小麦用微火炒焦，研末，每服二钱。《太平惠民和剂局方》以浮小麦、麻黄根、黄芪、牡蛎为散，治自汗盗汗、心悸惊惕。

又，《政和》引"孙真人"云："麦，心之谷也，心病宜食，主除热止渴，利小便，养心气。"

601 麦黄[1]

暖。温中下气，消食[2]，除烦。（《大观》卷25页12；《政和》页491；《纲目》页1155）

【校注】

［1］**麦黄**　即小麦曲。《唐本草》名黄蒸，并云："磨小麦为之，一名黄衣。"《本草拾遗》云："黄蒸，温补，消诸生物。北人以小麦，南人以秔米，皆六七月作之……亦呼为黄衣，尘绿者佳。"

［2］**消食**　《唐本草》云："并消食，止泄痢，下胎，破冷血也。"《别录》云："小麦……以作曲，温，消谷，止痢。"

602 麦苗[1]

凉。除烦闷，解时疾狂热，消酒毒[2]，退胸膈热。患黄疸人，绞汁服[3]，并利小肠。作齑吃[4]，甚益颜色。（《大观》卷25页12；《政和》页491；《纲目》页1111）

【校注】

[1] **麦苗** 为禾本科植物小麦的苗。《本草拾遗》首载此药。

[2] **解时疾狂热，消酒毒** 《本草拾遗》云："麦苗，味辛，寒，无毒。主酒疸目黄，消酒毒、暴热。"

[3] **患黄疸人，绞汁服** 《千金方》治黄疸方：小麦苗，杵，绞取汁，饮六七合，昼夜三四饮之，三四日便愈。

[4] **作齑吃** 切碎腌作菜吃。

603 青粱米[1]

健脾[2]，治泄精。醋拌，百蒸百暴，可作糗粮。(《大观》卷25页8；《政和》页489；《纲目》页1124)

【校注】

[1] **青粱米** 为禾本科植物粟的一种。《别录》首载此药。陶弘景云："凡云粱米皆是粟类，惟其牙头色异为分别尔。"《唐本草》云："青粱壳穗有毛，粒青，米亦微青而细于黄、白粱也。谷粒似青稞而少粗。"《纲目》云："考之《周礼》，九谷、六谷之名，有粱无粟可知矣。自汉以后，始以大而毛长者为粱，细而毛短者为粟。"又云："今粟中有大而青黑色者是也。其谷芒多米少。"《本草图经》云："粟米比粱米乃细而圆，种类亦多。"

[2] **健脾** 《食医心镜》云："主胃脾热中，除渴，止痢，利小便，益气力，补中，轻身长年，以粱米炊饭食之。"《养老书》治脾虚泄利方：青粱米半升，神曲一合，煮粥食之。

又，《外台秘要》治消渴方：青粱米煮汁饮之，差。

《养老书》治老人血淋方：车前五合，布包煮汁，入青粱米四合，煮粥饮汁，亦能明目。

《养老书》治冷气心痛方：桃仁三两去皮尖，水研绞汁，入青粱米四合，煮粥常食。按，此方治冷气心痛与今用少量常服阿司匹林预防冠心病、心绞痛，机制相近。

604 黄粱米[1]

去客风，治顽痹。(《大观》卷25页11；《政和》页491；《纲目》页1124)

【校注】

[1] **黄粱米** 为禾本科植物粟的一种。《别录》首载此药。陶弘景云："黄粱出青（今山东青州）、冀（今河北）州。"《唐本草》云："黄粱出蜀（今四川崇州）、汉（今四川广汉），商（今陕西商州）、浙（今浙江）间亦种之。穗大毛长，谷米俱粗于白粱，而收子少，不耐水旱。食之香美，逾于诸粱，人号为竹根黄。"

《外台秘要》治小儿面身生疮如火烧方：黄粱一升，末，蜜水和傅之。

《别录》云："黄粱米……主益气和中，止泄。"《食医心镜》云："黄粱米主益气和中，止泄痢……

以作饮食之。”

605 赤黍米[1]

温。下气，止咳嗽，除烦，止渴，退热[2]。不可合蜜并葵同食[3]。(《大观》卷25页10;《政和》页490;《纲目》页1123)

【校注】

[1] **赤黍米** 为禾本科植物黍的种子。《别录》首载此药，以“丹黍米”为正名。《本草衍义》云：“丹黍米，黍皮赤，其米黄，惟可为糜（粥之稠者），不堪为饭，黏着难解，然亦动风。”《纲目》云：“盖稷之黏者为黍，粟之黏者为秫，粳之黏者为糯……今俗不知分别，通呼秫与黍为黄米矣。”

[2] **除烦，止渴，退热** 《食医心镜》云：“主除烦热，止泄痢并渴，丹黍米饭食之。”

[3] **不可合蜜并葵同食** 《食疗本草》云：“黍米合葵菜食之成痼疾。”《政和》引“孙真人”云：“黍米合葵食之成痼。”

又，《肘后方》治汤火所灼未成疮方：黍米、女曲等分，各熬令焦，杵为末，以鸡子白调傅之。

606 糵米[1]

温。能除烦[2]，消宿食，开胃[3]。又名黄子，可作米醋[4]。(《大观》卷25页11;《政和》页491;《纲目》页1157)

【校注】

[1] **糵米** 《唐本草》云：“糵者……皆当以可生之物为之……按，《食经》称用稻糵。”稻糵一名谷芽，为禾本科植物稻发的芽。《本草衍义》云：“糵米，此则粟糵也。今谷神散中用之，性又温于大麦糵。”

[2] **能除烦** 《别录》云：“糵米……主寒中，下气，除热。”

又，陶弘景云：“末其米脂和，傅面，亦使皮肤悦泽。”

[3] **消宿食，开胃** 《纲目》云：“麦糵、谷芽、粟糵，皆能消导米、面、诸果食积……但有积者能消化，无积而久服，则消人元气也……若久服者，须同白术诸药兼用，则无害也矣。”

[4] **又名黄子，可作米醋** 《纲目》云：“日华子谓糵米为作醋黄子者，亦误矣。”

607 秫米[1]

无毒。犬咬、冻疮，并嚼傅。(《大观》卷25页7;《政和》页489;《纲目》页1126)

【校注】

[1] **秫米** 为禾本科植物粟的一种黏性种仁。《别录》首载此药。《本草衍义》云："秫米，初捣出淡黄白色，经久色如糯……亦不堪为饭，最粘，故宜酒。"

又，《别录》云："秫米……利大肠，疗漆疮。"陶弘景云："北人以作酒及煮糖，肥软易消……嚼以涂漆疮及酿诸药醪。"

孟诜云："又米一石（担）、曲三斗，和地黄一斤，茵陈蒿一斤，炙令黄，一依酿酒法服之，治筋骨挛急。"《黄帝内经》以秫米、半夏煎汤，治胃不和所致夜卧不安。

608 陈仓米[1]

补五脏，涩肠胃[2]。（《大观》卷26页7；《政和》页497；《纲目》页1150）

【校注】

[1] **陈仓米** 为储存多年的粳米，是禾本科植物稻经加工储存年久的粳米。《别录》首载此药，以"陈廪米"名之。陶弘景云："此今久入仓陈赤者，汤中多用之。人以作醋胜于新粳米也。"

[2] **补五脏，涩肠胃** 《别录》云："陈廪米……调胃止泄。"《食疗本草》云："炊作干饭食之，止痢，补中益气……北人炊之，于瓮中水浸令酸，食之暖五脏六腑之气。"又云："毒肿恶疮，久陈者，蒸作饭，和酢封肿上，立差。"

又，《食医心镜》云："陈仓米……调胃，止泄痢，作饭食之。"

陈士良云："陈仓米，平胃口，止泄泻，暖脾，去惫气，宜作汤食。"

609 粳米[1]

补中，壮筋骨，补肠胃。（《大观》卷25页7；《政和》页489；《纲目》页1117）

【校注】

[1] **粳米** 为禾本科植物粳稻的种仁。《别录》首载此药。陶弘景云："有白、赤、小、大异族四五种，犹同一类也。前陈廪米亦是此种。"

《别录》云："粳米……主益气，止烦，止泄。"《蜀本草》云："断下痢，和胃气。"孟诜云："粳米，平。主益气，止烦泄。其赤则粒大而香。"

《本草衍义》云："粳米，白晚米为第一，早熟米不及也。平和五脏，补益胃气，其功莫逮。"

610 糯米[1]

凉，无毒。补中益气[2]，止霍乱，取一合，以水研服[3]，煮粥。

稻穰[4]，治蛊毒，浓煎汁服。

稻秆，治黄病通身，煮汁服[5]。（《大观》卷26页2；《政和》页495；《纲目》页1115）

【校注】

[1] **糯米** 为禾本科植物糯稻的种仁。《别录》首载此药，以“稻米”为正名。《开宝本草》云：“今此稻米即糯米也。”《纲目》云，粘者为糯，不粘者为粳。《字林》云，糯，粘稻也；秔稻，不粘。《说文》云，稻即糯也。

[2] **补中益气** 《政和》引“孙真人”文云：“糯米，味甘，脾之谷，脾病宜良，益气止泄。”

[3] **止霍乱，取一合，以水研服** 孟诜云：“又霍乱后吐逆不止，清水研一碗，饮之即止。”《梅师方》治霍乱心悸，热，心烦，渴方：以糯米水清研之，冷熟水混，取米泔汁，任意饮之。《杨氏产乳》治霍乱烦渴不止方：糯米三合，水五升，蜜一合，研汁分服，或煮汁服。

[4] **稻穗** 即谷芒。

[5] **稻秆，治黄病通身，煮汁服** 《本草拾遗》云：“稻穰，主黄病身作金色，煮汁浸之。又，稻谷芒，炒令黄，细研作末，酒服之。”

《本草拾遗》云：“糯米……主消渴。久食之，令人身软。黍米及糯，饲小猫、犬，令脚屈不能行，缓人筋故也。”

《灵苑方》治金疮痈疽热毒方：糯米三升，于端午前四十九日，冷水浸，一日换两次水，至端午日取出阴干，炒黑为末，冷水调如膏药，裹定疮口，布包勿动。

611 稷米[1]

冷。治热，压丹石毒，多食发冷气[2]，能解苦瓠毒[3]，不可与川附子同服。（《大观》卷26页4；《政和》页496；《纲目》页1121）

【校注】

[1] **稷米** 为禾本科植物黍的种仁之不黏者。《别录》首载此药。《唐本草》云：“《吕氏春秋》云：饭之美者，有阳山之穄（南人呼稷为穄，谓其米可供祭也）。高诱曰：关西（今陕西）谓之糜，冀州（今河北）谓之䵚（音牵去声）。”《本草衍义》云：“稷米，今谓之穄米……堪为饭，不粘着，其味淡。”

[2] **治热，压丹石毒，多食发冷气** 孟诜云：“稷……服丹石人发热，食之热消也。”

[3] **能解苦瓠毒** 《食疗本草》云：“食苦瓠毒，煮汁饮之即止。”

又，《外台秘要》治脚气冲心方：以稷穰一石内釜中多煮取浓汁，去滓，内椒目一斗，更煎十余沸，渍脚三两度，如冷，温渍洗，差。

又，《食疗本草》云：“黍之茎、穗，人家用作提拂（扫帚），以将扫地。”又云：“破提拂煮取汁，浴之，去浮肿。又，和小豆煮汁服之，下小便。”

612 藊豆[1]

平，无毒。补五脏[2]。

叶，傅蛇虫咬[3]。(《大观》卷25页15;《政和》页493;《纲目》页1144)

【校注】

[1] **藊豆** 为豆科植物扁豆的种子。《别录》首载此药。《本草图经》云:“人家多种于篱援间，蔓延而上，大叶细花，花有紫、白二色，荚生花下。其实亦有黑、白二种，白者温，而黑者小冷，入药当用白者。”

[2] **补五脏** 白扁豆补脾，利湿祛暑。白扁豆配人参、白术、甘草、薏苡仁、山药、莲子、蔻仁为散，治食少便溏、妇女白带过多;配香薷、厚朴，治暑湿呕吐泄泻。《本草图经》云:“主行风气，女子带下。”《本草衍义》云:“白者治霍乱转筋。”

又，扁豆衣亦能补脾利湿祛暑，但药效差，可治暑湿吐泻、脚气浮肿。

又，白扁豆能解毒。《本草图经》云:“兼杀一切草木及酒毒，亦解河豚毒。”

[3] **叶，傅蛇虫咬** 《纲目》引“日华子”作“叶，杵，傅蛇咬”。

又，《别录》云:“叶，主霍乱吐下不止。”

又，孟诜云:“又，吐痢后转筋，生捣叶一把，以少酢浸汁服之，立差。”

《本草图经》云:“叶主吐后转筋，生捣研，以少酢浸取汁饮之，立止。”

又，扁豆花能清暑化湿，治暑湿吐泻或痢疾;亦治妇女赤白带下。《本草图经》云:“花亦主女子赤白下，干末，米饮和服。”

613 绿豆[1]

冷。益气，除热毒风[2]，厚肠胃。作枕，明目，治头风头痛[3]。(《大观》卷25页17;《政和》页494;《纲目》页1140)

【校注】

[1] **绿豆** 为豆科植物绿豆的种子。《食疗本草》首载此药。《开宝本草》将之收为正品，并云:“圆小绿者佳。又有稙豆，苗、子相似。”《纲目》云:“绿豆，处处种之。三四月下种，苗高尺许，叶小而有毛，至秋开小花，荚如赤豆荚。粒粗而色鲜者为官绿;皮薄而粉多、粒小而色深者为油绿;皮厚而粉少早种者，呼为摘绿，可频摘也;迟种呼为拔绿。”

[2] **除热毒风** 《开宝本草》云:“绿豆……主丹毒烦热风疹，药石发动热气，奔㹠，生研绞汁服。”《全幼心鉴》治小儿丹毒方:绿豆、大黄为末，用薄荷汁入蜜调傅患处。扁鹊三豆饮，可预防痘疮，其组成及服用方法为:以绿豆、赤小豆、黑豆煮汁饮，并食豆。

又，绿豆清热解毒消肿。《开宝本草》云:“绿豆……煮食消肿。”

《邵真人经验方》治一切肿毒初起方:绿豆研粉、炒黄黑色，猪牙皂荚一两为末，米醋调傅，皮破者油调之。

《生生编》治杖疮疼痛方:绿豆杵为末，炒研，以鸡子白和涂之。

[3] **治头风头痛** 绿豆煮汤饮之，有清暑解热之功，可治夏季暑热所致头风头痛。《简易方》治暑月痱子方:绿豆研粉二两，蛤粉二两，滑石一两，和匀，扑。

又，绿豆解药毒。《卫生易简方》解砒石毒方：绿豆粉、寒水石等分，以蓝根汁调服三五钱。《卫生易简方》解酒毒方：绿豆粉，荡皮，多食即解。

绿豆皮退翳。《直指方》治痘痘目生翳方：绿豆皮、白菊花、谷精草等分为末，每用一钱，以干柿饼一枚、粟米泔一盏同煮干，食柿，日三服。

614 白豆[1]

平，无毒。补五脏，益中，助十二经脉，调中，暖肠胃。

叶，利五脏，下气。嫩者可作菜食，生食之亦佳，可常食。(《大观》卷25页17；《政和》页494；《纲目》页1142)

【校注】

[1] **白豆** 为豆科植物饭豇豆的种子。《食疗本草》首载此药，《日华子本草》亦著录之。《嘉祐本草》糅合两家文字为一体，将之收为正品。《纲目》曰："饭豆，小豆之白者也，亦有土黄色者。豆大如绿豆而长。四五月种之。苗、叶似赤小豆而略大，可食，荚亦似小豆。"《政和》引孙真人《食忌》云："白豆，味咸，肾之谷，肾病宜食，煞鬼气。"

615 酒[1]

通血脉，厚肠胃[2]，除风[3]及下气。

社坛余胙酒，治孩儿语迟，以少许吃。吐酒喷屋四角，辟蚊子。

糟下酒，暖。开胃下食，暖水脏，温肠胃，消宿食，御风寒[4]，杀一切蔬菜毒。多食微毒。

酒糟，罯扑损瘀血，浸洗冻疮，及傅蛇蜂叮毒[5]。(《大观》卷25页5；《政和》页487；《纲目》页1161)

【校注】

[1] **酒** 为米、麦、高粱和曲酿成的液体。《别录》首载此药。《本草衍义》云："《吕氏春秋》曰：仪狄造酒。……又读《素问》首言以妄为常，以酒为浆，如此则酒自黄帝始，非仪狄也。"《唐本草》云："酒有葡萄、秫、黍、秔、粟、曲、蜜等作酒醴以曲为，而葡萄、蜜等独不用曲。"

[2] **通血脉，厚肠胃** 《本草拾遗》云："酒本功外，杀百邪，去恶气，通血脉，厚肠胃……消忧发怒，宣言畅意。"孟诜云："又通脉，养脾气……久服之，厚肠胃。"

[3] **除风** 《食疗本草》云："朝朝服之，甚去一切风。妇人产后诸风，亦可服之。又，熬鸡屎如豆淋酒法作，名曰紫酒。卒不语，口偏者，服之甚效。"《政和》引《肘后方》云："中风，体角弓反张，四肢不随，烦乱欲死，清酒五升，鸡屎白一升，杵末合和之，捣千遍乃饮，大人服一升日三，少小五合，差。"

又，《别录》云："酒……大热，有毒，主行药势。"陶弘景云："酒……性热，独冠群物，药家多须以行其势，人饮之，使体蔽神昏，是其有毒故也。"孟诜云："酒，味苦。主百邪毒，行百药。"

又，《纲目》云："酒，天之美禄也。面曲之酒，少饮则和血行气，壮神御寒，消愁遣兴；痛饮则伤神耗血，损胃亡精，生痰动火。"

[4] **御风寒** 《政和》引"孙真人"文云："治腰膝疼痛久不已，糟底酒摩腰脚及痛处、筋挛处。"

[5] **傅蛇蜂叮毒** 《政和》引《广利方》云："治蛇咬疮，暖酒淋洗疮上，日三易。"此方亦治毒蜂蜇人、蜘蛛疮毒。

616 醋[1]

治产后妇人并伤损，及金疮血运[2]，下气，除烦，破癥结[3]，治妇人心痛，助诸药力，杀一切鱼、肉、菜毒。

米醋，功用同醋，多食不益男子，损人颜色。(《大观》卷26页1；《政和》页494；《纲目》页1160)

【校注】

[1] **醋** 以米、麦、高粱或酒糟等酿造而成的液体。《别录》首载此药。陶弘景云："醋酒为用，无所不入，逾久逾良……以有苦味，俗呼为苦酒。"《唐本草》云："醋有数种，此言米醋，若蜜醋，麦醋，曲醋，桃醋，葡萄、大枣、蘡薁等诸杂果醋，及糠、糟等醋，会意者亦极酸烈。"

[2] **治产后妇人并伤损，及金疮血运** 孟诜云："醋……能治妇人产后血气运。取美清醋热煎，稍稍含之即愈。"《本草衍义》云："产妇房中常得醋气则为佳，酸益血也。"

[3] **破癥结** 《食疗本草》云："治痃癖，醋煎大黄，生者甚效，用米醋佳。"又云："气滞风壅，手臂、脚膝痛，炒醋糟裹之，三两易当差。"《政和》引《外台秘要》云："治风毒肿，白虎病，以三年酽醋五升，热煎三五沸，切葱白二三升，煮一沸许，漉出，布帛热裹，当病上熨之，差为度。"又引《千金方》云："治单服硫黄发为痈，以醋和豉研如膏，傅痈上，燥则易之。"又引《肘后方》云："治痈已有脓当坏（溃），以苦酒（醋）和雀屎傅痈头上如小豆大，即穿。""治面多皯黯，或似雀卵色者，苦酒（醋）渍术，常以拭面，即渐渐除之。"

617 酱[1]

无毒。杀一切鱼、肉、菜蔬、蕈毒[2]，并治蛇、虫、蜂、虿等毒。(《大观》卷26页6；《政和》页497；《纲目》页1159)

【校注】

[1] **酱** 面粉或豆类，经蒸罨发酵，再加盐、水继续发酵而成。《别录》首载此药。陶弘景云：

“酱，多以豆作，纯麦者少……以久久者弥好。”《唐本草》云：“又有榆仁酱，亦辛美。”

［2］**杀一切鱼、肉、菜蔬、蕈毒**　《别录》云：“酱……杀百药热汤及火毒。”《食疗本草》云：“酱，主火毒，杀百药。”《濒湖集简方》云：“解轻粉毒，服轻粉口破者，以三年陈酱化水，频漱之。”《肘后方》治汤火烧灼未成疮，以豆酱汁傅之。按，豆酱汁即酱油。

《政和》引《杨氏产乳》云：“妊娠不得豆酱合雀肉食之，令儿面黑。”

618　食盐[1]

暖水脏，及霍乱心痛[2]，金疮[3]，明目[4]，止风泪邪气，一切虫伤疮肿[5]，消食，滋五味，长肉，补皮肤，通大小便，小儿疝气，并内肾气。以葛袋盛于户口，悬之，父母用手撚抖尽，即疾当愈。（《大观》卷4页7；《政和》页106；《纲目》页685）

【校注】

［1］**食盐**　为氯化钠，由海水或盐井、盐池中盐水煎炼或日晒而成。陶弘景云：“有东海、北海盐及河东（今山西西南部）盐池，梁、益（今陕西秦岭以南至四川成都一带）盐井……以河东者为胜。”《本草图经》云：“今解州（今山西闻喜）、安邑（今山西运城）两池所种盐最为精好……人之常食者，形粗于末盐，乃似今解盐也……医家治眼及补下药多用青盐，疑此即戎盐。”

［2］**霍乱心痛**　《纲目》引《救急方》云：“霍乱腹痛，炒盐一包，熨其心腹，令气透，又以一包熨其背。”“霍乱转筋，欲死气绝，腹有暖气者，以盐填脐中，灸盐上七壮，即苏。”

［3］**金疮**　《纲目》引《肘后方》云：“金疮中风，煎盐令热，以匙抄，沥却水，热泻疮上，冷更着，一日勿住，取瘥，大效。”

［4］**明目**　《纲目》引《直指方》云：“目中浮翳遮睛，白盐生研少许，频点屡效，小儿亦宜。”又引《活幼口议》云：“小儿目翳或来或去，渐大侵睛，雪白盐少许，灯心蘸点，日三五次，不痛不碍，屡用有效。”

［5］**一切虫伤疮肿**　《政和》引《梅师方》云：“治蜈蚣咬人痛不止，嚼盐沃上，及以盐汤浸疮极妙。其蜈蚣有赤足者螫人，黄足者痛甚。”“治热病下部有䘌虫生疮，熬盐绵裹熨之，不过三度，差。”又引《肘后方》云：“治手足忽生疣目，以盐傅疣上，令牛舐之，不过三度。”

附录 《日华子本草》研究资料

1.《日华子本草》成书年代的探讨

《日华子本草》原名《日华子诸家本草》①，因该书是汇集诸家本草而成，一般文献引作“《日华子本草》”，亦有引作“《大明本草》”者，掌禹锡《嘉祐本草》引作“日华子”，《本草纲目》有些药物条文引作“大明”或“日华”。

关于《日华子本草》成书年代，说法很多，以下详述之。

（1）认为《日华子本草》成书于北齐年间（550—580）。《古今图书集成·医部全录·医术名流列传四》引《古今医统大全》云：“日华子，北齐雁门人，深察药性，极辨其微，本草经方，多由注疏，至今是赖。”②

（2）认为《日华子本草》成书于唐代开元年间（713—741）。《中国医学人名志》云：“日华子，唐，四明人，姓大，名明。一曰北齐雁门人。深察药性，极辨其微，集诸家本草，近世所用药，各以寒温、性味、华实、虫兽为类，凡二十卷。即所谓《大明本草》是也。”③

（3）认为《日华子本草》成书于五代十国吴越时期（895—978）。范行准《两汉三国南北朝隋唐医方简录》一文中，“五代十国”标题下云：“《日华子诸

---

① 宋·唐慎微．重修政和经史证类备用本草．北京：人民卫生出版社，1957：40.

② 清·蒋廷锡，陈梦雷．古今图书集成：第465册 医术名流列传四．上海：中华书局，1934：2.

③ 陈邦贤，严菱舟．中国医学人名志．北京：人民卫生出版社，1956：8.

家本草》二十卷，《医籍考》著录吴越人撰。撰人不知姓氏，据《嘉祐本草》辑。”①

（4）认为《日华子本草》成书于北宋初年。宋・掌禹锡《嘉祐本草・补注所引书传》云：“《日华子诸家本草》，国初（北宋初）开宝（968—975）中，四明人撰，不著姓氏，但云日华子大明，序集诸家本草，近世本草所用药，各以寒温、性味、华实、虫兽为类，其言近用，功状甚悉，凡二十卷。”②《纲目》卷一上引文同此。李时珍还说：“按十家姓，大姓出东莱，日华子盖姓大名明也。或云其姓田，未审然否。”③ 丹波元胤《中国医籍考》④ 引文同《纲目》。冈西为人《宋以前医籍考》引《东医宝鉴・历代医方》云：“《日华子本草》，宋人所著，不著姓名。”⑤又云：“按《嘉祐本草》所引‘日华子’有五百三十三条。”（笔者辑本统计，《嘉祐本草》所引《日华子本草》条文有603条，若按所引的次数计算，包括“序例”部分“七情畏恶”中所引，总数达643条。）

以上四说，究竟哪一说是对的呢？现讨论如下。

（1）《日华子本草》成书于北齐（550—580）之说，不能成立。《古今医统大全》说日华子是北齐人，这是从《日华子鸿飞集论》一书抄来的。丹波元胤《中国医籍考》云：“《日华子鸿飞集论》一卷存，题言曰：昔有日华子，北齐雁门人也，幼年好游猎，忽一日同行数人，各执弓矢，出于雁门，岭南见征鸿数只飞过，坠于道旁。日华子又张弓而射之，群雁皆弃所舍庐去书二卷，日华子收之，乃览其文，是昔时皇帝、岐伯问答论眼证书，故曰《鸿飞集论》。”⑥

按，《日华子鸿飞集论》是眼科书籍，虽题“日华子”，未必是日华子所作，《古今医统大全》视二书为一人所作，是不对的。

（2）《日华子本草》和陈藏器《本草拾遗》同为唐代开元年间（713—741）作品的说法也不能成立。

按，《政和》卷11“何首乌”条掌禹锡引“日华子”云：“其药本草无名，因

① 范行准．两汉三国南北朝隋唐医方简录．中华文史论丛，1965（6）：340.

② 宋・唐慎微．重修政和经史证类备用本草．北京：人民卫生出版社，1957：40.

③ 李时珍．本草纲目．北京：人民卫生出版社，1957：335.

④ 丹波元胤．中国医籍考．北京：人民卫生出版社，1956：172.

⑤ 冈西为人．宋以前医籍考．北京：人民卫生出版社，1958：1372.

⑥ 丹波元胤．中国医籍考．北京：人民卫生出版社，1956：1178.

何首乌见藤夜交，便即采食有功，因以采人为名。”①

何首乌的故事发生在什么时候呢？《政和》引苏颂《本草图经》云：“唐元和七年（812），僧文象遇茅山老人，遂传其事，李翱因著方录云。”①

试问何首乌的故事发生在唐元和七年（812），假如日华子是唐开元时（713—741）人，而开元早于元和近百年，那么日华子怎么会知道近百年之后的事情呢？《日华子本草》成书于唐代开元年间之说，不攻而自破。

（3）《日华子本草》成书于吴越时期之说，不准确。吴越是唐末五代十国之一，吴越始于 895 年（钱镠为镇海军节度使），终于 978 年（钱俶降宋），共 84 年②。那么吴越存在时间为从北宋建立前 66 年起，到北宋建立后 18 年止，在这 84 年漫长的年月里，范行准未指明《日华子本草》成书在吴越哪些年份里。

（4）《日华子本草》成书年代在北宋初年开宝（968—975）中之说，是掌禹锡所主张的。李时珍《本草纲目》、丹波元胤《中国医籍考》、冈西为人《宋以前医籍考》均从掌禹锡之说。

虽然掌禹锡讲《日华子本草》在开宝（968—975）中由四明人日华子所作，但其实在开宝年间，四明属吴越管辖，尚未被宋所亡，掌禹锡以宋代年号来计算年份，而不以吴越年号来计算年份。所以，范行准说《日华子本草》成书于吴越时期也是对的。

根据掌禹锡所说《日华子本草》成书于开宝年间（968—975），可知它成书于吴越末年，即钱俶嗣立后 21～28 年之间（因吴越自宝正六年，即 931 年，不用年号）。

但从另一些资料来看，《日华子本草》成书年代似在吴越初年，即吴越钱镠天宝年间（908—923）。

日本源顺撰《和名类聚钞》卷十“蒴藋”条下引《日华子本草》云：“水蓼，味辛，冷，无毒。”③ 查《政和》卷 11“水蓼”条掌禹锡引《日华子本草》云：“水蓼，味辛，冷，无毒。”④ 二者所引文全同。

---

① 宋·唐慎微. 重修政和经史证类备用本草. 北京：人民卫生出版社，1957：262.

② 荣孟源. 中国历史纪年. 北京：生活、读书、新知三联书店出版，1957：75.

③ 源顺. 和名类聚钞：卷十. 日本元和三年镌版. 1617：13.

④ 宋·唐慎微. 重修政和经史证类备用本草. 北京：人民卫生出版社，1957：285.

《和名类聚钞》是什么时候成书的呢？据《和名类聚钞·序》云："《和名类聚钞》，日本源顺撰……此书盖为醍醐天皇（898—930）第四公主勤子内亲王所撰，其自序不著年月。考醍醐天皇天历五年（951）撰《和歌集》，彼土所谓梨壶五歌仙之一，即后周广顺元年（951），醍醐卒于后唐明宗长兴元年（930），此书撰于梁、唐间（后梁亡于923年，后唐兴于924年）。"①

假如《和名类聚钞》确实成书于后梁后唐年间（924年前后），而《和名类聚钞》引有《日华子本草》内容，则《日华子本草》应成书于《和名类聚钞》之前，即吴越钱镠天宝年间（908—923）。

从吴越钱镠天宝年间（908—923）到北宋开宝年间（968—975），约相隔半个世纪。

根据《和名类聚钞》所引《日华子本草》资料来看，《日华子本草》似比《开宝本草》早半个世纪。

另外，从《日华子本草》和《开宝本草》内容来看，《日华子本草》所载的内容似比《开宝本草》要早些。

例如，《政和》卷11"何首乌"条引《日华子本草》云："何首乌，味甘，久服令人有子。"② 《开宝本草》云："何首乌，味苦、涩……久服长筋骨，益精髓。"③

《日华子本草》所言，接近唐代《何首乌传》的传说，称何首乌味甘（甘指补养而言），久服令人有子。（因何首乌原是一个人的名字，老而无子，采食此药而有子，故以采食者为药名。）《开宝本草》从实际经验出发，言何首乌味苦而涩，久服能补血、强壮身体。按发展的观点，《开宝本草》所言何首乌性味功用比《日华子本草》所言更切合实际，这显然是后来居上的表现。

在《日华子本草》中，有些话仍带有唐代医学的风气，唐代医家对中风方很重视，唐代名医张文仲《随身备急方》谓："风有一百廿种。"④《政和》卷7"防风"条引《日华子本草》云："防风，治三十六般风。"⑤ 同书卷18"野驼脂"条

---

① 源顺．和名类聚钞：序．日本元和三年镌版．1617：1．

② 宋·唐慎微．重修政和经史证类备用本草．北京：人民卫生出版社，1957：262．

③ 宋·卢多逊，等．开宝本草．尚志钧辑校．合肥：安徽科学技术出版社，1998：253．

④ 唐·王焘．外台秘要．北京：人民卫生出版社，北京，1955：398．

⑤ 宋·唐慎微．重修政和经史证类备用本草．北京：人民卫生出版社，1957：179．

引《日华子本草》云："骆驼，温。治风下气……脂，疗一切风疾。"① 这些话都是承袭唐代医学重视风疾的表现。

根据上述资料来看，《日华子本草》成书似在《开宝本草》之前。

从文献角度来看，《日华子本草》与唐代陈藏器《本草拾遗》是可以相提并论的。掌禹锡著《嘉祐本草》所增补的药物都来源于陈藏器《本草拾遗》和《日华子本草》。例如，《政和》卷 11 "鸭跖草""山慈菰"等条，都是《嘉祐本草》新增的，而掌禹锡在这些条文末尾均标注"新补见陈藏器、《日华子》"② 等字样。这说明《日华子本草》和陈藏器《本草拾遗》有同等重要的地位。

后梁后唐间（924 年前后），日本人源顺撰的《和名类聚钞》引用了我国很多佚书。其中也引有《本草拾遗》和《日华子本草》，该书"葳蕤"条、"续断"条，分别引有《本草拾遗》内容③，"蒴藋"条引有《日华子本草》内容④。《日华子本草》和陈藏器《本草拾遗》齐名，而且又被《开宝本草》以前的文献所引用，这就提示《日华子本草》的成书时间是早于《开宝本草》的。《开宝本草》成书于开宝年间（968—975），那么《日华子本草》成书时间当在开宝之前，即有很大可能性在吴越钱镠天宝年间（908—923）。

2.《日华子本草》内容、特点及价值

《日华子本草》原名《日华子诸家本草》，亦称《大明本草》。宋代《嘉祐本草》作者掌禹锡说："《日华子诸家本草》，国初四明人（即今宁波人）撰，不著姓氏，但云日华子大明。"李时珍说："按十家姓，大姓出东莱，日华子盖姓大名明也。或云其姓田，未审然否。"

该书虽不见录于古代书志，但多被五代末及宋代方书和本草引用。如日本《和名类聚钞》《香要钞》等书，皆引用过《日华子本草》。尤以《嘉祐本草》引

---

① 宋·唐慎微. 重修政和经史证类备用本草. 北京：人民卫生出版社，1957：395.

② 宋·唐慎微. 重修政和经史证类备用本草. 北京：人民卫生出版社，1957：283.

③ 源顺. 和名类聚钞：卷十. 日本元和三年镌版. 1617：4，6.

④ 源顺. 和名类聚钞：卷十. 日本元和三年镌版. 1617：13.

证最多。

关于该书的内容，掌禹锡说："序集诸家本草，近世所用药，各以寒温、性味、华实、虫兽为类，其言近用，功状甚悉，凡二十卷。"笔者辑本收载药物618味，并按《唐本草》药物目次，分为玉石、草、木、兽、禽、鱼、虫、果、菜、米谷等十类。

对药物性味论述极详，是该书的特点。其所论药性，大致可分为凉、冷、温、暖、热、平六类。该书计有凉性药物53味，冷性药物52味，温性药物25味，暖性药物24味，热性药物15味，平性药物44味。同一植物药用部位不同，其药性亦异。如茅性平，茅针性凉；李子性温，李树根性凉，李树叶性平。有些药物制法不同，其药性亦异。如干地黄，日干者平，火干者温。该书提出了很多药物的新的性味。例如，白及，《本经》作"味苦，平"，《别录》作"味辛"，该书作"味甘，敛（敛，即刺咽喉的辛辣感）"；天麻，《别录》作"平"，《本草拾遗》作"寒"，该书作"暖"；白垩，《本经》作"味苦"，《别录》作"味辛"，该书作"味甘"；槟榔，《别录》作"味辛"，该书作"味涩"。其他如天南星味辛、烈，苎根味甘、滑。敛、涩、滑等味，都是该书新增的药味。

《日华子本草》不仅对药物性味阐述甚详，还对其有所发展，如性冷、性凉、性暖等在前代本草中很少见到。此外，该书提出的味涩、味滑、味癒等，也是前代本草所没有的。有些药物，前代本草并未记载其药性，该书均指出其性味。如檀香，前代本草没有记载其性味，该书说它"性热，无毒"。

该书对药物炮制论述得很详细。该书所述药物炮制法有炒、微炒、捣炒、炙、微炙、姜炙、蜜炙、炮、烧、煅、淬、飞、浸、蒸、煮等。该书记载同一味药，因炮制方法不同，而功用各异。例如，卷柏，生用破血，炙用止血；青蒿子，炒用明目开胃，小便浸用治劳；王瓜，生用润心肺、治黄病，炒用治肺痿、吐血、肠风泻血、赤白痢。

又，该书对药物畏恶七情论述得亦详细。例如，芎䓖畏黄连，水蛭畏石灰；大戟恶薯蓣，黄芪恶白鲜皮；生地黄煎忌铁器，茯苓忌醋及酸物；酒杀一切蔬菜毒，醋杀一切鱼、肉毒；柚子解酒毒；天门冬以贝母为使，大戟以小豆为使；牵牛子得青木香、干姜良，白头翁得酒良。类似此例极多。

此外，该书对药物形态、产地、采收时月亦有论述。该书对药物形态的记载也详细。如"空青"条云："空青，大者如鸡子，小者如相思子，其青厚如荔枝，壳内有浆酸甜。”这种描述，在《本经》《别录》《唐本草》药物正文中皆无。该书对产地、形态的记载，如“地榆”条云：“地榆，是平原川泽皆有，独茎，花紫。”该书对药物采收时月的记载，多从实际出发。如茵芋、射干的采收时月，《别录》作“三月三日采”，该书作“六月、七月采”。又如，泽漆的采收时月，《别录》作“三月三日、七月七日采”，该书作“四五月采”。

总之，该书总结了唐末及五代时的药物成就。其中大部分药物为掌禹锡所摘录，以补充、注释前代本草内容，少数药物被宋代本草作为正品收录。如仙茅、谷精草、盐肤子等被《开宝本草》收为正品。绿矾、蓬砂等被《嘉祐本草》收为正品。

《日华子本草》是我国五代时期民间一部著名的本草，该书收录的药物，都很实用。如羊蹄，治癣，杀一切虫，醋磨贴肿毒；蛇床子，煎汤浴，治大风身痒。现行高等中医药院校教材《中药学》所收药物中有75味药参考了《日华子本草》资料。所以该书，仍有实用价值。该书收载的浮石、瓦楞子（蚶）等，至今依为常用药。

该书论药物功用都从实效出发，并注意到药效与炮制的关系。木通下乳，至今依然在沿用。又如雷丸入药炮用，厚朴入药去粗皮、姜汁炙用，樗皮入药蜜炙用，龟甲入药酥炙用。

该书和陈藏器《本草拾遗》有同等价值，日本源顺《和名类聚钞》和掌禹锡《嘉祐本草》均引有二书。《和名类聚钞》“葳蕤”条、“续断”条、“蒴藋”条分别引用二书资料。《嘉祐本草》新增的“鸭跖草”“山慈菰”条等的条末均注有“新补见陈藏器、《日华子》”。

《日华子本草》和《本草拾遗》学术价值相等，日华子和陈藏器又同为四明人，所以有些人误以为日华子和陈藏器是同时代的人，说日华子也是唐代开元年间人。陈邦贤《中国医学人名志》和赵燏黄均持此说，殊误。

3.《日华子本草》药物性味综述

《日华子本草》原书已佚，但它的内容被保存在《重修政和经史证类备用本草》（简称“《政和》”）中。

关于《日华子本草》收载的药物数量，日本冈西为人《宋以前医籍考》（1958

年，人民卫生出版社，第1372页）云："按《嘉祐本草》所引'日华子'有五百三十三条。又按，日本《香要钞》等书，亦多引'日华子'或是从《证类》（即《证类本草》）中所引者欤。"

在"文化大革命"前，笔者整复《日华子本草》时，统计《政和》中引用《日华子本草》者共603条。若按引的次数计算，《政和》共引《日华子本草》643次，有的药物下引《日华子本草》若干次，且"序例"部分的药物畏恶内容也引用了《日华子本草》内容。

按《政和》所引，《日华子本草》收载药物，不会少于618味。

《日华子本草》对于药物性味论述较详，所以掌禹锡称赞该书"各以寒温、性味、华实、虫兽为类，其言近用，功状甚悉"。

《日华子本草》新增了药物药性方面的许多内容。如149干地黄（药名前号码，指1957年人民卫生出版社版《政和》页次，下同），日干者平，火干者温；208茅，性平，茅针凉；477李子温，李树根凉，李树叶平；223天麻，《别录》作"平"，《本草拾遗》作"寒"，《日华子本草》作"暖"。

《日华子本草》把药性分为凉、冷、温、暖、热、平六类。按《政和》所引《日华子本草》药性统计，《日华子本草》中有凉性药物53味，冷性药物52味，温性药物25味，暖性药物24味，热性药物15味，平性药物44味，共213味。在《政和》所引618条《日华子本草》条文中，新增药性内容的药物有213味，也就是说有新增药性内容的药物占《日华子本草》所载药物的三分之一。

兹将《日华子本草》中有新增药性内容的药物，按凉、冷、温、暖、热、平等性归类如下。（药名前号码，指1957年人民卫生出版社版《政和》页次。）

（1）具有"凉"性的药物53味。

79丹砂　84白矾　116石蟹　126黄丹　127光粉　129石燕　133自然铜　178白水耆、赤水耆、木耆　188石茵陈　204红百合　208茅针　221大蓟叶　221小蓟根　234蒻草（附"白药"条下）　250青蒿子　265蒴藋　267酸模（羊蹄）　269马鞭草　300楮叶　306冬青皮（附"女贞实"条下）　345郁李根　346黄药　353鼠李　354乌臼根皮　354乌臼子　365小便　365人中白　368龙齿　370牛黄　373牛酥　379羖羊头　381薯蓣（附"牡狗阴茎"条下）　389猪　391驴肉　394麂　399白鹅　400野鸭　403孔雀　404雄鹊　411胡蜂、王蜂、蜜蜂　415石决明　419鲤鱼　426螃蟹　455胡夷鱼（附"河豘"条下）　440蟾（附"虾蟆"

条下） 449 贝齿（贝子） 454 鲮鲤甲 477 李树根 491 麸（小麦） 491 麦苗（小麦） 495 糯米（稻） 506 菘 522 芸薹

（2）具有“冷”性的药物52味。

110 生银 110 朱砂银 132 玻璃（青琅玕） 136 乌古瓦 137 蛇黄 173 吴蓝（蓝实） 182 白蔷薇根（营实） 187 景天 196 葛根 197 栝楼子 203 秦艽 234 白药 236 地衣、垣衣 250 青蒿子（草蒿） 256 泽漆 263 白章陆（商陆） 270 芭蕉油（甘蕉根） 276 蛇莓 278 石衣（乌韭） 279 紫葛 279 重臺根（蚤休） 282 苦芙 285 水蓼 509 蓼实 517 淡竹并根 317 苦竹 347 白杨 348 榉树叶 349 桐油 364 人乳 364 粪清 373 黄牛乳、髓 378 水牛肉 399 苍鹅（白鹅） 400 家鸭（白鸭） 404 鸬鹚屎 426 蛴螬 432 蜗牛 440 虾蟆 444 斑蜘蛛 449 田螺 453 青蛙 461 藕节 468 柿 468 芋、芋叶 469 茨菰 470 乳柑子 471 甘蔗 478 柰 484 白油麻 494 绿豆 496 稷米 503 白冬瓜 513 甜菜

（3）具有“温”性的药物25味。

94 五色石脂 127 东壁土 149 干地黄（火干者温） 249 茛菪 284 盍合子（预知子） 29 松根皮 315 桑白皮 315 桑耳 331 海桐皮 344 樗皮 349 钓樟 363 发 364 头垢 378 黄牛肉 378 牛骨髓 395 骆驼 397 乌雄鸡肉 397 乌雌鸡 398 黄雌鸡 461 鸦 461 莲子 462 枣叶 477 李 490 赤黍米 491 蘖米

（4）具有“暖”性的药物24味。

113 孔公孽 124 砒霜 124 砒黄 125 北庭砂（硇砂） 135 淋石 217 艾 223 天麻 291 松叶 305 杜仲 315 家桑东行根 315 家桑叶 321 骐骥竭 381 狗肉 402 石燕（“燕矢”条） 401 雀 460 山姜花（“豆蔻”条） 461 莲花 461 橘皮 467 梅子、白梅、乌梅 472 桃叶 491 麦黄 488 糟下酒 510 赤蓼 515 鸡苏（水苏）

（5）具有“热”性的药物15味。

122 伏龙肝 224 阿魏 228 姜黄 243 土附子（附“乌头”条下） 307 沉香 309 檀香 309 乳香 318 吴茱萸叶 340 蜀椒叶 394 腽肭兽 460 豆蔻花 472 桃 474 杏 477 杨梅 578 小蒜

（6）具有“平”性的药物44味。

109 金屑 111 磁石 113 蜜陀僧 114 铜秤锤 115 铁 176 浮石（附“石蟹”条下） 127 铜屑、铜器 128 古鉴 129 戎盐 131 半天河 133 金牙石 133 铜弩牙 134 梁上尘 149 干地黄（日干者平） 208 茅（屋四角茅） 221 石帆

（附“海藻”条下） 274 猴姜（骨碎补） 310 金樱花 310 金樱东行根及皮 333 天竺黄 348 山榉树皮 350 无患子皮 351 栎树皮（橡实） 365 手爪甲 371 象牙 384 虎肉 397 鸡肶胵 403 雉鸡 413 蠵蠵（秦龟） 418 鲫鱼 429 蚕蛾 429 蚕布纸 431 海鳗 431 鼍甲（鲍甲） 435 青鱼 444 壁钱虫（蜘蛛） 452 蝎 467 榠楂（木瓜） 466 干柿 469 枇杷子 477 李树叶 493 扁豆 494 白豆 506 萝卜（莱菔）

《日华子本草》对药物的味也有论述，其中有些药物的味都是新提出的，和前代《本草》所讲的味似有不同。

例如，132 白垩，《本经》作“味苦”，《别录》作“味辛”，而《日华子本草》作“味甘”；225 百部，《别录》不载其味，《药性论》作“味甘”，而《日华子本草》作“味苦”。又如，255 白及，《本经》作“味苦”，《别录》作“味辛”，而《日华子本草》作“味甘、癥（癥，即刺咽喉辛辣感）”。

《日华子本草》中新增的药物的味，除酸、甜、辛、苦等外，还有滑、涩、癥等。兹将《日华子本草》中有新增味的药物列举如下。

（1）酸味的药物。

89 石胆 125 北庭砂 187 千岁蘽 210 败酱 267 酸模（羊蹄） 276 蛇莓 347 白杨 384 虎肉 461 橘

（2）苦味的药物。

127 铜屑 165 巴戟天 182 营实（味苦、涩） 188 石茵陈 197 栝楼子 205 知母 225 百部 263 白章陆（商陆） 265 蒴藋 291 松根白皮 317 苦竹 344 栎树皮 348 榉树皮

（3）甘味的药物。

113 孔公孽 113 蜜陀僧 123 石灰 132 白善（白垩） 133 金牙石 155 柴胡 173 吴蓝 205 知母 223 天麻 237 京三棱 250 青蒿子 255 白及 262 何首乌 270 苎根（味甘、滑） 317 淡竹并根 383 犀角（味甘、辛） 331 卫茅

（4）辛味的药物。

115 铁 233 积雪草 243 土附子（味辛、癥） 266 天南星（味辛、烈） 269 马鞭草 285 水蓼 307 沉香 309 藿香 355 杉材 383 犀角（味甘、辛）

（5）滑味的药物。

270 苎根（味甘、滑） 279 紫葛（味苦、滑）

（6）涩味的药物。

182 营实（味苦、涩） 278 石衣（乌韭） 319 槟榔 347 槲皮 368 龙齿

（7）瘉味的药物。

184 茜根（味酸） 243 土附子（味瘉、辛） 245 半夏（味瘉、辛） 255 白及（味甘、瘉） 264 牵牛子（味苦、瘉）

（8）其他味的药物。

231 肉豆蔻（味珍）（《纲目》816 页“肉豆蔻”条“发明”项下引“大明曰”同）

4.《日华子本草》药物性状、药物鉴别综述

（1）药物性状。

过去传统的本草，如《本草经集注》《唐本草》等很少记载药物性状，而《日华子本草》对药物性状有记载。兹举例如下。

空青：“大者如鸡子，小者如相思子，其青厚如荔枝，壳内有浆。”

菟丝子：“苗、茎似黄麻线，无根。株多附田中草，被缠死。或生一丛，如席阔。开花结子不分明，如碎黍米粒。”

茺蔚子：“乃益母草子也。节节生花。如鸡冠子，黑色。”

巴戟天：“又名不凋草，色紫如小念珠，有小孔，子坚硬难捣。”

肉苁蓉：“又有花苁蓉，即是春抽苗者，力较微耳。”

蒲黄：“此即是蒲上黄花。”

地肤子：“又名落帚子，色青，似一眠起蚕沙矣。”

前胡：“外黑里白。”

地榆：“独茎，花紫。”

石帆：“紫色，梗大者如筯，见风渐硬，色如漆，多人饰作珊瑚装。”

百部：“又名婆妇草，一根三十来茎。”

款冬花：“十一、十二月雪中出花。”

射干：“根润，亦有形似高良姜，大小赤黄色淡硬。”

甘遂：“形似和皮甘草，节节切之。”

泽漆：“此即大戟花，川泽中有，茎梗小，有叶，花黄，叶似嫩菜。”

茵芋：“形似石南，树生，叶厚。”

何首乌：“此药有雌雄，雄者苗叶黄白，雌者赤黄色。”

酸模：“状似羊蹄叶小而黄。”

马鞭草：“似益母草，茎圆。并叶用。”

猴姜：“是树上寄生草，苗似姜细长。”

连翘：“独茎，稍开三四黄花，结子，内有房瓣子。”

石衣：“此即是阴湿处山石上苔，长者可四五寸，又名乌韭。”

地衣：“此是阴湿地被日晒，起苔藓是也。”

紫葛：“有二种，此即是藤生者。”

谷精草：“二三月于田中生。白花者结水银成沙子。”

蔓荆子：“大如豌豆，蒂有小轻软盖子。”

桑上寄生：“采人多在榉树上收，呼为桑寄生。在桑上者极少，纵有，形与榉树上者亦不同。次即枫树上，力同榉树上者，黄色。”

胡桐泪：“有二般，木律不中入药，用石律，形如小石片子，黄土色者为上。”

天竺黄：“此是南海边竹内尘沙结成者耳。”

白杨：“非寻常杨柳。并松杨树，叶如梨者是也。”

芫花：“所在有小树子，在陂涧旁，三月中盛花浅紫色。”

乌贼鱼：“又名缆鱼，须脚悉在眼前，风波稍息，即以须粘石为缆。”

虾蟆：“斑色者是。”

壁钱虫：“是壁上作茧蜘蛛也。”

青蛙：“身青绿者是。”

蔓菁：“梗短，叶大，连地上生，阔叶红色者是蔓菁。”

菘菜：“梗长叶瘦，高者为菘，叶阔厚短肥而痹及梗细者为芫菁菜也。”

（2）药物的鉴别。

《日华子本草》对药物的鉴别，以品质优劣鉴别为主。兹将有关这方面的资料举例如下。

云母：“凡有数种，通透轻薄者为上也。”

石胆：“通透清亮，蒲州者为上也。”

石钟乳：“通亮者为上。”

五色石脂：“文理腻，缀唇者为上也。”

雄黄：“通赤亮者为上，验之可以熁虫死者为真，臭气少，细嚼，口中含汤不激辣者通用。"

石膏："通亮，理如云母者上。"

阳起石："合药时，烧后水锻用，凝白者为上。"

石燕："出南土穴中，凝强似石者佳。"

菊花："菊有两种，花大气香，茎紫者，为甘菊；花小气烈，茎青小者，名野菊，味苦。"

地黄："生地黄，水浸验，浮者名天黄，半浮半沉者名人黄，沉者名地黄。沉者为佳，半沉者次，浮者劣。"

牛膝："怀州者长白，近道苏州者色紫。"

千岁虆："年多大者佳，茎、叶同用。又名蘡薁花。"

芍药："此便是芍药，花根海盐、杭、越俱好。"

秦艽："又名秦瓜，罗纹者佳。"

紫菀："形似重台根，作节，紫色润软者佳。"

牡丹："此便是牡丹花根。巴、蜀、渝、合州者上，海盐者次。"

姜黄："海南生者即名蓬莪茂，江南生者即姜黄。"

天雄："大长，少角刺而虚。乌喙似天雄，而附子大短有角，平稳而实。乌头次于附子。侧子小于乌头。连聚生者名为虎掌。并是天雄一裔子母之类，力气乃有殊等，即宿根与嫩者耳。"

甘遂："京西者上，汴、沧、吴者次。"

楮实："皮斑者是楮皮，白者是谷。"

辛夷："已开者劣，谢者不佳。"

楝皮："无子雄树能吐泻杀人，不可误服。"

梓白皮："梓树皮，有数般，惟楸梓佳，余即不堪。"

杉材："须是油杉及臭者良。"

蛴螬虫："桑柳树内收者佳，余处即不中。"

蒜："熟醋浸之，经年者良。"

补骨脂："南蕃者色赤，广南者色绿。"

肉苁蓉："据本草云，即是野马精余沥结成。采访人方知勃落树下并土堑上，此即非马交之处。陶说误耳。"

5. 关于《日华子本草》药物产地及药物采收时月

《日华子本草》所记药物产地，遍及全国。大黄出廓州（今青海化隆西）马蹄峡中。菖蒲出宣州（今安徽宣城）。石胆出蒲州（今山西永济）。牡丹出巴（今四川巴中）、蜀（今四川崇州）、渝（今重庆）、合（今重庆合川）州和海盐（今浙江海盐）。鹿角菜出海州（今江苏连云港）、登州（今山东蓬莱）、莱州（今山东莱州）、沂州（今山东临沂）、密州（今山东诸城）。前胡出越（今浙江绍兴）、衢（今浙江衢州）、婺（今浙江金华）、睦（今浙江梅城）等州。芍药出海盐、杭州（今浙江杭州）、越州（今浙江绍兴）。山慈菰出零陵（今湖南零陵）。鼠曲草，出江西者呼为鼠耳草。

此外，该书还提到药物产地与质量的关系，兹举例如下。

补骨脂："南蕃者色赤，广南者色绿。"

天竺黄："此是南海边竹内尘沙结成者耳。"

茵芋："出自海盐。"海盐，即今浙江平湖东南，汉置。

蔓荆："海盐亦有。"

酸模："生山冈。"

白附子："新罗出者佳。"新罗，即新罗国。《海药本草》谓，白附子出新罗国。

茵陈蒿："山茵陈本出和州及南岭上皆有。"和州，即今安徽和县，北齐时以两国通和，置和州；一说梁王僧辨迎贞阳侯于此，更名和州。

《日华子本草》中药物采取时月，选摘如下。

菖蒲："二月、八月采取。"

泽兰："四月、五月采。"

泽漆："四五月采。"

连翘："五月、六月采。"

茵芋："五、六、七月采。"

刘寄奴："六、七、八月采。"

蔓荆子："六、七、八月采。"

马兜铃："七八月采。"

桑上寄生："七月、八月采。"

前胡："七八月采。"

地榆："七八月采。"

败酱："七、八、十月采。"

木通："子名燕覆子，七八月采。"

菟丝子："八月、九月以前采。"

蜀漆："八月、九月采。"

茺蔚子："九月采。"

野鸭："九月后、立春前采。"

总之，《日华子本草》中药物采收时月，多从实际出发。例如茵芋、射干，《别录》作"三月三日采"；《日华子本草》言茵芋"五、六、七月采"，射干"五、六、七、八月采"。又如，泽漆，《别录》作"三月三日、七月七日采"，《日华子本草》作"四五月采"。前胡，《别录》作"二月八日采"，《日华子本草》作"七八月采"。

6.《日华子本草》药物炮制与制剂及其作用

《日华子本草》是五代时吴越钱镠天宝年间（908—923）日华子所著。原书佚，它的内容，部分尚存于《政和》中。现将该书中有关炮制资料，按炮制方法，分为13种，介绍如下。

（1）炮：将药物置塘灰中烧至爆裂为度。《日华子本草》记载，天南星、白附子、雷丸等，入药炮用。天雄，凡入丸、散，炮去皮、脐用。

（2）炙：将药材与液体辅料共炒，使辅料渗入药材之内。《日华子本草》记载的炙法有炙、微炙、姜炙、蜜炙、酥炙。

1）炙。荷叶、茵芋、马兜铃、杜仲、榼藤子、椰子皮，露蜂房、蟾蜍、蜈蚣、天灵盖等，入药炙用。卷柏，炙用止血。乳柑子，皮炙作汤，可解酒。

2）微炙。石韦、辛夷，入药微炙。乌臼根皮，以慢火炙，令脂汁尽，黄干后用。

3）姜炙。厚朴，入药去粗皮，姜汁炙。

4）蜜炙。樗皮，入药蜜炙用。檗木，蜜炙治鼻洪。

5）酥炙。皂荚，入药去皮、子，以酥炙用。龟甲、鹿茸，入药酥炙。蛤蚧，合药去头、足，洗去鳞鬣内不净，以酥炙用，良。

（3）炒：将药材置锅中加热，并不断翻拌。蝼蛄、蚕蛾、韭子、蘹香子、葈耳实等，入药炒用。

1）按治疗需要进行炒用。如青蒿子，明目开胃，炒用；乌臼子，炒作汤，下水气；金樱皮，炒，止泻血；王瓜，治肺痿、吐血、肠风泻血、赤白痢，炒用；蒲黄，要补血、止血，即炒用。

2）经过处理后，再炒。如茜根，入药剉，炒用；蜣螂，入药去足，炒用；白僵蚕，入药除绵丝并子尽，匀炒用；蜚虻，入丸、散，除去翅、足，炒用；蒺藜，入药不计丸、散，并炒去刺用；厚朴，入药去粗皮，或姜汁炒用。

3）需微炒的药物。柏子仁、补骨脂等，入药微炒用；乳香，入丸、散微炒；蛇床子，凡合药服食，即挼去皮壳，取仁微炒杀毒，即不辣。

4）要炒熟的药物。干漆，入药须捣碎，炒熟，不尔损人肠胃；枳壳，入药浸软，剉，炒令熟；斑蝥，入药除翼足，炒熟用，生即吐人。

5）要炒黄的药物。如水蛭，须细剉后，用微火炒令色黄。

6）要炒焦的药物。如橡斗子，入药并捣，炒焦用。

7）用炒带烟出为末。如苦参，炒带烟出为末。

（4）烧用：将药物表面全部烧成焦黑色，但中间仍呈黄褐色为度。此与后世本草所言“炒炭”“炒存性”，意义相同。蚯蚓、蚕布纸、狗齿、白鳝等，入药烧用。发，入药烧灰。

（5）煅：用高温处理药物。阳起石，合药时，烧后，火煅用。

（6）淬：将煅后药物立即倾入醋或其他液体辅料中，使其酥脆。紫石英，醋淬。金牙石，入药烧，淬，去粗汁乃用。

（7）飞：将矿物药与水（或药汁）同研细，再加入多量的水搅拌，将含有药粉者倾出，静置使其沉淀，并将之分出干燥，至成极细粉为度。蛇黄，如入药烧赤三四次，醋淬，飞研用之。

（8）浸：将药物放入清水或其他液体（如米泔、小便等）中浸，使其柔润，便于切片，兼有减低毒性、改变药性的作用。术，用米泔浸一宿入药。青蒿子，治劳，壮健人小便浸用。枳壳，入药浸软，剉，炒令熟。

（9）蒸：将药材置木或竹制的蒸笼中，于开水锅上蒸之。胡麻，蜜蒸为丸。

（10）煮：将药材与清水或液体辅料（如醋、药汁等）同煮。砒黄，以醋煮杀毒。巴豆，去心膜煮五度，换水各煮一沸。鹿髓，蜜煮。

（11）煎：指煎炼而言，与后世煎汤药意义不同。消石，用柳枝汤煎三周时。

（12）研：将药物研成极细的粉末。石钟乳，凡将合镇驻药，须是一气研七周时，点末臂上即入肉不见为度，虑人歇，即将铃系于槌柄上研，常鸣为验。

（13）伏：用文火加热处理药物。消石，真者火上伏法，用柳枝汤煎三周时，如汤减少，即入热者，伏火即止也。

按宋·掌禹锡《嘉祐本草·补注所引书传》的记载，《日华子本草》原名《日华子诸家本草》，由日华子大明序集诸家本草而成。因此，上述各种制法，出自当时诸家本草所录。

除以上炮制方法外，《日华子本草》还记载了一些特殊的制剂方法。兹将制剂及其作用，选介如下。

白矾：“和桃仁、葱汤浴，可出汗也。”

黄连：“猪肚蒸为丸，治小儿疳气。”

贝母：“末，和沙糖为丸，含止嗽。烧灰，油傅人畜恶疮。”

艾叶：“患痢人后分寒热急痛，和蜡并诃子烧熏，神验。”

土附子：“有毒。生去皮，捣，滤汁，澄清，旋添，晒干，取膏名为射罔，猎人将作毒箭使用。”

谷树汁：“能合朱砂为团，名曰五金胶漆。”

粪清：“腊月截淡竹，去青皮，浸渗取汁。治天行热狂，热疾，中毒，并恶疮蕈毒，取汁服。浸皂荚、甘蔗服，治天行热疾。”

牛涎：“此反胃呕吐，治噎。要取，即以水洗口后，盐涂之，则涎吐出。”

雁肪：“脂，和豆黄作丸，补劳瘦，肥白人。”

鸲鹆肉：“眼睛，和乳点眼甚明。”

蟾蜍：“眉酥，治蚛牙。和牛酥摩傅腰眼并阴囊，治腰肾冷并助阳气。以吴茱萸苗汁调妙。”

藕节：“解热毒，消瘀血，产后血闷合地黄生研汁，热酒并小便服并得。”

干枣：“和光粉烧，治疳痢。”

乌梅：“入建茶，干姜为丸，止休息痢，大验也。”

7.《日华子本草》七情畏恶、服药食忌及解诸药毒例概述

（1）七情畏恶。

《本经·序录》云：“有单行者，有相须者，有相使者，有相畏者，有相恶者，有相反者，有相杀者，凡此七情，合和视之。”所谓七情，即单行、相须、相使、相畏、相杀、相恶、相反的统称。有时亦称之为七情畏恶。

在七情畏恶例中，除单行外，其他六项都是两种药物配伍的结果。在这六项中，相须、相使，指两药合用时，可互相增加疗效或提高主药的疗效，即《本经》所云“当用相须、相使者良”；相畏、相杀，指两药合用，一药能降低另一药的疗效，或消除另一药的副作用及毒性，即《本经》所云“若有毒宜制，可用相畏、相杀者”；相恶、相反，指两药合用相互抵消疗效，甚至产生有毒作用，即《本经》所云“勿用相恶、相反者”。

兹将《日华子本草》中有关七情畏恶的内容列举如下。

1）相须：两药合用，可以增强其疗效。《日华子本草》称它为“得××良”。

牵牛子，得青木香、干姜良。

白章陆，得大蒜良。

骐驎竭，得蜜陀僧良。

蓬莪茂，得酒、醋良。

白头翁，得酒良。

仙灵脾，得酒良。

蘹香子，得酒良。

2）相使：两药合用，佐药能提高主药的疗效。《日华子本草》称它为“××为（之）使”。

天门冬，贝母为之使。

车前子，常山为使。

龙胆，小豆为使。

漏芦，连翘为使。

仙灵脾，紫芝为使。

大戟，小豆为之使。

石衣，垣衣为使。

石亭脂，曾青为使。

3）相畏：两药合用，一药能减低或消除另一药的副作用，或一药抑制另一药的毒性。《日华子本草》称它为“畏××”“制××毒”等。

消石，畏杏仁、竹叶。

芎藭，畏黄连。

天南星，畏附子、干姜、生姜。

代赭，畏附子。

砒黄（砒石），畏绿豆、冷水、醋。

水蛭，畏石灰。

金，畏水银。

生银，畏石亭脂、磁石。

朱砂银，畏石亭脂、磁石、铁。

石亭脂，畏细辛、飞廉、铁。

铁，畏磁石、灰炭。

五色石脂，畏黄芩、大黄。

铁，制石亭脂毒。

犁镵尖，浸水名为铁精，可制朱砂、石亭脂、水银毒。

黑豆，制金石药毒。

蜂子，须以冬瓜及苦荬、生姜、紫苏，以制其毒也。

干漆，毒发，饮铁浆并黄栌汁及甘豆汤。吃蟹并可制。

4）相杀：一药能消除另一药的毒性。《日华子本草》称它为“杀××毒”。

荷叶，杀蕈毒。

山姜花，杀酒毒。

酒，杀一切蔬菜毒。

醋，杀一切鱼、肉、菜毒。

酱，杀一切鱼、肉、蔬菜、蕈毒。

葱根，杀一切鱼、肉毒。

莳萝，杀鱼、肉毒。

马兰，杀蕈毒。

人参，杀金石药毒。

浮石，杀野兽毒。

羊蹄根，杀胡夷鱼、鲑鱼、檀胡鱼毒。

5）相恶：两药合用，相互减低疗效，或抵消疗效。《日华子本草》称它为“恶××”。

黄芪，恶白鲜皮。

大戟，恶薯蓣。

斑猫，恶豆花。

6）相反：两药合用，产生副作用或毒性。《日华子本草》称它为“忌××”。

莲花，忌地黄、蒜。

牡丹，忌服蒜。

天雄、乌头、附子、侧子，并忌豉汁。

常山，忌菘菜。

生地黄，煎忌铁器。

杨梅，忌生葱。

（2）服药食忌。

关于服药食忌例，《日华子本草》记载不多，兹举例如下。

葱根，不可以蜜同食。

韭，多食昏神暗目，酒后尤忌，不可与蜜同食。

薤，生食引涕唾。不可与牛肉同食，令人作癥瘕，四月不可食也。

小蒜，三月不可食。

萝卜，不可与地黄同食。

茭首，食巴豆人不可食。

稷米，不可与川附子同食。

赤黍米，不可合蜜并葵同食。

枣，不宜与生葱食。

椑柿，不宜与蟹同食。

杨梅，忌生葱。

马肉，忌苍耳、生姜。

野鸭，病人不可与木耳、胡桃、豉同食。

鲫鱼子，不宜与猪肉同食。

细辛，忌狸肉。

菖蒲，忌饴糖、羊肉。

生银，忌羊血、生血。

朱砂银，忌一切血。

芸薹，胡臭人不可食。

（3）解诸药毒例。

关于解诸药毒例，《日华子本草》记载得亦少，兹举例如下。

石蟹，解一切药毒。

吴蓝，解金石药毒，解狼毒、射罔毒。

阿魏，御一切蕈菜毒。

丝莼，解石药毒并蛊毒。

稷米，解苦瓠毒。

乌梅、柚子、乳柑子、榠楂、甘蔗，并解酒毒。

桔梗，治瘨毒。

莨菪有毒，甘草、升麻、犀角并解之。

土附子有毒，中者，以甘草、蓝青、小豆叶、浮萍、冷水、荠苨皆可御也。

8.《日华子本草》佚文考

保存《日华子本草》佚文的著作，有各种版本的《证类本草》和《纲目》《品汇》《东医宝鉴》《和名类聚钞》《本草衍义》。前4种援引《日华子本草》资料最多，后2种援引《日华子本草》资料很少。其中《东医宝鉴·汤液篇》3卷中所引《日华子本草》佚文，与《证类本草》所引多有相同之处，但《东医宝鉴》未注明出处，无法将之作为辑佚的依据。

在《大观》《政和》中，掌禹锡引用《日华子本草》文字的形式有以下几种。

（1）引用《日华子本草》部分内容，用以补充注释《嘉祐本草》的旧药。因此，掌禹锡所录此部分内容，都是节录性的文字，多寡不一，对有些药物仅摘录个别字。例如，"柽柳"条摘"温"字，"淋石"条摘"暖"字，"无患子""铜弩牙""蝎"等条摘"平"字，"藿香"条摘"味辛"，"井中苔及萍""无名异""紫真檀""地浆""甜瓜"等条摘"无毒"2字。"手爪甲"条摘"平，催生"3

字。类似此例很多。按，此等药在《日华子本草》原书中的内容，不会如此简单，只是与前代本草相同者，被掌禹锡舍弃了。

(2）引用《日华子本草》药物，用以补充《嘉祐本草》的新药，并在新药条文末附小字注“新补见《日华子》”。具有此注的药物有菩萨石、绿矾、柳絮矾、铅、铅霜、古文钱、蓬砂、桑花、槐叶、蚌等。这些药物的条文，可视为《日华子本草》中完整的药物条文。

(3）引用《日华子本草》药物和诸家本草药物糅合成新的药物，充当《嘉祐本草》新增药。在这种糅合的药物条文末，均附有小字注“新补见××并《日华子》”。注文中“新补见××”，有下列几种情况。

1）注“新补见《药性论》并《日华子》”。有此注的药物有玄明粉、马牙消。

2）注“新补见陈藏器并《日华子》”。有此注的药物有水银粉、铜青、腊雪、马兰、地笋、燕蓐草、鸭跖草、山慈菰、鼠曲草、萱草根、鸡窠中草、鸡冠子、木槿、柘木、柞木皮、黄栌木、棕榈子、感藤、婆罗得、甘露藤、蛤蜊、车螯、蜀葵。

3）注“新补见孟诜、《日华子》”。有此注的药物有鲈鱼、鲎、淡菜。

4）注“新补见孟诜、陈藏器、《日华子》”。有此注的药物有干苔、船底苔。

5）注“新补见唐本注、陈藏器、《日华子》”。有此注的药物有蚬。

6）注“新补见陈藏器、萧炳、孟诜、《日华子》”。有此注的药物有蚶。

7）注“新补见《千金方》及孟诜、陈藏器、《日华子》”。有此注的药物有甜瓜、胡瓜。

8）注“新补见孟诜、陈藏器、陈士良、《日华子》”。有此注的药物有蕹菜、鹿角菜、莙荙、菠薐、苦荬。

9）注“新补见孟诜、陈藏器、萧炳、陈士良、《日华子》”。有此注的药物有胡荽、邪蒿、同蒿、罗勒、石胡荽、曲、荞麦。

以上《嘉祐本草》新增药物条文末附注“新补见××并《日华子》”者，其药物条文虽包括有《日华子本草》药条内容，但都夹杂其他各家本草内容，目前尚无法一一甄别原出处，引用时宜加注意。

《品汇》引《日华子本草》，误注的很多。兹举例如下。

(1）石钟乳。《品汇》引《日华子本草》有“添精益髓”4字。《大观》《政和》引《日华子本草》无此4字，引《青霞子》有此4字。按，此4字出自《青霞子》，非日华子语。

（2）伏龙肝。《品汇》引《日华子本草》有“及中风心烦恍惚”7字。《大观》《政和》引《日华子本草》无此7字，引《千金方》作“治中风心烦恍惚”。按，此7字出自《千金方》，非日华子语。

（3）北庭砂。《品汇》引《日华子本草》有“或水飞过，入瓷器中，以重汤煮之，使其自干，而杀其毒，及去尘秽也”26字。按，此26字出自《本草衍义》，非日华子语。

（4）紫菀。《品汇》引《日华子本草》有“劳气虚热”4字。《大观》《政和》引《日华子本草》无此4字，引《药性论》有此4字。按，此4字出自《药性论》，非日华子语。

（5）茌子。《品汇》引《日华子本草》有“补中益气，通血脉，填精髓。可蒸令熟，烈日曝干，当口开，舂其米食之。亦可休粮”。按，此文出自《食疗本草》，非日华子语。

上述几例，都是《品汇》误注他书内容为《日华子本草》文。这种误注，多因援引他书的内容，续于《日华子本草》文下，却脱漏他书的标记。类似此种误注者很多。由于《品汇》所引《日华子本草》资料存在大量的误注，所以《品汇》不能作为辑校的依据。

《纲目》所引《日华子本草》资料，与《大观》《政和》所引差异很大，或修改，或损益，或误注。兹举误注数例如下。

（1）菖蒲。《纲目》引《日华子本草》有“勿犯铁器，令人吐逆”8字。《大观》《政和》引《日华子本草》无此8字，引《千金方》作“不可犯铁，若犯之，令人吐逆”。按，此8字出自《千金方》，非日华子语。

（2）莨菪。《纲目》引《日华子本草》有“服之热发，以绿豆汁解之”10字。《大观》《政和》引《日华子本草》无此文，引《药性论》作“甚温暖热发，用绿豆汁解之”。按，此10字出自《药性论》，非日华子语。

（3）青蒿。《纲目》引《日华子本草》有“杀风毒”3字。《大观》《政和》引《日华子本草》无此3字，引《食疗本草》有此3字。按，此3字出自“孟诜”，非日华子语。

（4）酸模。《纲目》引《日华子本草》有“茎叶俱细，节间生子，若茺蔚子”12字。《大观》《政和》引《日华子本草》无此文，引《蜀本草》有此12字。按，此12字出自《蜀本草》，非日华子语。

（5）桂心。《纲目》引《日华子本草》有“杀草木毒”4字。《大观》《政和》

引《日华子本草》无此4字，引《抱朴子》有此4字。按，此4字出自《抱朴子》，非日华子语。

上述数例，都是《纲目》误注他书内容为《日华子本草》内容的情况。类似此种误注者极多。关于《纲目》引《日华子本草》文存在大量的误注、修改、损益等情况，笔者另撰专文述之。

9. 金陵版《纲目》引《日华子本草》误注例

《纲目》是以《政类本草》为蓝本编撰的，所引《日华子本草》资料来源于《证类本草》。

现用《大观》（武昌柯逢时光绪三十年影宋并重校刊本）、《政和》（人民卫生出版社1957年影印本）同《纲目》（上海科学技术出版社1993年影印金陵版）进行核对，发现《纲目》所引《日华子本草》资料的出处与前二者不同，主要有四种情况，见表1—4。

首先，金陵版《纲目》引《日华子本草》文，出现表1—4所述4种情况，与李时珍在编纂《纲目》时，所据《证类本草》版本不同有关。各种不同版本的《大观》存在互异文字，各种不同版本《政和》也存在互异文字。这些互异文字都能造成表1—4所述情况，特别是那些质量差、错误多的版本，更易导致这些情况。

其次，在编纂时未标明文献出处或标注有误，或誊清时有讹误，没有仔细地校对，也会导致这些情况。

最后，刊刻时有讹误，没有仔细地校对，亦可能导致这些情况。

按，胡承龙刚刚刻好金陵版《纲目》，李时珍即逝世，全书没有经过李时珍过目，从而遗留表1—4所述的讹误。

这些讹误，使后人刊刻《纲目》时出现不少以讹传讹的错误，同时也使研究人员引用时出现一些讹误，从文献角度讲，对这些讹误应予以纠正。

表1　《纲目》误注《日华子本草》文为其他文

《纲目》药名　卷，页	注文	作《日华子本草》者		《纲目》误注
		《大观》卷，页	《政和》页	
松节　34，2795	治脚弱，骨节风	12，6（“弱”作“软”）	291(同左)	弘景
消石　11，1147	畏杏仁、竹叶	3，15	85	徐之才
淫羊藿　12，1277	紫芝为之使，得酒良	8，39	206	之才曰
石硫黄　11，1160	曾青为之使，畏细辛、飞廉、铁	4，10	102	之才曰
殷孽　9，1036	熏筋骨弱并痔瘘及下乳汁	4，28（“熏”作“治”）	113(同左)	《别录》
白马茎　50，3799	（牙齿）水磨服	17，1	374	《别录》
柰　30，2600	肺壅	23，40	478	《别录》
海松子　31，2671	逐风痹寒气，虚羸少气，补不足，润皮肤、肥五脏	23，40（“润”作“消”）	478(同左)	《别录》
松萝　37，3106	令人得眠	13，39	330	甄权(指《药性论》)
钩藤　18，2016	客忤胎风	14，44	357	甄权(指《药性论》)
橘皮　30，2616	破癥瘕痃癖	23，5	461	甄权(指《药性论》)
椒目　32，2707	膀胱急	14，4	340	甄权(指《药性论》)
神曲　25，2295	化水谷宿食、癥结积滞，健脾暖胃	25，14（“癥结积滞”作“癥气”）	492(同左)	《药性》
黄牛肉　50，3776	补益腰脚	17，7	378	孙思邈
萝卜(莱菔)　26，2385	平，不可与地黄同食	27，15	506	孙思邈
苋实　27，2435	通九窍	27，10	500	孟诜
马芹　26，2411	令人得睡	29，12	522	孟诜
藊豆　24，2265	补五脏	25，15	493	孟诜
狸屎烧灰　51，3913	主鬼热疟疾	17，23（“鬼”作“寒”）	386(同左)	孟诜
水苏　14，1510	头风目眩及产后中风恶血不止	28，13（“恶”作“及”）	514(同左)	孟诜
白马溺　50，3803	洗头疮白秃	17，17	374	孟诜
合欢　35，2921	叶可洗衣垢	13，44	332	藏器
人牙齿　52，3981	除劳，治疟、蛊毒气，入药烧用	15，3	364	藏器
榼藤子　18，1933	飞尸	14，41；5，22	356	藏器
玻璃　8，948	惊悸心热，能安心明目	5，22（“青琅玕”条下：玻璃，安心，止惊悸，明目）	132(同左)	藏器
冬青皮　36，3035	补益肌肤	12，38	306	藏器
酒　25，2311	社坛余胙酒，治孩儿语迟，内口中佳。又以喷屋四角，辟蚊子	25，5（“内口中佳”作“以少许吃口吐酒”）	488(同左)	藏器
茅针　13，1361	通小肠	8，46	208	藏器
穬麦　22，2188	作饼食	25，15	493	萧炳

续表

《纲目》药名　卷，页	注文	作《日华子本草》者		《纲目》误注
		《大观》卷，页	《政和》页	
狸骨　51，3913	治一切游风	17，23（无"一切"2字）	386（同左）	保鼎
原蚕蛾　39，3226	壮阳事，止泄精、尿血，暖水脏，治暴风、金疮、冻疮、汤火疮，灭瘢痕	21，16	429	时珍
苦参　13，1343	杀疳虫，炒存性，米饮服，治肠风泻血并热痢	8，14（"炒存性，米饮服"，作"炒带烟出为末，饭饮下"）	198（同左）	时珍
韭　26，2334	壮阳，止泄精，暖腰膝	28，5（"壮"作"益"）	511（同左）	宁原
甘松香　14，1421	下气	9，52	236	《开宝》
豆蔻　14，1431	消酒毒	23，1	460	《开宝》
硇砂　11，1150	北庭砂	5，7	125	《四声》
蛤蜊　46，3543	润五脏，止消渴，开胃，治老癖为寒热，妇人血块，宜煮食之	22，4	441	禹锡

表2　《纲目》误注其他文为《日华子本草》文

《纲目》药名　卷，页	纲目误注下列文为《日华子本草》文	《大观》卷，页	《政和》页	《大观》《政和》注作其他文
鼠妇　41，3302	气癃不得小便，妇人月闭血瘕，痫痓寒热，利水道	12，31	455	《本经》
桃蠹虫　41，3279	桃蠹虫（按，"桃蠹"2字最早见于《本经》，非《日华子本草》）	23，25（在"桃核仁"条中）	472（同左）	《本经》
狼毒　17，1772	苦、辛，有毒	11，16	268	《药性论》
荩草　16，1745	治一切恶疮	11，50	281	《药性论》
槐皮　35，2916	浴男子阴疝卵肿	12，11	294	《药性论》
石龙芮　17，1897	逐诸风，除心热躁	8，45	208	《药性论》
鹿茸　51，3879	补男子腰肾虚冷，脚膝无力，夜梦鬼交，精溢自出，女子崩中漏血，赤白带下，炙末，空心酒服方寸匕	17，4	376	《药性论》
椿木皮　35，2888	肠风下血不住，肠滑泻	4，15（作"肠滑，痔疾，泻血不住"）	344（同左）	《药性论》
麦门冬　16，1656	定肺痿吐脓	6，49（"定"作"治"）	156（同左）	《药性论》
枇杷叶　30，2630	治呕哕不止	23，22	469	《药性论》
琥珀　37，3097	治产后血枕痛	12，19	297	《药性论》
白前　13，1377	主一切气	9，43	233	《药性论》
蛇床子　14，1400	小儿惊痫，煎汤浴，大风身痒	7，40	186	《药性论》

续表

《纲目》药名　卷，页	纲目误注下列文为《日华子本草》文	《大观》卷，页	《政和》页	《大观》《政和》注作其他文
黄连　13，1305	杀虫	7，8（作“杀小儿疳虫”）	175（同左）	《药性论》
椿木皮　35，2888	女子血崩及产后血不止，赤带	4，15	344	孟诜
豹肉　51，3851	耐寒暑	17，27	386	孟诜
麋角　51，3894	补虚劳	18，15	390	孟诜
驴皮　50，3809	覆疟疾人良	18，6	390	孟诜
雁肪　47，3582	治耳聋	19，8	400	孟诜
茄子　28，2482	醋摩，傅肿毒	29，8	520	孟诜
淋石　52，3997	石淋，水磨服之，当得碎石随溺出	5，29	135	今附（《开宝本草》）
地衣草（仰天皮）22，2123	卒心痛中恶，以人垢腻为丸，服七粒。又主马反花疮，生油调傅	4，44	120	陈藏器
兔肉　51，3926	热气湿痹	17，21	385	陈藏器
鲤鱼肉　44，3416	怀妊身肿	20，19	419	陈藏器
水银粉　9，979	畏磁石、石黄，忌一切血	2，42	74	陈藏器
酸模　19，2060	茎叶俱细，节间生子，若茺蔚子	11，13	267	《蜀本》
苦苣　27，2442	叶，傅蛇咬	27，20	508	《嘉祐本草》
鼍甲　43，3368	无毒，蜀漆为之使，畏芫花、甘遂、狗胆	21，14	431	《药对》
茅针　13，1362	止吐血衄血，傅灸疮	8，46	208	《唐本草》

表3　《纲目》引《日华子本草》文脱漏标记

《纲目》药名　卷，页	《纲目》引下列文均脱漏出处	作《日华子本草》者	
		《大观》卷，页	《政和》页
铜弩牙　8，920	气味，平，微毒	5，26	133
雄鹊肉　49，3685	治消渴疾	19，15	404
舂杵头细糠　25，2327	卒噎，刮取含之	25，11（作“治噎，煎汤呷”）	491（同左）

表4　《纲目》所引《日华子本草》文不见《证类本草》

《纲目》药名　卷，页	《纲目》所引下列文均注出处为《日华子本草》	《大观》《政和》在相同药名下无此文	
		《大观》卷，页	《政和》页
甘蔗　15，1618	花主治心痹痛，烧存性，研，盐汤点服二钱	11，22	270
锡　8，914	主治恶毒风疮	5，11	127
蘘草　15，1619	平	30，16	546
豆蔻　14，1426	破冷气作痛，止霍乱	23，1	460
乌贼鱼　44，3468	干煮名鲞	21，11	428

10.《纲目》糅合《日华子本草》文和其他本草文的例证

（1）《纲目》将《日华子本草》文与《唐本草》注文糅合为一体。举例如下。

《纲目》卷29页1263“栗树皮”条“煮汁，洗沙虱、溪毒”下标出处为“苏恭”，即此句指《唐本草》注文。

《政和》页464引《唐本草》注文云：“树白皮，水煮汁，主溪毒。”又引《日华子本草》云：“树皮煎汁，治沙虱、溪毒。”

比较三家文字可知，《纲目》的文字，由《唐本草》注文和《日华子本草》文糅合而成。

（2）《纲目》将《日华子本草》文与孙思邈文糅合为一体。举例如下。

《纲目》卷26页1192“莱菔”条“气味”下引“思邈曰”作“平，不可与地黄同食，令人发白，为其涩营卫也”。

《证类》页506“莱菔”条引《日华子本草》云：“萝卜，平。不可以与地黄同食。”又引“孙真人”曰：“久服涩荣卫，令人发早白。”

比较三家文字可知，《纲目》之文，由《日华子本草》文与孙思邈文糅合而成。

（3）《纲目》将《日华子本草》文与《食疗本草》文糅合为一体。举例如下。

1）百合。

《纲目》卷27页1226“山丹”条下注出处为“日华”，并在“主治”项下“疮肿，惊邪”后注出处为“大明”。

《政和》页204引《日华子本草》云：“红百合，凉，无毒。治疮肿及疗惊邪。此是红花者名连珠。”又引《食疗本草》云：“红花者名山丹，不甚良。”

从《政和》所引可知，“山丹”的名称，见于《食疗本草》，而不见于《日华子本草》。《纲目》在“山丹”药名下注“日华子”，即标注“山丹”名称出于《日华子本草》是错误的。这样易于使人误解“山丹”名称出现的时间比《食疗本草》成书时间要晚。

2）薤。

《纲目》卷26页1179引“诜曰”作“三四月勿食者”。

《政和》页512引《日华子本草》云：“生食……四月不可食也。”又引《食疗本草》云：“三月勿食生者。”

比较两书的引文可知，《纲目》所引“诜曰”之文，由《日华子本草》文与《食疗本草》文糅合而成。

3）紫苏。

《纲目》卷14页840在“紫苏”条“除寒热，治一切冷气”下标出处为“孟诜”。

《政和》页514引《日华子本草》云：“治……并一切冷气。”又引“孟诜”云：“除寒热，治冷气。”

比较两书的引文可知，《纲目》的文字是糅合孟诜文与《日华子本草》文而成。

4）水苏。

《纲目》卷14页842“水苏”条引“孟诜”云：“酿酒、渍酒及酒煮汁，常服，治抬头风目眩及产后中风，恶血不止，服之弥妙。”

《政和》页514引《日华子本草》云：“治头风目眩，产后中风，及血不止。”又引“孟诜”云：“又头风目眩者，以清酒煮汁一升服；产后中风，服之弥佳。”

比较两书引文，《纲目》的文字是由《日华子本草》文和孟诜文糅合而成的。

5）马芹子。

《纲目》卷26页1202“马芹子”条引“孟诜”云：“炒研醋服，治卒心痛，令人得睡。”

《政和》页522引《日华子本草》云：“子治卒心痛，炒食令人得睡。”又引“孟诜”云：“卒心痛，子作末醋服。”

比较两书引文，《纲目》的文字是由《日华子本草》文和孟诜文糅合而成的。

（4）《纲目》将《日华子本草》文同陈藏器文糅合为一体。举例如下。

1）茅根。

《纲目》卷13页784“茅根”条“茅针”下引“藏器”云：“通小肠，治鼻衄及暴下血，水煮服之。恶疮痈肿，软疖未溃者，以酒煮服，一针一孔，二针二孔。生挼，傅金疮止血。”

《政和》页208“茅根”条引“陈藏器”云：“茅针，味甘，平，无毒。主恶疮肿未溃者，煮服之，服一针一孔，二针二孔。生挼，傅金疮止血。煮服之，主鼻衄及暴下血。”又引《日华子本草》云：“茅针，凉。通小肠，痈毒软疖不作头，浓煎和酒服。”

把《纲目》所引“藏器”文，同《政和》所引文比较一下，即可看出，《纲目》将《日华子本草》文糅合在陈藏器文内。

2）小麦面。

《纲目》卷22页1111“小麦面”条注“补虚，久食，实人肤体，厚肠胃”出处为“藏器”。

《政和》页491引《日华子本草》云：“补不足，助五脏，久食实人。”又引“陈藏器”云：“补虚，实人肤体，厚肠胃。”

比较三家文字可知，《纲目》文字是由《日华子本草》文和陈藏器文糅合而成的。

(5)《纲目》将《日华子本草》文与《药性论》文糅合为一体。

例如，《纲目》卷34页1373“没药”条注“破癥瘕宿血，损伤瘀血，消肿痛”出处为“大明”(即《日华子本草》)。但其中“破癥瘕宿血”“消肿痛”两句出自《日华子本草》，中间一句“损伤瘀血”出自《药性论》(《政和》页330)。

(6)《纲目》将《日华子本草》文、孟诜文、《药性论》文糅合为一体。

例如，《纲目》页1388“椿樗”条“白皮及根皮”下注“止女子血崩，产后血不止，赤带，肠风泻血不住，肠滑泻，缩小便，蜜炙用”出处为“大明”(即《日华子本草》)。

《政和》页344引《日华子本草》文云：“樗皮，温，无毒。止泻及肠风，能缩小便，入药蜜炙用。”又引“孟诜”云：“女子血崩，及产后血不止……止赤带下。”又引《药性论》云：“肠滑痔疾，泻血不住。”由此可见，《纲目》“椿樗”条所注“大明”的文字，是糅合《日华子本草》文、孟诜文、《药性论》文而成的。

(7)《纲目》将《日华子本草》文和《海药本草》文糅合为一体。

例如，《纲目》页751“仙茅”条注“治一切风气，补暖腰脚……填骨髓”出处为“李珣”(《海药本草》作者)。

按，《政和》页273“仙茅”条引《日华子本草》云：“治一切风气。”又引《海药本草》云：“补暖腰脚……填骨髓。”由此可见，《纲目》所注“李珣”的文字实由《日华子本草》文和《海药本草》文糅合而成。

(8)《纲目》将《日华子本草》文、《肘后方》文、《别录》文糅合为一体。

例如，《纲目》卷50页1742“马”条“头骨”下注“喜眠，令人不睡。烧灰，水服方寸匕，日三夜一。作枕亦良”出处为《别录》。

按，《政和》页375引《别录》云：“头骨，主喜眠，令人不睡。”又引《肘后方》云：“治人嗜眠喜睡，马头骨烧灰末，水服方寸匕，日三夜一。”又引《日华子本草》云：“头骨治多睡，作枕枕之。”所以，《纲目》此条文字，实由《别录》《肘后方》《日华子本草》三家文字糅合而成。

(9)《纲目》将《日华子本草》文与《开宝本草》文糅合为一体。

例如，《纲目》卷14页821“三棱”条云：“治老癖癥瘕，积聚结块，产后恶血血结，通月水，堕胎，止痛利气。”

在此文中，除“治老癖癥瘕结块”为《开宝本草》文外，其余的文字皆由《日华子本草》文糅合而成（见《政和》页227）。

11.《纲目》引《日华子本草》化裁举例

《纲目》援引《日华子本草》资料时，多化裁之，极少按原文转录。其或增加文字，或删减文字，或修改文句，或对句子重新进行排列组合。今以1957年人民卫生出版社版《政和》和1957年人民卫生出版社影印的《纲目》，进行对比，把《纲目》引《日华子本草》化裁的例子列举如下（表5—9）。

表5　《纲目》引《日华子本草》文，增加文字的例子

药名	《政和》引《日华子本草》文	《纲目》引《日华子本草》文增加的文字	《政和》页次	《纲目》页次
贝母	傅人畜恶疮	“疮”后，增“敛疮口”	205	780
葈耳实	入药炒用	“用”字后，增“捣去刺用，或酒拌蒸过用”	195	877
百部	杀蝇蠓	“杀”字后，增“虱及”	225	1027
蒴草	治恶疮疥癣，风瘙	“瘙”字后，增“瘘蚀有虫，浸酒服”	240	1041
天麻	服无忌	“服”字后，增“食”字	223	740
常山	忌菘菜	“忌”字后，增“葱菜及”；句末，增“代砒石”	253	958
石衣	常发	“发”字后，增“令黑”	278	1090
仙茅	开胃，下气，益房事	“胃”字后，增“消食”；句末，增“不倦”	273	751
桂	破痃癖癥瘕	句末，增“杀草木毒”	289	1357
干漆	若是湿漆，煎干更好	句末，增“亦有烧存性者”	301	1391
辛夷	体噤瘙痒	句末，增“人脂，生光泽”	303	1361
谷树汁	傅蛇虫蜂犬咬	“蜂”字后，增“蝎”	300	1435
鼠李	治水肿	句末，增“腹胀满”	353	1446

续表

药名	《政和》引《日华子本草》文	《纲目》引《日华子本草》文增加的文字	《政和》页次	《纲目》页次
桑耳	止肠风泻血	“止”字后，增“血衄”	315	1242
安息香	治肾气	“肾”字前，增“男子遗精，暖”	330	1374
熊白	杀劳虫	句末，增“酒炼服之”	370	1771
牯羊角	退热，治山瘴溪毒	“退”字后，增“灰治漏下”	379	1724
牯羊粪	烧灰，理聤耳并罯刺	句末，增“入肉，治箭镞不出”	379	1724
水牛角	煎，治热毒风并壮热	“煎”字后，增“汁”字	377	1735
马头骨	烧灰，傅头耳疮佳	“烧”字前，增“治齿痛”	374	1742
犬头骨	烧灰用，亦壮阳	句末，增“止疟”	387	1720
虎睛	镇心	句末，增“安神”	384	1761
乌贼鱼	乌贼鱼	“鱼”字后，增“干者名鲞”	428	1615
龟甲	钻遍者名败龟	“龟”字后，增“板，入药良”	413	1625
鸡子	开声喉	句末，增“失音”	397	1667
苍鹅	脂润皮肤	句末，增“可合面脂”	400	1657
雄鹊	烧之	句末，增“水服”	404	1699
蠮螉	罯竹木刺	“罯”字前，增“能”字	446	1509
白僵蚕	治中风失音	“治”字前，增“以七枚为末，酒服”	430	1517
藕节	冷解热毒	“冷”字后，增“伏流黄”	460	1339
莲花	忌地黄、蒜	“蒜”字前，增“葱”字	461	1341
枇杷叶	疗妇人产后口干	“疗”字后，增“呕哕不止”	469	1287
柿	疗肺痿心热嗽	“嗽”字前，增“咳”字	468	1279
韭	除心腹痼冷	“除”字前，增“煮食，充肺气”	511	1172
甜菜	开胃，通心膈	句末，增“宜妇人”	513	1207
荆芥	作菜生熟食。并煎茶	“食”字前，增“皆可”；“茶”字后，增“饮之”	513	836
水蕲	治烦渴，疗崩中带下	句末，增“五种黄病”	519	1200
蕺菜	煨，傅恶疮	“煨”字后，增“熟捣”	521	1218
白芥	子，烧，及服	“烧”字后，增“烟”字	505	1188
胡麻	养五脏	“养”字前，增“润”字	481	1102
胡麻叶	作汤沐	“沐”字后，增“头”字	481	1102
麦糵	除烦，消痰	“烦”字后，增“闷”字，“痰”字后增“饮”字	492	1112
糯米	止霍乱	句末，增“吐逆不止”	495	1115

表6　《纲目》引《日华子本草》文，删去文字的例子

药名	《政和》引《日华子本草》文	《纲目》引《日华子本草》文删去的文字	《政和》页次	《纲目》页次
景天	治心烦热狂，赤眼，头痛，游风丹肿	心烦、丹肿	188	1079
茜根	乳结，月经不止，肠风	乳结、肠风	184	1040
芍药	天行热疾，瘟瘴，惊狂，妇人血运	天行热疾、瘟瘴、妇人血运	201	802

续表

药名	《政和》引《日华子本草》文	《纲目》引《日华子本草》文删去的文字	《政和》页次	《纲目》页次
玄参	头风，热毒，游风，补虚，劳损，心惊，烦躁，劣乏	头风，热毒，劣乏	203	752
款冬	补劳劣，消痰止嗽，肺痿吐血，心虚惊悸，洗肝明目	补劳劣；止嗽，肺痿吐血	226	910
土瓜根	心烦闷，吐痰，痰疟	吐痰，痰疟	220	1021
大黄	利关节，泄壅滞水气，四肢冷热不调，瘟瘴热疾，利大小便，并傅一切疮疖痈毒	四肢冷热不调；利大小便，并傅一切疮疖痈毒	246	941
高良姜	反胃呕食	呕食	224	809
柚子	解酒毒，治饮酒人口气	治饮酒人口气	461	1286
丁香	消痃癖，除冷劳	除冷劳	307	1363
蜀椒	治天行时气温疾	温疾	340	1316
郁李仁	通泄五脏	通	345	1445
杉材	并煎汤服，并淋洗	并淋洗	355	1354
槟榔	破癥结，下五膈气	下五膈气	319	1305
桑白皮	调中下气，益五脏，消痰止渴，利大小肠	益五脏，利大小肠	315	1429
枳壳	利大小肠，皮肤痒	利；皮肤痒	323	1437
乌药	治一切气，除一切冷	治一切气	329	1368
榉树皮	下水气，止热痢，安胎	下水气，止热痢	348	1411
柳华	止痛。牙痛煎含。枝煎汁，可消食也	牙痛煎含。枝煎汁，可消食也	343	1412
桐油	傅恶疥疮	疥	349	1395
胡椒	调五脏，止霍乱	止霍乱	349	1320
栎树	消瘰疬，除恶疮	除恶疮	351	1294
龙齿	治烦闷、癫痫、热狂，辟鬼魅	癫痫、辟	368	1574
牛黄	疗中风失音、口噤，妇人血噤	妇人血噤	370	1754
麝香	辟邪气，杀鬼毒蛊气，疟疾，催生，堕胎	辟邪气，杀鬼毒蛊气	369	1785
天灵盖	入药酥炙用	入药	365	1827
人溺	揩洒皮肤，治皲裂，能润泽人	揩洒皮肤；能润泽人	365	1818
人中白	心膈热，鼻洪，吐血	鼻洪、吐血	365	1819
牛酥	益心肺，止渴嗽	心肺	373	1750
犀角	镇肝明目，治中风失音，热毒风，时气发狂	治中风失音，热毒风，时气发狂	383	1768
羊头	治骨蒸，脑热，头眩，明目，小儿惊痫	骨蒸；明目，小儿惊痫	379	1724
犬肉	暖腰膝，补虚劳	补虚劳	381	1720
犬心	治狂犬咬，除邪气	除邪气	381	1720

续表

药名	《政和》引《日华子本草》文	《纲目》引《日华子本草》文删去的文字	《政和》页次	《纲目》页次
犬胆	主扑损瘀血，刀箭疮	扑损瘀血	381	1720
獐骨	补虚损，益精髓	补虚损	386	1784
猪肚	杀劳虫，止痢	止痢	388	1709
腽肭脐	疗惊狂痫疾及心腹疼，破宿血	及心腹疼，破宿血	394	1798
鲫鱼	温中下气，补不足	补不足	418	1602
海鳗	杀虫毒恶疮	虫毒	431	1608
鲮鲤甲	恶疮疥癣	恶疮	454	1578
鳖	益气调中，妇人带下	益气调中	425	1630
鳖甲	并扑损瘀血，疟疾	疟疾	425	1630
海蛤	治呕逆，阴痿	阴痿	416	1642
蚌	明目，止消渴，除烦，解热毒，补妇人虚劳	明目，止消渴；补妇人虚劳	442	1639
野鸭	补虚，助力，和胃气，消食，治热毒风	补虚，助力，和胃气，消食	400	1660
鸬鹚屎	和脂油调	调	404	1664
蜂子	妇人带下病等	病等	416	1505
露蜂房	痢疾，乳痈	痢疾	424	1506
蝼蛄	治恶疮，水肿	恶疮	453	1548
蜈蚣	治癥癖，邪魅，蛇毒	邪魅，蛇毒	446	1562
蚯蚓	治中风，并痫疾，去三虫，治传尸、天行热疾、喉痹、蛇虫伤	去三虫，治传尸、天行热疾、蛇虫伤	445	1564
大枣	治虚劳损	劳	462	1264
枣叶	治小儿壮热，煎汤浴。和葛粉裛痱子佳，及治热瘤也	和葛粉裛痱子佳，及治热瘤也	462	1264
藕	除烦止闷，口干渴疾，止怒，令人喜	口干渴疾，止怒，令人喜	460	1340
乌梅	消酒毒，治偏枯，皮肤麻痹，去黑点	治偏枯，皮肤麻痹，去黑点	466	1254
木瓜	脚气水肿	脚气	467	1271
甘蔗	利大小肠，下气痢，补脾	下气痢，补脾	471	1336
芫荽	消风毒，除胸胃热，治黄疸，开胃下食	消风毒，除胸胃热，治黄疸	469	1345
桃核人	树上自干者，治肺气腰痛，除鬼精邪气	除鬼精邪气	471	1256
乳柑子	解酒毒及酒渴。多食发阴汗	多食发阴汗	470	1284
冬瓜	除烦，治胸膈热，消热毒痈肿	除烦，治胸膈热	503	1234
冬瓜叶	叶，杀蜂；可修事蜂儿，并焫肿毒，及蜂丁	可修事蜂儿，并焫	503	1034
芥子	和生姜研，微暖	微暖	505	1187
薤	轻身，耐寒	轻身	512	1179

续表

药名	《政和》引《日华子本草》文	《纲目》引《日华子本草》文删去的文字	《政和》页次	《纲目》页次
韭	除心腹痼冷、胸中痹冷，痃痹气，及腹痛	胸中痹冷；腹痛	511	1172
薄荷	治中风失音，吐痰，除贼风，疗心腹胀，下气，消宿食，及头风等	除贼风，疗心腹胀，下气，消宿食	515	838
瓠	除烦止渴，治心热，利小肠，润心肺，治石淋，吐蛔虫	除烦止渴，治心热，利小肠，润心肺，治石淋	516	1232
丝莼	安下焦，补大小肠虚气	补大小肠虚气	519	1072
小蒜	下气，止霍乱吐泻，消宿食	止霍乱吐泻，消宿食	518	1180
白芥	功用与芥颇同	颇	505	1188
大麻	益毛发，去皮肤顽痹，下水气	去皮肤顽痹，下水气	483	1107
黑豆	治牛马温毒	治	486	1134
饴糖	止嗽，并润五脏	并润五脏	484	1158
麦蘖	温中下气，开胃	温中下气	492	1157
麦苗	消酒毒，退胸膈热。患黄疸人，绞汁服	消酒毒；患黄疸人，绞汁服	491	1111
黄粱米	去客风，治顽痹	治	491	1124
赤黍米	下气，止咳嗽，除烦，止渴	除烦，止渴	490	1123
醋	除烦，破癥结	破癥结	494	1160
玉	润心肺，明目	明目	81	615

表7　《纲目》引《日华子本草》文修改文句的例子

药名	《政和》引《日华子本草》文	《纲目》引《日华子本草》文修改的文字	《政和》页次	《纲目》页次
马衔	古旧铤者好，或作医士针也	古旧者好，亦可作医士针也	117	614
铁精	犁镵尖，浸水名为铁精。可制朱砂、石亭脂、水银毒	铁犁镵尖，得水，制朱砂、水银、石亭脂毒	114	614
铜秤锤	治难产，并横逆产，酒淬服	治难产横生，烧赤淬酒服	114	608
艾叶	患痢人后分寒热急痛	痢后寒热	217	848
蘹香子	开胃下食	开胃下气	225	1202
零陵香	酒煎服茎、叶	茎叶煎酒服	232	829
旋覆花	叶，止金疮血	叶，傅金疮止血	251	862
青葙子	苗，止金疮血	茎、叶，止金疮血	255	863
蛇含	治蛇虫蜂虺所伤，及眼赤，止血，熁风疹痈毒	止血，协风毒，痈肿，赤眼，汁傅蛇虺蜂毒	253	921
青蒿子	煎洗	煎水洗之	250	854
何首乌	治腹脏宿疾，一切冷气及肠风	治腹脏一切宿疾，冷气肠风	262	1028
羊蹄根	亦可作菜食	作菜，多食滑大肠	267	1061
蛇莓	傅蛇虫咬	傅蛇虫伤	276	1007
檀香	治痛	止心腹痛	309	1366

续表

药名	《政和》引《日华子本草》文	《纲目》引《日华子本草》文修改的文字	《政和》页次	《纲目》页次
五加皮	叶，治皮肤风，可作蔬菜食	叶，作蔬菜食，去皮肤风湿	301	1450
榆白皮	涎傅癣	捣涎傅癣疮	298	1416
楮实	助腰膝	健腰膝	300	1433
橘核	治腰痛，膀胱气，肾疼。炒去壳，酒服，良	治肾疰腰痛，膀胱气痛，肾冷。炒研，每温服一钱，或酒煎服之	461	1284
橘囊	橘囊上筋膜，治渴及吐酒。炒，煎汤饮甚验也	橘囊上筋膜，主治口渴、吐酒，炒熟，煎汤饮，甚效	461	1284
柚	治妊孕人吃食少	疗妊妇不思食	461	1286
金樱花	杀寸白蚘虫等。和铁粉研，拔白发傅之，再出黑者。亦可染发	杀寸白虫。和铁粉研匀，拔白发涂之，即生黑者。亦可染须	310	1444
厚朴	杀腹脏虫	杀肠中虫	324	1386
淡竹	怀妊人头旋	治妊妇头旋	317	1477
苦竹	治中风失音	治中风喑哑	317	1477
茱萸叶	盐研罯神验。干即又浸，复罯。霍乱脚转筋，和艾以醋汤拌罯，妙也	盐碾罨之，神验，干即易。转筋者同艾捣，以醋和罨之	318	1324
家桑叶	除风痛出汗，并扑损瘀血，并蒸后罯。蛇虫蜈蚣咬，盐挼傅上	蒸熟，捣罯风痛出汗，并扑损瘀血。挼烂，涂蛇、虫伤	315	1430
蓖麻子	治水胀腹满，细研水服，壮人可五粒。催生，傅产人手足心，产后速拭去。疮痍疥癞亦可研傅	研傅疮痍疥癞。涂手足心，催生	265	956
桑花	入药微炒	炒用	334	1091
枳壳	痔肿。可炙熨	炙热，熨痔肿	323	1437
楠材	治转筋	煎汤洗转筋及足肿。枝、叶同功	359	1367
钓樟	煎服。并将皮煎汤洗疮痍、风瘙疥癣	煎汤服。亦可浴疮痍风瘙，并研末傅之	349	1368
榉树皮	主妊娠人腹痛	主妊妇腹痛	348	1294
栎树皮	治水痢	止水痢	351	1294
麝香	内子宫，暖水脏	纳子宫，暖水脏	369	1785
羊乳	含疗口疮	含之治口疮	372	1724
熊掌	食可御风寒，此是八珍之数	食之可御风寒，益气力	370	1771
熊脑髓	去白秃风屑，疗头旋并发落	疗头旋，摩顶，去白秃风屑，生发	370	1771
醍醐	止惊悸	主惊悸	373	1751
羊肉	开胃，肥健	开胃，健力	379	1724
牛涎	止反胃呕吐，治噎。要取，即以水洗口后，盐涂之，则重吐出	口涎，主治反胃呕吐。以水洗老牛口，用盐涂之，少顷即出，或以荷叶包牛口使耕，力乏涎出，取之	377	1735
马肉	马肉，只堪煮，余食难消，不可多食，食后以酒投之，皆须好清水搦洗三五遍，即可煮食之	马肉，只堪煮食，余食难消。渍以清水搦洗血尽乃煮，不然则毒不出，患疔肿，或曰以冷水煮之，不可盖釜	374	1742

续表

药名	《政和》引《日华子本草》文	《纲目》引《日华子本草》文修改的文字	《政和》页次	《纲目》页次
鹿角	醋摩傅	醋磨汁涂	376	1775
鹿髓	治筋骨弱	壮筋骨	376	1775
兔头骨	和毛髓，烧为丸，催生，落胎	连毛、髓烧灰酒服，治产难下胎	385	1793
兔肉	治渴，健脾，生吃压丹毒	止渴健脾，炙食压丹石毒	385	1793
麋脂	补髓	益髓	390	1781
骆驼	治风，下气，壮筋力，润皮肤	治诸风，下气，壮筋骨，润肌肤	395	1749
猪肾	暖腰膝	暖膝	388	1709
象牙	生煎	生煮汁	371	1765
鳢鱼	炙，贴痔瘘及蚛骭，良久虫出，即去之	炙香，贴痔瘘及蛀骭疮，引虫出为度	417	1607
鳢鱼胆	诸鱼中，惟此胆甘，可食	诸鱼胆苦，惟此胆甘可食为异也。腊月收取，阴干	417	1607
鳗鱼	鳗鱼，治劳，补不足，杀传尸疰气，杀虫毒恶疮，暖腰膝，起阳，疗妇人产户疮虫痒	鳗丽鱼，治恶疮、女人阴疮虫痒，治传尸疰气，劳损，暖腰膝，起阳	431	1608
青鱼	枕，用醋摩，治水气、血气心痛	头中枕，治血气心痛，平水气	435	1598
白鱼	助血脉，补肝，明目。患疮疖人不可食，甚发脓。灸疮不发，作鲙食之，良	治肝气不足，补肝明目，助血脉。灸疮不发者，作鲙食之，良。患疮疖人食之，发脓	434	1599
乌贼鱼	又名缆鱼，须脚悉在眼前，风波稍急，即以须粘石为缆	鱼有两须，遇风波即以须下碇，或粘石如缆，故名缆鱼	428	1615
鳖头	烧灰，疗脱肛	傅历年脱肛不愈	425	1630
蛇蜕	治蛊毒，辟恶	炙用辟恶	444	1582
蟾	眉酥，治蚛牙。和牛酥摩傅腰眼并阴囊，治腰肾冷，并助阳气。以吴茱萸苗汁调妙	蟾酥同牛酥，或吴茱萸苗汁调，摩腰眼、阴囊治肾冷，并助阳气，又治虫牙	440	1557
蛤蚧	止嗽	疗咳血	447	1581
蚌粉	痈肿，醋调傅	醋调涂痈肿	442	1639
乌雄鸡	生罯竹木刺不出者	生捣，涂竹木刺入肉	397	1667
鹧鸪	疗蛊气、瘴疾欲死者，酒服之	酒服，主蛊气欲死	400	1681
雉鸡	有痼疾人不宜食	有痼疾人不可食	403	1678
鹁鸽肉	吃噎下气，炙食之。作妖，可通灵	炙食一枚，治吃噎下气、通灵	404	1696
孔雀	血，治毒药，生饮良	生饮，解蛊毒，良	403	1701
露蜂房	治牙齿疼，痢疾，乳痈，蜂叮	煎水漱牙齿，止风虫疼痛蜂叮	424	1500
白僵蚕	并一切风疾	治一切风疰	430	1517
蚕蛹子	研傅蚕病	研傅病疮	430	1517
蚯蚓屎	治蛇犬咬，并热疮，并盐研傅。小儿阴囊忽虚热肿痛，以生甘草汁调，轻轻涂之	小儿阴囊忽虚热肿痛，以生甘草汁入轻粉末调涂之。以盐研傅疮，去热毒，及蛇犬伤	445	581

续表

药名	《政和》引《日华子本草》文	《纲目》引《日华子本草》文修改的文字	《政和》页次	《纲目》页次
螃蟹	并酒服	以酒食之	426	1634
大枣	牙齿有病人切忌啖之。凡枣亦不宜合生葱食	有齿病疳病虫䘌人不宜啖食枣，小儿尤不宜食，又忌与葱同食，令人五脏不和，与鱼同食令人腹胀痛	462	1264
荷叶	止渴，落胞，杀蕈毒，并产后口干，心肺燥，烦闷	止渴，落胞破血，治产后口干，心肺躁烦	460	1342
梅子	止渴，多啖伤骨，蚀脾胃，令人发热	多食损齿伤筋，蚀脾胃，令人发膈上痰热。服黄精人忌食之。食梅齿齼者，嚼胡桃肉解之	466	1254
枇杷子	治肺气，润五脏，下气，止吐逆，并渴疾	止渴下气，利肺气，止吐逆，主上焦热，润五脏	469	1287
榠楂	治发赤并白	治发白、发赤	467	1273
茨菰	煮，以生姜御之	以生姜同煮	469	1346
李	益气。多食令人虚热	多食令人膨胀发虚热	477	1249
梨	消风，疗咳嗽气喘、热狂，又除贼风、胸中热结	除贼风，止心烦，气喘，热狂	476	1269
椑柿	止渴	止烦渴	471	1279
乳柑子	多食发阴汗	去白，焙，研末，点汤入盐饮之	470	1284
冬瓜人	去皮肤风，剥黑䵟	去皮肤风及黑䵟	504	1234
白前	治贲豘肾气，肺气烦闷及上气	主一切气、肺气烦闷、奔豚肾气	233	790
木莲藤	汁傅白癜、疬疡风及恶疥癣	治白癜风、疬疡风、恶疮疥癣，涂之	176	1050

表 8 《纲目》引《日华子本草》文，对病名、药名、炮制术语等进行修改的例子

药名	《政和》引《日华子本草》文	《纲目》对《日华子本草》文中病名、药名、炮制术语等的修改	《政和》页次	《纲目》页次
马蔺	止鼻洪	止鼻衄	202	872
地榆	止鼻洪	止鼻衄	220	754
檗木	止鼻洪	止鼻衄	299	1383
人溺	止鼻洪	止鼻衄	365	1818
百部	杀蚘虫	杀蛔虫	225	1027
檗木	杀蚘虫	杀蛔虫	299	1383
白药	治喉闭	治喉痹	234	1037
白蔹	止痔瘘	止痔漏	255	1033
蚤休	搐手足	手足搐	279	984
乌药	治疥癞	治疥疠	329	1368
天竺黄	治痫痰	治痫疾	333	1380

续表

药名	《政和》引《日华子本草》文	《纲目》对《日华子本草》文中病名、药名、炮制术语等的修改	《政和》页次	《纲目》页次
黄药	治马一切疾	治马心肺热疾	346	1036
兔肝	治头旋眼疼	治头旋目眩	385	1793
诃梨勒	消食……并患痢人后分急痛，并产后阴痛，和蜡烧熏，及热煎汤熏，通手后洗	化食……并患痢人肛门急痛，并产妇阴痛，和蜡烧烟熏之，及煎汤熏洗	342	1409
芦根	妊孕人心热	洗孕妇心热	271	882
松叶	风湿疮	风疮	291	1553
松脂	煎膏治瘘烂，排脓	治耳聋，古方多用辟谷	291	1351
没药	消肿毒	消肿毒痛	330	1373
蜀椒	开胃……治心腹气	开胸……止呕逆	340	1316
卫矛	肚痛	腹痛	331	1448
杨梅	洗恶疮疥癞	恶疮疥癣	477	1288
瓜蒂	治脑塞	脑寒	503	1332
萝卜	和羊肉、鲫鱼煮食之	和羊肉、银鱼煮食之	506	1192
萝卜子	水研服	研汁服	506	1192
芥	心痛，酒醋服之	心痛，酒调服之	505	1187
葱	通大小肠	利大小肠	510	1175
薤	食之能止久痢	煮食止久痢	512	1179
葫	健脾……除邪，辟温……蛇虫伤，恶疮疥	健脾胃……除邪祟，解温疫……恶疮、蛇虫	517	1182
胡麻子	逐风温气	逐风湿气	481	1102
胡麻叶	作汤沐，润毛发	作汤沐头，去风润发	481	1102
大麻	下乳……治横逆产	通乳汁……难产	483	1102
赤豆粉	治烦，解热毒，排脓，补血脉。解油衣粘缀甚妙	解小麦热毒。煮汁，解酒病，解衣粘缀	487	1136
赤豆叶	食之明目	煮食明目	487	1138
粳米	补肠胃	益肠胃	489	1117
糯米	治蛊毒，浓煎汁服	又解蛊毒，煎汁服	495	1115
稷米	多食发冷气	发热	496	1121
藊豆叶	傅蛇虫咬	杵，傅蛇咬	493	1144
绿豆	益气，除热毒风	除吐逆	494	1140
酒	糟下酒	糟底酒	487	1161
醋	血运	治出血昏运	494	1160
食盐	暖水脏……消食……小儿疝气	助水脏……火灼疮……疗疝气	106	685
蜀漆	又名鸡尿草，鸭尿草	鸡屎草、鸭屎草	254	958
荠草	并浓煎	煎浓	346	994
郁李根	风蚛牙，浓煎含之	治风虫牙痛，浓煎含漱	345	1445

续表

药名	《政和》引《日华子本草》文	《纲目》对《日华子本草》文中病名、药名、炮制术语等的修改	《政和》页次	《纲目》页次
乌臼根皮	以慢火炙，令脂汁尽，黄干后用	慢火炙干黄乃用	354	1422
盐肤子	盐麸叶上毬子	五倍子	355	1511
南烛枝	黑饭草	乌饭草	350	1450
蛇黄	飞研用之	研末，水飞用	137	682
蟾蜍	眉酥，治蚛牙	蟾酥，又疗虫牙	440	1557
车螯	烧二度，各以醋煅，捣为末	烧赤，醋淬二度为末	442	1646
蚶	壳，烧，以米醋三度淬后埋令坏，醋膏丸	烧过，醋淬，醋丸服	442	1441
石决明	壳，磨障翳	磨障	416	1642
木槿花	炒用	并焙入药	359	1460
棕榈皮	入药烧灰用，不可绝过	烧存性用	359	1421
发	入药烧灰，勿令绝过	烧存性用	363	1812
野猪外肾	和皮烧作灰，不用绝过，为末饮下	连皮烧存性，研，米饮服	393	1770
乳柑子	皮炙作汤	去白，焙，研末，点汤入盐饮之	470	1284
甜菜	炙作熟水饮	煎汤饮	513	1207

表9　《本草纲目》引《日华子本草》文，对句子进行重新组合的例子

药名	《政和》引《日华子本草》文	《纲目》对《日华子本草》文句的重新组合	《政和》页次	《纲目》页次
栝楼根	通小肠，排脓消肿毒，生肌长肉，消扑损瘀血。治热狂时疾，乳痈发背，痔瘘疮疖	治热狂时疾，通小肠，消肿毒、乳痈发背、痔瘘疮疖，排脓，生肌长肉，消扑损瘀血	197	1020
王瓜子	润心肺，治黄病，生用。肺痿吐血，肠风泻血，赤白痢，炒用	生用：润心肺，治黄病。炒用：治肺痿吐血，肠风泻血，赤白痢	220	1022
延胡索	除风治气，暖腰膝，破癥癖，扑损瘀血，落胎及暴腰痛	除风治气，暖腰膝，止暴腰痛，破癥瘕，扑损瘀血，落胎	230	779
白及	止惊邪，血邪，痼疾，赤眼，癥结，发背，瘰疬，肠风，痔瘘，刀箭疮，扑损，温热疟疾，血痢，汤火疮，生肌止痛，风痹	止惊邪，血邪，血痢，痫疾，风痹，赤眼，癥结，温热疟疾，发背瘰疬，肠风痔瘘，扑损，刀箭疮，汤火疮，生肌止痛	256	758

12.《纲目》引《日华子本草》文目次

《纲目》引《日华子本草》资料注以“大明”“日华”。兹将《纲目》引有

《日华子本草》资料的药物名称摘录如下。药物名称前的号码为1957年人民卫生出版社影印《纲目》的页码。

576　白垩①修治②主治

581　蚯蚓泥①主治

583　伏龙肝①气味

585　乌古丸①主治

588　梁上尘①气味

593　金屑①气味

595　生银①气味②主治

596　朱砂银①正名②气味③主治

596　赤铜①主治

597　自然铜①气味②主治

599　铅①正名②主治

600　铅霜①正名②主治

601　粉锡①释名②气味③主治④发明

603　铅丹①气味②主治

604　密陀僧①气味②主治

605　锡①主治

606　古镜①气味②主治

607　古文钱①正名②主治

608　诸铜器①主治②铜秤锤

608　铁①发明

609　熟铁①气味

609　生铁①主治②发明

610　铁落①主治②发明

611　铁华粉①释名②修治③主治

613　钥匙①正名②主治

613　铁犁镵尖①正名②主治

614　马衔①

615　玉屑①主治

615　玉泉①主治

617 珊瑚①主治

618 玻璃①主治

621 五色石英①主治

622 紫石英①痈肿毒气

623 菩萨石①正名②主治

626 丹砂①气味②主治

628 水银①气味②主治

631 水银粉①释名②气味

636 雄黄①气味②主治

640 石膏①集解②主治

646 五色石脂①气味②主治

650 石钟乳①主治

653 孔公孽①气味

654 殷孽①附录石花

656 石灰①释名②气味③主治

658 浮石①正名②主治

661 阳起石①修治②主治

662 磁石①气味②主治

664 代赭石①主治

665 禹馀粮①主治

667 空青①集解②主治

670 石胆①气味②主治

673 砒石①气味②主治③发明

678 金牙石①修治②主治

681 石蟹①主治

682 蛇黄①修治②主治

685 大盐①主治

687 食盐①小儿疝气

688 戎盐①释名②气味③主治

693 朴消①主治

693 马牙消①主治

1256　桃毛①主治

1256　桃枭①主治

1256　桃叶①主治

1262　栗楔①主治

1262　栗壳①主治

1264　大枣①主治

1264　枣叶①主治

1269　梨①主治

1271　木瓜①主治

1273　榠楂①主治

1276　林檎①主治

1279　白柿①主治

1279　椑柿①释名②主治

1281　橘①主治

1281　橘瓤上筋肢①主治

1281　橘核①主治

1284　柑皮①主治

1286　柚①正名②主治

1287　枇杷①主治

1287　枇杷叶①主治

1288　杨梅树皮及根①主治

1289　樱桃①气味

1289　东行根①主治

1291　胡桃①食酸齿䶉

1293　榛①集解

1293　榛仁①主治

1294　橡实①主治

1294　橡斗壳①主治

1294　橡木皮、根皮①主治

1302　橄榄①主治

1305　槟榔子①气味②主治

1308　大腹皮①主治

1316　蜀椒①释名

1316　椒红①主治

1316　椒叶①主治

1320　胡椒①主治

1321　毕澄茄①主治

1322　吴茱萸①主治

1322　吴茱萸叶①主治

1331　甜瓜瓤①气味

1332　瓜蒂①气味②主治

1336　甘蔗①气味②主治③发明

1336　沙糖①主治

1339　莲实①气味②主治

1340　藕①气味②主治

1340　藕节①气味②主治

1341　莲薏①主治

1341　莲蕊须①气味

1341　莲花①主治

1342　荷叶①修治②主治

1344　芡实①主治

1345　乌芋①主治

1346　慈姑①正名②释名③气味④主治

1346　慈姑叶①主治

1350　柏叶①主治

1351　松脂①主治

1353　松叶①主治

1353　松根白皮①主治

1354　杉①主治

1357　桂心①主治

1361　辛夷①修治②主治

1361　沉香①气味②主治

1541 桑蠹虫①主治

1542 桃蠹虫①主治

1546 蜣螂①主治

1548 蝼蛄①气味②主治

1550 衣鱼①气味

1551 鼠妇①气味②主治

1554 蜚虻①主治

1557 蟾蜍①主治

1558 蟾酥①主治

1559 虾蟆①气味②主治

1560 蛙①主治

1562 蜈蚣①主治

1564 蚯蚓①释名②主治

1567 蜗牛①集解

1574 龙骨①主治

1575 龙齿①主治

1577 鼍甲①气味②主治

1578 鲮鲤甲①主治

1581 蛤蚧①释名②修治③气味④主治

1582 蛇蜕①主治

1596 鲤鱼肉①气味②主治

1596 鲤鱼脂①主治

1596 鲤鱼脑髓①主治

1598 青鱼肉①气味

1598 青鱼头中枕①主治

1599 白鱼肉①主治

1602 鲫鱼肉①主治

1605 鳜鱼①释名②附录䲔鱼

1605 鳜鱼肉①气味②主治

1607 鳢鱼肠及肝①主治

1607 鳢鱼胆①气味

药名索引

（药名后数字为该药的序号）

五画

六画

七画

八画

九画

十画

十一画

十二画

十三画

十四画

十五画

十六画

十七画

十八画

十九画

二十画

二十画以上